Το κάστρο της μνήμης

ΑΡΗΣ ΦΑΚΙΝΟΣ

ΤΟ ΚΑΣΤΡΟ
ΤΗΣ ΜΝΗΜΗΣ

Μυθιστόρημα

ΕΒΔΟΜΗ ΕΚΔΟΣΗ

ΕΚΔΟΣΕΙΣ ΚΑΣΤΑΝΙΩΤΗ
ΑΘΗΝΑ 1995

Εκδόσεις Θ. Καστανιώτη
Ζωοδόχου Πηγής 3, 106 78 Αθήνα
Κεντρική διάθεση:
ΕΚΔΟΣΕΙΣ ΚΑΣΤΑΝΙΩΤΗ Α.Ε.
Ζαλόγγου 11, 106 78 Αθήνα
☎ 330.12.08 – 330.13.27 FAX: 384.24.31

ΠΡΩΤΗ ΕΚΔΟΣΗ - ΑΘΗΝΑ 1993
ISBN 960-03-1034-3

Στον Μέμο,
που κράτησε κι αυτός γερά
σε μια άλλη πολιορκία

ΠΡΩΤΟ ΜΕΡΟΣ

Α

ΦΤΑΝΕ ΚΑΤΑ ΜΥΡΙΑΔΕΣ Ο ΣΤΡΑΤΟΣ ΤΗΣ ΑΥΤΟΚΡΑΤΟΡΙΑΣ,
η πεζούρα σύννεφα απανωτά, αλλεπάλληλα σμάρια η
καβαλαρία. Έρχονταν, όλο κι έρχονταν οι Οθωμανοί,
σκέπαζαν σιγά σιγά τον κάμπο του Παλιόκαστρου μ' ένα
πλήθος βουερό, μυριόγλωσσο, πολύχρωμο. Άλλοι φόραγαν
βράκες και φέσια, άλλοι κελεμπίες και καλπάκια ή τουρμπά-
νια με στολίδια, με φτερά. Εδώ κι εκεί ξεχώριζαν κάτι φά-
λαγγες με Ασιάτες που τα γυμνά πανωκόρμια τους γυάλιζαν
σαν λαδωμένα, πέρα μακριά ξεδιακρίνονταν Κούρδοι και Τσερ-
κέζοι με μαύρα σαρίκια, Πέρσες κι Άραβες με κάτι δίπηχες
χαντζάρες, καβάλα σε βαρβάτα άλογα. Κρατώντας κάποια
απόσταση απ' όσους προηγούνταν αλλά κι απ' όσους ακολού-
θαγαν, σαν να 'θελαν να δείξουν τη διαφορά τους απ' όλο τ'
άλλο ασκέρι, βάδιζαν εκείνοι που θα 'παιζαν μεγάλο ρόλο
στην πολιορκία: μηχανικοί και λαγουμιτζήδες, κανονιέρηδες,
οι γεμιστές κι οι πυροδότες.

Όλοι ανεξαίρετα, μόλις ξεζαλώνονταν, μόλις πέζευαν,
άρπαζαν τσαπιά, φτυάρια κι αξίνια, άνοιγαν τάφρους, ύψω-
ναν αναχώματα, έστηναν σκηνές, στάβλους, παραπήγματα.
Ύστερα έριχναν πλίθρες και καλούπωναν, έφτιαχναν αργαστή-
ρια για τους γύφτους, τους πεταλωτήδες και τους μαραγκούς,
παράγκες για τους σαράτζηδες. Ολάκερος ο κάμπος, από κει
που άρχιζε το στρατόπεδο μέχρι πέρα μακριά, στον ορίζοντα
και στα γύρω βουνά, αχολογούσε από τις βαριές π' ανεβο-
κατέβαιναν, πέφταν και ξαναπέφταν με λύσσα πάνω στα πυ-
ρακτωμένα μέταλλα, από τα σφυριά και τους ματρακάδες
που χτυπούσαν δοκάρια, καντρόνια, σανίδια, από τα φυσερά
που ξεφυσούσαν, στέναζαν. Κι από μια πυκνοδασωμένη ρε-
ματιά που κατέβαινε από 'να κοντινό ύψωμα, όταν φυσούσε
βολικά ο άνεμος, έφτανε το αγκομαχητό που 'βγαζαν εκατο-

ντάδες πριγιόνια, ακούγονταν οι απανωτοί και ξεροί χτύποι των τσεκουριών που μπήγονταν στη σάρκα των δέντρων, λιάνιζαν τους κορμούς τους, έκοβαν τις κλάρες τους.

Τ' οθωμανικό ασκέρι δούλευε σκληρά, ασταμάτητα.

Κάτι θεόρατοι Μογγόλοι, με σβέρκους ταυρίσιους και με μπράτσα χοντρά σαν κιούγκια, πηγαινοέρχονταν με βούρδουλες και ραβδιά, χτύπαγαν, κλότσαγαν, δέρναν. Άμα πετύχαιναν κάναν τεμπελχανά ή κάποιον λουφατζή, τον άρπαζαν, τον έδεναν, τον σέρναν από τα πόδια. Καταμεσής στο στρατόπεδο είχαν στημένη μια εξέδρα όπου καρτερούσε μέρα νύχτα ο δήμιος — ένας Τάρταρος ψωμωμένος, ντέρεκας, τριχωτός σαν αρκούδα και βλογιοκομμένος. Το χαντζάρι του κατέβαινε στα γρήγορα και τέρμα. Οι βοηθοί του πρόστρεχαν τότε και πασπάλιζαν καλά το κεφάλι του εκτελεσμένου με στάχτη κι αλάτι για να μη βρωμίσει, το κάρφωναν σ' ένα κοντάρι και το γύριζαν παντού, από γιαπί σε γιαπί, από εργοτάξιο σ' εργοτάξιο, για να το βλέπει όλος ο στρατός και να φρονιματίζεται, να μουλώχνει.

Τα μαγειρεία όλης κείνης της μυρμηγκιάς στήθηκαν στο φρύδος της ρεματιάς, ώστε οι στρατιώτες της αγγαρείας να 'χουν σχεδόν δίπλα τους τα ξύλα και τα προσανάμματα, οι φωτιές έμεναν αναμμένες μέρα και νύχτα. Τυλιγμένα στις φλόγες τα τεράστια καζάνια με το μπουλγούρι ή τα όσπρια έβγαζαν συνέχεια αχνούς, πύρωναν, μουγκρίζαν. Ανεβασμένοι σε κάτι ψηλά σκαμνιά, οι μάγειροι ανακάτευαν με ξύλινα φτυάρια — πού και πού πεταγόταν το μπουλγούρι ζεματιστό σαν λάβα και τους έπαιρνε από τα μούτρα, άλλους τους έπνιγε ο καπνός και λιποθυμούσαν, έπεφταν πάνω στη θράκα, ούρλιαζαν. Κανείς δεν τους τραβούσε, κανείς δεν τους πρόσεχε. Για να μην καθυστερήσει το συσσίτιο ούτε λεπτό, έτρεχαν άλλοι στη θέση τους, έριχναν ξύλα στη φωτιά, άρπαζαν εκείνοι τα παρατημένα φτυάρια.

Ξαφνικά αχολογούσαν τούμπανα.

Έμπαιναν τότε στη σειρά όλοι: Τούρκοι, Κούρδοι, Άραβες, Πέρσες, Τσερκέζοι και Μογγόλοι, ξεθεωμένοι, κάθιδροι, με τα ξύλινα πιάτα στο χέρι, με τα παγούρια τους, άλλοι με μεγάλα κουμάρια ή μαστέλα, για να πάνε φαΐ και σ' όσους ήταν σ' αγγαρεία ή φύλαγαν σκοπιά. Μόλις έφταναν μπροστά στα καζάνια, οι μάγειροι τους γέμιζαν τις γαβάθες κι εκείνοι έτρωγαν βιαστικά, λιμασμένα. Στην αρχή, πριν αρχίσουν να 'ρχονται οι εφοδιοπομπές και τα καραβάνια από τα μακρινά στρατόπεδα που 'χε η επιμελητεία στη Θεσσαλονίκη και την Κομοτηνή, τα τρόφιμα έρχονταν τσίμα τσίμα. Και παρ' όλη τη σιδερένια πειθαρχία που 'χε επιβάλει ο σερασκέρης, μπροστά στα μαγειρεία ξεσπούσαν καβγάδες, έβγαιναν μαχαίρια, ξεθηκαρώνονταν σπαθιά. Όσπου να προστρέξουν οι αξιωματικοί με τ' άλογα και τα χαντζάρια, ώσπου να καταφτάσουν οι Μογγόλοι με τους βούρδουλες και τα ραβδιά, μπροστά στα καζάνια γινόταν αληθινή σφαγή. Ύστερα, μόλις τα πράγματα καλμάριζαν, πάνω στην εξέδρα του ο δήμιος ξανάπιανε δουλειά. Είχε κι αυτός δίπλα τη γαβάθα με το φαΐ του. Μα για να μη χάνει ώρα, έτρωγε και δούλευε, το χαντζάρι του ανεβοκατέβαινε κι εκείνος μασούσε.

Η κατάσταση άλλαξε μόλις ήρθαν τα καραβάνια.

Έφεραν χιλιάδες τσουβάλια στάρι, καλαμπόκι, όσπρια και μπουλγούρι, αμέτρητες κλούβες με κουνέλια, κότες, γαλόπουλα. Ένα γύρω, στα πέρατα του κάμπου και στα ριζά των βουνών, άρχισαν να βόσκουν κοπάδια τα πρόβατα και τα γελάδια, έσφαζαν οι χασάπηδες αβέρτα, έγδερναν, λιάνιζαν. Οι μύλοι άλεθαν ολημερίς, οι φουρναραίοι γέμιζαν τους φούρνους κλάρες και τους πύρωναν, πανίζαν, φούρνιζαν.

Μπροστά στα μαγειρεία οι καβγάδες σταμάτησαν. Για κάμποσον καιρό οι Μογγόλοι δεν ξαναδούλεψαν τα μαστίγια και τα ραβδιά. Κι όσο για το δήμιο, την ώρα του συσσίτιου μπορούσε κι άφηνε το χαντζάρι του για να γευτεί ήσυχος το φαΐ του.

Μια μέρα, ενώ από καιρό δεν έρχονταν πια καινούρια στρατεύματα, φάνηκε πάλι κόσμος στη δημοσιά. Καταπονημένοι ποιος ξέρει ύστερα από πόσα μερόνυχτα πορεία, με τα κορμιά τους πασπαλισμένα σκόνη, με ξεραμένες λάσπες στ' άρβυλα ή τα τσαρούχια τους, με τα ρούχα τους κουρελιασμένα, έφταναν και σκόρπιζαν εδώ κι εκεί στον κάμπο εκατοντάδες μικρέμποροι, πραματευτές, γυρολόγοι. Όλο τους το βιος, όλη τους η πραμάτεια χώραγε σ' έναν μπόγο που κουβάλαγαν στην πλάτη, από το ζωνάρι τους κρεμόταν ένα παγούρι με νερό κι ένα πέτσινο κεμέρι. Είχαν δει στη ζωή τους ένα σωρό εκστρατείες και πολέμους, μπορούσαν να καυχηθούν πως είχαν παρακολουθήσει περισσότερες μάχες κι από τους πιο ηλικιωμένους στρατιώτες. Τα μάτια τους είχαν δει κι είχαν δει, είχαν χορτάσει, δεν τους εντυπωσίαζαν πια οι σφαγές κι οι σκοτωμοί. Η μόνη τους σκοτούρα ήταν να βρίσκουν ευκαιρία για να πουλάνε την πραμάτεια τους, να βγάζουν το καθημερινό τους, να στέλνουν πού και πού κάνα άσπρο σε φαμίλιες και δικούς στα μακρινά χωριά τους.

Οι κανονισμοί του στρατού δεν πρόβλεπαν γι' αυτούς στέγη ούτε μέσα ούτε έξω από το στρατόπεδο. Τις νύχτες, αν υπήρχε κάνα φτηνό χάνι κάπου τριγύρω, οι χανιτζήδες τούς άφηναν να κοιμούνται σε καμιά γωνιά του στάβλου ή, αν δεν έκανε παγωνιά, τους έδιναν κάνα τσούλι και τους έλεγαν να πάνε και να το στρώσουν μέσα σε κάποιο από τα κάρα που 'ταν στην αυλή. Μόλις ερχόταν ο Απρίλης κι άρχιζαν οι καλοκαιριές, όλοι αυτοί οι γυρολόγοι δε σκοτίζονταν πια για στέγη, την έβγαζαν σπαρτιάτικα, κοιμόντουσαν σ' ένα κομμάτι ψάθα, σε μια κουρελού, σκέτα στο χώμα.

Όταν κάποιο πρωί ακούστηκαν από μακριά σαλπίσματα και τούμπανα, όλο τ' ασκέρι κατάλαβε πως έφταναν οι γιατροί κι οι νοσοκόμοι. Έτσι ανάγγελναν πάντα τον ερχομό τους αυτοί, με σαματά και μουσικές, για να ξεχνούν οι στρατιώτες τα βάσανα και τις συμφορές που θύμιζε η παρουσία τους, για να μην υπονομεύεται το ηθικό τους. Όσο κι αν ήξεραν όλοι πως η δουλειά αυτών των ανθρώπων ήταν για το καλό τους, κανείς δεν τους έκανε παρέα, δεν αποζητούσε τη συντροφιά τους. Όταν ο δρόμος τους διασταυρωνόταν με το δικό τους, οι στρατιώτες έκαναν πως δεν τους έβλεπαν και φτύναν στον κόρφο τους.

Οι περισσότεροι ταξίδευαν καβάλα σ' άλογα ή μουλάρια,

με καλοφουσκωμένα τα κεμέρια, με υπηρέτες, με βοηθούς, με σκλάβους. Καλοντυμένοι και καθαροί, στα ρούχα τους είχαν ένα σωρό στολίδια και δαντέλες, από τους λαιμούς τους κρέμονταν αλυσίδες, χαϊμαλιά κι ένα σωρό λιλιά, στα στήθια τους ήταν καρφιτσωμένα παράσημα. Μερικοί χρησιμοποιούσαν κι έναν τελάλη που προπορευόταν και διαλαλούσε τις δόξες και τα κατορθώματα τ' αφέντη — πόσους βαριά λαβωμένους είχε γλιτώσει από του χάρου τα δόντια, πόσες θανατερές πληγές είχαν γιάνει τα φάρμακά του, σε ποιες μάχες είχε σώσει κόσμο και κοσμάκη η τέχνη του.

Λίγο αργότερα ήρθαν δυο καραβάνια με τεχνίτες.

Ταμπάκοι και σαράτζηδες οι πιο πολλοί, βρήκαν τις παράγκες και τ' αργαστήρια τους στημένα κοντά στη ρεματιά για να 'χουν πρόχειρο κι άφθονο νερό· χωρίς αυτό δεν μπορούν ούτε να μουλιάσουν τα πετσιά ούτε ν' αργάσουν τα δέρματα. Και τότε αντίο οι παράδες, οι μπεζαχτάδες πιάνουν αράχνες, ενώ από τη μεριά του ο στρατός αναγκάζεται να φέρνει έτοιμο πράμα από την πρωτεύουσα και από τα λιμάνια της Μικρασίας. Δηλαδή καθυστέρηση μεγάλη, κίνδυνοι πολλοί, γεμάτο πειρατές το Αιγαίο, μυρμηγκιά στη γη οι ληστές.

Ξέροντας πόσο είχε την ανάγκη τους τ' ασκέρι, πόσο η τέχνη τους ήταν πολύτιμη σε κάθε πόλεμο, οι ταμπάκοι ειδικά το 'χαν πάρει πάνω τους όπως κι οι γιατροί, η συντεχνία τους είχε καταντήσει σωστό κράτος εν κράτει. Κι όπως ήταν όλοι τους σχεδόν αψίθυμοι, καβγατζήδες και μαχαιροβγάλτες, έσπερναν παντού τον τρόμο και κανένας δεν τους μιλούσε. Τους φοβούνταν ακόμα κι οι Τάρταροι, που θεωρούνταν οι πιο άτρομοι κι οι πιο σκληροί πολεμιστές — λεγόταν μάλιστα ότι απόφευγαν να τα βάλουν μαζί τους ακόμα κι οι ίδιοι οι γενίτσαροι.

Μαγκούφηδες οι πιο πολλοί —ποια γυναίκα θα παντρευόταν τέτοιους αγριάνθρωπους και θα 'κανε χωριό μαζί τους;— μαζεύονταν συχνά τα βράδια και μπεκρόπιναν αντάμα, γλεντούσαν, χόρευαν. Και πάνω στο χορό και το γλέντι, όταν είχε βγει από τις τσότρες κάμποση ρακή, στήνονταν καβγάδες, γίνονταν μεγάλα επεισόδια, έπεφταν μαχαιριές. Οι φωνές, τα βρισίδια κι οι βόγκοι των ταμπάκων ακούγονταν μέχρι την άλλη άκρη του στρατόπεδου, μα οι φρουροί παράσταιναν τους κουφούς, οι Τάρταροι δε σάλευαν από τα παραπήγματά τους.

Παρόλο που εξαιτίας της δουλειάς τους είχαν πολλές σχέσεις κι αλισβερίσια με το σινάφι των ταμπάκων, οι τσαγκάρηδες ήταν άλλοι άνθρωποι. Αυτοί οι κακόμοιροι δεν ακούγονταν ποτέ τους, δεν οργάνωναν γλέντια και τσιμπούσια στ' αργαστήρια τους. Άλλωστε, πού να τους έμενε καιρός για τέτοια... Από τις πολλές πορείες, τα ποδήματα των πεζικάριων έβγαιναν άχρηστα σε λίγες μόνο βδομάδες, οι αποστάσεις ήταν μεγάλες και τα καραβάνια δεν προλάβαιναν ν' ανεφοδιάσουν έγκαιρα τ' ασκέρι. Το πρόβλημα το 'λυναν οι τσαγκάρηδες: σκυμμένοι πάνω από τους χαμηλούς τους πάγκους, πάλευαν μέρα και νύχτα με πετσιά και δέρματα, μπάλωναν τσαρούχια κι άρβυλα, έβαζαν σόλες, τακούνια, φόλες. Από τους κερωμένους σπάγκους που τραβούσαν και τέντωναν σ' όλη τους τη ζωή, τα δάχτυλά τους είχαν γεμίσει κάλους, το τσαγκαροσούβλι κι η φαλτσέτα είχαν σκάψει την ψίχα των χεριών τους. Πόσες και πόσες φορές, πάνω στη φούρια της δουλειάς, το αίμα τους δεν είχε βάψει το πετσί των παπουτσιών πριν από το βερνίκι, πόσες ξυλόπροκες δεν είχαν σφηνωθεί κάτω από τα νύχια τους, πόσες σφυριές δεν είχαν πέσει κατά λάθος στα γόνατά τους...

Μπορεί να μη γλεντοκοπούσαν και να μη μέθαγαν σαν κείνα τα τομάρια τους ταμπάκους, μα τη ρακή δεν την περιφρονούσαν. Πού και πού, σαν είχανε να βγάλουν πολλή δουλειά κι ένιωθαν την κούραση να τους απειλεί, να τους κυριεύει, έλεγαν στα τσιράκια τους να ψάξουν ανάμεσα στα καλαπόδια, στις ράσπες, στους κεσέδες με τα βερνίκια και τα τσιρίσια. Όλο και κάποιο φλασκί λαγοκοιμόταν σε μια γωνιά τ' αργαστηριού, όλο και βρισκόταν κάπου λίγος παστουρμάς ή κάνα σουτζούκι. Έπιναν και δούλευαν οι καημένοι οι τσαγκάρηδες, καλοί και αγαθοί, ειρηνικοί, λιγομίλητοι. Τους κρατούσαν καμιά φορά συντροφιά οι στρατιώτες που 'ρχονταν για ν' αφήσουν ή να πάρουν τα ποδήματά τους, τα τσαρούχια τους.

16

Κουτσοπίνοντας τη ρακή που τους κερνούσαν, μιλούσαν για τα βάσανά τους, ξομολογιούνταν τις ελπίδες και τα όνειρά τους. Οι τσαγκάρηδες τους άκουγαν υπομονετικά, σάλευαν το κεφάλι με συμπόνια, τους καταλάβαιναν: ήταν κι εκείνοι από φτωχές φαμίλιες και μακρινά χώματα· κι οι δικοί τους γονιοί άσπριζαν και γερνούσαν· και τα δικά τους σπίτια είχαν ερημωθεί εξαιτίας του πολέμου κι αργογκρεμίζονταν. «Ποιος ξέρει πόσο θα τραβήξει κι αυτή η πολιορκία», στέναζαν.

Κανείς δεν απαντούσε, κανείς δεν ήξερε. Το ψιλόκούβεντο τραβούσε σε μάκρος, η μέρα σωνόταν, ο ήλιος έγερνε. Κι όταν έφτανε τ' απόβραδο, τα τσιράκια άναβαν λυχνάρια και σπαρματσέτα, τα ρακοπότηρα στέγνωναν. Από μακριά ακούγονταν τα νταούλια που ειδοποιούσαν τους στρατιώτες πως ήταν ώρα να γυρίσουν στο στρατόπεδο. Ύστερα, πιο αργά, κατά τα μεσάνυχτα, όλο και βρισκόταν κάποιος τσαγκάρης που 'κανε νυχτέρι. Κι όπως δεν είχε πια κανέναν δίπλα του για να του κρατήσει συντροφιά, έπιανε τραγούδι σιγανό, αργό, παραπονεμένο. Συχνά το σκέπαζε η χλαλοή του νερού που κατέβαινε μέσα στη ρεματιά. Άλλοτε πάλι, κάποιος από την κοντινή παράγκα των ντερβίσηδων έπιανε το νάι ή το σάζι του κι απαντούσε με τη μουσική του στη λυγμερή μελωδία του τσαγκάρη.

Ένα απόγεμα, πέρα μακριά, εκεί που η δημοσιά χανόταν πίσω από 'να κοντοράχι, φάνηκε κάποιο άλλο καραβάνι. Ήταν καμιά εικοσαριά άμαξες· τετράτροχες και τόσο μεγάλες και φανταχτερές, που 'μοιαζαν με κινητές αρχοντοκάμαρες. Είχαν πόρτες μπρος και πίσω, παράθυρα με παντζούρια και με κεντητά κουρτινάκια, στέγες χρωματιστές. Ο ήλιος, που κείνη την ώρα πήγαινε να βασιλέψει, χτυπούσε τ' ασημοκάρφια και τις χάντρες που στόλιζαν τα χάμουρα των αλόγων, καθρεφτιζόταν στα τζαμιλίκια των παράθυρων, στ' ασημένια στολίδια που 'χαν τα σαρίκια των αμαξάδων.

Μόλις τα φυλάκια που 'ταν σπαρμένα σ' όλο το μήκος της

δημοσιάς έδωσαν στο στρατόπεδο σινιάλο, μια εκατοστή πάνοπλοι γενίτσαροι σάλταραν στ' άλογα και χύθηκαν να προϋπαντήσουν το καραβάνι. Όταν ζύγωσαν στην πρώτη άμαξα, μπλοκάρισαν το δρόμο κι ο αρχηγός τους έδειξε κατά την πλαγιά ενός μικρού λόφου όπου υπήρχαν δυο χάνια. Ο επικεφαλής του καραβανιού, ένας Μογγόλος ευνούχος με μια κάμα στο ζωνάρι και με χρυσούς χαλκάδες στ' αυτιά, έπεσε στο χώμα και προσκύνησε, κάτι είπε, ύστερα έβγαλε από τον κόρφο ένα πάσο και το 'δωσε. Ο αξιωματικός των γενίτσαρων έριξε μια αδιάφορη ματιά στο χαρτί, χαμογέλασε περιφρονητικά και ξανάδειξε κατά την πλαγιά. Όμως ο ευνούχος επέμεινε, άρχισε να νευριάζει, να διαμαρτύρεται. Τότε ο γενίτσαρος τράβηξε το χαντζάρι του και, αυτή τη φορά, έδειξε κατά τα χάνια με την αιχμή του.

Ο Μογγόλος έπαψε να διαμαρτύρεται.

Μπροστά στα χάνια το καραβάνι σταμάτησε, οι αμαξάδες πήδηξαν κάτω σβέλτα κι άνοιξαν τις πίσω πόρτες από τις τέσσερις πρώτες άμαξες. Τότε, ήσυχα κι αθόρυβα, άρχισαν να κατεβαίνουν κάτι αγοράκια στρουμπουλά, με δέρματα ανήλιαγα, με μακριά κι αραχνούφαντα φουστάνια. Τα περισσότερα είχαν χτενισμένα τα μαλλιά τους μπούκλες, άλλα τα 'χαν φτιάξει αφέλειες που γλιστρούσαν στα κούτελά τους, σε μερικών τις ροδαλές πλάτες ταλαντεύονταν κοτσίδες. Όλα τους περπατούσαν αμίλητα, χαμογελαστά, με μικρά βηματάκια, κουνούσαν τα γοφιά τους. Καθώς κατέβαιναν χαριτωμένα από τις άμαξες, έσφιγγαν στην αγκαλιά κούκλες, παιχνίδια, ξύλινες σκαλιστές κασετίνες με τα στολίδια και τα καλλυντικά τους. Πριν τα μπάσουν στο χάνι, οι αμαξάδες τα μετρούσαν και μουρμούριζαν τα ονόματά τους χαϊδευτικά, ενώ ο Μογγόλος ευνούχος, που στεκόταν στο κεφαλόσκαλο του χανιού, τα φίλευε δίνοντας στο καθένα από μια χούφτα μαστίχα.

Από τις άλλες άμαξες πήραν να βγαίνουν γυναίκες.

Νέες κι όμορφες οι πιο πολλές, με κορμιά λυγερά, γοφιά γεμάτα, στήθια πλούσια. Άδικα τα μεταξωτά γιασμάκια προσπαθούσαν να τους κρύψουν τα κατακόκκινα χείλια, τα

18

βαμμένα μάτια και μάγουλα: καθώς ο ήλιος έγερνε, το πορφυρόχρυσο φως του κατάφερνε να γλιστρήσει πίσω από τις πτυχές του υφάσματος, να παραμερίσει τα στολίδια και ν' απλωθεί γλυκά στα πρόσωπα, να τρεμολαμπίσει παιχνιδιάρικα πάνω στα λαιμά. Κουνιστές και λυγιστές οι γυναίκες προχωρούσαν δυο δυο και κρατιούνταν από τα χέρια σαν αδελφούλες, σιγοκουβέντιαζαν, ψιλογελούσαν, ούτε που γύριζαν το κεφάλι κατά τα βαρβάτα άλογα των γενίτσαρων, που 'ξυναν νευρικά τη γη με τις οπλές τους και χλιμίντριζαν.

Αργά, μέσα στη νύχτα, καμιά τριανταριά μεθυσμένοι ταμπάκοι μαζεύτηκαν μπροστά στα χάνια κι ούρλιαζαν να τους ανοίξουν, έριχναν στις πόρτες κλοτσιές, πετούσαν στα παράθυρα κοτρόνες. Οι χανιτζήδες τα χρειάστηκαν κι έστειλαν κρυφά έναν αγωγιάτη να ζητήσει βοήθεια από το στρατόπεδο. Σε λίγο έφτασε ένα απόσπασμα, αλλά στο μεταξύ οι ταμπάκοι είχαν πληθύνει, αρματωθεί. Μόλις είδαν τους στρατιώτες που 'ρχονταν να τους διαλύσουν, τράβηξαν κάμες και τους χύθηκαν.

Ξαφνικά, κι ενώ ήταν κιόλας στρωμένα στο χώμα κάμποσα κουφάρια, ακούστηκε από 'να παράθυρο η διαπεραστική γυναικίσια φωνή ενός ευνούχου:

— Οι γενίτσαροι!

Ο απόηχος της κραυγής πνίγηκε από 'ναν παράξενο θόρυβο, κάτι σαν υπόγειο μπουμπουνητό πήρε να δονεί τη δημοσιά κι όλη τη γη γύρω από τα χάνια, από τους θάμνους πετάχτηκαν σκιαγμένα αγρίμια κι έτρεξαν κατά το βουνό. Για κάμποση ώρα κανείς δεν μπορούσε να καταλάβει τι ακριβώς γινόταν, κάποιοι φώναζαν ότι γινόταν σεισμός, οι γυναίκες παρακαλούσαν τον Αλλάχ, όσες ήταν χριστιανές σταυροκοπιούνταν.

Σε μια στιγμή, πάνω στις λάμες των υψωμένων μαχαιριών, αντιλάμπισαν αμέτρητες πορφυρές φλόγες, που 'λεγες ότι χιμούσαν σαν ξαφνικό αστραποβόλημα από τον ουρανό και που όλο και πύκνωναν, κυριαρχούσαν σ' όλο το γύρω τόπο, σχημάτιζαν ποτάμια πύρινα, τον έζωναν.

— Έρχονται οι γενίτσαροι! ξανακούστηκε η φωνή.

Απότομα, σαν να τα 'χε ανακρατήσει μια υπερκόσμια δύναμη, τα πύρινα ποτάμια ακινήτησαν. Χανιτζήδες, αμαξάδες, ταμπάκοι, όλοι μέσα κι έξω από τα χάνια, είδαν πως ήταν περικυκλωμένοι από γενίτσαρους καβαλάρηδες, που οι περισσότεροι κρατούσαν δαυλούς αναμμένους. Άλλοι είχαν ξεθηκαρώσει κιόλας τα γιαταγάνια τους.

Κατάλαβαν αμέσως τι τους περίμενε.

Είχαν μπροστά τους μερικούς από τους γενίτσαρους που 'χε εκπαιδεύσει ο ίδιος ο σερασκέρης. Ο σουλτάνος του 'χε δώσει την άδεια να κάνει όποιες αλλαγές ή μεταρρυθμίσεις ήθελε στο στρατό του, να βάλει σ' εφαρμογή τις ιδέες του. Έτσι είχε γίνει και με τους γενίτσαρους: ο σερασκέρης είχε επιλέξει τους καλύτερους και τους είχε εμπιστευτεί σε κάτι Γάλλους αξιωματικούς για να τους μάθουν να πολεμάνε όχι μονάχα πεζοί αλλά και καβαλάρηδες, είχε αλλάξει τον οπλισμό τους, είχε κάνει σιδερένια την πειθαρχία τους.

Ένας χανιτζής ξεπετάχτηκε από μια πόρτα, έπεσε στα γόνατα, μπουσούλισε. Κι έτσι σερνάμενος προχώρησε λίγα μέτρα και σταμάτησε, προσκύνησε ακουμπώντας το κούτελο στο χώμα:

—Έλεος, Σελήμ πασά, παρακάλεσε.

Ήταν μπροστά στα πόδια ενός κατάμαυρου και πανέμορφου αλόγου που τίναζε περήφανα κι ανυπόμονα τον τράχηλό του, με χρυσοστόλιστα χάμουρα, με ασημένιο χαλινάρι περασμένο στο στόμα.

Με μια χειρονομία του καβαλάρη, οι γενίτσαροι σήκωσαν ψηλά τους δαυλούς — ένα πορφυρό φως τύλιξε τον αφέντη τους. Μέσα στη θολή ανταύγεια από τις φλόγες φάνηκε πρώτα το μεγάλο κι ολομέταξο τουρμπάνι του, το μαλαμοκαπνισμένο του γιαταγάνι, το ξανθοκόκκινο και περιποιημένο γένι του. Θα 'ταν πρώτο μπόι άντρας, αφού και μερικοί γενίτσαροι, σκέτα καπλάνια, έδειχναν μισή μερίδα άντρες όταν περνούσαν δίπλα του.

—Έλεος, πασά μου, ικέτεψε πάλι ο χανιτζής.

Δίχως να σαλέψει καθόλου το κεφάλι, ο Σελήμ πασάς έριξε μια αδιάφορη ματιά στη σιλουέτα που αχνοξεδιακρινόταν μπροστά στ' άλογό του, η φλόγα ενός δαυλού τρεμολάμπισε στα μάτια του.

— Ομάρ! φώναξε.

Ο επικεφαλής των γενίτσαρων σπιρούνισε τ' άτι του και ζύγωσε. Ο σερασκέρης του 'δειξε τους ταμπάκους:

— Τέλειωνε γρήγορα με δαύτους, διάταξε.

Ο Ομάρ έδωσε κι αυτός τις διαταγές του. Σε λίγο δυο στρατιώτες κουβάλησαν μπροστά στην πόρτα του χανιού ένα χοντρό κούτσουρο από πεύκο και πελέκησαν λίγο στη μέση τη φλούδα του, έφτιαξαν ένα μικρό βαθούλωμα. Ώσπου ν' αποτελειώσουν, οι ταμπάκοι ήταν κιόλας δεμένοι πιστάγκωνα. Ύστερα οι γενίτσαροι τους άρπαζαν έναν έναν και τους έσερναν, άλλον από τα μαλλιά κι άλλον από τα πόδια. Μπροστά στο κούτσουρο τους έριχναν στα γόνατα και τους έβαζαν ν' ακουμπήσουν το λαιμό στο μέρος όπου το ξύλο ήταν σκαμμένο. Και μόλις έπεφτε σφυρίζοντας το χαντζάρι του γενίτσαρου που 'κανε το δήμιο, το κεφάλι του ταμπάκου κατρακυλούσε από τη μια μεριά του κούτσουρου, το κορμί του σφάδαζε από την άλλη.

Κράτησε κάμποση ώρα αυτή η δουλειά.

Όταν πια αποσώθηκαν οι ταμπάκοι, ο σερασκέρης ξαναφώναξε τον Ομάρ και κάτι του είπε αλλά με φωνή σιγανή αυτή τη φορά. Με μια κλοτσιά ο αρχιγενίτσαρος σήκωσε το χανιτζή, που ακόμα δεν τολμούσε ν' αφήσει το προσκύνημα και να ξεκολλήσει από το χώμα, τον έμπασε με μια σπρωξιά στο χάνι, έκλεισε την πόρτα και σύναξε τ' ασκέρι του. Ένας ένας οι άντρες πήραν τη θέση τους, ξανάφτιαξαν το σχηματισμό τους, μετά σπιρούνισαν τ' άλογα και κίνησαν για το στρατόπεδο χωρίς τον αξιωματικό τους. Για κάμποση ώρα, μέσα στο σκοτάδι του κάμπου, ξεδιακρίνονταν των δαυλών οι φλόγες που όλο και ξεμάκραιναν, ακούγονταν ο ήρεμος και ρυθμικός τροχασμός των αλόγων και τα χλιμιντρίσματά τους, τα ρουθουνίσματα που 'βγαζαν κάθε φορά που ξαφνιασμένα αγριμάκια πετάγονταν μπροστά στα πόδια τους.

Σε λίγο ο κάμπος ησύχασε.

Τα χάνια δε φωτίζονταν πια παρά με τα λυχνάρια και τα

σπαρματσέτα που 'ταν στις κάμαρες και στα τραπέζια, καθώς και από τα φανάρια που κρέμονταν πάνω από τις πόρτες. Βλέποντας πως οι στρατιώτες είχαν φύγει, οι γυναίκες και τ' αγόρια είχαν ξεθαρρέψει κι είχαν βγει στα παράθυρα, ψιλοκουβέντιαζαν, χασκογελούσαν, έπιναν σερμπέτια ή μασούσαν μαστίχα. Μέσα σε κείνη την κατασκότεινη νύχτα δεν μπορούσαν να δουν το σωρό με τα κομμένα κεφάλια των ταμπάκων ούτε και τα κουτσουρεμένα κορμιά τους, τα σκορπισμένα κι άχρηστα πια μαχαίρια τους.

Δεν έβλεπαν μήτε το σερασκέρη με τον Ομάρ.

Πάνω στ' άλογά τους, ασάλευτοι σαν ριζωμένοι, οι δυο άντρες είχαν γίνει ένα με το σκοτάδι, δε μιλούσαν. Σαν να εκτελούσαν κάποια διαταγή, τ' άλογά τους δεν τίναζαν τις χαίτες, δεν έξυναν τη γη με τις οπλές, απόφευγαν να κουνήσουν ακόμα και τις ουρές τους.

Από 'να παράθυρο ακούστηκε μια γυναίκα που σιγοτραγουδούσε. Η φωνή της ήταν όμορφη και γλυκιά, συγκρατημένο και αργό το τραγούδι της. Θα 'ταν καμιά Τσερκέζα, γιατί τα λόγια του τραγουδιού κάτι έλεγαν για τα πανύψηλα βουνά του Καυκάσου, για κάποιο χωριουδάκι που κρυφοζούσε σε μια από τις αμέτρητες πλαγιές του, για τους ειρηνικούς ανθρώπους που 'βγαζαν τον επιούσιο βοσκώντας γιδοπρόβατα στα λιβάδια του.

Ξαφνικά, σαν να την είχε ενοχλήσει κείνη η ήμερη και νοσταλγική μελωδία, σαν να 'θελε να τη διώξει, να την κάνει να χαθεί, μια άλλη γυναίκα χτύπησε ένα δυνατό παλαμάκι, ύστερα δεύτερο και τρίτο, χάλασε το στρωτό ρυθμό του τραγουδιού, το 'κανε γοργό, κοφτό, σχεδόν βάρβαρο. Ένα δωδεκάχρονο αγόρι, από κείνα με τις αφέλειες και τ' αραχνοΰφαντα φουστάνια, έβγαλε από μια κασέλα τον τζουρά του, ένα άλλο με λαδωμένα τσίνουρα και με βαμμένα χείλια πήρε το σάζι του και στήθηκε χορός, ήρθαν κι άλλες γυναίκες από τις διπλανές κάμαρες, έγινε ντόρος. Ο χανιτζής, που λίγο πριν είχε γλιτώσει από του χάρου τα δόντια, άδικα πολεμούσε να φέρει στα συγκαλά τους και να κάνει ζάφτι όλες κείνες τις αγκρισμένες θηλυκές: νιώθοντας ξαλαφρωμένες από την τρομάρα που 'χαν πάρει με τους γενίτσαρους, τραγουδούσαν και χόρευαν με όλο και μεγαλύτερη μανία, προκαλούσαν η μια την άλλη με τα βλέμματα και τα τσαλίμια τους, ξεγυμνώνονταν, φαίνονταν οι μυστικές σάρκες τους.

Μέσα από 'να πυκνό σύδεντρο, όπου είχαν χωθεί για να μη φαίνονται από τα χάνια, ο σερασκέρης με τον Ομάρ παρακολουθούσαν αμίλητοι το θέαμα, έβλεπαν τις γυναίκες που σειούνταν και τσάκιζαν τα κορμιά τους όλο και περισσότερο ερεθισμένες, τ' αγόρια που κούναγαν κι αυτά τα γοφιά και τις κοιλιές τους, που χαϊδολογιούνταν συναναμεταξύ τους.

— Ευτυχώς που δε βλέπουν αυτά τα χάλια από το Παλιόκαστρο, στέναξε ο Σελήμ πασάς.

Ο Ομάρ έριξε μια ματιά κατά τη μικρή ηπειρώτικη πολιτεία που 'χαν έρθει να πολιορκήσουν. Πήγαινε αρκετή ώρα που το σκοτάδι είχε τυλίξει ολούθε το άγριο και πανύψηλο βουνό που οι Παλιοκαστρίτες είχαν διαλέξει —ποιος μπορούσε να ξέρει πριν από πόσους αιώνες— για να θεμελιώσουν τα πρώτα σπίτια τους. Δεν ξεδιακρίνονταν ακόμα τα φοβερά τείχη που 'χαν φτιάξει σιγά σιγά με ογκολίθια, δεν ξεχώριζε ούτε το κάτασπρο καμπαναριό της εκκλησίας τους. Πόσοι από το τούρκικο ασκέρι είχαν προσέξει πόσο δυσκολοπόρθητη ήταν κείνη η θέση, πώς δεν υπήρχε πρόσβαση από πουθενά, ότι αυτή η τοσηδούλα πολιτεία έμοιαζε μ' επικίνδυνη κι απρόσιτη αϊτοφωλιά; Ο Ομάρ θυμήθηκε ένα γέρο μαραγκό που θα 'χε πάρει μέρος σε κάμποσες πολιορκίες στη ζωή του, που θα 'χε αργαστεί από κάμποσα βόλια το τομάρι του. Τη μέρα που 'ρχονταν είχε σταθεί για λίγο στο φρύδος του δρόμου και θαύμαζε το Παλιόκαστρο από μακριά με το στόμα ανοιχτό, κούναγε με δέος το κεφάλι του. «Τι χαζεύεις; Διαλέγεις σπίτι για πλιάτσικο;» τον πείραξε ο Ομάρ. «Όχι, αφέντη· ψάχνω να βρω κάνα καλό μέρος για τάφο», αποκρίθηκε συλλογισμένα ο γερο-μαραγκός.

Δυο γυναίκες ολοτσίτσιδες χόρευαν η μια απέναντι στην άλλη σαν δαιμονισμένες, ζύγωναν και πάλι απομακρύνονταν, λαφραγκαλιάζονταν, κουνιούνταν, αγγίζονταν με τα στήθια και τα κατωκοίλια τους, τα μάτια τους θόλωναν. Έχοντας

23

κάνει γύρω τους κύκλο, οι άλλες τις ενθάρρυναν με φωνές και χουγιαχτά, τα δυο αγόρια με τα όργανα τάχαιναν κι αυτά το ρυθμό του χορού, τα υπόλοιπα βαρούσαν παλαμάκια.

Με μια κίνηση του κεφαλιού ο σερασκέρης έδειξε κατά το Παλιόκαστρο:

— Έχουν κι αυτοί γυναίκες, Ομάρ, είπε σκεφτικός. Μόνο που αντί να χορεύουν, αυτή τη στιγμή ξενυχτάνε κι ετοιμάζουν βόλια και ξαντό για τους άντρες τους.

Κάθιδρες, κατακόκκινες, οι δυο χορεύτριες κοντανάσαιναν με τα στόματα μισάνοιχτα, σαν να 'χε πέσει πάνω τους α-γκούσα και πνίγονταν· τα κορμιά τους άλλοτε λύγιζαν και λαγνοσάλευαν μαζί αρμονικά, άλλοτε πάλι συσπιούνταν σαν πληγωμένα φίδια. Σε λίγο, μ' ένα απότομο τσαλίμι που 'καναν με τα γοφιά τους, σταμάτησαν το χορό και σωριάστηκαν κατάχαμα εξουθενωμένες, απόμειναν η μια κοντά στην άλλη αμίλητες.

Ο Σελήμ πασάς έφτυσε περιφρονητικά κατά το μέρος τους.

— Αύριο, πρωί πρωί, να πάρεις τους άντρες σου και να μου καθαρίσεις τον τόπο, είπε δείχνοντας κατά τα χάνια.

— Αν τις διώξω, θα ξανάρθουν, πασά μου, παρατήρησε ο αρχιγενίτσαρος.

— Αν ξανάρθουν, να τις σφάξεις.

Σαν να περίμενε να τελειώσει κείνος ο βάρβαρος χορός, πάνω από το βουνό του Παλιόκαστρου πετάχτηκε ένα ολό-γιομο χρυσοπόρφυρο φεγγάρι. Το φέγγος του πήρε να ξεχύνεται αργά πάνω σ' όλη κείνη την άγρια γη, ύστερα κατηφόρισε προς τον κάμπο πηδοκοπώντας σιωπηλά από βράχο σε βράχο, γλιστρώντας παιχνιδιάρικα ανάμεσα σε σκίνα και βάτα, περνώντας άφοβα μέσα από αθάνατα.

Φάνηκε τότε το Παλιόκαστρο.

Στην αρχή σαν θολή οπτασία που γεννιόταν μέσα σε μια φωτεινή αχλή, ανάμεσα σε ουρανό και γη, κρεμάμενη πάνω από το σκοτάδι του κάμπου, μετέωρη. Αλλά μόλις το φεγγά-ρι άρχισε ν' αργανεβαίνει περιχύνοντας με το κρύο φως του όλη την πλαγιά, το Παλιόκαστρο φάνταζε σαν ένα γιγάντιο προϊστορικό θεριό, αγκριφωμένο με νύχια και δόντια στο βουνό. Ένας κατσικόδρομος, που οδηγούσε από την πλαγιά στην πιο κοντινή κορφή, παρίστανε την ουρά του. Κάτι βαθιές και θεοσκότεινες ρεματιές δεξιά κι αριστερά ήταν τα πόδια του. Οι βράχοι του κατάραχου ανακρατούσαν την κεφαλή του.

Ξαφνικά ακούστηκε ένα δυνατό και μακρόσυρτο ουρλιαχτό.

Την ίδια σχεδόν στιγμή, εδώ κι εκεί από τα γύρω κορφοβούνια, από κλεισούρες κι από ντερβένια, σαν να τα γεννούσαν τα χώματα και τα σκοτάδια, αντήχησαν κι άλλα ουρλιαχτά, διαπεραστικά, αλλεπάλληλα. Σε λίγο ο κάμπος είχε κυριευτεί από κραυγές που ξεκινούσαν απ' όλο τον ορίζοντα και διασταυρώνονταν, συγκρούονταν, κατέβαιναν σε ρεματιές κι απόκρημνα χαράκια, πολλαπλασιάζονταν, θέριευαν. Τότε, λες και περίμεναν κι αυτά τη δική τους σειρά, σαν να 'χαν συνεννοηθεί αναμεταξύ τους, τ' άγρια πουλιά της νύχτας βάλθηκαν να κρώζουν — τα σκυλιά του Παλιόκαστρου αλυχτούσαν από ώρα, τραβούσαν κι ήθελαν να σπάσουν τις αλυσίδες τους.

Μαζεμένες μπροστά στα παράθυρα, έχοντας ρίξει πάνω τους ένα ρούχο στα βιαστικά, βουβαμένες και περίτρομες, οι γυναίκες κοιτούσαν κατά το Παλιόκαστρο: τα ορθάνοιχτα μάτια τους είχαν πλημμυρίσει από τη χλωμή αναλαμπή του φεγγαριού πάνω στων τειχών τους ογκόλιθους, η ανάσα τους είχε κοπεί, έτρεμαν τα σαγόνια τους. Δεν είχαν ξαναδεί ποτέ στη ζήση τους έναν τόσο άγριο τόπο, δεν είχαν ματακούσει πουθενά τ' αγρίμια να ξεσηκώνονται για να υπερασπίσουν κι αυτά, μαζί με τους ανθρώπους, τα λημέρια, τις φωλιές και τα χώματά τους, δεν είχαν φανταστεί ότι υπήρχαν μέρη όπου οι πέτρες ζωντανεύουν και χουγιάζουν, για να διώξουν τους ξενομπάτες που θέλουν να περάσουν από πάνω τους.

— Ακούς, Ομάρ; ρώτησε ο σερασκέρης.

Ο αρχιγενίτσαρος πολεμούσε να τιθασέψει τ' άλογό του που 'χε αγριευτεί, του τραβούσε το χαλινάρι, χάιδευε τη χαίτη του.

— Τώρα που τέλειωσε η δική μας μουσική, τα καραούλια των Ρωμιών άρχισαν να μας παίζουν τη δική τους, πρόσθεσε ο Σελήμ πασάς και σπιρούνισε τ' άτι του.

Ο Ομάρ τον πήρε το κατόπι.

B

ΕΣΑ ΣΤΗ ΣΚΗΝΗ ΤΟΥ Ο ΣΕΛΗΜ ΠΑΣΑΣ ΜΕΝΕΙ ΞΑΓΡΥ-
πνος. Άδικα ο Αρμένης σκλάβος τού ετοίμασε το
ναργιλέ, με προυσαλιό, μυρουδάτο τουμπεκί: πού να
βρει όρεξη ο σερασκέρης να διπλοκαθίσει στον οντά, να βάλει
μαξιλάρια πίσω από την πλάτη του, ν' αφήσει λίγο το νου του
να ξαλεγράρει, ν' αναπαυτεί... Τούτη η πολιορκία δεν είναι
παίξε γέλασε, δε μοιάζει με καμιά άλλη· ο πόλεμος κινδυνεύει
να τραβήξει σε μάκρος, να 'ναι σκληρός, να 'χει απρόβλεπτο
τέλος. Δεν είναι δα η πρώτη φορά που το ντοβλέτι προσπαθεί
να υποτάξει αυτή τη μικρούλα πολιτεία, να φέρει σε λογαρια-
σμό αυτούς τους παλαβούς γκιαούρηδες που θέλουν σώνει και
καλά να 'χουν δικό τους κράτος, μπαϊράκι ξεχωριστό, να ζουν
μονάχοι τους... Μέχρι σήμερα το Παλιόκαστρο τα 'χει βγάλει
πέρα με μεγάλους και πανίσχυρους στρατούς, έχει απελπίσει
κάμποσους σερασκέρηδες. Και να 'χαν οι Παλιοκαστρίτες τί-
ποτα πλούσια χωράφια, αμπέλια, λιόδεντρα, να πεις κομμάτια
να γίνει· ποιος δεν υπερασπίζεται το βιος του, την περιουσία
του; Όμως ετούτοι δω οι ανεμοπαρμένοι χύνουν εδώ κι αιώ-
νες το αίμα τους για μια γη στέρφα όπως και μια εκατοχρονί-
τισσα γριά, είναι έτοιμοι να πεθάνουν όλοι για μια λαγοκυλή-
θρα σπαρμένη πέτρα. Άντε τώρα ν' αναγκάσεις τέτοιους αν-
θρώπους να υποταχτούν... Το άγριο δεν περνάει σ' αυτούς αλ-
λά ούτε κι η πονηριά, η διπλωματία. Τι να τους υποσχεθείς;
Πώς να τους δελεάσεις; Καλύτερα ν' ανοίξεις μάχη με λυσ-
σασμένα θεριά παρά με άντρες που αψηφούν τους παράδες,
που αποφεύγουν την καλοπέραση, που διαφεντεύουν τη φτώ-
χεια τους όπως άλλοι τους θησαυρούς τους.

Αρκετά κράτησε αυτός ο χαβάς, είναι καιρός ν' αλλάξει.
Το ντοβλέτι έχει πολλά μαλλιά να ξάνει, σ' Ανατολή και
Δύση· οι εχθροί του σουλτάνου πληθαίνουν παντού, προμη-

27

νύονται ταραχές, ξεσηκωμοί, πόλεμοι. Ο πατισάχ θέλει να ξεμπερδέψει μ' αυτούς εδώ όσο γίνεται πιο γρήγορα, να τελειώνει με τις ψιχάλες και τις βροχές, για να μπορέσει να ετοιμαστεί για τις θύελλες.

Για την ώρα η Αυτοκρατορία κρατάει, έχει παράδες και μέσα, ασκέρια πολλά. Φτάνει να σηκώσει ο σουλτάνος το χέρι και μαζεύεται λαός· ραγιάδες από τις τέσσερις άκρες της γης τρέχουν να πολεμήσουν με άλλους ραγιάδες, να σκοτωθούν για χάρη του κοινού αφέντη τους. Έτσι κάνουν πάντα οι μεγάλοι κι οι δυνατοί σ' αυτό τον ντουνιά, γιατί το μυαλό τους κόβει, μπορούν και βλέπουν μακριά, κάνουν σχέδια, προετοιμάζονται. Οι μικροί λαοί ξυπνάνε πάντα την τελευταία στιγμή, όταν όλα έχουν κανονιστεί. Μοιάζουν με τα μικρά παιδιά που γυρίζουν από το σχολείο ή το παιχνίδι και κάθονται γύρω από το σοφρά για να δειπνήσουν με τους γονιούς τους. Το τσουκάλι είναι κατεβασμένο από τη φωτιά, το φαΐ στα γαβαθάκια: τους αρέσει, δεν τους αρέσει, είναι αναγκασμένα να το φάνε· άλλο δεν υπάρχει.

Ο Σελήμ πασάς νιώθει κάπως πιο ήσυχος.

Ξέρει ότι σ' αυτό τον πόλεμο έχει το λεύτερο να κάνει ό,τι θέλει, ο σουλτάνος του 'χει απόλυτη εμπιστοσύνη. Για πρώτη φορά στην ιστορία της Αυτοκρατορίας ένας πασάς διαθέτει τέτοια εξουσία και τόση δύναμη. Πριν του κάνει τη μεγάλη τιμή να τον καλέσει στο σαράι για να του αναθέσει την εκστρατεία, ο πατισάχ ήξερε ότι ο σερασκέρης του δεν ήταν ένας τυχαίος αξιωματούχος. Το ντοβλέτι δεν είχε άλλον με τη δικιά του εμπειρία και δράση, μ' ένα σωρό επιχειρήσεις κι αποστολές στο ενεργητικό του αλλά και με τις γνώσεις του, τη μόρφωσή του. Ας είναι ευλογημένο το όνομα του μακαρίτη Χασάν μπέη, του πατέρα του. Αν και το σόι του είχε βγάλει μόνο στρατιωτικούς, φρόντισε κι έβαλε το γιο του από μικρό όχι μόνο στ' άρματα μα και στα γράμματα· στ' αρχοντικό του μπαινόβγαιναν γραμματισμένοι άνθρωποι, μουφτήδες, ουλεμάδες, Άραβες και Πέρσες ποιητές, μουσικάντες, δάσκαλοι γκιαούρηδες. Πώς να ξεχάσει τον πατέρα του ο Σελήμ... Στην καρδιά του μένει ολοζώντανη η θύμησή του, η σοφία του. «Κα-

28

λά 'ναι τα σπαθιά και τα κανόνια», του 'λεγε· «αυτά δημιούργησαν το ντοβλέτι, μ' αυτά έγινε έθνος η Τουρκιά. Από δω και πέρα όμως θα μας χρειαστούν άλλης λογής όπλα για να τα βγάλουμε πέρα με τους λαούς της Ευρώπης: τα γράμματα».

Τα ίδια πάνω κάτω του 'λεγαν και μερικοί από τους φίλους του Χασάν μπέη, μεγαλέμποροι στην Πόλη και στη Σμύρνη, κοσμογυρισμένοι. Του μιλούσαν για τα μεγάλα και ισχυρά κράτη της Δύσης, για την ιστορία τους, για τους βασιλιάδες που 'ταν στους θρόνους και που φαγώνονταν αναμεταξύ τους. Μέσα στα διάφορα κιτάπια που του 'φερναν, διάβασε πολλά για τους διανοούμενους και τους σοφούς της Ευρώπης, συζητούσε με τους δασκάλους του για τις εφευρέσεις και τις θεωρίες τους, δεν έπαυε να μελετάει προσεχτικά όποιο από τα κείμενά τους έπεφτε στα χέρια του. Από τότε, από τα πρώτα κείνα διαβάσματα, τράβηξαν την προσοχή του οι αρχαίοι Έλληνες, τα τεράστια άλματα που 'χε κάνει η ανθρώπινη σκέψη στην εποχή τους, εντυπωσιάστηκε από τους φιλόσοφους, τους πολιτικούς, από τους ποιητές και τους καλλιτέχνες τους. Όταν τους σύγκρινε με τους σημερινούς πολιτισμένους λαούς, έβρισκε πως οι Έλληνες στέκονταν πολλά σκαλιά ψηλότερα απ' αυτούς· κι ας είχαν ζήσει χιλιάδες χρόνια πριν από τους Ευρωπαίους· κι ας μη διέθεταν τα μέσα και τα πλούτη τους, την εύφορη γη τους. Ήταν μια χούφτα άνθρωποι όλοι κι όλοι, αγαπούσαν την πατρίδα τους με πάθος όπως κι οι Παλιοκαστρίτες, δεν ήθελαν κι εκείνοι να 'χουν ξένους αφέντες πάνω από το κεφάλι τους. Δίχως πολυέξοδες εκστρατείες και πολέμους, είχαν καταφέρει να κατακτήσουν ολάκερη την οικουμένη χωρίς να την αιματοκυλίσουν. Μ' ένα μικρό μα παντοδύναμο ασκεράκι: τα είκοσι τέσσερα στρατιωτάκια της αλφαβήτας τους.

Πού να 'χε ποτέ φανταστεί ο Σελήμ ότι κάποτε θα 'ρχονταν έτσι τα πράγματα ώστε να βρεθεί αντιμέτωπος των πιο σκληροτράχηλων από τους απογόνους τους, πως θ' αντιμετριόταν μαζί τους, στον ίδιο τον τόπο τους...

Ο σερασκέρης αφουγκράζεται με μεγάλη προσοχή.

Μαντεύει τι σημαίνουν αυτά τα καινούρια ουρλιαχτά που ακούγονται εδώ και κάμποση ώρα, ξέρει τα διάφορα κόλπα που σκαρφίζονται οι Παλιοκαστρίτες, τα τεχνάσματα, τις πονηριές τους. Για να παρακολουθούν συνέχεια τις κινήσεις του εχθρού σ' όλη την περιοχή γύρω από τα τείχη και τις τάπιες τους, στήνουν παγίδες και πιάνουν λύκους, τους περνούν στο λαιμό σκοινιά και τους δένουν εδώ κι εκεί σε καίρια σημεία του κάμπου, σε κρυφά μονοπάτια και σε ρεματιές, σε στρατηγικά περάσματα. Έτσι που μένουν θεονήστικα, τα ζωντανά είναι ικανά να μυριστούν την ανθρώπινη σάρκα από τρεις τουφεκιές μακριά, και τότε αρχίζουν να ουρλιάζουν, δίνοντας σ' αυτούς που τα αιχμαλώτισαν το σύνθημα πως κινδυνεύουνε.

Για να εξακριβώσει πού ακριβώς βρίσκονται οι τετράποδοι σκοποί, ο σερασκέρης έστειλε ξεπίτηδες περίπολα που ανάγκασαν τους δεμένους λύκους να εκδηλωθούν. Και τώρα, έναν έναν, τους ρίχνουν δίχτυα και τους ακινητούν, για να τους μεταφέρουν και να τους δέσουν αλλού, να τους βάλουν στην υπηρεσία τους, να φυλάνε σκοποί σ' επικίνδυνα σημεία δικά τους. Τι να κάνουν τα καημένα τ' αγρίμια έτσι που μπήκαν με τη βία στων ανθρώπων τη δούλεψη; Μέχρι τώρα πείναγαν για τους Έλληνες. Από δω και πέρα θα πεινάνε για τους Τούρκους. Αν καταφέρουν κι επιζήσουνε, ποιος ξέρει για ποια αφεντικά θα γουργουρίζουν σε λίγο τ' άντερά τους...

Ο Σελήμ πασάς χαμογελάει φχαριστημένος. Έχει καλά μελετήσει τους σημερινούς αντιπάλους του, έχει αρκετές πληροφορίες για τις δυνάμεις και τα μέσα που διαθέτουν, συζήτησε στην Πόλη με παλαίμαχους σερασκέρηδες που 'χαν πολεμήσει μια φορά κι έναν καιρό εναντίον τους. Πολλούς μήνες πριν από την εκστρατεία πήρε σβάρνα τις διοικητικές υπηρεσίες του στρατού, έβαλε γραμματικούς να ψάξουν στα χρονοντούλαπά τους, ν' αναδιφήσουν τ' αρχεία τους. Όλες τις παλιές αναφορές που βρήκαν σχετικά με το Παλιόκαστρο, τις διαταγές, τις αλληλογραφίες, τις αντέγραψαν μεθοδικά, κουβάλησαν οκάδες χαρτιά, καντάρια κατάστιχα κι έγγραφα. Όλα τα διάβασε, ένα ένα, ο Σελήμ, διάβαζε και σημείωνε σ' ένα δικό του τεφτέρι, μελετούσε, συλλογιζόταν. Ύστερα από μερικές βδομάδες ήξερε ό,τι είχε συμβεί στο Παλιόκαστρο μέσα στα τελευταία εκατό χρόνια, έμαθε για όλους τους ξεσηκωμούς αυτών των θεοπάλαβων γκιαούρηδων, τα ονόματα των προεστών, των οπλαρχηγών, των παπάδων τους, τους άθλους που 'χαν κάνει σε παλιότερες εποχές οι ήρωές τους.

Για ένα πράγμα δεν κατάφερε να συγκεντρώσει πολλές πληροφορίες: για το γιατί και πώς οι πρόγονοι αυτών των ανθρώπων διάλεξαν ένα τόσο άγριο κι απρόσιτο μέρος για να στήσουν τα πρώτα σπίτια της μικρής πολιτείας τους.

Για να συμπληρώσει και σ' αυτό το σημείο τις γνώσεις του, ζήτησε λίγη ακόμα διορία από το σουλτάνο και του εξήγησε το σχέδιό του: την άλλη κιόλας μέρα θα 'φευγε με κάθε μυστικότητα και θα τραβούσε για την περιοχή του Παλιόκαστρου, θα 'μπαινε σχεδόν μέσα στο στόμα του λύκου. Φυσικά θα ταξίδευε μ' άλλο όνομα, θα 'χε άλλη ιδιότητα: θα παρίστανε τον πλούσιο κι εγγράμματο Πέρση που ξοδεύει τους παράδες του και περνάει τον καιρό του κάνοντας τον περιηγητή, θα 'λεγε πως έγραφε ένα βιβλίο για τους ραγιάδες λαούς του ντοβλετιού. Τέτοιοι γραμματισμένοι ταξιδιώτες, κυρίως Άραβες, Πέρσες και Φράγκοι, υπήρχαν πολλοί. Ποιος και γιατί θα τον υποπτευόταν; Όπου και να πήγαινε, θα 'δειχνε ψεύτικα πάσα και χαρτιά που θα 'χαν τη βούλα του σουλτάνου και την υπογραφή του, θα 'δειχνε την άδειά του.

Έτσι κι έγινε· κανείς δεν υποψιάστηκε τον Σελήμ.

Στο μοναστήρι του Προφήτη Ηλία, σ' ένα ψηλό κι απότομο βουνό αντίκρυ ακριβώς από το Παλιόκαστρο, έμεινε αρκετές βδομάδες. Μέσα στη βιβλιοθήκη του δεν άφησε κιτάπι για κιτάπι που να μην το ξεφύλλισε, να μην το συμβουλεύτηκε, ζήτησε την άδεια του ηγούμενου για να κοιτάξει ακόμα και μέσα σε ιερά βιβλία, Τετραβάγγελα, Ωρολόγια, Ψαλτήρια. Από το πρωί μέχρι το βράδυ, ακόμα και τη νύχτα πολλές φορές, διάβαζε, μελετούσε, αντέγραφε — από τη νύστα τον έκοβαν τα μάτια, αλλά αυτός συνέχιζε. Πόσες και πόσες φορές ο καημένος ο καλόγερος που 'κανε το βιβλιοθηκάριο δεν τον είχε βρει νικημένο από την κούραση κι αποκοιμισμένο, με το κεφάλι ακουμπισμένο σ' ένα βιβλίο, με τη φλόγα του λυχναριού να τρεμοπαίζει επικίνδυνα πάνω από τα χαρτιά του ή να 'χει κιόλας τσουρουφλίσει μια τούφα από τα γένια του...

Κάθε πρωί, μόλις ξύπναγε, πεταγόταν επάνω κι έτρεχε σ' ένα παράθυρο της βιβλιοθήκης, κάρφωνε το βλέμμα του πέρα μακριά, από την άλλη μεριά του κάμπου, σε κείνο το βουνό όπου την ίδια στιγμή ξύπναγε και το Παλιόκαστρο. Μια κουβέντα ήταν το «ξύπναγε», αφού, και σε καιρό ειρήνης ακόμα, αυτή η πολιτεία δεν έμοιαζε να κοιμάται σχεδόν ποτέ. Κάθε νύχτα ο Σελήμ άκουγε τα καμπανάκια που χτυπούσαν οι άντρες που φύλαγαν καραούλι στα μπεντένια και στις γύρω πλαγιές, τα διαπεραστικά σφυρίγματα που πατούσαν από μακρινές κορφές, για ν' αλληλοελέγχονται, οι βιγλάτορες. Μόλις πήγαινε να σκάσει μύτη ο ήλιος, ο σερασκέρης ξεδιάκρινε τα καρακόλια που ξεφύτρωναν από τα γειτονικά δάση κι από τις ρεματιές, θαύμαζε τους ψηλούς και γεροδεμένους φουστανελάδες με τα κατακόκκινα φέσια και με τα μακριά μαύρα μαλλιά που ανεμίζαν πάνω από τις πλάτες τους, πρόσεχε πώς πηδοτρέχαν ανάλαφρα από βράχο σε βράχο σαν αγριοκάτσικα, με ψηλά τα κεφάλια τους, μ' ευλύγιστα σαν καλάμια τα κορμιά τους.

Απορροφημένος από το θέαμα ο Σελήμ ούτε που 'παιρνε χαμπάρι τον καλόγερο της βιβλιοθήκης που του απίθωνε στο τραπέζι το δίσκο με το φασκόμηλο κι ένα παξιμάδι, καθόταν ύστερα σ' ένα σκαμνί εκεί σε μια άκρη και τον περίμενε. Τον έλεγαν Ισίδωρο κι ήταν από τους πιο παλιούς μέσα στο μοναστήρι, κάπου εβδομήντα χρόνων γέρος, ασπρομάλλης, με λαμπερό αλλά άκακο βλέμμα, σεμνός. Μια μέρα διηγήθηκε πως ήτανε ακόμα παιδί πράμα όταν τον έφερε στον Προφήτη Ηλία ο πατέρας του, επειδής του 'χε βγει αχαμνός κι από πάνω αρρωστιάρης: χαντζάρι ή σπαθί δε δυνόταν να σηκώσει το χέρι του, ούτε ν' αντέξει στερήσεις και κακουχίες το κορμί του. Έτσι που τον είχε φτιαγμένο ο Θεός, πώς αλλιώς να

32

'κανε ο γονιός του; Κείνα τα χρόνια οι πόλεμοι έρχονταν και ξανάρχονταν απανωτοί. Κι όποιος δεν μπορούσε να πολεμήσει στον κάμπο ή πάνω στο μπεντένι, έτρωγε τζάμπα το ψωμί του, έπιανε άδικα τόπο στο σπίτι του.

Όταν ο μοναχός Ισίδωρος δε βοηθούσε τον Σελήμ, κατεβάζοντάς του τα βιβλία από τα ράφια, καθόταν σε μια άκρη και ξεκούκιζε το κομποσκοίνι του, παρατηρούσε το «σοφό Πέρση» που 'ψαχνε, ξεφύλλιζε, μελετούσε. Καμιά φορά, κουρασμένος από το διάβασμα, ο σερασκέρης σήκωνε απότομα το κεφάλι και κοιτούσε κατά το μέρος του. Τα βλέμματα των δυο αντρών διασταυρώνονταν πάνω από στοίβες κιτάπια και χαρτιά σαν ταξιδιάρικα πουλιά που συναντιούνται πάνω από κορφοβούνια και υψώματα, πετάνε για λίγα δευτερόλεπτα κάπως αλλιώτικα από πριν, ανώμαλα, ταραγμένα.

«Τι ακριβώς γυρεύεις να μάθεις από τα βιβλία;» ρώτησε κάποτε ο καλόγερος.

Τι να του 'λεγε ο Σελήμ; Πώς να του εξηγούσε; Σκέφτηκε λοιπόν πως η μισή αλήθεια ήταν προτιμότερη από 'να ψέμα ολόκληρο, που κινδύνευε να τον μπλέξει σε καμιά επικίνδυνη κουβέντα.

«Την Ιστορία σας», αποκρίθηκε.

Ο γερο-μοναχός κούνησε σκεφτικός το κεφάλι και για κάμποση ώρα δεν ξαναμίλησε. Ύστερα, σαν να 'θελε να διασκεδάσει κάπως την πλήξη του, πήγε και κάθισε μπροστά σ' ένα παράθυρο, άφησε το βλέμμα του να πλανηθεί λεύτερα στον κάμπο και σ' όλη τη γύρω περιοχή, ν' ανηφορίσει απέναντι κατά τα μέρη του. «Ποιος ξέρει», συλλογίστηκε ο Σελήμ που τον κρυφοκοίταζε, «πόσες και πόσες φορές έχει αντικρίσει από τα παράθυρα του μοναστηριού αυτή την ίδια γη... Πολλά από κείνα τα δέντρα που οι κορφές τους λικνίζονται με τ' αεράκι που 'ρχεται από μακριά, από τα μέρη της θάλασσας, θα 'ταν τοσοδούλια όταν πρωτοπάτησε το πόδι του εδώ. Ακόμα κι αυτά τα θεόρατα πλατάνια κοντά στη ρεματιά θα 'ταν σίγουρα λιγότερο επιβλητικά, τα μονοπάτια που περνούν από κοντά τους ασχημάτιστα. Μόνο τα βουνά δε θα 'χουν αλλάξει· είναι αιώνια αυτά».

33

Ξαφνικά ο καλόγερος στράφηκε:

«Έλα να δεις», είπε.

Καμιά εκατοστή καβαλάρηδες είχαν ξετρυπώσει από κάποια κρυφή πόρτα των τειχών και με λάσκα τα γκέμια κάλπαζαν κατά τον κάμπο. Έτσι που φούσκωναν κι ανέμιζαν με τον αέρα οι φουστανέλες τους έμοιαζαν με κάτασπρα συννεφάκια που τα συνέπαιρνε και τ' άμπωθε δυνατά μια απότομη θύελλα, που πολεμούσε μια να τα σηκώσει ψηλά και να τα σκορπίσει, μια να τα ρίξει και να τα σύρει κατάχαμα. Μα κείνα δε λογάριαζαν τίποτα, προχωρούσαν γρήγορα κι απτόητα χωρίς να χαλάνε την παράταξή τους, αγκριφωμένα γερά από τις σέλες ή τα καπούλια των αλόγων, αρπαγμένα από τις λαβές των γιαταγανιών.

Όταν ζύγωσαν τα πρώτα χωράφια, οι άντρες πέζεψαν στα σβέλτα κι έτρεξαν σε κάτι αχυροκάλυβα που 'ταν εκεί κοντά, έβγαλαν τσαπιά κι αξίνια, φορτώθηκαν λαιμαριές και χάμουρα, έσυραν έξω αλέτρια. Ώσπου ν' ανοιγοκλείσει τα μάτια ο Σελήμ, είχαν ξαρματωθεί κι έσκαβαν, όργωναν, ξαρίζαν. Πού και πού σταματούσαν για λίγες στιγμές τη δουλειά και μ' ένα γρήγορο βλέμμα σβάρνιζαν τη δημοσιά, τα γύρω κορφοβούνια και τον ορίζοντα, ύστερα ξανάπιαναν τα εργαλεία, δούλευαν ακούραστα.

«Να η Ιστορία μας», μουρμούρισε ο καλόγερος.

Ο σερασκέρης τον κοίταξε ερωτηματικά.

«Γιαταγάνι και τσαπί· τσαπί και γιαταγάνι», συμπλήρωσε ο άλλος.

Κείνη τη μέρα, για πρώτη φορά, ο Σελήμ άφησε για λίγες ώρες κατά μέρος τα βιβλία, δε σημείωσε τίποτα στα χαρτιά. Ο γερο-μοναχός δε σάλεψε κι αυτός από το παράθυρο. Μόνο που τα δικά του μάτια δεν παρακολουθούσαν τους άντρες που 'σκαβαν, που μοχθούσαν. Είχαν σταθεί σαν μαγνητισμένα κι έβλεπαν, σαν να 'ταν η πρώτη τους φορά, τα σπίτια και τους δρόμους του Παλιόκαστρου, τις επάλξεις και τις πολεμίστρες του, τ' άπαρτα τειχιά του.

Ακούγοντας τον έμπιστο ταχυδρόμο του, τον Χαλήλ, να κόβει βόλτες γύρω από τη σκηνή, ο σερασκέρης θυμάται ότι πρέπει να στείλει την αναφορά του στο σουλτάνο πριν ξημερώσει, να σεβαστεί την υπόσχεση πως θα του στέλνει νέα ταχτικά, σχεδόν καθημερινά, ότι θα του εκθέτει την κατάσταση όποια κι αν είναι, θα ζητάει τη γνώμη του. Σ' ολάκερο το ντοβλέτι δεν υπάρχει άλλος αξιωματούχος που να τον εκτιμάει τόσο πολύ ο πατισάχ, που να του δείχνει τέτοια εμπιστοσύνη. Ως τα τώρα άδικα οι αντίζηλοι του Σελήμ στην Πόλη έχουν προσπαθήσει να τον κακολογήσουν, του κάκου έβαλαν ρουφιανιές, τον κατηγόρησαν. Οι δυο άντρες είναι φίλοι καρντάσηδες από μικρά παιδιά, έχουν φάει μαζί ψωμί κι αλάτι, έχουν συμπολεμήσει. Ποτέ μέχρι σήμερα δεν έχουν ψυχρανθεί, δεν τα 'χουν χαλάσει. Όμως η φιλία είναι φιλία· κι ο πόλεμος είναι πόλεμος. Ο σερασκέρης ξέρει πως όσο θα βρίσκεται μακριά από το σαράι με τις δολοπλοκίες και τις μηχανορραφίες του, δεν πρέπει να δίνει αφορμές κι επιχειρήματα σ' αυτούς που δε χάνουν ευκαιρία για να τον διαβάλουν στο σουλτάνο, που περιμένουν πώς και πώς τα σφάλματά του, που καραδοκούν την πρώτη αποτυχία του.

Μ' ένα νόημα τ' αφέντη του ο Αράμ, ο σκλάβος, φέρνει στον Σελήμ πασά το σεντουκάκι με τα χηνόφτερα, το χαρτί και το καλαμάρι, ύστερα του ετοιμάζει ζεστό τσάι. Κι επειδή ξέρει πως όσο θα κρατήσει το γράψιμο, ο σερασκέρης όλο και για κάτι θα τον χρειαστεί, κουκουβίζει δίπλα στα πόδια του σαν πιστό σκυλί και περιμένει αμίλητος.

«Πολυχρονεμένε μου Πατισάχ, προσκυνώ.

»Σε τούτα τα μέρη η άνοιξη δεν είναι σαν αυτή που 'ξερα, τη νύχτα κάνει πολύ κρύο. Απόψε η παγωνιά είναι σκέτο μαχαίρι· όπου βρει, μπαίνει στη σάρκα, αγγίζει το κόκαλο. Ακούω απ' έξω τα βήματα του Χαλήλ· ο κακομοίρης πάει κι έρχεται πολεμώντας να ζεσταθεί, χτυπάει τα πόδια στη γη για να μην ξεπαγιάσει. Του 'δωσα την άδεια να πάρει μαζί του για τη διαδρομή ένα φλασκί ρακή. Είναι ο καλύτερος αγγελιοφόρος που 'χει τ' ασκέρι, καβαλάρης από τους λίγους, άφταστος στο γιαταγάνι. Αυτός θα σου φέρνει από δω κι εμπρός τις αναφορές μου. Μπορείς να του 'χεις απόλυτη εμπιστοσύνη και να του δίνεις τις διαταγές σου.

»Φοβάμαι, Πολυχρονεμένε μου, ότι θα επικοινωνούμε και θα κουβεντιάζουμε κάμποσον καιρό μ' αυτό τον τρόπο. Το Παλιόκαστρο είναι σκληρό καρύδι, τα τείχη του είναι γερά, όλα τα οχυρωματικά του έργα είναι σοφά φτιαγμένα. Κι οι Παλιοκαστρίτες δεν είναι από κείνους που κάθονται και πολεμούν μόνο πίσω από τις ντάπιες, που βασίζονται στις οχυρώσεις τους, που μόνο αμύνονται. Συνηθίζουνε ν' αφήνουν ένα μικρό κι ευέλικτο ασκέρι έξω από τα τείχη, περιπολούνε σ' όλα τα γύρω βουνά, στήνουνε παγίδες, κάνουν ξαφνικά γιουρούσια. Κάτι παλιά χαρτιά που διάβασα σε κείνο το μοναστήρι που πήγα λένε πως οι Παλιοκαστρίτες δεν πολεμάνε ποτέ με τον ίδιο τρόπο και πως αλλάζουνε ταχτική ανάλογα με την περίσταση και με τον εχθρό. Αυτά που μας μαθαίνουν τώρα οι Γάλλοι αξιωματικοί που κάλεσες για να εκπαιδεύσουν το στρατό μας αυτοί τα ξέρουνε από καιρό, τα 'μαθαν μονάχοι τους.

»Το ηθικό τ' ασκεριού είναι καλό για την ώρα, η πειθαρχία κρατάει γερά. Στους γενίτσαρους έχω βάλει χαλινάρια, κόβω κεφάλια, τους λιποτάχτες που πιάνω τους παλουκώνω. Συχώριο σε κανέναν. Για να 'χω όμως ακόμα πιο ήσυχο το κεφάλι μου, έχω βάλει ανθρώπους ν' ακούνε και να βλέπουν, να πιάνουν επίτηδες κουβέντα και να 'ρχονται να μου κάνουν αναφορά. Έχω πει και στους τσελεμπήδες να μου φέρνουν να διαβάζω τα γράμματα που 'ρχονται για τους στρατιώτες, να μου ξεδιαλέγουν και μερικά από κείνα που φεύγουν. Είναι απέραντο το ντοβλέτι σου, Πολυχρονεμένε μου. Κι αυτός είναι ο πιο εύκολος τρόπος για να ξέρουμε τι γίνεται πίσω από τις πλάτες μας, τι ψιθυρίζεται μακριά από τ' αυτιά μας.

»Σου στέλνω ένα χάρτη που σχεδίασε ο Ιταλός μηχανικός, ο Τζουζέπε. Αυτό είναι το Παλιόκαστρο. Ο Τζουζέπε τα 'χασε όταν το πρωταντίκρισε. Μου 'πε ότι δεν έχει ξαναδεί τέτοιο οχυρό, τόσο δυσκολόπαρτο μέρος. Και δεν είναι κά-

36

νας πρωτάρης ο Τζουζέπε. Έχει πολεμήσει μπροστά σε κάστρα και κάστρα, έχει κυριέψει με την τέχνη του ένα σωρό φρούρια. Κάθε πρωί, μόλις αρχίζει να ξημερώνει, παίρνει τους βοηθούς του και ζυγώνουν στα τείχη όσο μπορούν περισσότερο, κοιτάζουνε με τα κανοκιάλια, σχεδιάζουνε. Το βράδυ, όταν γυρίζουν, είναι φορτωμένοι χαρτιά, κάθονται στη σκηνή τους και τα μελετάνε.

»Το Παλιόκαστρο είναι χτισμένο πάνω σ' ένα γυμνοβούνι με πολύ απότομες πλαγιές, όλο χαράδρες. Με την πρώτη ματιά που θα ρίξεις, δε βλέπεις καμιά πρόσβαση, από πουθενά. Μόνο όταν το μάτι συνηθίσει σ' αυτό το άγριο τοπίο (μόνο στη χώρα των Κούρδων έχω δει ένα παρόμοιο), ανακαλύπτεις με το κανοκιάλι ένα στενό καρόδρομο που σκαρφαλώνει από τη δυτική πλαγιά, περνάει ανάμεσα από κάτι λόφους μ' οχυρώσεις κι ύστερα χάνεται ψηλά, πίσω από την πόλη, στα βόρεια. Πήγαμε με τον Τζουζέπε και κάναμε αναγνώριση. Αν και δεν μπορέσαμε να πλησιάσουμε, γιατί θα μας έπαιρναν χαμπάρι τα καραούλια που γυρίζουν παντού μέρα και νύχτα, είδαμε ότι ο δρόμος, σκαμμένος ανάμεσα σε βράχους, είναι ορατός από τα τείχη σ' όλη του τη διαδρομή και πως μια καλοζυγιασμένη μπάλα μπορεί να μας κάνει μεγάλη καταστροφή. Άλλωστε και να περάσουμε από κει, θα βρεθούμε σε μια μικρή πλατωσιά κοντά στο φρύδος ενός γκρεμού που φτάνει σχεδόν μέχρι τα τείχη. Είναι μικρό το μέρος, μικρό κι επικίνδυνο. Πώς να σταθεί κει πάνω ασκέρι και πώς να πολεμήσει, άμα ξέρει ότι δεν έχει μέρος να ελιχθεί και να υποχωρήσει;

»Από την ανατολική μεριά είναι χειρότερα, η πλαγιά κόβεται από μια βαθιά κι απότομη ρεματιά. Άσε που από κείνη την πλευρά τα μπεντένια έχουνε πολλά κανόνια. Ο Τζουζέπε, που τα εξέτασε με το κανοκιάλι, λέει πως είναι γαλλικά, από τα καλύτερα, πολύ εύστοχα.

»Ό,τι κάνουμε θα το κάνουμε από το νότο, από τον κάμπο. Εκεί μπορούμε ν' αναπτύξουμε όλες μας τις δυνάμεις, να ελιχθούμε, να χρησιμοποιήσουμε το πυροβολικό μας. Τα υπόλοιπα θα εξαρτηθούν από την ταχτική που θ' ακολουθήσουν οι Παλιοκαστρίτες. Πιστεύω ότι θα κοιτάξουν να μας παρασύρουν σε κλεφτοπόλεμο με τα μπουλούκια που 'χουν στα γύρω βουνά, ώστε να διασπάσουν τις δυνάμεις μας. Δε θα πέσουμε στην παγίδα τους, θα τους βάλουμε να χορέψουν με το δικό μας χαβά κι όχι με το δικό τους.

»Φαίνεται πως αυτοί που 'χτισαν το Παλιόκαστρο πρόβλεψαν όσα μπορούν να προβλεφτούν για την άμνα μιας πόλης. Τα σπίτια είναι χτισμένα πατωσιές πατωσιές, από κάτω μέχρι πάνω, σχηματίζοντας έτσι αλλεπάλληλους κύκλους γύρω από την κορφή του βουνού. Η κάθε πατωσιά χωρίζεται από την άλλη μ' ένα δρόμο οχυρωμένο προς την κάτω μεριά μ' ένα χαμηλό τείχος, γερό, πετρόχτιστο, με πολλά ταμπούρια. Μ' αυτό τον τρόπο οι Παλιοκαστρίτες έχουν διαδοχικές γραμμές άμυνας. Αν ο εχθρός καταφέρει να βάλει πόδι στα μεγάλα τείχη, υποχωρούν και ταμπουρώνονται ψηλότερα, στην άλλη πατωσιά.

»Για την ώρα, Πολυχρονεμένε μου, είμαστε ακόμα κάτω στον κάμπο. Σε κάνα δυο βδομάδες τ' ασκέρι θα 'ναι έτοιμο. Δε θέλω ν' αφήσω τίποτα στην τύχη. Όσπου να ξαναγυρίσει ο Χαλήλ με τις διαταγές σου, ίσως να 'χουμε κάνει ένα γιουρούσι έτσι για δοκιμή, για να τους αναγκάσουμε να φανερώσουν τις δυνάμεις τους, για να δούμε πώς έχουν οργανώσει την άμυνά τους.

»Προσκυνάω το θρόνο σου. Ο Αλλάχ κι ο Προφήτης μαζί σου.

Σελήμ πασάς»

Γ

«... Α ΤΤΗ ΤΗ ΦΟΡΑ ΚΑΝΕΙΣ ΔΕΝ ΠΡΟΚΕΙΤΑΙ ΝΑ ΜΑΣ ΒΟΗθήσει. Το πολύ πολύ να ξεσηκωθούνε τίποτα χωριά τριγύρω, να μας δώσει κάνα χέρι κι η κλεφτουριά. Ποιος άλλος θα πάει να βάλει το κεφάλι του στον ντορβά; Από Θεσσαλία και Ρούμελη μην περιμένεις τίποτα, οι προεστοί τους θα μας πούνε να κάτσουμε στ' αυγά μας, να δεχτούμε τους όρους του Σελήμ πασά και να ρίξουμε τα μπεντένια, να πληρώσουμε τα χαράτσια, να προσκυνήσουμε. Ξέρουνε αυτοί από προσκυνήματα, κάνουνε τεμενάδες εδώ κι αιώνες, η σκλαβιά μπήκε στο αίμα τους, βολεύτηκαν, συνήθισαν.

»Εδώ που τα λέμε, τι ανάγκη έχουνε αυτοί; Εμείς, όπου και να κοιτάξουμε γύρω μας, μόνο κατσάβραχα βλέπουμε, τα χωράφια μας είναι σωστές λαγοκυλήθρες. Πείνα και στέρηση, χρόνια και χρόνια. Κείνοι όμως έχουν καρπερά χώματα, ελαιώνες, αμπέλια. Κάθε χρονιά γεμίζουν τ' αμπάρια τους γέννημα μέχρι τα μπούνια, τα κιούπια τους ξεχειλίζουνε κρασιά και λάδια. Όσα κι αν τους παίρνουν οι Τούρκοι με τα δοσίματα, πάλι πολλά τούς μένουνε. Γιατί να ξεσηκωθούμε, σου λένε, και να τα βάλουμε με τους Οθωμανούς; Δεν περνάμε κι άσκημα μαζί τους. Κι αν μας λένε ραγιάδες, τι μ' αυτό; Μόνο εμείς είμαστε; Από τον Δούναβη μέχρι το Τούνεζι κι από την Περσία μέχρι την Μπαρμπαριά, όλοι προσκυνάνε το σουλτάνο.

»Έτσι σκέφτονται, έτσι ζούνε. Σαν τα γαϊδούρια που συνηθίσανε στο σαμάρι και δεν τα νοιάζει που οι αγωγιάτες τούς τσιγκλάνε με τη βέργα τα πισινά. Φτάνει να 'χουνε σανό στο παχνί τους· τι άλλο θέλουνε;

»Μετριούνται στα δάχτυλα όσοι είναι έτοιμοι να ξεσηκωθούνε και να πιάσουν τ' άρματα. Τι να σου κάνει ο κοσμάκης... Οι προύχοντες, οι κοτζαμπάσηδες κι οι Φαναριώτες

39

τους πιπιλάνε το μυαλό, τους κατηχούνε: "Να περιμένουμε, να 'χουμε υπομονή. Δεν ήρθε ακόμα η ώρα, αφήστε να δούμε τι θ' αποκάνει ο Μόσκοβος, αν θα μας υποστηρίξουν οι Άγγλοι κι οι Γάλλοι, οι Αυστριακοί".

»Περιμένουνε να τους βοηθήσουν οι Δυτικοί, να τους βάλουνε τη λευτεριά στο πιάτο σαν ξεροτήγανο. Τους ζήσαμε κι αυτούς, τους ξέρουμε καλά σαν τους Τούρκους, τους είδαμε τότε που πέρασαν από δω οι Σταυροφόροι. Τάχα πως πήγαιναν να λευτερώσουνε τους Άγιους Τόπους, να διώξουνε τους μουσουλμάνους από τον τάφο του Χριστού. Να όμως που κρατήσανε τη μισή Ελλάδα για τον εαυτό τους, για τσιφλίκι τους, έκαναν την Πόλη γυαλιά καρφιά, την καταληστέψανε, σφάξανε τον κόσμο της, κάψανε τις εκκλησιές της. Αυτοί οι άνθρωποι θα δώσουνε στην Ελλάδα τη λευτεριά της; Οι βάρβαροι της Δύσης θα μας απαλλάξουν από τους βάρβαρους της Ανατολής; Άγγλοι, Γάλλοι, Αυστριακοί, όλοι αυτοί δεν πολυσκοτίζονται για τη θρησκεία, δεν ιδρώνει τ' αυτί τους για τη λευτεριά, δεν τους πειράζει που το Ισλάμ βασιλεύει στα Ιεροσόλυμα. Έχουν άλλα σχέδια στο νου τους, άλλους σκοπούς, γνοιάζονται για το εμπόριό τους, για τους παράδες τους, για την καλοπέρασή τους. Μην κοιτάς που σήμερα ο Χριστός κι ο Μωχαμέτης δεν τα πάνε καλά· αύριο μπορεί ν' αλλάξουν τα πράματα. Κόρακας κοράκου μάτι δε βγάζει: οι μεγάλοι θα κάτσουν και θα τα κουβεντιάσουνε, θα συνεννοηθούνε. Κι οι αφέντες θα μείνουν αφέντες· οι σκλάβοι σκλάβοι. Εμείς οι μικροί λαοί θα 'μαστε πάντα σαν τα φασόλια στο τσουκάλι: άλλοι στη μέση, μερικοί στον αφρό, οι πιο πολλοί στον πάτο. Οι μάγεροι του κόσμου θ' ανακατώνουν κάθε τόσο με τις κουτάλες, τα φασόλια θα πηγαίνουν μια από δω και μια από κει, αλλά στο τέλος, θέλοντας μη θέλοντας, θα βράζουνε.

»Πάει καιρός που οι Ευρωπαίοι έχουν καταλάβει πως οι Οθωμανοί δεν πάνε καλά, οι δυνάμεις της Αυτοκρατορίας όλο και λιγοστεύουν, ο μπεζαχτάς του σουλτάνου αδειάζει. Πόσον καιρό, συλλογίζονται, θ' αντέξουν οι Τούρκοι μ' όλους αυτούς τους πολέμους και τις επαναστάσεις; Το ντοβλέτι έχει αρχίσει να τρίζει, σήμερα ραγίζουν οι τοίχοι, αύριο θα κουνηθούνε τα θεμέλια, μεθαύριο θα πέσει η σκεπή. Άσε, σου λένε, τους Έλληνες, τους Βούλγαρους, τους Αλβανούς, τους Σέρβους να ξεσηκώνονται και να πολεμάνε με τους Οθωμανούς: δίχως να το ξέρουνε, για μας δουλεύουνε, οι Τούρκοι εξασθενούνε. Αργότερα, όταν τα Βαλκάνια θα 'χουν πάρει φωτιά για τα καλά κι ο σουλτάνος δε θα μπορεί να τα βγάλει πέρα, θα πάμε όπως πάντα να επιβάλουμε την τάξη, να μεσολαβήσουμε. Θα διώξουμε τους Τούρκους, αλλά θα μείνουμε στο πόδι τους εμείς, θα σταματήσουμε και τους Ρώσους που θέλουν κι αυτοί να κατηφορίσουν κατά το νότο, να πάρουν τη μερίδα τους.

»Πώς θα τα βγάλουμε πέρα μέσα σ' όλο αυτό το μάλε βράσε, πώς θα επιζήσουμε; Είμαστε ένας μικρός λαός, μια χούφτα άνθρωποι. Ποιος θα ενδιαφερθεί για μας, για τα δικά μας συμφέροντα, για τη λευτεριά μας;»

Ποιος ν' αποκριθεί στον Κώστα Μπέκα;

Ακόμα και να 'χε κραυγάσει, η ερημιά του βουνού θα 'χε καταπιεί την κραυγή του. Το πολύ πολύ να 'χαν σκιαχτεί μερικά από τ' αγριοπούλια που 'χουν τις φωλιές τους εδώ κι εκεί στους θάμνους και στα δέντρα, θα πέταγαν τώρα από πάνω του κάνοντας κύκλους, θα τον κοίταγαν παραξενεμένα, καχύποπτα. Ύστερα, κάπως καθησυχασμένα, θα κατέβαιναν το 'να μετά το άλλο και θα κούρνιαζαν τριγύρω στους βράχους για να μπορούν να τον παρακολουθούν, θα τον παρατηρούσαν με τα καταστρόγγυλα και λαμπερά τους μάτια, θα τάνυζαν τα φτερά τους. Μέσα στην ησυχία του βουνού θα 'φτανε και πάλι μέχρι τ' αυτιά του καπετάνιου η βαβούρα από τις προετοιμασίες στο στρατόπεδο των Τούρκων, η χλαλοή από το τεράστιο ασκέρι τους. Πού και πού, από τα πιο προχωρημένα τμήματα των Οθωμανών, ο άνεμος θα 'φερνε μέχρι τον Κώστα Μπέκα το κουβεντολόι των στρατιωτών, θ' ακούγονταν τούρκικα, αράπικα, περσικά, ένα σωρό γλώσσες απ' όλη την Αυτοκρατορία.

Αιώνες κατοχή, φοβέρα, σκλαβιά. Ο Κώστα Μπέκας κουνάει το κεφάλι, πικροχαμογελάει. Ένας θεός ξέρει πόσοι ξενομπάτες άφησαν τα κόκαλά τους σ' όλες αυτές τις περιοχές, πόσοι πόλεμοι ξέσπασαν, πόσα αίματα χυθήκαν. Σε κανένα άλλο μέρος του κόσμου δεν έγιναν τόσο φοβερές σφαγές για να κατακτηθούν ξερόβραχοι και γυμνοβούνια, πουθενά αλλού οι άνθρωποι δεν αγωνίστηκαν τόσο σκληρά για να μείνουν λεύτερες οι ερημιές, απάτητα τα κατσάβραχα.

«Μα τι διάολο αγαπάμε τόσο πολύ σ' αυτό τον τόπο;» στενάζει ο καπετάνιος. «Τι είναι κείνο που μας κάνει να μη θέλουμε να ξεκολλήσουμε ποτέ απ' αυτή τη στέρφα γη, που μας βάζει να λατρεύουμε ολοζωής τις πέτρες της λες κι είναι από χρυσάφι;»

Πάλι κανείς δε βρίσκεται να τ' απαντήσει.

Ο Κώστα Μπέκας σκύβει το κεφάλι, κλείνει τα μάτια. Κι όμως τίποτα δεν αλλάζει μέσα του, τίποτα δε χάνεται, τα πάντα παραμένουν στη θέση τους ολοφώτιστα, ανάγλυφα, χειροπιαστά: τα βουνά, τα λαγκάδια, τα δέντρα, τα μονοπάτια, ο πανάρχαιος πετρόδρομος που κατηφορίζει κατά τη γέφυρα στην ακροποταμιά, λίγο πιο κάτω του Παλιόκαστρου τα φτωχοχώραφα. Έτσι, με τα μάτια κλειστά, θα μπορούσε να προχωρήσει, να σεργιανίσει, να πάει όπου θέλει δίχως να χάσει ούτε μια στιγμή το δρόμο του, χωρίς να σκοντάψει ούτε σε μια πέτρα. Ξέρει και την παραμικρή λεπτομέρεια αυτής της γης, ακόμα και τα πιο ασήμαντα σημάδια που 'χει στο δέρμα της, στα πιο απόκρυφα μέρη του κορμιού της.

Να, σε κείνο κει το πλάτωμα υπάρχει μια χιλιόχρονη βαλανιδιά, λίγο πιο κάτω ένα τεράστιο σερνικό αθάνατο, απέναντί του μια γέρικη γκορτσιά. Λένε πως από κάπου εκεί έβγαινε κάποτε ένα μεγάλο κι άκακο φίδι και κοίταγε τον κόσμο, λιαζόταν. Κανείς δεν το φοβότανε, κανείς δεν το πετροβολούσε. Ακόμα κι οι γυναίκες που κατέβαιναν να πάνε στο ποτάμι για λεύκασμα περνούσαν δίπλα του άφοβα, το χαιρετούσαν, το καλημέριζαν. Έτσι γινόταν χρόνια και χρόνια, το φίδι πήγαινε από δω κι από κει, σεργιάνιζε παντού κατά το κέφι του, ύστερα κουλουριαζόταν ήσυχο μπροστά στη φωλιά του, έπαιρνε τον υπνάκο του. Ώσπου μια μέρα οι γυναίκες που διάβαιναν δε το 'δαν όπως πάντα στο στέκι του. Άδικα το περίμεναν, του κάκου έψαξαν παντού, ερεύνησαν κάτω από θάμνους και μέσα σε μυρτιές, καταξέσχισαν τα χέρια τους παραμερίζοντας τις ντοροβάτες. Δεν κατάφεραν τίποτα, ακόμα κι όταν κουβάλησαν ένα τσουκάλι ζεστό γάλα, με την ελπίδα ότι θα το τραβούσε η μυρουδιά του. Το ερπετό είχε γίνει άφαντο... Στο τέλος, καθώς ξανάριχναν μια ματιά στην άδεια φιδοφωλιά, πρόσεξαν που στο βάθος της ο βράχος είχε μια αρκετά μεγάλη σχισμάδα. Πήγαν κι έφεραν λοστούς και κασμάδες, την άνοιξαν ακόμα πιο πολύ, μπήκαν, προχώρησαν σερνάμενες και βρέθηκαν σε μια σπηλιά. Από κει, μ' αναμμένα δαυλιά στα χέρια, συνέχισαν, μα χάθηκαν και δεν μπορούσαν να ξαναβγούν, δεν ήξεραν πού βρίσκονταν. Την άλλη μέρα, ενώ οι δικοί τους τις είχαν για χαμένες και τις έκλαιγαν, κάτι Παλιοκαστρίτες που φούμερναν το ναργιλέ τους στην πλατεία άκουσαν να βγαίνουν από 'να γειτονικό ξεροπήγαδο φωνές: ήταν οι γυναίκες που τους καλούσαν σε βοήθεια. Πρόστρεξαν, τους έριξαν σκοινιά και κοφίνια, τις ανεβάσαν.

Χάρη σε κείνο το φίδι και τις γυναίκες που δε δείλιασαν να τ' αναζητήσουν στης γης τα έγκατα, βρέθηκε κείνο το τουνέλι που ξεκινάει από τη μια πλαγιά του βουνού και φτάνει μέχρι την άλλη, που περνάει κάτω από τα τείχη και τα σπίτια του Παλιόκαστρου. Ποιος ξέρει... Ίσως να μην είχαν άδικο κείνοι οι γέροντες προεστοί που, όταν έμαθαν τα συμβάντα, είπαν ότι αυτό το ερπετό δεν ήταν όποιο όποιο, ότι τ' οδηγούσαν και το συμβούλευαν κάποιοι παλιοί κι απολησμονημένοι άγιοι ή θεοί, που 'δειχναν μ' αυτό τον τρόπο στους Παλιοκαστρίτες ότι δεν είχαν χάσει την αλλοτινή τους δύναμη και πως δεν είχε σβήσει μέσα τους η αγάπη για τα πρωτινά τους λημέρια, για τα χώματά τους.

Οι Παλιοκαστρίτες δεν άφησαν να πάει χαμένο το δώρο των χθόνιων θεών, μαζεύτηκαν και βουλευτήκαν, πήραν αξίνια και κασμάδες, λοστούς, φτυάρια, φάρδυναν του φιδιού την τρύπα και κατεβήκαν όπως κι οι γυναίκες, δούλεψαν σκληρά μέρα και νύχτα, ασταμάτητα. Ύστερα από τρία χρόνια το

43

τουνέλι είχε γίνει πιο ευρύχωρο, είχε αποχτήσει ένα σωρό αδέλφια, γαλαρίες και παρακλάδια που κινούσαν από τα βάθια της γης κι απλώνονταν προς όλα σχεδόν τα σημεία του ορίζοντα, συγκοινωνούσαν, πήγαιναν άλλα κατά τον κάμπο κι άλλα κατά τη ρεματιά στην ανατολική πλευρά του Παλιόκαστρου, ενώ δυο άλλα έβγαιναν στο βάθος ενός γκρεμού στα βόρεια.

Ώσπου να τελειώσει το έργο που 'χαν σοφιστεί οι Παλιοκαστρίτες, ώστε να μπορούν να βγαίνουν αθέατοι από την πόλη και για να ενισχύσουν την άμυνά της, χρειάστηκαν αμέτρητα βαρέλια μπαρούτι για ν' ανατιναχτούν οι βράχοι, έλιωσαν στα χέρια των αντρών χιλιάδες λοστοί και πικούνια, έγιναν κάμποσα δυστυχήματα. Και για να βρεθούν τα λεφτά, το Παλιόκαστρο έκανε σκληρές οικονομίες, όλοι πρόσφεραν, όλοι στερηθήκαν. Στο τέλος, επειδή παρ' όλες τις προσπάθειες άδειασε τελείως ο μπεζαχτάς, οι γυναίκες πούλησαν σε κάτι εβραίους σαράφηδες της Άρτας τα γιορντάνια και τα φλουριά τους, οι φαμίλιες έβγαλαν στο σφυρί τα μπακίρια τους, ενώ κάμποσοι άντρες πήραν από τους προεστούς την άδεια να βγουν για λίγο καιρό στη ληστεία και να χτυπήσουν τούρκικα καραβάνια.

Όταν κάποτε με το καλό ξετέλεψαν, ο παπάς βάρεσε την καμπάνα και κάλεσε στην εκκλησία όλο τον κόσμο, έβαλε λειτουργία. Σε μια στιγμή, σαν ήρθε η ώρα να βγάλει τ' Άγια, στάθηκε μπροστά στην Άγια Πύλη, σήκωσε ψηλά την Κοινωνία και ζήτησε από το εκκλησίασμα να γονατίσει και να ορκιστεί. Βαριά κι άλυτη κατάρα, είπε ο παπάς, να 'πεφτε σ' όποιον θ' άνοιγε το στόμα και θα φανέρωνε σ' αλλοχωρίτη ή ξένο τους υπόγειους δρόμους του Παλιόκαστρου, το μυστικό της άμυνάς του. Αιώνια κι άσβηστη ντροπή ν' ακολουθούσε τη φαμίλια του, τους απογόνους του, τ' όνομά του. Κι αν γλίτωνε από την οργή των ανθρώπων, από το μαχαίρι ή το τουφέκι των Παλιοκαστριτών, αν ο Θεός του 'χε γραμμένο αλλιώτικο θάνατο, γη να μη βρισκόταν που να δεχτεί το κουφάρι του, να μην υπήρχε χώμα για να σκεπάσει τα κόκαλά του.

44

Ως τα σήμερα το μυστικό κρατιέται καλά. Σε κάθε πολιορκία, σε κάθε πόλεμο, όταν ανάβει μάχη στον κάμπο, χάρη σ' αυτά τα κρυφά περάσματα, τα παλιοκαστρίτικα αποσπάσματα μπορούν κι ελίσσονται μ' ευκολία, φανερώνονται στα ξαφνικά πίσω από τις γραμμές του εχθρού, σε μέρη όπου κανείς δεν τα περιμένει. Ύστερα χάνονται μπροστά στα μάτια κείνων που τα κυνηγούν ή που δοκιμάζουν να τους κόψουν το δρόμο, εξαφανίζονται από τη μια στιγμή στην άλλη σαν να κάνουν μάγια και γίνονται αόρατα, λες και μεταμορφώνονται σε θάμνους ή δέντρα.

Τα τελευταία χρόνια έγιναν κι άλλα έργα, οι υπόγειες γαλαρίες πλήθυναν, μερικές από τις παλιές ξανασκάφτηκαν, μεγάλωσαν, πετροχτιστήκαν. Τα νέα τουνέλια π' ανοίχτηκαν στρωθήκανε με άμμο για να μην ακούγονται οι περπατησιές των αντρών ή οι οπλές των αλόγων, εγκαταστάθηκαν παντού φανάρια, αποθηκεύτηκαν σ' επίκαιρα σημεία πυρομαχικά, μπαρουτοβάρελα. Το Παλιόκαστρο μπορεί ν' αμυνθεί πιο αποτελεσματικά από πριν, να κρατήσει γερά και για μεγάλο διάστημα, να τα βγάλει πέρα ακόμα και με τα πιο ισχυρά ασκέρια.

Όμως αυτή τη φορά η κατάσταση είναι πολύ επικίνδυνη. Ο Κώστα Μπέκας μελετάει εδώ και μέρες τα πράγματα, καταγράφει τις δυνάμεις των Οθωμανών, παρατηρεί με το κανοκιάλι το στρατόπεδό τους, προσπαθεί να εκτιμήσει τις δυνάμεις τους. Δεν έχει ξαναδεί στη ζωή του τόσο πολλά κανόνια: το πυροβολικό του Σελήμ πασά φαίνεται ευέλικτο και δυνατό, έχει ξένους αξιωματικούς, κανονιέρηδες Ευρωπαίους. Κι όσο για το μηχανικό του, το κουμαντάρει ένας Ναπολιτάνος, ο Τζουζέπε, άνθρωπος με μεγάλη φήμη στο εξωτερικό και με πολλές επιτυχίες στο ενεργητικό του. Λένε ότι ο Σελήμ πασάς του πρόσφερε ένα σακούλι χρυσάφι για να εξασφαλίσει τις υπηρεσίες του, για να τον πάρει από το στρατό των Αυστριακών που τον είχαν προσλάβει για να τους οργανώσει το μηχανικό τους, να τους βοηθήσει να λύσουν τα προβλήματα που παρουσίαζαν οι οχυρώσεις τους.

Ο ήλιος, όπου να 'ναι, θα βασιλέψει.

45

Όπως ο προκομμένος ξωμάχος που τέλειωσε το μεροκόπι ρίχνει μια ύστερη ματιά στο χωράφι του πριν χαθεί σε μια στροφή της δημοσιάς, έτσι και τ' άστρο της μέρας μοιάζει να κοντοστέκεται πάνω από τ' αντικρινά υψώματα και να κοιτάζει για μια ακόμα φορά τον κάμπο, να τον επιθεωρεί, να τον καληνυχτίζει. Την ίδια στιγμή το φως του λούζει με μια χρυσή πορφυράδα τα τείχη του Παλιόκαστρου, ζώνει τη μικρή πολιτεία με μια ήρεμη φωτιά, σκαρφαλώνει ύστερα μέχρι τις στέγες των σπιτιών, ταμπουρώνεται πίσω από τα πεζούλια και τις πολεμίστρες που 'χουν οι ταράτσες τους. Από κει θα δώσει σε λίγο κι αυτό μια μάχη, θ' αναμετρηθεί με τη νύχτα π' ανεβαίνει κατά την πολιτεία αργά μα αποφασιστικά, θα χτυπηθεί με το σκοτάδι που την ακολουθεί, που τη συντρέχει.

Ο Κώστα Μπέκας αφήνει το παρατηρητήριό του πίσω από 'να βράχο στα ριζά του βουνού, ταχτοποιεί το κανοκιάλι στη θήκη του και σφυρίζει σιγανά στ' άλογό του. Περπατώντας ήρεμα και διακριτικά, το ζώο έρχεται κοντά του, τρουλώνει τ' αυτιά και περιμένει τη διαταγή τ' αφέντη του. Έχει κι αυτό πολεμήσει σκληρά στη ζωή του, έχει χορτάσει βόλια, οι γιαταγανιές έχουν αφήσει βαθιά σημάδια στο στήθος και στα πλευρά του. Στη μάχη δεν έχει τ' όμοιό του, δεν ντρόπιασε ποτέ τον καβαλάρη του. Ξέρει να υπολογίζει τις κινήσεις του ανάλογα με την περίσταση και με την ταχτική του εχθρού, μπορεί να ξεγελάει με κόλπα και τσαλίμια τ' αντίπαλο άτι, ώστε να φέρνει τον Κώστα Μπέκα πάντα σε πλεονεχτική θέση για ν' αμυνθεί ή να επιτεθεί, για να δουλέψει σωστά το γιαταγάνι του. Το 'χουν θαυμάσει χιλιάδες Τούρκοι σ' όλους τους πολέμους, το 'χουν λιμπιστεί ολάκεροι στρατοί. Ένα σωρό οπλαρχηγοί από τα γύρω μέρη μα κι από άλλες περιοχές της Ελλάδας έχουν μηνύσει στον Κώστα Μπέκα πως είναι έτοιμοι να του προσφέρουν ό,τι έχουν και δεν έχουν για να του τ' αγοράσουν και να τ' αποχτήσουν, να πάνε μαζί του στη μάχη, να πολεμήσουν καβάλα στη ράχη του.

Κάθε φορά που του φέρνουν τέτοια μηνύματα, ο καπετάνιος του Παλιόκαστρου γελάει στην αρχή καλόκαρδα, νιώθει περήφανος για τ' άλογό του, αλλά στο τέλος, όταν οι μεσάζοντες επιμένουν, συγκρατεί με δυσκολία την οργή του. Πουλιέται ένας σύντροφος, ένας αδελφός, ένας συμπολεμιστής; Βγαίνουν στο σφυρί η παλικαριά κι η πίστη του, οι αγώνες που 'χει κάνει κι αυτό για την πατρίδα του; Ξεχνιέται το τιμημένο παρελθόν του;

Δεν έχουν ποτέ τους χωριστεί, πολεμάνε μαζί χρόνια και χρόνια. Ο Κώστα Μπέκας είδε τ' άλογό του να γεννιέται, να βγαίνει από την κοιλιά της μάνας του. Δεν ήταν εύκολη δουλειά για την κακομοίρα τη φοράδα μέσα στη βράση μιας πολύ κρίσιμης μάχης: κείνη τη μέρα ένα μικρό παλιοκαστρίτικο ασκέρι είχε πέσει σε τούρκικη ενέδρα πολύ μακριά από την πόλη, κανένας δεν είχε καταφέρει να ξεφύγει για να μπορέσει να ειδοποιήσει, δεν υπήρχε καμιά ελπίδα για βοήθεια. Βλέποντας ότι ανάμεσα στους Παλιοκαστρίτες ήταν κι ο Λάμπρο Μπέκας, ο καπετάνιος τους, οι Τούρκοι μάχονταν με μεγάλη λύσσα, όλο κι έσφιγγαν τον κλοιό τους, όλο και χιμούσανε. Η γκαστρωμένη φοράδα έκανε ό,τι μπορούσε, μια χυνότανε στους Τούρκους και μια υποχωρούσε, ελισσότανε, στη ράχη της είχε του Κώστα Μπέκα τον πατέρα, πάνω από το κεφάλι της άστραφτε το γιαταγάνι του, στ' αυτιά της αντηχούσαν τα παραγγέλματα, τα χουγιαχτά του. Αν έκανε πως γλίστραγε, αν τυχόν και λυγούσε, των Τούρκων τ' άλογα θα 'πεφταν πάνω της σαν σφήκες, οι Οθωμανοί καβαλάρηδες θα την πετσόκοβαν με τα χαντζάρια.

Ξαφνικά τ' αλογάκι άρχισε να ξεφυτρώνει από την κοιλιά της, μέσα σε κείνο το χαλασμό μισοκρεμάστηκε ανάμεσα στα σκέλια της. Την παντέρμη τη φοράδα την πήραν τα αίματα, τα παλικάρια που αντιστέκονταν τριγύρω έβαλαν τις φωνές για να πάρει είδηση ο καπετάνιος, έκαναν τείχος με τα κορμιά τους για να μην πιαστεί ζωντανός. «Κώστα, γρήγορα, ξεγέννα την!» φώναξε ο Λάμπρο Μπέκας στο γιο του που πολέμαγε πίσω του.

Ο Κώστα Μπέκας πρόστρεξε.

Κι ενώ η μάχη λυσσομανούσε, άρπαξε όπως μπόρεσε τ'

47

αλογάκι και το τράβηξε γρήγορα από της μάνας του την κοιλιά, τ' αφαλόκοψε μ' ένα μαχαίρι. Ξαλαφρωμένη η φοράδα χλιμίντρισε, έδωσε ένα σάλτο και ξαναρίχτηκε στους Τούρκους: με την ψυχή στα δόντια, με τα σπλάχνα της ακόμη ανοιχτά, με τα αίματα να τρέχουν στα πισινά της ποδάρια. Μα δεν την ένοιαζε. Γιατί πριν ξαναχιμήξει, έστρεψε λίγο το κεφάλι και με την άκρη του ματιού της είδε τον Κώστα Μπέκα να τρέχει και να χώνει το νεογέννητο σε μια σπηλιά, να στέκεται ύστερα με το γιαταγάνι στο χέρι, έτοιμος κι αποφασισμένος, μπροστά στην εμπασιά.

Δ

Τ Ο ΚΕΙΜΕΝΟ ΠΟΥ ΑΚΟΛΟΥΘΕΙ ΕΙΝΑΙ Η ΑΡΧΗ ΤΗΣ ΔΙΗΓΗ-
σης του Παλιοκαστρίτη μοναχού Ισίδωρου, που μόνασε,
από το 1730 μέχρι τα τελευταία χρόνια του αιώνα, στο
μοναστήρι του Προφήτη Ηλία, κάπου μια ώρα δρόμο από τη
γενέτειρά του. Πρόκειται για ένα είδος ημερολόγιου-χρονι-
κού, σαν εκείνα που 'γραφαν άλλοτε μερικοί καλόγεροι που
'ξεραν λίγα κολλυβογράμματα.

Η διήγηση του Ισίδωρου, κατά κόσμο Σπύρου Πρέσα, εί-
ναι ψιλογραμμένη στα περιθώρια και στις λευκές σελίδες
μιας Καινής Διαθήκης που βρίσκεται, μαζί με άλλα λειτουρ-
γικά βιβλία, στη μικρή βιβλιοθήκη της μονής.

Κάμποσα τέτοια κείμενα σιγομασουλίζει το σαράκι εδώ
κι εκεί, σε διάφορα μοναστήρια. Ποιος να κάτσει ν' ασχοληθεί
μαζί τους... Οι λίγοι νέοι που εγκαταλείπουν στις μέρες μας
τα εγκόσμια έχουν άλλα μαλλιά να ξάνουν, κοιτάζουν πώς να
γλιτώσουν τις παραμελημένες μονές από την καταστροφή,
προστατεύουν από τους αρχαιοκάπηλους τις παλιές εικόνες,
τα πολύτιμα κειμήλιά τους από τους κλέφτες. Οι γέροι μο-
ναχοί έχουν άλλης λογής φροντίδες στο νου. Ξέρουν πως δεν
τους μένει και πολύς καιρός, ότι το λάδι του καντηλιού τους
άρχισε να σώνεται και πρέπει να βιαστούν, ν' αποτελειώνουν
με τη μετάνοιά τους. Αφήνουν τους νεότερους αδελφούς να
γνοιαστούν για τους τοίχους, τις εικόνες, τα βιβλία και τα
χαρτιά, οι βιοτικές μέριμνες δεν τους απασχολούν. Αυτοί
κοιτάζουν πώς να σώσουν την ψυχή τους.

Βιβλιοθηκάριος στον Προφήτη Ηλία είναι σήμερα ο Μελέ-
τιος.

Είναι ένας γέροντας με κάτασπρα μαλλιά και μια διπίθαμη
γενειάδα, μισότυφλος. Αν του πεις ότι θέλεις να ρίξεις μια
ματιά στο χρονικό του Ισίδωρου, θα τον δεις να σηκώνεται με

49

κόπο από το σκαμνί όπου κάθεται ξεκουκίζοντας το κομποσκοίνι του και να κατευθύνεται αργά, σέρνοντας τα πόδια, προς το βάθος της βιβλιοθήκης. Εκεί, αφού σταυροκοπηθεί, θ' ανοίξει ένα σαρακοφαγωμένο ντουλάπι και θ' αρχίσει να ψαύει, δίχως να κοιτάζει, ένα ένα τα βιβλία που 'ναι στα ράφια.

Αν του προσφέρεις βοήθεια, θ' αρνηθεί ευγενικά.

Κρατώντας στα τρεμάμενα χέρια του την Καινή Διαθήκη, που θα 'χουν στο μεταξύ εντοπίσει τα δάχτυλά του, θα σου εξηγήσει ότι δεν είναι από ακαταδεξιά ή από ψευτοπερηφάνια που δε ζητάει, που δε θέλει να τον βοηθάνε. Βλέπει ακόμα καλούτσικα, θα σου πει, αλλά ξέρει πως αργά ή γρήγορα θα χάσει τελείως το φως του και γι' αυτό συνηθίζει από τώρα στο σκοτάδι που θα τον τυλίξει, μαθαίνει να ζει χωρίς τα μάτια του.

Όση ώρα θα διαβάζεις το χρονικό του Ισίδωρου, ο Μελέτιος θα πηγαινοέρχεται διακριτικός και αμίλητος. Πού και πού θα κοντοστέκεται μπροστά σ' ένα παράθυρο και θα κοιτάζει έξω, θα φέρνει το χέρι πάνω από το κούτελό του για να μην τον πειράζει ο ήλιος και θα προσπαθεί να ξεδιακρίνει πέρα μακριά. Ύστερα, σκύβοντας το κεφάλι, θα μένει για λίγο συλλογισμένος σαν να περιμένει να χαραχτούν μέσα του βαθιά όσες εικόνες αυτού του κόσμου κατάφερε να μαζέψει η όρασή του.

Ὀνομάζομαι Ἰσίδωρος, κατὰ κόσμο Σπύρος Πρέσας. Γεννήθηκα στὸ Παλιόκαστρο, κι ἐδῶ στὸ μοναστήρι μ' ἔφερε ὁ πατέρας μου στὰ 1730. Θὰ 'μουνα τότε κάπου δέκα χρονῶ παιδί.

Ἔβαλα ράσο ἀπὸ ἀνάγκη. Οἱ γονιοί μου —ὁ Θεὸς ν' ἀναπαύσει τὴν ψυχή τους— ἦταν φτωχοὶ ἄνθρωποι, ἤμαστε δέκα στόματα στὸ σπίτι, εἴχαμε μεγάλη στέρηση. Γιὰ μᾶς τὰ παιδιὰ δὲν ὑπῆρχε ἄλλη σωτηρία παρὰ στὸ κλέφτικο ἢ στὰ θεοτικά. Ὁ μεγάλος μου ἀδερφός, ὁ Γιάννης, βγῆκε στὸ κλαρὶ μὲ τὸ Δημητρὸ τοῦ Τζανῆ, τὸ γείτονά μας. Δεύτερος ἦταν ὁ Κωνσταντής, ποὺ ἀπεδήμησεν εἰς Κύριον, τὸν πῆρε μιὰ κακιὰ ἀρρώστια. Θεὸς συγχωρέσοι τον. Μετὰ ἀπὸ μένα ἦταν κι ἄλλο ἕνα ἀρσενικό, Λάμπη τὸ λέγανε. Εἶχε πάει γιὰ μανίτια στὸ βουνό, ἔπεσε κι ἔσπασε τὸ πόδι, τὸν ἔφαγαν τὴ νύχτα οἱ λύκοι.

Ἀπὸ τὶς ἀδερφὲς μου θυμᾶμαι καλὰ τὴν πρώτη, Ἀναστασία τὴ λέγανε. Τότε ποὺ ὁ πατέρας μου μ' ἔβαλε στὴν καλογερική, ἔπεσε στὰ πόδια του καὶ τὸν περικαλοῦσε νὰ μ' ἀφήσει στὸ σπίτι. Ὕστερα ἀπὸ χρόνια, ποὺ πῆγα μιὰ φορὰ στὸ σπίτι, εἶχαν κλεφτεῖ μ' ἕναν πραματευτὴ κι εἶχαν φύγει. Δὲν ξανακούστηκε. Θυμᾶμαι καὶ τὴ Δημητρούλα. Αὐτὴ ἐρχόταν τὰ πρῶτα χρόνια μὲ τὴ μάνα μου στὸ μοναστήρι γιὰ νὰ μὲ δοῦνε, ἄναβαν καὶ τὰ καντήλια. Ἡ μάνα μου δὲν ἤθελε νὰ μὲ κοιτάζει ποὺ φόραγα ράσο, ἔκλαιγε. Ὁ πατέρας μου ἐρχόταν στὴ χάση καὶ στὴ φέξη. Ὕστερα, μὲ τὸν καιρό, ἔκοψε. Τὸ Παλιόκαστρο .... πόλεμοι πολλοὶ κείνη τὴν ἐποχή.

Τόν εἶδα μετὰ ἀπὸ χρόνους, τότε ποὺ 'χε πεθάνει ἡ μάνα μου. Ὁ Θεὸς ἀναπαύσοι αὐτὴν ἐν κόλποις Ἀβραάμ. Εἰδωθήκαμε καὶ μὲ τὸν ἀδερφὸ μου τὸ Γιάννη ποὺ τοῦ 'λειπε ἕνα χέρι γιατὶ τοῦ τὸ 'χε πάρει μὲ χαντζαριὰ ἕνας Τοῦρκος. Ἀγκαλιαστήκαμε καὶ κλαίγαμε σὰν μικρὰ παιδιά. Τότε ἔμαθα ποὺ μιὰ ἄλλη ἀδερφή μου, ἡ Ἀσημίνα, εἶχε πέσει σ' ἕνα ξεροπήγαδο κι ἔμεινε σακάτισσα. Δὲν ἄντεξε ἡ κακομοίρα τὸ κακὸ ποὺ τὴ βρῆκε καὶ πῆγε κι ἤπιε φαρμάκι. Ὁ πολυέλεος καὶ πολυεύσπλαγχνος Θεὸς ἂς τὴ συγχωρέσει ἐν τῇ μακροθυμίᾳ του.

....
.... μάχη μὲ ληστές, Τουρκαλβανούς. Ὁ πατέρας μου λαβώθηκε βαριὰ κι ἔγινε σκοτωμὸς γύρω του ὅταν ἔπεσε, γιὰ νὰ μὴν τοῦ πάρουν οἱ ἄπιστοι τ' ἄρματα. Ἦρθε στὸ μοναστήρι καὶ μοῦ τὸ 'πε ὁ ἴδιος ὁ καπετάνιος, ὁ Λάμπρος ὁ Μπέκας, μοῦ 'φερε καὶ τὸ γιαταγάνι του. Κι ἐγὼ ντράπηκα γιατὶ ἤμουνα ταγμένος στὸ Θεὸ καὶ δὲν μποροῦσα νὰ πάρω πίσω τὸ αἷμα του. Δὲν πειράζει, μοῦ 'πε ὁ καπετάνιος. Κι ἡ καλογερικὴ ταμπούρι εἶναι, κράτα το γερά, τίμησέ το.

Μιὰ χρονιὰ ἦρθε μιὰ γυναίκα καὶ μὲ ζήταγε. Τὴν ἔβα-
λαν στ᾽ ἀρχονταρίκι καὶ περίμενε. Δὲν ἤξερα ἐγὼ καμιὰ
γυναίκα. Πῆγα καὶ ρώτησα τὸν πορτάρη ποὺ τὴν εἶχε φέ-
ρει, ἀλλὰ οὔτε κι αὐτὸς τὴν ἤξερε. Τότε πῆγα καὶ τὴν εἶδα.
Μοῦ 'πε ὅτι τὴν ἔλεγαν Φιλιὼ καὶ πῶς ἤτανε ἡ πιὸ μικρὴ
ἀπὸ τὶς ἀδερφὲς μου. Ποῦ νὰ τὴ θυμόμουν, εἶχαν περάσει
τόσα χρόνια. Ἐγὼ μὲ γένια καὶ ράσα, αὐτὴ μέσα στὰ
μαῦρα, πῶς νὰ γνωριστοῦμε; Θὰ 'φευγε ἀπὸ τὸ Παλιόκα-
στρο γιατὶ δὲν μποροῦσε νὰ μένει μονάχη της, θὰ πήγαι-
νε νὰ κλειστεῖ σ᾽ ἕνα μοναστήρι στὴν Ἄρτα. Κάνε ὅπως
σὲ φωτίσει ὁ Θεός, τῆς εἶπα. Εὐχηθήκαμε ὁ ἕνας στὸν ἄλ-
λο νὰ 'χουμε καλὰ στερνὰ καὶ δὲν ξαναειδωθήκαμε.

Ἡ Φιλιὼ μοῦ ἄφησε τὸ κλειδὶ τοῦ σπιτιοῦ. Ψυχὴ μέσα.
Δὲν πῆγα καθόλου. Τὶ νὰ κάνω νὰ πάω; Ἅμα δὲν ἔχει
πιὰ κανένα δικό του ὁ ἄνθρωπος, τὶ νὰ τὰ κάνει τὰ κλει-
διά; Ἀληθινὲς πόρτες εἶναι αὐτὲς ποὺ τὶς ἀνοίγει χέρι
ἀνθρώπου ἀπὸ μέσα.

Σὰν ἤμουνα καλογεροπαίδι, ὁ ἡγούμενος μ᾽ ἔστελνε
καμιὰ φορὰ μαζὶ μ᾽ ἕνα γέροντα ἀδελφὸ στὸ Παλιόκα-
στρο καὶ σὲ ἄλλα μέρη, πιὸ μακρινά. Μαζεύαμε τὰ ἐλέη
ἀπὸ τὰ προσκυνητάρια καὶ τὰ ξωκλήσια, ὕστερα γυρί-
ζαμε. Ἔτσι δὲ μοῦ φαινόταν καὶ πολὺ βαριὰ ἡ ζωὴ στὸ
μοναστήρι, ἀποξεχνιόμουν, συνήθιζα. Καὶ μιὰ μέρα, ἐκεῖ
ποὺ καθόμουν καὶ κοίταζα ἀπὸ τὸ παράθυρο τοῦ κελιοῦ,
εἶδα ποὺ δὲ μ᾽ ἔνοιαζε πιὰ νὰ βλέπω τὸν τόπο μου ἀπὸ
μακριά. Ἦταν σὰν νὰ μὴν εἶχα τίποτα μέσα μου, οὔτε
σπλάχνα οὔτε καρδιά. Ἤμουνα σὰν ἀδειανὸ σακί. Φο-
βήθηκα καὶ πῆγα στὴν ἐκκλησία, ἔπεσα στὰ γόνατα καὶ
παρακάλεσα τὸ Θεὸ νὰ μὴ μ᾽ ἀφήσει ἔτσι.

Σήμερα .... πολλὰ χρόνια ....
.... σὰν νὰ βλέπω .... ζωγραφιὰ ποὺ
κρέμεται συνέχεια στὸν τοῖχο.

.... ἀπὸ δῶ πάνω φαίνεται καλὰ
μόνο τὸ κοιμητήρι, στ᾽ ἀριστερὸ μου χέρι ὅπως κοιτάζω
τὸν κάμπο. Οἱ παλιοὶ τὸ 'φτιαξαν ἐκεῖ γιατὶ τὸ Παλιό-
καστρο εἶναι σὲ βραχότοπο καὶ δὲν ἔχει πολὺ χῶμα γιὰ

νὰ σκεπαστοῦν οἱ ἀποθαμένοι. Κείνη ἡ γῆ δὲν κάνει γιὰ σπορά, γι' αὐτὸ τὴ διάλεξαν. Τί νὰ τὴν κάνουν οἱ πεθαμένοι τὴν καλὴ γῆ; Αὐτοὶ ὅ,τι εἶχαν νὰ σπείρουν τὸ 'σπειραν ὅταν ἦταν ζωντανοί.

Οἱ ἀδελφοὶ ποὺ κοιμοῦνται ἐν Κυρίῳ μένουν ἐδῶ. Ἔχουμε ἕνα στρέμμα δικό μας πίσω ἀπὸ τὴ μονὴ. Λίγο εἶναι κι ἐκεῖ τὸ χῶμα, ἀλλὰ λίγοι εἴμαστε κι ἐμεῖς. Στὴν ἀνακομιδὴ κουβαλᾶμε τὰ ὀστὰ σὲ μιὰ σπηλιὰ κάτω ἀπὸ τὸ ἱερὸ τῆς ἐκκλησίας. Στὰ πιὸ πολλὰ κρανία εἶναι χαραγμένα ὀνόματα. Σ' ἄλλα ὄχι. Δὲν πειράζει. Ὅταν ἔλθει Κύριος ἐν τῇ δόξῃ Του θὰ μᾶς ἀναγνωρίσει. Ἐμεῖς δὲ χρειάζεται νὰ τοῦ ποῦμε τίποτα.

Ἀλλὰ στοὺς ἀνθρώπους πρέπει νὰ ποῦμε ....
.... ἀργὰ πιὰ .... μ' αὐτὰ τὰ λίγα ψευτογράμματα ποὺ ξέρω .... Μοῦ τὰ 'μαθε ὁ ἀδελφὸς Ἀρσένιος. Ἦταν ἐδῶ πρὶν ἀπὸ μένα, φρόντιζε τὰ βιβλία καὶ τὰ χαρτιὰ τῆς μονῆς.

.... στὴν ἀρχὴ δὲν ἤθελα. Τὰ σιχαινόμουν τὰ γράμματα ἔτσι ποὺ τὰ 'βλεπα ἀραδιασμένα στὸ χαρτί. Μοῦ φαινόντουσαν σὰν κεῖνα τὰ σκουληκάκια ποὺ βρίσκουμε ψόφια στ' ἀλεύρι. Μιὰ μέρα ποὺ τὸ εἶπα τοῦ Ἀρσένιου γέλασε. Ξέρεις, μοῦ λέει, γιατὶ ψόφησαν τοῦτα δῶ; Πάλεψαν μὲ κάτι ἄλλα, πιὸ γεροδεμένα. Ποιά; τὸν ρωτάω. Νά, αὐτὰ ποὺ μιὰ μέρα θέλουν μᾶς φᾶνε, μοῦ λέει. Κι ἐγὼ φοβήθηκα, ἤμουνα παιδὶ ἀκόμα. Καὶ κάθε φορὰ ποὺ μ' ἔβαζε ὁ Ἀρσένιος νὰ γράψω, ἔφτιαχνα μεγάλα τὰ γράμματα γιὰ νὰ μπορέσουν νὰ τὰ βγάλουν πέρα μὲ κεῖνα τ' ἄλλα ποὺ σκιαζόμουν.

Διάβασα στὴν Παλαιὰ Διαθήκη γιὰ τὸν Πύργο της Βαβὲλ καὶ ποὺ ὁ Κύριος ἐκατηράσθη τοὺς ἀνθρώπους καὶ τοὺς ἔβαλε νὰ μιλοῦν μὲ χίλιες γλῶσσες. Καὶ νὰ ποὺ φτάσαμε σήμερα νὰ ἔχουμε ὁ καθένας ἀλλιώτικα σκουληκάκια γιὰ νὰ γράφουμε. Ἀλλὰ αὐτὰ ποὺ θὰ μᾶς φᾶνε εἶναι ἴδια γιὰ ὅλους.

....
.... χαρτί. Ἔγραφα ὅπου ἔβρισκα,

σὲ κάτι παλιὰ κατάστιχα, ὥσπου ἔμαθα. Ὕστερα οἱ ἄλλοι ἀδελφοὶ πήγανε στὸν ἡγούμενο καὶ τοῦ παραπονέθηκαν ὅτι μὲ τὰ γραψίματα ξόδευα λάδι γιὰ τὸ λυχνάρι. Κι ἀπὸ τότε, γιὰ νὰ κάνω οἰκονομία, μιὰ νύχτα ἔγραφα καὶ τὴν ἄλλη ἔμενα στὰ σκοτεινά.

.... ἕνα σημαδιακὸ ὄνειρο. Εἶχαν ἔρθει, λέει, μιλιούνια οἱ ἐχθροὶ κι ἐμεῖς ἤμαστε ἕτοιμοι στὰ μπεντένια. Καὶ σὲ μιὰ στιγμὴ κάνω ἔτσι καὶ σκύβω ἀπὸ μιὰ πολεμίστρα καὶ τὶ νὰ δῶ; Ἕνα μεγάλο τέρας, ἕνα θεριὸ σὰν δράκοντας, ποὺ σκαρφάλωνε σιγὰ σιγὰ τὴν πλαγιά. Κι ἡ οὐρά του ἤτανε τόσο μακριά, ποὺ 'φτανε μέχρι τὸν κάμπο, ἦταν σὰν ὄφις μὲ πόδια καὶ νύχια, ἀπὸ τὸ στόμα του ἔβγαινε καπνός. Ἀπ' ὅπου πέρναγε δὲν ἔμενε τίποτα στὴ γῆ, χάνονταν ἀκόμα κι οἱ πέτρες, τὰ χώματα ἄχνιζαν. Καὶ ....

.... τὸ κορμὶ του.

Ὕστερα βλέπω Ἄγγελο Κυρίου ποὺ φανερώθηκε καὶ μᾶς ἐμοίραζε πύρινες λόγχες γιὰ νὰ πολεμήσουμε τὸ θεριό. Σὲ μιὰ στιγμὴ στάθηκε μπροστὰ μου, ἀλλὰ δὲ μοῦ 'δωσε τίποτα ἐμένα. Ὕστερα ἔκανε νὰ φύγει, ἀλλὰ σὰν νὰ μετάνιωσε καὶ ξαναγύρισε, ξερίζωσε ἕνα φτερὸ ἀπὸ τὴ δεξιά του φτερούγα καὶ μοῦ τὸ 'βαλε στὸ χέρι. Μετὰ χάθηκε.

Φοβήθηκα μήπως ἦταν κακὸ τ' ὄνειρο καὶ πῆγα στὸν ἡγούμενο. Ὄχι, μοῦ εἶπε, εἶναι ἀπὸ Θεοῦ. Τὸ θεριὸ ποὺ εἶδες εἶναι ἡ βαρβαρότητα κι ἡ κακία τ' ἀνθρώπου. Γι' αὐτὸ κι ἡ οὐρά του εἶναι μεγάλη, ἁπλωμένη σ' ὅλη τὴ γῆ. Οἱ πύρινες λόγχες εἶναι τὰ λόγια τῶν προφητῶν καὶ τῶν ἁγίων, τ' ἄρματα τῶν μοναχῶν. Καὶ τὸ φτερὸ ποὺ σοῦ 'βαλε στὸ χέρι ὁ Ἄγγελος εἶναι τὸ χηνόφτερο ποὺ 'χεις καὶ γράφεις. Αὐτὸ εἶναι τ' ὅπλο σου, τὸ σπαθὶ σου.

Μετὰ ἀπὸ λίγο καιρὸ ἔπεσε βαριὰ ἄρρωστος. Κι ὅ,τι κι ἂν τοῦ κάναμε, δὲν ἔλεγε νὰ γιάνει. Πήγαινε ἀπὸ τὸ κακὸ στὸ χειρότερο, τὸν βλέπαμε ποὺ 'σβηνε. Καὶ μιὰ μέρα, σὰν ἔνιωσε πὼς εἶχε φτάσει ἡ ὥρα νὰ πληρώσει τὸ κοινὸ χρέος, μᾶς μάζεψε κι ἔδωσε στὸν καθένα τὴν εὐλο-

γία του. Ὅταν ἦρθε ἡ δική μου σειρά, εἶπε τοῦ Σωφρό-
νιου, ποὺ 'χε τὰ κλειδιὰ τοῦ κελαριοῦ, νὰ μοῦ δίνει λάδι
γιὰ τὸ λυχνάρι. Τὸ 'πε καὶ στὸ γέροντα ποὺ θὰ στεκόταν
ἡγούμενος στὸ πόδι του. Ἔτσι κι ἔγινε.

.... κάμποσος καιρὸς .... μιὰ
χρονιὰ .... τὸ 'να κακὸ πάνω στ' ἄλλο ....
.... μετὰ ἀκόμα χειρότερα.

Μιὰ μέρα ἦρθε ὁ βοσκὸς ποὺ 'χαμε στὸ βουνὸ γιὰ τὰ
γίδια μας καὶ μᾶς εἶπε ποὺ ὁ τράγος δὲν ἤθελε νὰ βγεῖ
στὴ βοσκὴ μὲ τὶς θηλυκές, τὶς ἀπόφευγε καὶ δὲν τὶς ἄγγι-
ζε. Τὸ ζωντανὸ καθόταν ὅλη μέρα κάτω ἀπὸ 'να δέντρο
καὶ δὲν ἤθελε νὰ σηκωθεῖ, μάδαγε τὸ γένι του καὶ τ' ἀ-
χαμνὰ του εἶχαν σουφρώσει. Ἄδικα τοῦ δίναμε τὴν καλύ-
τερη ταγὴ καὶ τὸ ξεμετράγαμε. Τίποτα. Ὥσπου μιὰ μέρα
τὸν βρήκαμε κοκαλιασμένο ἐκεῖ στὸ δέντρο καὶ μὲ τὸ στό-
μα ἀνοιχτό.

Κι ἕνα πρωὶ πάλι, ἐκεῖ ποὺ πήγαιναν γιὰ βοσκή, ἄρ-
χισαν οἱ γίδες νὰ τρέχουν σὰν δαιμονισμένες καὶ δὲ λογά-
ριαζαν οὔτε σκυλὶ οὔτε βοσκό, πῆγαν κι ἔπεσαν ὅλες μαζὶ
σ' ἕνα βάραθρο. Καὶ καθὼς ἔπεφταν, βέλαζαν δυνατά,
ἀκούστηκαν οἱ φωνὲς τριγύρω, σ' ὅλα τὰ βουνά.

Τότε σηκωθήκαμε καὶ πήγαμε στὸν ἐρημίτη τὸ Χαρί-
τωνα. Νὰ 'χουμε τὴν εὐλογία του. Ἅγιος ἄνθρωπος. Τοῦ
ἱστορήσαμε τὰ βάσανά μας καὶ μᾶς εἶπε πὼς ὅλα ἦταν
ἀπὸ τὶς ἁμαρτίες τοῦ κόσμου καὶ πὼς ὁ Θεὸς κάτι μᾶς
ἔλεγε μὲ τὸν τρόπο Του. Ἀλλὰ ἐμεῖς ποῦ νὰ καταλάβου-
με τὴ γλώσσα Του. Μάθαμε καὶ μιλᾶμε ἕνα σωρὸ γλῶσ-
σες, ἀλλὰ ξεχάσαμε τὴ δική Του, εἶπε ὁ Χαρίτωνας.

Λίγο καιρὸ μετὰ ἦρθε στὸ μοναστήρι ἕνας ξένος. Εἶπε
πὼς ἦταν ἀπὸ τὴν Περσία καὶ πὼς μελέταγε τὰ παλιὰ
βιβλία καὶ τὰ χαρτιά. Φαινότανε καλὸς ἄνθρωπος καὶ
διαβασμένος. Καὶ τοῦ 'παμε νὰ μείνει ὅσο ἤθελε.

Ε

Τ' ΑΛΟΓΟ ΚΑΤΕΧΕΙ ΤΗ ΔΙΑΔΡΟΜΗ ΠΟΥ ΠΡΕΠΕΙ Ν' ΑΚΟλουθήσει και βαδίζει λεύτερα, με τα γκέμια χαλαρά, τ' αυτιά τρουλωμένα. Πού και πού σιγανεύει την περπατησιά του ή κοντοστέκεται για να μπορέσει ο Κώστα Μπέκας να επιθεωρήσει τα ταμπούρια που 'ναι σπαρμένα εδώ κι εκεί, για να βεβαιωθεί ότι τα καραούλια είναι στη θέση τους. Κάθε λίγο και λιγάκι, μέσα στην ησυχία του βουνού, καθώς το βλέμμα του καπετάνιου εξετάζει προσεχτικά ένα σύδεντρο ή την είσοδο κάποιας σπηλιάς, ακούγεται ένα πετραδάκι που κατρακυλάει ανάλαφρα από ψηλά και φτάνει μέχρι το μονοπάτι, σταματάει μπροστά στα πόδια τ' αλόγου σαν να θέλει να του κόψει το δρόμο. Άλλοτε πάλι, εκεί που ο Κώστα Μπέκας προσπαθεί να ξεδιακρίνει πίσω από καμιά θεριεμένη ντοροβάτα, βγαίνει από τη ρίζα της ένα διαπεραστικό φιδίσιο σούρισμα.

Έτσι κουβεντιάζει ο καπετάνιος με τους άντρες που 'χουν πιάσει θέσεις παντού γύρω από το Παλιόκαστρο, μ' αυτό τον τρόπο τα παλικάρια που παραφυλάνε σ' όλα τα περάσματα του δίνουν την αναφορά τους. Αλλά παρ' όλη του την προσοχή και την πείρα, καθώς είναι βυθισμένος μέσα στις μύριες σκέψεις που μυρμηγκιάζουν τώρα τελευταία στο νου του, τυχαίνει και δεν παρατηρεί την κορφή κάποιου κυπαρισσιού που σαλεύει αλλιώτικα από τις άλλες, δεν ακούει τη φωνίτσα που βγάζει τάχα μια πετροπέρδικα λίγα δράσκελα μπροστά του. Όμως το άτι προσέχει για λογαριασμό του και δεν του ξεφεύγει τίποτα, καμιά ύποπτη κίνηση, κανένας παράξενος ήχος. Μόλις δει ή ακούσει κάτι, ρουθουνίζει μαλακά, χαρακτηριστικά, ειδοποιεί τον αφέντη του.

Ώσπου να βασιλέψει ο ήλιος, ο Κώστα Μπέκας θα 'χει οργώσει όλο το βουνό, θα 'χει κατέβει σε ρεματιές και γκρεμούς, θα 'χει περάσει απ' όλες τις βουνοκορφές και τα διάσελα. Οι άντρες του θ' ακούσουν από μακριά το γνώριμο βάδισμα του φημισμένου του αλόγου, θα δουν τον ίσκιο του να περνάει σύρριζα στο ταμπούρι τους, να πέφτει ξαφνικά πάνω τους. Κι όπως κάθε φορά που ο καπετάνιος κάνει επιθεώρηση, το γρήγορο και πονηρό ζώο θα πιάσει και μερικούς να το 'χουν μισορίξει στην ανεμελιά ή στον ύπνο, δε θα τους αφήσει χρόνο για ν' αρπάξουν από δίπλα τα τουφέκια, να χουφτώσουν τα γιαταγάνια τους. Τους περισσότερους ο Κώστα Μπέκας θα τους επιτιμήσει μ' ένα άγριο βλέμμα, με μια υβριστική χειρονομία θα τους κάνει να ντραπούν. Μερικούς άλλους θα τους διατάξει να εγκαταλείψουν αμέσως τη θέση που κατέχουν, θα τους βάλει σε πιο εύκολα, πιο παρακατιανά πόστα. Στ' αναμεταξύ, από τα γειτονικά ταμπούρια θα 'χουν πεταχτεί οι άντρες που θα τους αντικαταστήσουν, θα φυλάξουν καραούλι στη θέση τους. Κι όλα αυτά στα σβέλτα, χωρίς περιττές κινήσεις και κουβέντες, δίχως να πάρουν είδηση τα τούρκικα περίπολα, με τάξη, με σύστημα.

Έτσι κουμαντάρει τ' ασκέρι του ο Κώστα Μπέκας· δεν αφήνει ποτέ να χαλαρώσει η πειθαρχία, να ξεφτίσει η υπακοή. Τους ξέρει καλά τους συμπατριώτες του, τους έχει μελετήσει στον πόλεμο και στην ειρήνη, κατέχει τα ίσα τους αλλά και τα στραβά τους. Στη μάχη δεν τους παραβγαίνει κανείς, τέτοια παλικάρια δε βρίσκονται αλλού πουθενά. Έλα όμως που 'ναι Έλληνες κι αυτοί, δηλαδή άντρες με κεφάλια ξερά, δυσκολοκυβέρνητα, άνθρωποι αψίθυμοι, απρόβλεπτοι. Χρειάζονται κότσια για να τους φέρεις βόλτα, για να τους πείσεις, να συγκρατήσεις σε μια δύσκολη στιγμή τον ενθουσιασμό ή την οργή τους, να τους κάνεις να ηρεμήσουν την ώρα που βράζει το αίμα τους. Αλλιώτικα είναι ικανοί να σου τα κάνουν όλα γυαλιά καρφιά ώσπου να πεις κύμινο, να γκρεμίσουν από τη μια στιγμή στην άλλη όσα χρειάστηκαν χρόνια και χρόνια για να χτιστούν, να στεριώσουν.

Μ' ένα σχεδόν ανεπαίσθητο τράβηγμα του χαλιναριού ο Κώστα Μπέκας ακινητεί τ' άλογο στο φρύδος ενός απόκρημνου μονοπατιού, σ' ένα μικρό ξέφωτο, αφήνει το βλέμμα του να πλανηθεί εδώ κι εκεί αλάργα, να φέρει κύκλο σ' όλη τη γη του Παλιόκαστρου, να σταθεί για λίγο σ' όλα τα γνωστά, αγαπημένα λημέρια. Με καθαρό καιρό, πίσω από τη γραμμή του ορίζοντα, κατά το βοριά, ξεδιακρίνονται τ' άγρια και πανύψηλα βουνά της Αρβανιτιάς, τα πρώτα οροπέδια της Ιλλυρίας, με τα λιγοστά μονοπάτια τους να μοιάζουν σαν ίχνη που άφησε πάνω τους ο βούρδουλας κάποιου θεού, με τα σκοτεινά κι άπατα φαράγγια τους. Κάποια παραμύθια του τόπου λένε ότι από κείνα τα μέρη πήραν να κατεβαίνουν κάποτε, η μια μετά την άλλη, οι φάρες των Ελλήνων, να τραβούν κατά το νότο και να ξανοίγονται, να χωρίζουν.

Ο Κώστα Μπέκας συλλογίζεται συχνά όλους αυτούς τους ανθρώπους που πορεύονταν έτσι, σχεδόν στα τυφλά, μέρα και νύχτα, μ' ανείπωτους κόπους, με κακουχίες, με κινδύνους, με μοναδική τους ελπίδα ότι θα 'βγαιναν αληθινοί οι θολοί και διφορούμενοι χρησμοί που τους είχαν δώσει οι ιερείς και οι θεοπαρμένοι μάντες τους, μ' ένα μόνο οδηγό: την πείνα και τη δίψα που βασάνιζαν τα σωθικά τους. Όσοι κατάφερναν κάπου να βρουν και να ριζώσουν, τυχεροί κι ευλογημένοι. Τους άρεσε δεν τους άρεσε η νέα τους γη, αυτή ήταν· θα τη σέβονταν, θα την αγαπούσαν, θα τη φρόντιζαν. Κι αργότερα, όταν οι θεοί θα 'κριναν πως είχε φτάσει η ώρα τους, θα της εμπιστεύονταν τα κόκαλά τους, θα 'στηναν τα πρώτα μνημούρια που θα 'δειχναν σ' όσους περνούσαν από κει πως είχαν προλάβει άλλοι να την κάνουν δική τους: με τον ίδρωτα και με το αίμα τους, με το θάνατό τους.

Από τα ίδια κείνα περάσματα των βουνών έφταναν και κάποιοι άλλοι που 'χαν μια κατάρα στο αίμα τους, που μια ενάντια θεϊκή βούληση κατεύθυνε το ριζικό τους. Αυτοί βάδιζαν, προχωρούσαν, αλλά δεν κατάφερναν να κατασταλάξουν πουθενά· οι κάμποι τούς απόδιωχναν, οι δρόμοι τούς παραπλανούσαν. Ώσπου στο τέλος, όταν ύστερα από πάθια και βάσανα πολλά, έβλεπαν στα ξαφνικά να μυρμηδίζουνε στο φως του ήλιου τα νερά μιας θάλασσας, τα 'χαναν με την απεραντοσύνη της, κατατρόμαζαν με τη δύναμή της. Κι όταν ζύγωναν στην ακτή, σαν άρχιζαν να περπατούν στη δαντελωτή παραλία, ανακάλυπταν εκατοντάδες κρυφά κι απάνεμα λιμανάκια, παρατηρούσαν που τα γύρω βουνά χαμήλωναν σιγά σιγά και σχημάτιζαν αλλεπάλληλα ακρωτήρια. Από το ύψος τους αντίκριζαν όλο το πέλαγο, άφηναν το βλέμμα τους να πλανηθεί μέχρι τα πρώτα κοντινά νησιά π' αχνοφαίνονταν στον ορίζοντα, ακολουθούσαν νοερά τους ανέμους π' ανατάραζαν τα νερά, μελετούσαν τις κατευθύνσεις που 'παιρναν τα κύματα. Τότε μονάχα μάντευαν τη μοίρα τους, τη μελλοντική ζωή τους: κάτω από τα δικά τους πόδια δε θα βρισκόταν ποτέ στέρεη γη, τα σπίτια τους θα έπλεαν, θα ταξιδεύαν, θα όργωναν ολοχρονίς τις θάλασσές τους. Κι αντί γι' αξίνια κι αλέτρια, θα δούλευαν κουπιά τα χέρια τους.

Κάθε φορά που σεργιανίζει σε τούτα τα μέρη ο Κώστα Μπέκας αναθυμάται πολλές παρόμοιες ιστορίες έτσι που τις έκλωθε και τις ξανάκλωθε μια φορά κι έναν καιρό η μάνα του, όπως τις είχε ακούσει κι από τη γιαγιά του. Ο πατέρας του δεν του μιλούσε σχεδόν ποτέ για τέτοια πράγματα, τού εξηγούσε ότι ο τόπος τους έχει κι αυτός τα μυστικά του όπως κι οι άνθρωποι που τον κατοικούν, αλλά πως μια ολάκερη ζωή δε φτάνει για να μάθει κανείς τη γλώσσα του, ν' ανοίξει κουβέντα μαζί του. Αυτή την τέχνη, έλεγε ο γεροκαπετάνιος, την κατέχουν μόνο οι γυναίκες από γεννησιμιού τους, την έχει βάλει ο Θεός στο αίμα τους. Γι' αυτό και η γη βρίσκει χίλιους τρόπους για να τις κρατάει κοντά της, κάνει τ' αδύνατα δυνατά για να μην μπορέσουν να φύγουν, να ξενιτευτούν, να την εγκαταλείψουν, όπως κάνουν συχνά οι άντρες. Αλλιώτικα, αν μίσευαν κι αυτές, ποιος θα της παραστεκόταν στις δύσκολες στιγμές και θα τη φρόντιζε; Ποιος θ' άκουγε τους καημούς και τα παράπονά της; Ποιος θα την παρηγορούσε;

Στο πρόσωπο του Κώστα Μπέκα έχει απλωθεί συννεφιά, τριβελίζουν το νου του χίλιες ανησυχίες, κακά προαισθήματα του βαραίνουν την καρδιά. Όλες τούτες οι μεγάλες προετοιμασίες του Σελήμ πασά δείχνουν ότι αυτή τη φορά οι

Τούρκοι δεν το 'χουν σκοπό να φύγουν άπρακτοι. Με το ρεμπελιό του το Παλιόκαστρο δίνει το κακό παράδειγμα και στους άλλους ραγιάδες κι ο σουλτάνος αποφάσισε ν' απαλλαγεί απ' αυτή την πληγή που κάθε λίγο και λιγάκι κακοφορμίζει και κινδυνεύει να μολύνει ολάκερο το κορμί του ντοβλετιού, να φτάσει καμιά ώρα και στην καρδιά του. Αν δεν ξεσηκωθούν κι άλλες περιοχές, ο Σελήμ θα μείνει ήσυχος από αντιπερισπασμούς και θα ρίξει πάνω στους Παλιοκαστρίτες όλες του τις δυνάμεις, η Τουρκιά θα καταφτάσει σαν ακρίδα και θα τους κουκουλώσει, θα τους πνίξει. Ύστερα θά 'ρθει η σειρά και της υπόλοιπης Ελλάδας, σήμερα εδώ κι αύριο παραπέρα, φωτιά και λεπίδι σ' όποιον ξεσηκώνεται και γυρεύει λευτεριά κι ανεξαρτησία, τσεκούρι αλύπητο γι' αυτούς που δε θέλουν να προσκυνήσουν, να περπατούν ολοζωής με σκυφτά τα κεφάλια.

«Γιατί δηλαδή θα διστάσουν οι Οθωμανοί;» μονολογεί ο καπετάνιος. «Ποιον θα υπολογίσουνε; Ποιον θα φοβηθούνε; Έτσι κυβερνάνε τους υποταγμένους λαούς όλες οι αυτοκρατορίες από τα πιο παλιά χρόνια, έτσι δημιουργήθηκαν τα πιο μεγάλα και πιο ισχυρά ντοβλέτια, τα πιο περίλαμπρα βασίλεια. Κι αν ξέφτισαν σιγά σιγά όλα, κι αν εκφυλίστηκαν, κι αν χάθηκαν, τι μ' αυτό; Στο ποδάρι τους γεννήθηκαν άλλα και συνέχισαν, πήραν όπως τα παιδιά από τους γονιούς τους την κληρονομιά, τα τσεκούρια άλλαξαν χέρια, δουλεύτηκαν από άλλους τα καμουτσιά. Τι άλλο εξόν από δυστυχίες και βάσανα έχει κρατήσει η μνήμη μας; Μήπως δεν ξέρουμε ότι μονάχα μ' αίματα, ίδρωτες και δάκρυα έχουμε γράψει όλη μας την Ιστορία; Αυτή είναι η δουλειά των Ελλήνων από τότε που η μοίρα τούς κουβάλησε σε τούτα τα χώματα: να κάνουν τους φρουρούς και τους πορτάρηδες της Ευρώπης, να κλείνουν το δρόμο στους Σλάβους, στους Ασιάτες, σ' όλους τους βάρβαρους, να σκοτώνονται για να μη χαλάνε οι Δυτικοί το ραχάτι και την καλοπέρασή τους, για να μη στενοχωριούνται πάνω στη χώνεψη μετά από τα τσιμπούσια τους. Αλλά ας κάνουμε κι αλλιώς αν μπορούμε... Στον τόπο μας, βλέπεις, τις πράξεις των ανθρώπων δεν τις κρίνουν μόνο οι ζωντανοί αλλά και μυριάδες μυριάδων πεθαμένοι, πρόγονοι άξιοι, πολιτισμοί φημισμένοι. Πώς να μη ζυγιάζουν οι Έλληνες τον κάθε τους λόγο, το κάθε τους έργο, πώς να μη διστάζουν, πώς να μη φοβούνται; Είναι σκληροί, πολύ σκληροί αγωγιάτες οι αιώνες που στέκονται πίσω τους με τις βουκέντρες και τους τσιγκλάνε για να προχωρήσουνε, όσο κι αν έχουν γεράσει, όσο κι αν έχουν κουραστεί, όποια φορτία κι αν κουβαλάνε».

Ο Κώστα Μπέκας σφίγγει νευρικά τα γκέμια τ' αλόγου, που ακούει εδώ κι ώρα το παραμιλητό του, που νιώθει την αγωνία του. Μα κάνει ό,τι μπορεί για να μην το δείξει, να μη φανερώσει την ανησυχία που το κατέχει. Τόσα και τόσα χρόνια μαζί με τον καπετάνιο έχει πάρει τα χούγια του, ξέρει να κάνει υπομονή, να ξεχνάει όλα του τα παράπονα, τ' αλογίσια βάσανά του. Δίχως να στρέψει το κεφάλι προς τον αφέντη του, όπως κάνει κάθε φορά που θέλει να του δείξει ότι περιμένει διαταγές, κινάει αποφασιστικά κι εγκαταλείπει το ξέφωτο με βήμα σταθερό, ύστερα παίρνει ένα μονοπάτι που ξέρει πως θα το βγάλει στη ρίζα της πλαγιάς, ανατολικά. Κι όπως ο Κώστα Μπέκας δεν του λέει τίποτα, εκείνο συνεχίζει μονάχο το δρόμο του και κατεβαίνει στη βαθιά κι απότομη ρεματιά που γυροφέρνει το βουνό του Παλιόκαστρου, σκαρφαλώνει και ξεμυτίζει από την απέναντι όχθη, τραβάει κατά το δάσος. Σε λίγα λεπτά θα φτάσει σ' ένα σύδεντρο κι εκεί θα κοντοσταθεί, θα περιμένει φρουμίζοντας σιγανά, διακριτικά, μ' αυτιά και μάτια ορθάνοιχτα. Τα πιο προχωρημένα από τα καραούλια των Τούρκων δε θα 'ναι πια και πολύ μακριά, γι' αυτό κι ο καπετάνιος θα πεζέψει, θα κοιτάξει γύρω του καλά, θ' αφουγκραστεί. Ύστερα, από 'να ταγαράκι που κρέμεται από τον ώμο του, θα βγάλει κάτι πανιά από γεροΰφασμένο δίμιτο και θα τυλίξει τις οπλές τ' αλόγου για να μην ακούγεται η περπατησιά του. Από κει και πέρα τ' άτι θα συνεχίσει βαδίζοντας αθόρυβα σαν αγριόγατος, θα οσμίζεται συνέχεια, θα προσέχει διπλά. Ξέρει δα τι θα γίνει αν τους πάρουν χαμπάρι από το στρατόπεδο κι αν τους στρώσουν στο κυνήγι. Πού να προλάβει ο Κώστα Μπέκας να του ξετυλίξει τα πόδια για να μπορέσει να τρέξει, να πηλαλήσει, πώς να ελιχθεί για να μπορέσει να ξεφύγει...

Αυτή η επικίνδυνη πορεία θα κρατήσει κάπου μια ώρα.

Άνθρωπος κι άλογο θα περάσουν σε μισή τουφεκιά απόσταση από τ' ανατολικά φυλάκια του στρατόπεδου, μέχρι τ' αυτιά τους θα φτάνει τ' αχολόι από τις κουβέντες και τα πήγαιν' έλα των Τούρκων, θα περάσουν από μονοπάτια όπου κινδυνεύουν να βρεθούν πρόσωπο με πρόσωπο με τους Οθωμανούς. Τις πιο πολλές φορές τα καρακόλια δεν έχουν παραπάνω από τρεις, τέσσερις το πολύ άντρες· ο Κώστα Μπέκας δε θα δυσκολευτεί και πολύ για να τους φέρει βόλτα με το γιαταγάνι. Αν πέσουν πάνω σε κάνα πιο μεγάλο απόσπασμα, τ' άλογο θα το 'χει πάρει είδηση από πριν και θα 'χει βρει μέρος για να μουλώξει.

Όταν πια θα 'χουν απομακρυνθεί κάμποσο από το στρατόπεδο, το σκοτάδι θα 'χει πέσει, οι χοτζάδες τ' ασκεριού θα 'χουν τελειώσει τις επικλήσεις τους, οι Τούρκοι θα 'χουν κάνει την προσευχή τους. Χωρίς αγωνία πια, ο Κώστα Μπέκας θα βγάλει τα πανιά από τις οπλές τ' αλόγου και θα χυθεί κατά το βουνό που κλείνει τον κάμπο από το νότο. Με τυφλή εμπιστοσύνη στην πείρα του ζώου, θα τ' αφήσει λάσκα τα γκέμια, θα γείρει πάνω από το λαιμό του, θα χώσει σχεδόν το πρόσωπο μέσα στη χαίτη του. Κάθε τόσο, εκεί που μόλις θα 'χει περάσει ξυστά κάτω από μια χοντρή κλάρα που παρά τρίχα να του κάνει το κεφάλι λιώμα, θα βρίσκεται ψηλά στον αέρα, πάνω από μια χαράδρα, ύστερα πάλι σε στέρεα γη, από τη φουστανέλα του θ' αρπάζονται αγριάγκαθα, γύρω του θα φτερουγίζουν νυχτοπούλια. Και τ' άτι θα καλπάζει, όλο και θα καλπάζει, τ' αγιάζι της νύχτας θα μαστιγώνει το πρόσωπο του καπετάνιου, θα νοτίζει τ' αγριεμένα γένια του, θα κρυσταλλιάζει πάνω στα δασιά του φρύδια.

Ξαφνικά τ' άλογο θα σταματήσει.

Ο Κώστα Μπέκας θα πεζέψει και θα περιμένει μερικά δευτερόλεπτα. Ύστερα, μόλις τα μάτια του συνηθίσουν κάπως στο σκοτάδι, θα ξεχωρίσει πάνω από το κεφάλι του το θολό κι επιβλητικό περίγραμμα ενός θεόρατου όγκου που θα στεφανώνει την κορφή του βουνού. Ο καπετάνιος θα περιμένει ασάλευτος. Τότε το άτι θα ρουθουνίσει σιγανά, σαν να του δίνει κάποιο σύνθημα. Κάπου ψηλά θ' ακουστούν περπατησιές και τριγμοί, ενώ την ίδια στιγμή ένα περίεργο αντικείμενο θα κατεβεί ανάλαφρα από τον ουρανό, θα περάσει μπροστά από το πρόσωπο του Κώστα Μπέκα και θ' ακουμπήσει μαλακά στη γη, κοντά στα πόδια του.

Μέσα στο κοφίνι που τον ανεβάζει αργά στο μοναστήρι του Προφήτη Ηλία ο Κώστα Μπέκας σκέφτεται και πολεμάει να βρει τον καλύτερο τρόπο για να εξηγήσει την κατάσταση στους καλόγερους. Είναι καλοί και άξιοι, άγιοι άνθρωποι, αλλά δεν είναι καθόλου εύκολο πράγμα να κουβεντιάζει κανείς μαζί τους. Αυτοί έχουν δικιά τους πήχη και μετράνε τα εγκόσμια, τα ζυγίζουν με δική τους παλάντζα. Στο 'να τάσι βάζουν ολάκερη τη ζωή των ανθρώπων, τις χαρές και τα βάσανά τους, τις αμαρτίες και τα καλά έργα τους. Στ' άλλο, αντί για ζύγια, έχουν ένα θρόνο για να κάθεται ο Θεός. Πού να πιάσουν ποτέ μπάζα οι θνητοί; Πώς να κουνηθεί έστω και λίγο το τάσι τους; Γίνεται να γείρει ποτέ η ζυγαριά κατά τη μεριά τους;

Σιγά σιγά το κοφίνι ανεβαίνει, μα πού και πού σταματάει για μερικά δευτερόλεπτα, ίσα για να πάρουν ανάσα αυτοί που δουλεύουν το μαγκάνι και για να μην πολυπαλαντζάρει το σκοινί. Ύστερα τ' ανέβασμα συνεχίζεται, ακούγεται μια γερασμένη τροχαλία που τρίζει, ένα νυχτοπούλι που τρομάζει και της αποκρίνεται. Πάνω στον ανέφελο ουρανό ξεχωρίζουν τώρα τα τείχη, ο Κώστα Μπέκας ξεδιακρίνει εδώ κι εκεί δαντελωτές επάλξεις και πολεμίστρες, ένα σωρό σκοτεινές τουφεκότρυπες. Ο καπετάνιος χαμογελάει κάτω από τα γένια του: παρά την έγνοια τους για την αιώνια ζωή, ετούτοι οι καλόγεροι έχουν αγωνιστεί κάμποσες φορές για την πρόσκαιρη, έχουν πολεμήσει με Σλάβους, με Φράγκους, μ' Αγαρηνούς, έχουν ποτιστεί με αίμα τα ράσα τους. Στα πιο πολλά κελιά, δίπλα στις εικόνες και στα καντήλια, κρέμονται σπαθιά και γιαταγάνια, η μπαρουταποθήκη είναι γεμάτη πολεμοφόδια.

Μια μέρα, αρκετούς μήνες πριν αρχίσουν να 'ρχονται τ' ασκέρια του Σελήμ, ο ηγούμενος μήνυσε στον Κώστα Μπέκα πως ήτανε μεγάλη ανάγκη να κουβεντιάσει μαζί του, να ζητήσει για κάτι πολύ σοβαρό τη γνώμη του. Όταν ο καπετάνιος μπήκε στο μοναστήρι, βρήκε τους καλόγερους ανάστατους, να φέρνουν βόλτα τα τείχη και να τα ραντίζουν μ' αγιασμό, να τα λιβανίζουνε. Ο ηγούμενος τον πληροφόρησε ότι γίνονταν σημεία και τέρατα στη μονή και πως ο Θεός τους έστελνε σημάδια που σίγουρα προμηνούσαν κάποιο μεγάλο κακό. Τις προάλλες, μεσολείτουργα, ο αριστερός ψάλτης άφησε ξαφνικά ένα βόγκο λες και του 'χαν μπήξει μαχαίρι, παράτησε το ψάλσιμο κι έβαλε μπροστά ένα ανίερο τραγούδι, πάτησε σφυριχτό, βάρεσε παλαμάκι. Του κάκου τον πήγανε μπροστά στην Ωραία Πύλη και πέρασαν από πάνω του τ' Άγια: αντί να συνέρθει, δαιμονίστηκε περισσότερο, τα μάτια του γούρλωσαν και πήραν να του βγαίνουν αφροί από το στόμα. Και να 'ταν μονάχα αυτό... Λίγες μέρες αργότερα το σκοινί της καμπάνας βρέθηκε γεμάτο κόμπους από τη μια άκρη μέχρι την άλλη. Κανείς δεν κατάφερε να τους λύσει. Κι ας έκαναν ένα σωρό δεήσεις. Κι ας διάβασαν αμέτρητα ξόρκια και θαυματουργές προσευχές. Αλλά κι αυτό το σημάδι δεν ήταν αρκετό όπως φαίνεται, γιατί σε λίγο ο Θεός τους έστειλε κι άλλο, πιο απίστευτο, πιο φοβερό. Ο καλόγερος που φρόντιζε τα γίδια του μοναστηριού γύρισε από το μαντρί ουρλιάζοντας σαν παλαβός, χτυπιόταν και θρηνούσε, ξερίζωνε τα μαλλιά του, τέτοιο πράγμα δεν είχε ματαδεί στη ζήση του: στα καλά του καθουμένου ο τράγος του κοπαδιού είχε χάσει το γενάκι του, του 'χαν φυτρώσει μαστάρια λες κι ήταν γίδα, είχε ψιλύνει η φωνή του.

Πάνω στην κουβέντα με τον ηγούμενο ακούστηκε ένας υπόγειος ρόχθος κι η γη τινάχτηκε σαν ζωντανό που το περονιάζει ξαφνικά ένας δυνατός πόνος, το πετσί της πήρε να τρέμει σαν να την είχε πιάσει απότομος πυρετός. Την ίδια στιγμή ολάκερο το μοναστήρι πήγε κι ήρθε από σεισμό, οι

64

καλόγεροι πε... ;τηκαν από τα κελιά και βρέθηκαν όλοι μαζί στα χαγιάτια και στην αυλή, μα δεν μπορούσαν να σταθούν όρθιοι, χτύπαγαν ο ένας πάνω στον άλλο και σωροκουβαριάζονταν, ούρλιαζαν προσευχές, φώναζαν το Θεό, τον παρακαλούσαν. Όταν ο Κώστα Μπέκας με τον ηγούμενο κατάφεραν να στηθούν στα πόδια τους και να βγουν από το κελί όπου κουβέντιαζαν, είδαν τον ουρανό σκούρο λες κι ήταν απόβραδο, ο ήλιος είχε χάσει όλη σχεδόν τη λάμψη του και τους κοιτούσε θλιβερός κι αρρωστιάρης, με θολωμένο το βλέμμα του, με σκοτεινιασμένο το πρόσωπό του. Και ξαφνικά, πέρα από την ανατολή, αντίκρισαν να 'ρχεται ένα περίεργο μαύρο σύννεφο που προχωρούσε κι όλο άπλωνε, που 'μοιαζε πράγμα ζωντανό, με καρδιά που παλλόταν ρυθμικά, με κορμί και μέλη που κινούνταν. Όταν ζύγωσε κι έφτασε πάνω από το Παλιόκαστρο, απλώθηκε ακόμα πιο πολύ, αραίωσε και διασπάσθηκε σ' άπειρα τμήματα, που, χαμηλώνοντας απότομα, χύθηκαν κατά τα τείχη βγάζοντας από μέσα τους χιλιάδες φτερά, αποκαλύπτοντας τα σμάρια τις κουρούνες που σχημάτιζαν την κινούμενη μάζα τους.

Μ' ένα μικρό τίναγμα το κοφίνι ακινητεί.

Ο Κώστα Μπέκας πιάνεται από το σκοινί και πηδάει πάνω στη στενή ξύλινη πλατφόρμα όπου βρίσκεται στημένο το μαγκάνι, ασπάζεται το χέρι του ηγούμενου που περιμένει μαζί με τον πορτάρη. Κι οι δυο τώς είναι ακόμα λαχανιασμένοι από το δούλεμα του μαγκανιού, τα ράσα τους μυρίζουν λιβάνι κι ίδρωτα. Κάπου από πέρα, από την εκκλησούλα του μοναστηριού, φτάνουν μέχρι τ' αυτιά του Κώστα Μπέκα ψαλσίματα. Πού και πού, σαν να τους γεννοβολούν τα σκοτάδια, ξεφυτρώνουν από δω κι από κει βουβοί και βιαστικοί καλόγεροι, διασχίζουν την αυλή κι εξαφανίζονται.

Πριν ακολουθήσει τον ηγούμενο, που καταπίνεται κι αυτός από τη νύχτα, ο καπετάνιος ρίχνει μια ματιά κάτω στον κάμπο, στο στρατόπεδο των Τούρκων. Έτσι από ψηλά όλα μοιάζουν ψεύτικα, ονειρικά, σαν ζωγραφισμένα. Οι πυρσοί που ανάβουν γύρω από τη μεγάλη σκηνή του Σελήμ πασά αφήνουν μια τρεμουλιαστή ανταύγεια, οι καπνοί κουβαλάνε μεσούρανα μυριάδες σπίθες και φλογίτσες, ύστερα τις αφήνουν να πέσουν σαν φωτεινή βροχή πάνω στους γενίτσαρους που φυλάνε σκοπιά μπροστά στου σερασκέρη το στρατηγείο. Ξαφνικά ένας καβαλάρης ξαρμάτωτος, ξεσκούφωτος, ξεμπουκάρει στο πλάτωμα που φωτίζεται από τους πυρσούς, πεζεύει γρήγορα και κάτι φωνάζει στους φρουρούς δείχνοντάς τους κάτι τσαγκαράδικα εργαστήρια που 'χουν πιάσει φωτιά και καίγονται, που κινδυνεύουνε να βάλουν μπουρλότο και σ' άλλα, να κάνουν στάχτη όλες τις αποθήκες, τα παραπήγματα. Ο Κώστα Μπέκας βλέπει να τρέχουν κατά κει εκατοντάδες στρατιώτες με κουβάδες και μαστέλα. Κάτι θεόρατοι Μογγόλοι, με γυμνά τα χαντζάρια, τους αναγκάζουν να παλέψουν με τις φλόγες, μερικών τα μαλλιά παίρνουν φόκο και λαμπαδιάζουν ολάκεροι. Μα πού να τολμήσουνε να κάνουν πίσω, αφού αμέσως τα κεφάλια τους θα πέσουνε... Από παντού αντηχούν φωνές, τα τούμπανα βαρούν συναγερμό, εδώ κι εκεί ουρλιάζουν τρουμπέτες.

Παρατηρώντας όλο κείνο το κακό, τις φωτιές, τους καπνούς, το μάλε βράσε και τους αλαλιασμένους Τούρκους, ο Κώστα Μπέκας θυμάται κάτι παλιές εικόνες που 'χει δει στο μοναστήρι, με τη Δεύτερη Παρουσία και την ώρα της έσχατης κρίσης, με σκηνές της Αποκάλυψης. Μέσα στη σκέψη του όλα ανακατώνονται, μπερδεύονται, ιστορίες από τον πάνω και τον κάτω κόσμο σμίγουν και σοφιλιάζουν, η μνήμη του καπετάνιου πλημμυρίζει από θαυμαστά ανιστορήματα και περιστατικά που διηγιούνταν κάποτε φωναχτά σε δρόμους και πλατείες οι περιπλανώμενοι μουσικάντες κι οι τραγουδάρηδες, από σημεία και τέρατα που ξεκούκιζαν θεοπαρμένοι καλόγεροι κι ιεροκήρυκες. Σιωπηλός, συνεπαρμένος, ο κόσμος μαζευόταν κι άκουγε για τρομερές και δίχως έλεος μονομαχίες ανάμεσα σ' αρχάγγελους με φλογοβόλες ρομφαίες και σε σατανάδες που κράδαιναν κάτι τεράστιες πιρούνες, γι' αμείλικτους πολέμους όπου συγκρούονταν τάγματα αγίων κι ασκέρια δαιμονικά, για μαρμαρένια αλώνια όπου πάλευαν ασταμάτητα επουράνιοι ταξιάρχες και διαβολοσταλμένα θηρία.

Να όμως που όλοι αυτοί οι δράκοντες που ζούσανε στη γη από τα πιο παλιά και ξεχασμένα χρόνια άρχισαν με τον καιρό να λιγοστεύουν, ν' αποτραβιούνται σε ψηλά κι απάτητα βουνά, να πηγαίνουν και να βυθίζονται στης θάλασσας τα βάθια. Όσοι απόμεναν περιπλανιούνταν άπραγοι και θλιβεροί, δεν έβρισκαν πια κανένα για ν' αναμετρηθεί και να παλέψει μαζί τους, του κάκου μούγκριζαν κι απειλούσαν με τα γαμψά τους νύχια, άδικα μπαινόβγαζαν τις πύρινες γλώσσες τους: οι άνθρωποι έμοιαζαν να μη γνοιάζονται γι' αυτούς, να μην τους βλέπουν, να μην τους ακούνε. Είχαν πια αποχτήσει άλλης λογής διαβόλους, επίγειους, προσιτούς, ανθρωπόμορφους, που ζούσανε μαζί τους. Τι να τους έκαναν τους επουράνιους, τους μακρινούς, τους τερατόμορφους;

Ο Κώστα Μπέκας ρίχνει μια τελευταία ματιά στο στρατόπεδο και στρέφεται για να φύγει. Αλλά κανείς δεν τον περιμένει για να τον πάει μέχρι τον ηγούμενο, για να τον οδηγήσει μέσα στο σκοτάδι. Στη μικρή εκκλησία οι ψαλμουδιές τραβούν σε μάκρος, μοιάζουν ατέλειωτες. Ύστερα από μια λιγόστιγμη σιωπή, κάποιος αρχίζει το διάβασμα μιας προφητείας. Στην αρχή ο τόνος της φωνής του είναι ήρεμος, η απαγγελία του στρωτή, γαλήνια. Μα έπειτα από μερικές φράσεις ο αναγνώστης συνεπαίρνεται και πιάνει ν' απαγγέλλει βροντερά, παθιασμένα. Λες κι είναι ο ίδιος ο προφήτης που 'χει ξανακατέβει στη γη και με λόγια οργής καλεί τον αμαρτωλό και παραστρατημένο λαό να μετανοήσει, να πέσει στα γόνατα και να ζητήσει συγχώρεση από το Θεό για να γλιτώσει από το θυμό του, ν' αποφύγει την τιμωρία του. Κάνοντας το γύρο της εκκλησίας, ο ιερουργός προσεύχεται και θυμιατίζει, τα κουδουνάκια του λιβανιστηριού ντιντινίζουν όλα μαζί πειθαρχημένα, σαν να 'χουν την ίδια γνώμη με τον προφήτη, σαν να συμμερίζονται τα οράματά του.

Ύστερα τα ψαλσίματα ξαναρχίζουν.

Τραβώντας για τη βιβλιοθήκη, όπου σίγουρα τον περιμένει ο ηγούμενος, ο Κώστα Μπέκας περνάει δίπλα από την παλιά και θαυματουργή πηγή που βρισκόταν, λένε, πάνω σε κείνα τα βράχια προτού χτιστεί το μοναστήρι, πριν ο πρώτος καλόγερος, ένας θεοπαρμένος γέροντας από το Παλιόκαστρο, διαλέξει ένα απρόσιτο σπήλιο του βουνού για ερημητήρι του, για να τελειώσει κει πάνω, με προσευχή και μετάνοια, τη ζωή του. Οι μοναχοί διηγιούνται ότι το νερό της δεν έπαψε ποτέ να τρέχει, πως ούτε μια φορά δε στέρεψε η υπόγεια φλέβα της. Ακόμα και με τις πιο μεγάλες και φοβερές ζέστες του καλοκαιριού, ακόμα κι όταν στεγνώνουν τα πιο βαθιά πηγάδια του τόπου κι όλα τα ρυάκια του, η πηγή του Προφήτη Ηλία κελαρύζει, το νερό είναι πάντα ολοκάθαρο και δροσερό σαν να 'ρχεται από κάποιον άλλο κόσμο, που δεν τον απειλούν θεομηνίες, που δεν πέφτουν πάνω του της φύσης οι πληγές.

Μέσα στο σκοτάδι ο Κώστα Μπέκας ξεδιακρίνει να θαμπασπρίζουν τα σκαλιστά μάρμαρα που περιβάλλουν την πηγή σχηματίζοντας μια ευρύχωρη γούρνα, προχωράει πατώντας στις πέτρινες πλάκες που 'χουν φαγωθεί από τα πήγαιν' έλα των καλόγερων, ραγίσει εδώ κι εκεί κάτω από το βάρος των αιώνων. Λίγο πιο πάνω, ένα δράσκελο από το μέρος όπου αναβλύζει το νερό, ο καπετάνιος μαντεύει την επιβλητική σιλουέτα από το άγαλμα ενός αρχαίου θεού. Είναι στημένος μπροστά σ' έναν ψηλό βράχο που γέρνει λίγο από πάνω του σαν να τον προστατεύει, του στεφανώνει μ' αγριολούλουδα και μυρτιές το κεφάλι, αφήνει να γλιστρήσουν αγριελιές στους ώμους και τις πλάτες του. Εκεί τον βρήκαν οι καλόγεροι που 'χτισαν τα πρώτα κελιά του μοναστηριού, εκεί τον άφησαν, τον σεβαστήκαν. Και μια μέρα, όταν κείνος ο Παλιοκαστρίτης γέροντας πέθανε μέσα στο σπήλιο του, πήραν το κουφάρι και το 'θαψαν στα πόδια του μαρμαρένιου θεού: ίσως για να τον σκαντζάρει πού και πού στην ατέλειωτη βάρδια του μπροστά στο νερό που τρέχει, για να φυλάει κι αυτός την πηγή.

Ο Κώστα Μπέκας χαμογελάει γαληνεμένος. Ποιος ξέρει... Πάνω σ' αυτό το άσημο κι απομονωμένο βουνό, μέσα σε τούτο το μικρό μοναστήρι, μπορεί να 'χουν καταφύγει και να κρυφοζούν, απελπισμένοι κι άεργοι, οι θεοί κι οι δαίμονες των αλλοτινών καιρών, ίσως να ονειρεύονται, να περιμένουν

68

και να ελπίζουν όπως κι οι ανθρώποι. Μπορεί μάλιστα να συνάζονται καμιά φορά μπροστά σ' αυτή την πηγή και να κουβεντιάζουν για τους παλιούς κόσμους, για τα περασμένα τους μεγαλεία, για τις δόξες τους. Ο σάλαγος του πολέμου που θα ξεσπάσει σε λίγο στον κάμπο του Παλιόκαστρου, οι κλαγγές των όπλων κι οι αλαλαγμοί των πολεμιστών ίσως τους θυμίσουν κείνους τους καιρούς που αρματώνονταν και ρίχνονταν κι αυτοί στη μάχη, που πληγώνονταν κι έπεφταν, κυλιούνταν όπως όλοι μέσα στη σκόνη.

Δε διστάζει ν' απευθύνει και σ' αυτούς μια νοερή επίκληση ο καπετάνιος: ας κάνουν ό,τι μπορούν για τα χώματα των Ελλήνων που 'ναι και χώματά τους, ας βάλουν το χέρι τους. Στο κάτω κάτω, αυτό τον τόπο τον ξέρουν καλύτερα από τον Χριστό και τον Μωχαμέτη, τον κυβέρνησαν αιώνες κι αιώνες, κατέχουν όλα του τα μυστικά, τα χούγια των ανθρώπων του.

Z

Τ Ο ΣΗΜΑΝΤΡΟ ΧΤΥΠΑΕΙ ΕΣΠΕΡΙΝΟ.
Οι καλόγεροι εγκαταλείπουν ένας ένας τα κελιά τους
και βγαίνουν στο χαγιάτι. Πριν κινήσουν για την εκκλησία, συγυρίζονται λίγο, χτενίζουν με τα δάχτυλα τα γένια, ισιώνουν τα καλογεροσκούφια, ξετσαλακώνουν κάπως τα ράσα. Έτσι που κατεβαίνουν και διασχίζουν ο ένας μετά τον άλλο την αυλή, μοιάζουν μ' ένα κομπολόι ίσκιων που απλώνει αθόρυβα τις μαύρες χάντρες του από τη μια μέχρι την άλλη άκρη του μοναστηριού, που παίζει ήσυχα και σιωπηλά με τον εαυτό του.

Ο ήλιος πάει να γείρει.

Από μακριά, από την πλαγιά του παλιοκαστρίτικου βουνού, ακούγονται οι βοσκοί που σφυρίζουν στα γίδια τους για να βιαστούν, ν' αρπάξουν και να μασουλίσουν ό,τι προλάβουν, ν' ακολουθήσουν ύστερα τα μαντρόσκυλα, να ροβολήσουν κατά τα μαντριά. Ό,τι έφαγαν έφαγαν. Σε λίγο, μόλις αρχίσει να πέφτει η νύχτα, θα ξεμυτίσουν από τις φωλιές και τους κρυψώνες τους τα λεύτερα αγριμάκια του βουνού, χίλιων λογιών νυχτόβια ζωντανά, θα κοιτάξουν να κουτσογεμίσουν κι αυτά την κοιλιά τους. Σαν το φτωχό μα φρόνιμο μεγαλοφαμελιάρη, αυτός ο τόπος ξέρει να μοιράζει σοφά και δίκαια τη θροφή σ' όλα του τα παιδιά, δε θέλει γκρίνιες και καβγάδες στην οικογένεια. Αυτές τις πληγές τις αφήνει γι' άλλα χώματα, για μέρη όπου οι άνθρωποι φιλονικούν και τρώγονται ολοζωής όχι για τ' απαραίτητα μα για τα περιττά.

Ο Μελέτιος ετοιμάζεται κι αυτός για την εκκλησία.

Πριν φύγει, ρίχνει λάδι στα καντήλια π' ανάβουν μπροστά στα εικονίσματα, κάνει την προσευχή του, τις μετάνοιες του, ύστερα βγαίνει από τη βιβλιοθήκη κλείνοντας πίσω του την πόρτα αθόρυβα για να μην ενοχλήσει το μοναδικό του αναγνώστη. Αλλά αυτός είναι απορροφημένος από τη δουλειά, σκυμμένος πάνω από τα βιβλία και τα χαρτιά του. Πάνε κάμποσες μέρες που μελετάει το χρονικό του Ισίδωρου, που πολεμάει να διαβάσει μ' ένα φακό τα ορνιθοσκαλίσματα τ' αλλοτινού βιβλιοθηκάριου στα περιθώρια του παλιού Τετραβάγγελου, που κάθεται και αντιγράφει λέξη λέξη τη διήγησή του.

Τον πρώτο καιρό, λέει ο Ισίδωρος, όλα πήγαιναν καλά με κείνο τον Πέρση ταξιδιώτη. Ποιος να παραξενευόταν επειδή ένας γραμματισμένος άνθρωπος ξημεροβραδιαζόταν στη βιβλιοθήκη φυλλομετρώντας και διαβάζοντας στοίβες ολόκληρες από παλιά βιβλία, αντιγράφοντας διάφορα έγγραφα, μελετώντας αλληλογραφίες κιτρινισμένες από την πολυκαιρία; Δεν ήταν δα η πρώτη φορά που οι καλόγεροι του Προφήτη Ηλία έβλεπαν μορφωμένους επισκέπτες να σκαλίζουν από το πρωί μέχρι το βράδυ στα ντουλάπια και στα ράφια της βιβλιοθήκης, να μεταφράζουν στη γλώσσα τους αποσπάσματα από κείμενα που 'βρισκαν μέσα σε περγαμηνές και σε αρχαία συγγράμματα, να στραβώνονται πολεμώντας να διαβάσουν στο κιτρινόθαμπο φως του σπαρματσέτου ή του λυχναριού παλιά βυζαντινά χειρόγραφα.

Όμως, όσο οι μέρες περνούσαν, οι συνήθειες του Πέρση σιγά σιγά άλλαζαν. Ο Ισίδωρος τον παρατηρούσε που άφηνε όλο και πιο συχνά το διάβασμα και πήγαινε περίπατο στα τείχη της μονής, τον πρόσεχε που κοντοστεκόταν κι εξέταζε απ' όλες τις μεριές τις οχυρώσεις και τις πολεμίστρες, που πέρναγε καμιά φορά το κεφάλι από τις τουφεκότρυπες, λες κι ήθελε να δει ποιο ακριβώς τμήμα του κάμπου είχε μπροστά στα μάτια του όποιος σημάδευε απ' αυτές. Άλλες φορές πάλι, τα σουλάτσα του τον οδηγούσαν στα υπόστεγα και στις υπόγειες αποθήκες του μοναστηριού, στους υγρούς και σκοτεινούς διαδρόμους που 'βγαζαν στα κελάρια και στ' αμπάρια, σε κάτι απότομες και γλιστερές σκάλες που κατέληγαν μπροστά στην αποθήκη με τα πολεμοφόδια.

Αλλά εκείνο που ανησυχούσε περισσότερο τον Ισίδωρο ήταν που ο Πέρσης έπαιρνε μαζί του παραμάσχαλα μια μακρουλή πέτσινη θήκη απ' όπου έβγαζε ένα μπρούντζινο κι ολοσκάλιστο κανοκιάλι κι αγνάντευε με δαύτο με τις ώρες πέρα κατά το Παλιόκαστρο. Ύστερα εξέταζε προσεχτικά τα μονοπάτια που ανηφόριζαν μέχρι τις παρυφές της πολιτείας, παρακολουθούσε τους καβαλάρηδες που ξεπετάγονταν από κει που δεν τους περίμενες και ξεχύνονταν στον κάμπο καλπάζοντας ξέφρενα, με τις φουστανέλες τους ν' ανεμίζουν σαν κάτασπρα μπαϊράκια, με τα μακριά τους μαλλιά ν' αναδεύουν, να θαμπογυαλίζουν όπως κι οι μαύρες χαίτες των αλόγων τους.

Ειδοποιημένος από τον Ισίδωρο, που 'βρισκε περίεργα όλα τούτα τα φερσίματα του Πέρση, ο ηγούμενος έβαλε δυο καλογεροπαίδια να τον παρακολουθούν και να του αναφέρουν όλες του τις μετακινήσεις. Τους είπε ακόμα να κοιτάξουν να του πάρουν λόγια μήπως και μάθαιναν κάτι για τη ζωή και για το παρελθόν του, για να δούνε τι θα τους έλεγε για το κανοκιάλι και για όλα κείνα τα περίεργα σουλάτσα του.

Σ' αυτό το σημείο το χρονικό του Ισίδωρου παρουσιάζει μια απότομη διακοπή. Απ' ό,τι δείχνουν οι μουντζαλιές που 'χει το περιθώριο της Καινής Διαθήκης σε κείνο ακριβώς το μέρος της διήγησης, ο Ισίδωρος έγραψε μερικές λέξεις, μα ύστερα τις έσβησε βιαστικά, απρόσεχτα, νευρικά — το χηνόφτερο έχει κάνει δυο μεγάλες χαρακιές, το μελάνι έχει πεταχτεί και πιτσιλίσει μερικές αράδες. Ύστερα, ξαφνικά, μια λέξη πιάνει ολάκερη σχεδόν τη σελίδα, είναι γραμμένη με μεγάλα και κεφαλαία γράμματα, μοιάζει μ' αναγγελία, με κραυγή: ΤΟΥΡΚΟΙ.

Τοὺς βλέπω ἀπὸ τὸ παράθυρο τῆς βιβλιοθήκης, εἶναι μιλιούνια. Κάποιος βαράει τὴν καμπάνα. Ἕνας ἄλλος τρέχει ἀπὸ κελὶ σὲ κελὶ καὶ ξεσηκώνει τοὺς ἀδελφούς.

Σῶσον, Κύριε, τὸν λαόν σου.

....
.... κάμποσες μέρες ποὺ δὲν ἔπιασα τὸ χηνόφτερο. Τὶ νὰ πῶ γιὰ τὴ ζωή μου τώρα ποὺ κινδυνεύει ἡ πατρίδα

μου... Οὔτε ποὺ φαίνεται ὁ κάμπος ἀπὸ τὴν Τουρκιά, τὰ λεφούσια τῶν ἄπιστων δὲν ἔχουν τελειωμό, ἔρχονται κι ὅλο ἔρχονται, μέρα καὶ νύχτα.

Νὰ γιατὶ μᾶς ἔστελνε ὁ Θεὸς ὅλα κεῖνα τὰ σημεῖα. Μὰ ποῦ νὰ ξέραμε ....
.... ὅλοι ἕτοιμοι στὸ Παλιόκαστρο, στέκονται μὲ τ' ἄρματα στὰ χέρια μέρα καὶ νύχτα. Τὶ κακὸ ἔκανε τούτη ἡ πόλη κι ἦρθε κοτζάμου Αὐτοκρατορία καὶ τὰ 'βαλε μαζὶ της; Δὲν τοῦ φτάνουν τοῦ σουλτάνου οἱ ραγιάδες ποὺ τὸν προσκυνᾶνε ἀπὸ τὴ μιὰ μέχρι τὴν ἄλλη ἄκρη τοῦ κόσμου; Μὲ τόσα πλούτια ποὺ 'χουν οἱ Ὀθωμανοί, λιμπίστηκαν τὸ φτωχὸ τὸ Παλιόκαστρο;
.... ἀλλὰ οἱ Παλιοκαστρίτες δὲν εἶναι ἀπὸ κείνους ποὺ προσκυνᾶνε. Αὐτοὶ δὲν ὑποτάχτηκαν σὲ Φράγκους, σὲ Σλάβους, σὲ Βενετσιάνους καὶ Γενοβέζους· θὰ ὑποταχτοῦνε τώρα στοὺς Τούρκους;
.... ἀκοῦμε ἀπὸ μακριὰ τὸ βούκινο τοῦ καπετὰν Μπέκα καὶ παρηγοριόμαστε. Τὸ 'χαν μαζὶ τους πρὶν δυὸ αἰῶνες κάτι Φράγκοι καὶ τοὺς τὸ πῆρε λάφυρο ὁ Μάρκο Μπέκας ποὺ 'ταν τότε καπετάνιος. Ὕστερα τ' ἄφησε κληρονομιὰ στὸ γιὸ του τὸ Λουκᾶ, ποὺ βγῆκε στὸ κλέφτικο καὶ ποὺ πολέμησε σκληρὰ τοὺς Τούρκους, ποὺ τὰ 'βαλε μὲ Σλάβους, μ' Ἀγαρηνούς.

Μιὰ μέρα ποὺ 'χε κατέβει μὲ τ' ἀσκέρι του σ' ἕνα παραθαλάσσιο χωριό, ρίχτηκε σ' ἕνα καράβι ἀλτζεριάνικο ποὺ 'χε ποδίσει γιὰ νερὸ καὶ τὸ κούρσεψε, ἄφησε τὴν κλεφτουριὰ κι ἔπιασε τὴν πειρατεία. Ἄνθρωπος θαλασσινὸς ἀπὸ τὰ μέρη μας δὲν εἶχε ξανακουστεῖ ποτέ. Ὁ Λουκᾶς ἦταν ὁ πρῶτος.

Ἐρχόταν στὴν πατρίδα μιὰ φορὰ τὸ χρόνο, ἀνήμερα τὸ Πάσχα. Ἄφηνε τὸ τσοῦρμο στὸ καράβι κι ἀνέβαινε κατὰ δῶ. Στὸ Παλιόκαστρο δὲν ἀνέβαινε ὅμως, γιατὶ φοβόταν μήπως τοῦ στριμώξει τὸ καράβι κάνα ἐγγλέζικο ἢ φράγκικο πολεμικό. Ὀθωμανοὶ καὶ Φράγκοι εἶχαν τάξει ἕνα τσουβάλι λίρες σ' ὅποιον θὰ τοὺς πήγαινε τὸ κεφάλι του. Τὸν γύρευαν σ' ὅλα τὰ πέλαγα.

73

Ὅταν ἔφτανε στὸν κάμπο, ἀνέβαινε σ' ἕνα ὕψωμα κι ἔπαιζε τὸ βούκινο δυνατά. Κι ἔτσι ὅλοι μάθαιναν πὼς ἦταν ζωντανὸς κι ὅτι πολέμαγε τοὺς Τούρκους, δὲν εἶχε πέσει ἀκόμα στὰ νύχια τους.

Καὶ μιὰ χρονιὰ δὲν ξαναφάνηκε. Κι εἶπαν ὅλοι ὅτι πάει, χάθηκε ὁ Λουκᾶς. Καὶ τὸν ἔκλαψαν. Κι ὕστερα κάποιος ἔφερε στὴν πόλη τὸ βούκινο κι εἶπε νὰ τὸ δώσουν στὸ γιὸ του. Σήμερα τὸ 'χει ὁ Κώστα Μπέκας. Ἀπὸ γονιὸ σὲ γονιὸ ἔφτασε καὶ στὰ δικὰ του χέρια.

Με τον καιρό η ιστορία του βούκινου πήρε να ταξιδεύει από στόμα σε στόμα σ' όλα τα γύρω χωριά, πλέχτηκαν εδώ κι εκεί παραμύθια που 'λεγαν οι γέροντες στα παιδιά, οι μουσικάντες πήραν να στήνουν τραγούδια. Δεν υπήρχε πανηγύρι, χαρά ή γιορτή δίχως να βρεθεί κάποιος τραγουδιστής που να ξεκουκίσει τον όμορφο θρύλο του Λουκά του κουρσάρου, δε γινόταν γλέντι χωρίς κάποιος γυρολόγος ποιητάρης να προσθέσει καινούριους στίχους για το βίο και την πολιτεία του Παλιοκαστρίτη ήρωα, να του κάνει νέα παινέματα. Σιγά σιγά, χρονιά τη χρονιά, χάρη στη φωνή των μουσικάντηδων, το βούκινο του Λουκά άρχισε ν' ακούγεται και σ' άλλα μέρη της Ελλάδας, ο ήχος του παρηγορούσε όλα τα σκλαβωμένα της χώματα, έφτανε μέχρι τα πιο μακρινά κι απάτητα βουνά της.

Είχε βγει φήμη ότι εξόν από τον Παλιοκαστρίτη κουρσάρο, κανένας άλλος άνθρωπος δεν μπορούσε να βγάλει ούτε μια νότα από τα κοκαλένια σπλάχνα κείνου του όργανου — άδικα δοκίμαζαν και ξαναδοκίμαζαν όλα τα καλά κι άξια παλικάρια που 'χε το τσούρμο του. Από το πόστο του ο Λουκάς παρακολουθούσε χαμογελώντας τους άντρες που 'παιρναν ο ένας μετά τον άλλο το βούκινο και το κόλλαγαν στα χείλια φυσώντας όλο και πιο δυνατά, που μια το γλυκομεταχειρίζονταν και το παρότρυναν γλυκά, μια του μιλούσαν άγρια. Αλλά εκείνο τίποτα· παρά τα καλοπιάσματα, μ' όλα τα ζόρια, έμενε ασυγκίνητο, βουβό. Καμιά φορά, έτσι για να κοροϊδέψει αυτούς που το πασπάτευαν ώρες και ώρες, λες κι

74

ήθελε να τους δώσει μερικές ψεύτικες ελπίδες, έβγαζε στα ξαφνικά μια βραχνή κι αστεία φωνή που δεν κατάφερνε να φτάσει ούτε στην άλλη άκρη του καραβιού, που 'κανε να ξεσπούν ακράτητα τα γέλια του αφέντη του.

Όμως, μόλις το 'παιρνε αυτός, γινόταν άλλο πράμα.

Καταμεσής στο πέλαγο, όταν το καράβι του Λουκά στρίμωχνε κάνα τούρκικο πολεμικό και το τσούρμο ήταν έτοιμο για ρεσάλτο, στην κατάλληλη στιγμή τιναζόταν από μέσα του ένας μακρόσυρτος κι άγριος ήχος σαν ουρλιαχτό πεινασμένου λύκου, το αίμα των εχθρών πάγωνε, τους γλιστρούσαν τα χαντζάρια από τα χέρια, τα κανόνια τους σημάδευαν στραβά. Τ' άλλα πλεούμενα, που κατά τύχη βρίσκονταν στα ίδια νερά και που τ' ακούγαν, άλλαζαν αμέσως πορεία, άνοιγαν κάργα όλα τα πανιά, έφευγαν όσο μπορούσαν πιο μακριά.

Όταν ο Λουκάς φανερωνόταν ανήμερα το Πάσχα στον κάμπο κι έδινε μήνυμα στους δικούς του, στην πόλη του, ο ήχος του βούκινου αλλιώτευε, η χαρά που κάτεχε τον κουρσάρο μεταδινόταν και στ' όργανό του. Πάνω από τα τείχη της πολιτείας, ο κόσμος που 'ταν μαζεμένος του αποκρινόταν με φωνές και με σφυριχτά, τα καραούλια σήκωναν τα γιαταγάνια και τ' ανέμιζαν ψηλά στον αέρα. Καμιά φορά, όταν ο κουρσάρος φοβόταν μπας και τίποτα ληστές του 'χαν στήσει καμιά ενέδρα στο γυρισμό, βουκάνιζε με ειδικό τρόπο και τότε οι Παλιοκαστρίτες ξαμολούσαν στον κάμπο καμιά δεκαριά καβαλάρηδες και τον συνόδευαν ώσπου να περάσει από τα πιο επικίνδυνα μέρη, μέχρι ν' αντικρίσει απ' αλάργα τη θάλασσα και το καράβι του, να ξεχωρίσει στην κουβέρτα τους άντρες που καρτερούσαν την επιστροφή του.

Μα το κακό τον βρήκε μια χρονιά στον ερχομό.

Είχε φτάσει νύχτα, Μέγα Σάββατο, λίγο πριν από την Ανάσταση. Σκόπευε να βαρέσει το βούκινό του την ώρα που θα χτυπούσαν οι καμπάνες, όταν οι Παλιοκαστρίτες θ' άναβαν τις λαμπάδες τους ψέλνοντας όλοι μαζί το Χριστός Ανέστη, τη στιγμή που θα 'βαζαν φωτιά σ' ένα βαρέλι μπαρούτι για να χαιρετίσουν με την έκρηξη τον Χριστό που θα 'βγαινε

75

από τον τάφο, για να τιμήσουν τη μεγάλη χάρη του, την Ανάστασή του.

Όμως δεν πρόλαβε.

Κάτι Τουρκαλβανοί ληστές, που τον είχαν παρακολουθήσει σ' όλη τη διαδρομή και που φαντάζονταν πως ο κουρσάρος γύριζε στην πατρίδα του με δώρα για τους φίλους και τους συγγενείς και με το κεμέρι γεμάτο, του ρίχτηκαν στα ξαφνικά και τον κύκλωσαν. Ο Λουκάς τράβηξε το γιαταγάνι του κι αμύνθηκε γερά, πολέμησε παλικαρίσια, ξέκανε κάμποσους κακούργους πριν σωριαστεί γεμάτος λαβωματιές, βουτηγμένος στα αίματα. Αλλά τι να του 'παιρναν οι ληστές που δεν είχε άλλο βιος εξόν από το κορμί και τα ρούχα του και που, αντί για κεμέρι, έκρυβε ένα κοκαλένιο παλιοβούκινο στον κόρφο του;

Τον παράτησαν κι έφυγαν.

Με την ψυχή στα δόντια ο Λουκάς σύρθηκε μέχρι την άκρη του δρόμου και πάσχισε να σκίσει το πουκάμισό του κομμάτια για να δέσει μια δυο από τις πληγές του, να σταματήσει το αίμα του. Μα δεν τα κατάφερε· τα ίδια του τα χέρια ήταν κι αυτά γεμάτα λαβωματιές από τα λυσσασμένα χτυπήματα των Τουρκαλβανών, δεν είχαν πια άλλη δύναμη τα δάχτυλά του.

Σωριασμένος στο χώμα, ετοιμοθάνατος, άνοιξε σε μια στιγμή τα μάτια και κοίταξε τον ουρανό για να μάθει από τ' άστρα την ώρα. Ζύγωναν μεσάνυχτα. Σε λίγο ο Χριστός θ' ανασταινόταν, αλλά εκείνος θα πέθαινε, θα ξεψυχούσε σαν αδέσποτο σκυλί στο φρύδος της δημοσιάς, λίγη ώρα δρόμο από την πόλη του, χωρίς να το ξέρει κανείς από τους δικούς του.

Ξαφνικά σαν να του φάνηκε ότι δεν ήταν τελείως μόνος του. Σήκωσε με κόπο το χέρι, μα η παλάμη του δε συνάντησε άλλη παλάμη, στ' αυτιά του δεν έφτασε καμιά ανθρώπινη φωνή. Τότε, επιστρατεύοντας τις τελευταίες του δυνάμεις, άφησε τα δάχτυλά του να συρθούν σαν λαβωμένο έντομο στο χώμα, να ψηλαφίσουν, να ψάξουν πλάι του.

Ήταν το βούκινό του.

Πάνω στη βιάση τους να φύγουν πριν φανερωθεί μπροστά τους κάνα περίπολο από το Παλιόκαστρο, οι ληστές το 'χαν πετάξει εκεί δίπλα. Έτσι που φούσκωνε στο μέρος της καρδιάς, κάτω από το πουκάμισό του, θα 'χαν νομίσει στην αρχή πως ήταν κάνα γεμάτο κεμέρι που 'κρυβε στον κόρφο του.

Με τη λίγη δύναμη που τ' απόμενε, ο Λουκάς το σήκωσε από τη γη και το 'φερε στα χείλια του. Μα δεν μπορούσε πια να βγάλει αέρα από το στόμα, σωνόταν η πνοή του.

Ο αρχικουρσάρος έκανε ακόμα μια προσπάθεια και κατάφερε να γυρίσει το κορμί του τ' απίστομα. Κι έτσι όπως ήταν, βάλθηκε να σκάβει με τα δάχτυλα, ν' ανοίγει λαγούμι με τα νύχια. Ύστερα, πασπατευτά, άρχισε να μαζεύει χούφτα τη χούφτα το χώμα και να θάβει το βούκινό του όσο γινόταν πιο βαθιά.

Εδώ σταματάνε τα πιο παλιά τραγούδια της εποχής.

Όταν οι τραγουδιστές αποτέλειωναν με την ταφή του βούκινου, μόλις έλεγαν την τελευταία λέξη για το θάνατο του Λουκά, σιωπούσαν και δεν ξανάνοιγαν το στόμα. Ένα παιδί που 'χαν μαζί τους για να μαθαίνει την τέχνη έφερνε τότε γύρω τη σύναξη κι οι πανηγυριστές του 'ριχναν πενταροδεκάρες σ' ένα πιατάκι. Το βούκινο του αρχικουρσάρου ήταν πια θαμμένο στη γη, μ' ένα κουμούλι χώμα από πάνω του, με τα σπλάχνα του παγωμένα, δίχως ελπίδα πως θα ερχόταν κάποτε στιγμή που θα ξαναζωντάνευε, που θ' ακουγόταν και πάλι η φωνή του.

Και τα χρόνια περνούσαν.

Ώσπου κάποτε, μια χρονιά, Μεγάλη Παρασκευή ανήμερα, ήρθε στο Παλιόκαστρο ένας μουσικάντης που σκόπευε να κάνει Πάσχα στην πολιτεία, να παίξει το λαγούτο του και να τραγουδήσει στο γλέντι και το χορό που θα στηνόταν στη μεγάλη πλατεία μπροστά στην εκκλησία, να βγάλει κάναν παρά. Όταν ο πορτάρης που του άνοιξε την πύλη τον ρώτησε ποια ήταν η πατρίδα του κι αν είχε σπίτι και φαμίλια, αποκρίθηκε ότι μονάχα ο Θεός γνώριζε ποιοι ήταν οι γονιοί του και πως τον είχαν βρει κάτι αγωγιάτες στο δρόμο, μωρό της φασκιάς, εγκαταλειμμένο από τη μάνα του. Η ορφάνια του, είπε, δεν τον είχε εμποδίσει ή βλάψει ποτέ σε τίποτα: όπου κι αν πήγαινε, απ' όπου κι αν περνούσε, όλο και κάποιος βρισκόταν για να τον καλέσει στο σπίτι του και να του δώσει να φάει, να του στρώσει να κοιμηθεί, για να τον αποχαιρετήσει την άλλη μέρα το πρωί μπροστά στο κατώφλι του. Με τη δουλειά που 'κανε, τι ανάγκη είχε από φαμίλια; Σε κάθε δρόμο όπου περπατούσε, σε κάθε χάνι όπου κόνευε, είχε για συντροφιά τους συναδέλφους του, μουσικούς, θεατρίνους και σαλτιμπάγκους που περιπλανιούνταν ολοχρονίς για να βγάλουν το ψωμί τους όπως κι αυτός, έπινε κι έτρωγε μαζί τους, ύστερα άπλωνε ένα τσούλι κατάχαμα και κοιμόταν δίπλα τους.

Την άλλη μέρα, περιμένοντας νά 'ρθει η ώρα για την Ανάσταση, καθόταν και κουτσόπινε σ' ένα καπηλειό κουβεντιάζοντας με τους πελάτες του μαγαζιού για τη ζωή του και τα ταξίδια του, για τους ανθρώπους που 'χε συναντήσει, για τα μακρινά κι άγνωστα μέρη που 'χε επισκεφτεί. Σε μια από τις πρώτες γύρες του, είπε, είχε την τύχη να γνωρίσει ένα μεγάλο οργανοπαίχτη από τη Μικρασία, που του 'μαθε την τέχνη του τραγουδοσώστη, του δίδαξε πώς να περιμαζεύει τα παλιά και μισοξεχασμένα τραγούδια που τύχαινε ν' ακούσει εδώ κι εκεί στις περιπλανήσεις του, πώς να γλιτώνει άλλα από το χαμό που τ' απειλούσε μέσα στην κουρασμένη μνήμη των ανθρώπων, των γέρων μουσικάντηδων. Ως τα τώρα είχε σώσει από το θάνατο κάμποσα τέτοια αλλοτινά ακούσματα, είχε προσφέρει βοήθεια σ' ένα σωρό σκόρπια κι έρημα στιχάκια, είχε περιμαζέψει αρκετά ετοιμοθάνατα ποιήματα.

Έτσι είχε βρει και το παμπάλαιο τραγούδι του Λουκά.

Το 'χε δει ν' αργοπεθαίνει μέσα στη θύμηση ενός γέροντα λυράρη από το Γαλαξίδι και το συμπόνεσε για τα μαύρα του χάλια και τα κομμάτια που 'λειπαν από τους στίχους του, μάντεψε την αλλοτινή ομορφιά του. Ο γερο-λυράρης δέχτηκε να του το εμπιστευτεί, γιατί είδε πως ο άλλος ήταν νέος άνθρωπος και θα 'χε περισσότερη υπομονή απ' αυτόν για να το περιποιηθεί, να το φροντίσει, να κάνει κάτι για το σακατιλίκι του, για τα σημάδια που 'χε αφήσει το πέρασμα του χρόνου στο κορμί του.

Και να που η ιστορία του Λουκά του αρχικουρσάρου πήρε να ξαναζεί, να ξανανιώνει, να που τα κατορθώματα του Παλιοκαστρίτη ήρωα ξανακούστηκαν στο χώμα της πατρίδας του, που αντήχησε και πάλι, όπως άλλοτε παραμονή του Πάσχα, λίγο πριν από του Χριστού την Ανάσταση, το θρυλικό του βούκινο.

Οι Παλιοκαστρίτες που άκουσαν το τραγούδι του άγνωστου μουσικάντη έτρεξαν και ξεσήκωσαν όλη την πολιτεία, πήγαν κι ανάγγειλαν το χαρμόσυνο μαντάτο σ' όλες τις γειτονιές, χτύπησαν τις καμπάνες. Δεν πέρασε πολλή ώρα κι οι πορτάρηδες άνοιξαν τις πύλες για να ξεχυθεί ο κόσμος κατά τον κάμπο, για να βγουν τα παλικάρια με τ' άλογά τους, οι πολεμιστές με τα γιαταγάνια τους. Πέρα μακριά, κάπου πάνω στην πλαγιά τ' αντικρινού βουνού, τους φαινόταν ότι άκουγαν τ' απανωτά βουκανίσματα του Λουκά, πως ο Παλιοκαστρίτης ήρωας είχε ξανάρθει για να κάνει Ανάσταση μαζί τους.

Η

ΝΑ ΜΗΝ ΕΧΟΥΜΕ ΕΜΠΙΣΤΟΣΥΝΗ ΣΤΟΥΣ ΕΥΡΩΠΑΙΟΥΣ, «καπετάνιο», έλεγε ο Φώτης, ο δάσκαλος, όταν ο Κώστα Μπέκας του 'φερνε να διαβάσει τα γράμματα που του 'στελναν κάτι φιλέλληνες από τη Γαλλία. «Όχι πολλά πολλά με τους ξένους που λένε ότι θέλουν το καλό της Ελλάδας», πρόσθετε, «πως είναι φίλοι της και πως ενδιαφέρονται για τη λευτεριά της. Αυτοί έχουν βάλει στο μάτι την αυτοκρατορία του σουλτάνου, περιμένουν να βρουν ευκαιρία για να της ριχτούνε, να τη μοιράσουνε. Μόνο που πάνω στη βιασύνη τους, άμα θα πέσουν πάνω στο ντοβλέτι σαν τα όρνια, θα μας πάρει και μας η μπάλα, ούτε που θα καταλάβουν πως είμαστε κάτω από τα νύχια τους, μέσα στα ραμφιά τους».

«Ξεχνάς πως είμαστε χριστιανοί, Φώτη», παρατήρησε μια μέρα ο Κώστα Μπέκας.

Ο δάσκαλος πήγε να καγχάσει, αλλά συγκρατήθηκε από σεβασμό:

«Ε, και λοιπόν, καπετάνιο; Σάμπως χριστιανοί δεν ήμαστε και τότε που 'ρθαν από τη Δύση οι Σταυροφόροι και μας κατάσφαξαν; Λίγες φορές ως τα τώρα έκαναν κατοχή στη χώρα μας οι Φράγκοι, οι Νορμανδοί, οι Γενοβέζοι, οι Βενετσάνοι;»

«Ήταν άλλα χρόνια τότε, η Ευρώπη σιγά σιγά αλλάζει», απάντησε ο Κώστα Μπέκας.

Ο δάσκαλος τον κοίταξε που καθόταν σ' ένα θρανίο σαν μαθητούδι κι έμεινε για λίγες στιγμές σιωπηλός. Ύστερα πήγε σ' ένα ντουλάπι της τάξης, έβγαλε από μέσα ένα μεγάλο ρολό και τον ξετύλιξε, τον κρέμασε σ' ένα καρφί στον τοίχο:

«Να η Ευρώπη, καπετάνιο».

Η φωνή του ήταν ήσυχη αλλά αποφασιστική. Το χέρι του

σύρθηκε σιγά σιγά πάνω στο χάρτη, από τη μια άκρη της ηπείρου μέχρι την άλλη, από την Ισπανία πέρασε στη Γαλλία, διάσχισε τις χώρες του βορρά, ύστερα πήρε να κατεβαίνει κατά τα Βαλκάνια. Όταν έφτασε στην Ελλάδα, τα δάχτυλά του ακολούθησαν το δαντελωτό της περίγραμμα, ταξίδεψαν πάνω από το Αιγαίο αγγίζοντας στοργικά το 'να μετά το άλλο όλα τα νησιά:

«Όταν κοιτάζουν αυτό το χάρτη ακόμα και τα μαθητούδια μου, καπετάνιο, βλέπουν πως δεν ανήκουμε ούτε στη Δύση ούτε στην Ανατολή. Η Ελλάδα δεν είναι ούτε Ευρώπη ούτε Ασία αλλά Ελλάδα σκέτη, με δικιά της, ξέχωρη Ιστορία, το μόνο έθνος σ' όλον αυτό το χώρο που δε χρωστάει τον πολιτισμό του ούτε στους Ρωμαίους ούτε στους Άραβες, που δε γράφει τη γλώσσα του με λατινικά γράμματα».

Το χέρι του Φώτη ακολούθησε μια νοητή γραμμή που ξεκινούσε από το Ταίναρο κι έφτανε μέχρι πάνω ψηλά, στη Μακεδονία:

«Το κακό με τη χώρα μας, καπετάνιο, είναι ότι βρίσκεται στη μέση, ανάμεσα σε Δύση κι Ανατολή, που χωρίζει σαν μάντρα δυο χωράφια που ανήκουνε σε σόγια που δε χωνεύονται αναμεταξύ τους, που αλληλοπολεμιούνται. Εδώ κι αιώνες μάς ρίχνονται και πολεμάνε να μας βγάλουν από τη μέση μια ετούτοι και μια οι άλλοι, για να καθαρίσει το μέρος, για να μπορέσουν οι δυο αντίπαλοι να σμίξουν και νά 'ρθουν στα χέρια».

Έσκυψε κοντά στον Κώστα Μπέκα όπως έκανε και με τα παιδιά, όταν ήθελε να τα βοηθήσει να γράψουν ή να διαβάσουνε σωστά:

«Εμποδίζουμε, καπετάνιο, εμποδίζουμε δυο μεγάλους και δυνατούς κόσμους γιατί βρισκόμαστε ανάμεσά τους, γιατί δεν πήγαμε με το μέρος ούτε του ενός ούτε τ' αλλουνού, δεν ανακατευτήκαμε στους πολέμους τους. Καταλαβαίνεις τι θα γίνει, τι μας περιμένει, αν πάμε με τον ένα ή με τον άλλο, αν μπλέξουμε μαζί τους;»

Ο Φώτης απομακρύνθηκε, πήγε και στάθηκε μπροστά σ' ένα παράθυρο της τάξης και κοίταξε έξω. Ο ήλιος, που κείνη τη στιγμή βασίλευε, πορφύρωνε τους βράχους του Προφήτη Ηλία, έπαιζε με τις κορφές των κυπαρισσιών του κάμπου — σε λίγο θα χανόταν πίσω από τα μακρινά κορφοβούνια. Πέρα στα μπεντένια τα καραούλια άρχισαν να πατάνε κάτι μακρόσυρτα σφυριχτά.

Έτσι έδιναν, από μακριά, αναφορά στον Κώστα Μπέκα.

Δίχως τη βοήθεια του καπετάνιου, ο Φώτης δε θα 'χε γίνει δάσκαλος.

Ο πατέρας του είχε σκοτωθεί σε μια μάχη με κάτι Τουρκαλβανούς και τον είχε αφήσει ορφανό όταν ήταν ακόμα παιδόπουλο. Λίγα χρόνια αργότερα η μαύρη κι αγιάτρευτη αρρώστια, το χτικιό, ξαπόστειλε και τη μάνα του στον άλλο κόσμο. Μόλο που βρέθηκε μονάχος κι απροστάτευτος, ο Φώτης δεν απελπίστηκε, κράτησε γερά λες κι ήτανε μεγάλος άνθρωπος, έκανε θελήματα, πορευόταν όπως μπορούσε, αλλά δεν έγινε ποτέ του βάρος σε κανέναν.

Επειδή είχε καλή φωνή, πήγαινε τις Κυριακές και βόηθαγε τον ψάλτη στην εκκλησία, έμαθε τα πρώτα του κουτσογράμματα με τα Ψαλτήρια, τα Οχτωήχια και τα Ωρολόγια, το μυαλό του πήρε σιγά σιγά να ξανοίγει, η καρδιά του άρχισε να γυρεύει κι άλλη μάθηση. Μα πού να την έβρισκε; Επί εκατοντάδες χρόνια τα παιδιά του Παλιόκαστρου βολεύονταν όπως και χιλιάδες άλλα Ελληνόπουλα: με τους παπάδες που τους διαβάζανε τα Ευαγγέλια κρυφά μέσα σε σπήλια, τη νύχτα, με τους ψάλτες και με τους καλογέρους που τους μάθαιναν να χαράζουν σε μια πλάκα της αλφαβήτας τα γράμματα, με τους γονιούς και τους παππούδες τους που τους ξεκούκιζαν θρύλους και παραμύθια.

Ο Φώτης σκέφτηκε τον Κώστα Μπέκα, όπως θα τον είχε σκεφτεί και κάθε άλλος στη θέση του: ο καπετάνιος δεν κουμάντερνε μόνο τ' ασκέρι της πόλης, αλλά ήταν κι ο πρώτος από τους προεστούς της, στη σύναξη η γνώμη του βάραινε, ο λόγος του μετρούσε. Οι πολλές κουβέντες δεν τ' άρεσαν, απόφευγε όσο μπορούσε τις διαμάχες, τις αντεγκλήσεις, τους καβγάδες. Αν τύχαινε και κάποιοι αρπάζονταν, ανακατευόταν σπάνια, δεν έπαιρνε ποτέ το μέρος του ενός ή του άλλου για να μη ρίξει λάδι στη φωτιά, για να μη βρεθεί κανείς και τον κατηγορήσει πως έχει μέσα στο συμβούλιο τους ανθρώπους του, ότι έχει φτιάξει φατρία δική του. Όσο κρατούσε ο καβγάς, αυτός καθότανε αμίλητος, συλλογισμένος, με τα μάτια του καρφωμένα στη γη, απορροφημένος από τις σκέψεις του. Όμως παρακολουθούσε, πρόσεχε, άκουγε. Κι όταν έβλεπε ότι τα πράγματα αγρίευαν, σηκωνόταν, έριχνε γύρω του μια άγρια και περιφρονητική ματιά και τράβαγε κατά την πόρτα. Αυτό και μόνο έφτανε, ο σαματάς σταματούσε, η διχόνοια έσβηνε.

Όταν ο Φώτης πήγε να τον βρει, ο Κώστα Μπέκας τον δέχτηκε στο σπίτι του σαν να 'τανε δικό του παιδί, γκαρδιακός φίλος του ή συγγενής του, κάθισε και τον άκουσε προσεχτικά. Τ' ορφανό τού εξήγησε τα πράγματα όπως μπόρεσε, του 'πε ότι τα γράμματα του άρεσαν, πως ήθελε να πάει σε σχολείο που να 'χει δάσκαλο αληθινό, να κάτσει σε θρανίο. Όχι, όσα θα τον αξίωνε ο Θεός να μάθει δεν τα 'θελε μονάχα για τον εαυτό του, είπε, δε θα τα κράταγε μέσα στο κεφάλι του, δε θα 'ταν περιουσία του. Είχε σκοπό, όταν με το καλό μορφωνόταν, κι αν η πόλη ήθελε και τον βοηθούσε, να γίνει δάσκαλος, να χτίσει σχολείο για να μαθαίνουν γράμματα τα Παλιοκαστρόπουλα και να μην τρέχουν νυχτιάτικα στις εκκλησιές και τα μοναστήρια, να μην κινδυνεύουν να σφαχτούν από τους Τούρκους σαν τραγιά μέσα στα σπήλια.

Δεν είχε ακούσει πολλά παιδιά να μιλάνε έτσι ο καπετάνιος. Ποιος κάνει τέτοια σχέδια σ' αυτή την ηλικία, ποιο παλικαρόπουλο και ποια κοπελούδα σπάνε το κεφάλι τους για να βοηθήσουν την πόλη, σκοτίζονται για το καλό του κόσμου κι όχι για το δικό τους, για το συμφέρον τους; Δεν υπάρχουν πολλοί τέτοιοι άνθρωποι πάνω στη γη, μετριούνται στα δάχτυλα του ενός χεριού σε μια πόλη. Κι ίσως να 'ταν μεγάλη τύχη για το Παλιόκαστρο ετούτο τ' ορφανό που 'θελε να ξεκόψει από τους άλλους γύρω του, να πάρει στράτα ξέχωρη, δική του.

«Όλα καλά, παλικαράκι μου, αλλά πού θα βρεις δασκά-

83

λους; Και με τι παράδες θα τους πληρώσεις;» ρώτησε ο Κώστα Μπέκας.

Ο Φώτης είχε έτοιμη την απάντηση:

«Θα ξενιτευτώ, καπετάνιο, θα δουλέψω. Κι όταν γυρίσω με το καλό...»

«Όταν γυρίσεις...» τον έκοψε σαλεύοντας το κεφάλι του ο καπετάνιος.

Τους ήξερε αυτούς τους γυρισμούς. Σε κάτι γειτονικά χωριά που 'χαν κάμποσους ξενιτεμένους είχε ακούσει τους γονιούς τους να του διηγιούνται τον καημό τους, να του λένε για τα παιδιά τους που 'χαν ρίξει πίσω τους μαύρη πέτρα, που 'χαν λησμονήσει τον τόπο τους. Τα πρώτα χρόνια του ξενιτεμού έστελναν πού και πού καμιά γραφή στον παπά για να πει στους δικούς τους πως ήτανε καλά και πρόκοβαν, είχαν ανοίξει μαγαζιά, έκαναν εμπόρια, έβγαζαν παρά με ουρά. Ύστερα, σιγά σιγά, τα μαντάτα που 'ρχονταν στην πατρίδα όλο κι αραίωναν, στο τέλος οι ξενιτεμένοι έπαυαν να γράφουν γράμματα, κανείς δεν ήξερε πού ήταν και τι έκαναν, τους είχε καταπιεί η μαύρη, η κακούργα ξενιτιά.

Όμως ο Φώτης δεν ήθελε να ξενιτευτεί για να βγάλει λεφτά, ν' αποχτήσει περιουσία, δεν ονειρευόταν τον εαυτό του έμπορο ή μαγαζάτορα. Αυτός σκόπευε να φέρει μαζί του όταν θα γύριζε άλλης λογής θησαυρούς, άυλα αγαθά. Άυλα αλλά πολύτιμα για την πατρίδα του.

«Άσε με να το σκεφτώ, να μιλήσω και με τους προεστούς», του 'πε στο τέλος ο Κώστα Μπέκας.

Στη σύναξη που έγινε λίγες μέρες αργότερα ο καπετάνιος υποστήριξε μ' όλη του την καρδιά τ' ορφανό. Η πόλη έπρεπε να το βοηθήσει, είπε, για να μπορέσει επιτέλους ν' αποχτήσει πραγματικό δάσκαλο. Ο καημός αυτού του παλικαρόπουλου δεν ήταν όποιος όποιος, εξήγησε, τ' όνειρό του δεν ήταν από τα συνηθισμένα όνειρα, από κείνα που κάνουν όλοι οι άνθρωποι σ' αυτή την ηλικία. Είχε ξανακούσει ποτέ κανείς για κάναν Παλιοκαστρίτη που να 'χε τέτοιο αγιάτρευτο μεράκι για το σχολείο και για τα γράμματα; Ποιος άλλος είχε πάει να σκυλοδουλέψει στην άλλη άκρη του κόσμου όχι για να κά-

84

νει περιουσία, αλλά για να μορφωθεί και να γυρίσει κάποτε να προσφέρει δούλεψη στην πατρίδα; Από τα πιο παλιά χρόνια μόνο πολεμιστές έβγαζαν αυτά τα χώματα: κανένας Παλιοκαστρίτης δεν είχε απαρνηθεί τα τουφέκια και τα γιαταγάνια, για να μάθει να κρατάει χηνόφτερα και κοντύλια. Έτσι κι αλλιώς σχολειό δεν υπήρχε πουθενά τριγύρω, σε κανένα κεφαλοχώρι, σε καμιά πόλη. Όχι μονάχα το Παλιόκαστρο αλλά ολάκερη η Ελλάδα βολευόταν εδώ κι εκατοντάδες χρόνια με τα κολλυβογράμματα μερικών καλόγερων που δίδασκαν κρυφά, με τις φυλλάδες και τα συναξάρια των παπάδων.

Όσα θα 'βλεπε ο Φώτης στη ζήση του κανείς τους δεν μπορούσε ούτε να τα φανταστεί, τόνισε ο Κώστα Μπέκας. Μακάρι να 'χαν όλοι οι Παλιοκαστρίτες τα χρόνια αυτού του παιδιού για να χαίρονταν μια μέρα μαζί του τη λευτεριά, για να τον έβλεπαν να μαθαίνει γράμματα στα μαθητούδια του... Μα δεν πείραζε, η κάθε γενιά με τη δική της μοίρα, με το χρέος της. Αυτοί, σήμερα, ας έσπερναν. Κάποτε τα παιδιά ή τα εγγόνια τους θα θέριζαν.

Δε χρειάζονταν πολλοί παράδες για το ταξίδι του ορφανού, εξήγησε ο καπετάνιος. Κείνοι οι Κεφαλλονίτες έμποροι που τους έφερναν μπαρούτια και που θα περνούσαν σε λίγο καιρό από το Παλιόκαστρο δε θα ζήταγαν πολλά για να πάρουνε τον Φώτη μαζί τους και να τον πάνε μέχρι τα Γιάννενα. Ύστερα όλο και κάποιος αγωγιάτης θα βρισκόταν για να τον κατεβάσει στην Ηγουμενίτσα, όπου θα 'μπαινε σε καμιά σακολέβα ή κάνα καΐκι για να τον περάσει απέναντι, στην Κέρκυρα. Από κει έφευγαν συχνά ένα σωρό πλεούμενα για την Ιταλία. Στο Τριέστι, όπου θα κατέληγε, οι Έλληνες είχαν μεγάλη και προοδευμένη κοινότητα, μαγαζιά, εργαστήρια, εμπόρια. Ο Φώτης όλο και κάπου θα 'βρισκε δουλειά. Ήταν καλό και τίμιο παιδί, είχε μυαλό στο κεφάλι του και δε θα παραστρατούσε, δε θα λησμονούσε το σκοπό του, τον τόπο του. Κάποτε θα γύριζε στην πατρίδα μορφωμένος άνθρωπος, δάσκαλος, θα ξεπλήρωνε και με το παραπάνω το χρέος του.

«Το σκέφτηκες καλά; Είναι σκληρός ο μισεμός, σκληρός κι επικίνδυνος. Το ξέρεις;» ρώτησε ο Κώστα Μπέκας, όταν ο Φώτης πήγε στο σπίτι του για να τον αποχαιρετήσει.

«Άμα έχω την ευχή σου, δε με φοβίζει τίποτα, καπετάνιο», αποκρίθηκε το παλικαρόπουλο.

Ο Κώστα Μπέκας έριξε μια ματιά από το παράθυρο του οντά όπου καθόντουσαν, κοίταξε την παχιά φυλλωσιά ενός γερο-πλάτανου που 'χε φυτέψει μια φορά κι έναν καιρό στην αυλή κάποιος πρόγονός του. Όταν ήτανε μικρός, σκαρφάλωνε συχνά σε κείνο το θεόρατο κι αιωνόβιο δέντρο, πιανόταν από τα χοντρά του κλαριά, πάταγε άφοβα στις διχάλες κι έφτανε στην κορφή του. Από κει πάνω μπορούσε κι έβλεπε όλο σχεδόν το νότιο μέρος του Παλιόκαστρου, το βλέμμα του δεν έβρισκε κανένα εμπόδιο μέχρι τα μπεντένια, ροβολούσε κατά την πλαγιά και ξεχυνόταν κατά τον κάμπο, άγγιζε το βουνό του Προφήτη Ηλία. Για λίγα λεπτά όλα τού φαίνονταν ψεύτικα, παραμυθένια, ζωγραφιστά. Ύστερα, μόλις η ματιά του έπεφτε πάνω στα παλικάρια που φύλαγαν καραούλι εδώ κι εκεί στην πλαγιά, σαν άκουγε τα συνθηματικά σφυρίγματα που πατούσαν τα καρακόλια που γύριζαν στα γειτονικά βουνά, τα πάντα άλλαζαν, τα παραμύθια χάνονταν, οι ζωγραφιές σβήναν. Αυτός ο τόπος του 'δινε πάντα την εντύπωση ότι επιτηρούσε σιωπηλά κι ασταμάτητα τους ανθρώπους που τον κατοικούσαν, πως δεν τους άφηνε να ξεγελαστούν από οράματα, να πλανηθούν από παραμύθια, ν' αποξεχαστούν με όνειρα.

«Ώστε τ' αποφάσισες, φεύγεις», μουρμούρισε σκεφτικός ο Κώστα Μπέκας.

«Θα γυρίσω γρήγορα, καπετάνιο, θα δεις», έσπευσε ν' αποκριθεί ο Φώτης.

Μέσα στο φύλλωμα του πλάτανου έπαιζαν αμέτρητα πουλιά, ψευτοπετούσαν από κλαράκι σε κλαράκι, ξετρύπωναν κατά μικρά σμάρια από την κορφή του, από τις πιο χαμηλές κλάρες του. Βλέποντας ότι ο ήλιος κόντευε να βασιλέψει, βολτατζάριζαν για λίγο γύρω από το δέντρο κι ύστερα ξανακατάφευγαν στην αγκαλιά του, χάνονταν το 'να πίσω από τ' άλλο μέσα στα φύλλα του.

«Σου τ' ορκίζομαι», μουρμούρισε δειλά το παλικαρόπουλο.

Ο Κώστα Μπέκας άπλωσε ήρεμα το βαρύ του χέρι και τ' ακούμπησε στον ώμο του Φώτη:

«Δε χρειάζεται να πάρεις όρκο, παιδί μου» αποκρίθηκε.

Εκείνη τη στιγμή ένα ξαφνικό αλλά ανάλαφρο αεράκι χάιδεψε τον πλάτανο, έκανε τη φυλλωσιά του ν' ανατριχιάσει. Η μέρα τέλειωνε. Από μακριά, απ' όλα τα σημεία του ορίζοντα, άρχισαν να καταφτάνουν τα πουλιά που 'χαν πάει ν' αναζητήσουν τη θροφή τους μακριά από το Παλιόκαστρο. Φτεροκοπώντας γρήγορα, νευρικά, λες και φοβούνταν πως δε θα 'βρισκαν πια θέση πάνω στου δέντρου τα κλαριά, τρύπωναν κι αυτά μέσα στο φιλόξενο φύλλωμα.

«Ό,τι και να κάνεις, δε γλιτώνεις από τούτη τη γη. Να το ξέρεις», συνέχισε ο καπετάνιος.

Ο Φώτης είχε σκύψει το κεφάλι.

Ο πλάτανος ήταν τώρα γεμάτος πουλιά που τιτίβιζαν, φλυαρούσαν. Ίσως ν' αλληλοδιηγιόντουσαν τα όσα είχαν δει, ακούσει και πάθει όλη τη μέρα που 'ταν μακριά από το δέντρο, να ιστορούσαν τις περιπέτειές τους, τις ανακαλύψεις τους.

Ο Κώστα Μπέκας σηκώθηκε και ξέβγαλε τον Φώτη μέχρι την πόρτα της αυλής.

«Ακόμα κι αν θελήσεις να την αρνηθείς, η γη θα βρει τρόπο να σε φέρει πίσω. Κι αν δε σε φέρει, θα σ' εκδικηθεί και θα σε τιμωρήσει εκεί που θα βρίσκεσαι», είπε κι έσφιξε στην αγκαλιά του το παλικαρόπουλο.

Τράβηξε του λιναριού τα βάσανα για να σπουδάσει.

Έκανε όποιες δουλειές έβρισκε, ό,τι του λάχαινε, μια μέρα έτρωγε, την άλλη όχι, έκανε όμως υπομονή, άντεχε. Και μελετούσε, δούλευε σαν το σκυλί μέρα και νύχτα, δε σήκωνε κεφάλι από τα χαρτιά και τα βιβλία.

Κάτι παράδες που του 'χε παραδώσει ο Κώστα Μπέκας, δεμένους κόμπο σ' ένα μαντίλι, τους φύλαγε για ώρα ανάγκης, να τους έχει αν τυχόν κι αρρώσταινε ή για να πληρώσει τα ναύλα του, αν αναγκαζόταν να γυρίσει πριν την ώρα του στην πατρίδα. Μα κάθε φορά που συλλογιζόταν αυτό το ενδεχόμενο τον έπιανε κάτι σαν λύσσα κι έσφιγγε τα δόντια: όχι, δε θα πάταγε ποτέ το πόδι στο Παλιόκαστρο αποτυχημένος, ασπούδαστος, καλύτερα να σκοτωνόταν. Καλού κακού είχε πει σε κάτι φίλους του πως αν τον έβρισκαν καμιά μέρα πεθαμένο στην κάμαρά του, να πετάξουν το κουφάρι του στη θάλασσα ή να το ρίξουν να το φάνε τα σκυλιά.

Κανείς δεν τον είχε ακούσει ποτέ να βαρυγκομάει.

Γιατί να παραπονιόταν; Όπως όλοι οι Παλιοκαστρίτες ήταν συνηθισμένος να βλέπει τη φτώχεια και τη στέρηση να μπαινοβγαίνουν στο σπίτι, να 'ναι αχώριστες φιλενάδες με την οικογένεια. Άλλωστε, αυτός δεν ήταν εμιγκρές όπως οι περισσότεροι Έλληνες που 'βλεπε γύρω του, δεν είχε μισέψει για να βγάλει λεφτά, δε σκόπευε να γεράσει στην ξενιτιά και να γυρίσει μια μέρα στην πατρίδα μ' άσπρα μαλλιά, φραγκοφορεμένος, με μεταξωτά πουκάμισα, με χρυσές καδένες και με ρολόγια για να παριστάνει τον άρχοντα.

Κάποτε έδωσε ο Θεός και βρήκε μια καλή δουλειά σ' ένα τυπογραφείο που τύπωνε ελληνικά αλλά και ξένα βιβλία, που 'χε πελάτες όχι μονάχα στο Τριέστι αλλά και σ' άλλες πόλεις, στη Φλωρεντία, στην Πίζα και στη Βενετιά, που 'παιρνε παραγγελίες κι από άλλα μέρη της Ευρώπης, από τη Βιέννη, από το Παρίσι, από τη Λόντρα. Όλη την ημέρα ο τυπογράφος έβαζε τα τσιράκια του και τύπωναν βιβλία για την Εκκλησία, φυλλάδια με ιστορίες και ποιήματα που διάβαζαν οι μεγαλοκυράδες στ' αρχοντικά, ονειροκρίτες, ερωτικά αναγνώσματα. Το βράδυ, όταν σχόλαγε ο Φώτης από τα μαθήματα κι ερχόταν να πιάσει δουλειά, ο ιδιοκτήτης έκλεινε καλά την πόρτα τ' αργαστηριού και καταπιανόταν μ' άλλης λογής χειρόγραφα, βιβλία πολιτικά και φιλοσοφικά, εφημερίδες που μίλαγαν για δικαιοσύνη και λευτεριά, που αντιμάχονταν όλους τους τυράννους, βασιλιάδες, αυτοκράτορες και σουλτάνους, που καλούσαν τους λαούς να ξεσηκωθούν και να χτυπήσουνε την τυραννία, να φέρουνε ρεπούμπλικα.

Μέσα σε κείνο το τυπογραφείο ο Φώτης γνώρισε κάμποσους φωτισμένους ανθρώπους της Ευρώπης, αριστοκράτες και αστούς, διανοούμενους, ποιητές, καλλιτέχνες, στρατιωτικούς. Όταν ο μελλοντικός δάσκαλος του Παλιόκαστρου τους έλεγε πως ήταν Έλληνας, τον κοιτούσανε με θαυμασμό, λες κι είχαν μπροστά τους κάνα αρχαίο μνημείο ή κάποιο προϊστορικό θεριό. «Πώς γίνεται κι υπάρχουνε ακόμα Έλληνες ύστερα απ' όσα τράβηξε η πατρίδα τους επί αιώνες κι αιώνες από Ρωμαίους, Φράγκους και Τούρκους;» ρωτούσαν. Ο Φώτης δεν μπορούσε να τους απαντήσει.

Σιγά σιγά είχε αρχίσει κι αυτός να βρίσκει απίστευτη, ανεξήγητη την επιβίωση της πατρίδας του, του 'ταν αδύνατο να καταλάβει τι ακριβώς είχε συμβεί κι αυτή η χώρα είχε επιζήσει ύστερα από τόσες και τόσες κατακτήσεις, βάρβαρες επιδρομές, πολέμους, σφαγές. Δεν είχαν άδικο οι ξένοι που 'μεναν εμβρόντητοι όταν τον άκουγαν να μιλάει μια γλώσσα που μιλιόταν πριν τρεις χιλιάδες χρόνια, που δεν την είχε μάθει σε σχολεία και σε Πανεπιστήμια. Καμιά φορά, εκεί που μελετούσε, σταμάταγε για λίγο τη δουλειά και έπαιρνε στα χέρια του μια Ιλιάδα, διάβαζε λίγους στίχους μεγαλόφωνα, σχεδόν τραγουδιστά, όπως έκαναν οι πλανόδιοι μουσικάντες στου Παλιόκαστρου τα πανηγύρια. Σαν άκουγε την ίδια του τη φωνή, μόνο και μόνο σαν πρόφερε τον πρώτο στίχο, κείνο το «Μήνιν άειδε, θεά», τα μάτια του πλημμύριζαν δάκρυα.

Τη βλογημένη μέρα της επιστροφής όλοι σχεδόν οι Παλιοκαστρίτες είχαν βγει και σμάριαζαν πάνω στα μπεντένια περιμένοντας ν' αντικρίσουν τον Φώτη όταν θα 'ταν ακόμα πέρα μακριά, στο χάσιμο του κάμπου, να ξεδιακρίνουν τον μπουχό που θα σήκωναν τα πόδια των μουλαριών του στη δημοσιά, ίσως και το γυαλοκόπημα από τα χάμουρα των αλόγων που θα τραβούσαν μια ή δυο άμαξες με τα πράγματά του. Γιατί να μην είχε άμαξα; έλεγαν. Σίγουρα θα 'χε βάλει στην πάντα πολλούς παράδες ύστερα από τόσα χρόνια στην ξενιτιά. Ποιος ξέρει τι όμορφα και φανταχτερά ρούχα θα φόραγε, πώς θα φερόταν τώρα που 'ταν γραμματισμένος άνθρωπος, πώς θα μίλαγε... Μερικοί προεστοί που 'χαν κόρες της παντρειάς ετοιμάζονταν να του πέσουν από δίπλα, να του κάνουν προξενιά. Αλλά δε θα 'ταν εύκολη δουλειά, γιατί ο Φώτης δεν είχε γονιούς κι όλα αυτά τα χρόνια μόνο ο Κώστα Μπέκας αλληλογραφούσε με τον ξενιτεμένο. Μα ποιος πλησίαζε τον καπετάνιο, ποιος τολμούσε;

Όταν του 'φερναν γράμμα από τον Φώτη, καβάλαγε αμέσως τ' άλογο και ξεχυνόταν στον κάμπο, τράβαγε κατά το μοναστήρι. Ώσπου να τον ανεβάσουν με το κοφίνι, δεν έπαυε να πασπατεύει το φάκελο που 'χε στον κόρφο, κάθε λίγο και λιγάκι το 'βγαζε και το κοίταγε, το ασπαζόταν σαν να 'ταν ιερό κειμήλιο. Τις περισσότερες φορές ξέχναγε να χαιρετήσει τον πορτάρη, δεν κοίταζε γύρω του, δεν άκουγε όποιον του φώναζε, αλλά έτρεχε κατά τη βιβλιοθήκη για να του διαβάσει το γράμμα ο Ισίδωρος, να του γράψει ύστερα την απάντηση.

Έβρισκε τον καλόγερο άλλοτε να διαβάζει κι άλλοτε να γράφει μ' ένα χηνόφτερο γύρω γύρω στις σελίδες ενός Τετραβάγγελου, τον έβλεπε που σήκωνε πού και πού μια άκρη του ξεθωριασμένου του ράσου και σφούγγιζε τον ίδρωτά του. Παρ' όλη του τη βιασύνη, ο Κώστα Μπέκας δεν τόλμαγε να διακόψει τη δουλειά του Ισίδωρου, αλλά περίμενε σιωπηλός, παρακολουθούσε. Πού και πού τα χείλια του καλόγερου σιγοσάλευαν, αλλά δεν έβγαινε κανένας ήχος από το στόμα του. Ίσως να κουβέντιαζε μ' όλους εκείνους που 'χαν γράψει τα βιβλία που 'ταν αραδιασμένα τριγύρω στα ράφια και μέσα στα ντουλάπια, μπορεί να μίλαγε με τους αγίους που τον παρακολουθούσαν ασάλευτοι και σιωπηλοί από τα εικονίσματα. Καμιά φορά ο καπετάνιος αναρωτιόταν μπας κι ήταν τα γράμματα που 'καναν τον Ισίδωρο να φαίνεται αλλιώτικος από τους άλλους καλογέρους, να μοιάζει ανεμοπαρμένος. Άραγε έτσι θα 'ταν κι ο Φώτης όταν θα γύριζε με το καλό; Θα περπατούσε στο δρόμο και θα παραμίλαγε; Μήπως τα πολλά διαβάσματα αφήνουν, όπως και μερικές αρρώστιες, κουσούρια;

Τη στιγμή που ο Ισίδωρος έπαιρνε στα χέρια του το

γράμμα του Φώτη, η καρδιά του Κώστα Μπέκα χτύπαγε δυνατά. Σκυμμένος κι αυτός πάνω από το ξεδιπλωμένο χαρτί, προσπαθούσε να μαντέψει τι έλεγαν, τι έκρυβαν, τι μηνούσαν κείνα τ' ακαταλαβίστικα σημάδια. Τα λόγια που δεν έβγαιναν από στόμα ανθρώπου που στεκόταν ολοζώντανος μπροστά του τον τρόμαζαν.

Ενώ είχε αναγγείλει σ' όλη την πόλη τον ερχομό του Φώτη, δίσταζε να πάει να τον υποδεχτεί μαζί με τους άλλους Παλιοκαστρίτες. Ποιος ξέρει τι θα τους πέρναγε από το νου, αν τον έβλεπαν έτσι συλλογισμένο... Του 'χε τύχει κάμποσες φορές να τους ακούσει που κουβέντιαζαν για τον Φώτη, που 'καναν ένα σωρό υποθέσεις για τη ζωή του στην ξενιτιά, για την περιουσία που θα 'χε αποχτήσει, που μέτραγαν προκαταβολικά τους παράδες του. Δεν τους είχε αποπάρει, δεν είχε πει τίποτα. Τι έφταιγαν; Δε γινόταν να κοιτάξουν τον κόσμο με άλλα μάτια εξόν από τα δικά τους, να τον καταλάβουν με άλλα μυαλά. Γι' αυτούς, οι σπουδές, τα γράμματα, τα σχολεία ήταν δουλειές των πλούσιων, των αρχόντων, των κοτζαμπάσηδων, των μεγάλων και τρανών του Φαναριού, των μεγαλεμπόρων της Μολδοβλαχιάς. Όλοι αυτοί φρόντιζαν και παραφρόντιζαν να μορφώσουν τα δικά τους παιδιά, τα 'βαζαν να σπουδάσουν με σοφούς δασκάλους στην Πόλη, στη Σμύρνη και στη Φραγκιά, τους κράταγαν έτοιμα τα πόστα και τα οφίκια. Αιώνες αυτό το βιολί, με τα μεγάλα τζάκια που 'χαν πουλήσει την ψυχή τους στους Οθωμανούς από τα πρώτα χρόνια της σκλαβιάς, που κυβερνούσαν τους Έλληνες για λογαριασμό τους, που 'παιρναν τα χαράτσια και τα δοσίματα από τους ραγιάδες και τα παράδιναν στους αφέντες τους. Πού να 'ξερε ο κοσμάκης πως όταν με το καλό λευτερωνόταν μια μέρα η πατρίδα, εκείνοι πάλι θα βρίσκονταν στα πράματα, ότι θα συνέχιζαν να σιγορουφάνε σαν βδέλλες του φτωχού το αίμα...

Από το χαγιάτι του σπιτιού του, όπου καθόταν και περίμενε, ο Κώστα Μπέκας άκουσε τη χλαλοή που σηκώθηκε ξαφνικά πάνω στα μπεντένια: θα 'χε φανεί ο Φώτης, θα τον είχαν αντικρίσει πέρα στον κάμπο, στη δημοσιά.

91

Ο καπετάνιος έκανε το σταυρό του κι ανάσανε βαθιά, ένα χαμόγελο άνθισε στα χείλια του: χρόνια περίμενε αυτή την ώρα, την είχε δει σε όνειρα. Για τα παραπέρα δεν είχε σκεφτεί τίποτα, θα κουβέντιαζε με τον Φώτη, με το δάσκαλο, με τον πρώτο γραμματισμένο άνθρωπο που 'χε αποχτήσει το Παλιόκαστρο. Ο Φώτης δεν ήταν γιος άρχοντα, δεν είχε σπουδάσει με τους παράδες του πατέρα του, δε γύριζε για να πάρει στα χέρια του το πατρογονικό του τσιφλίκι, να γίνει αφέντης. Να που επιτέλους είχε αρχίσει κι ο φτωχός, ο παρακατιανός λαός να ετοιμάζει τους δικούς του ανθρώπους, ν' αποχτάει γραμματισμένους αγωνιστές και δάσκαλους που 'χαν βγει από τα σπλάχνα του, που 'ξεραν τα βάσανά του, που καταλάβαιναν τον πόνο του.

Ο Κώστα Μπέκας αποφάσισε να πάει κι αυτός στα τείχη.

Καθώς ζύγωνε, παρατήρησε που ο πολύς κόσμος είχε αρχίσει κιόλας να φεύγει, ενώ ο Φώτης ήταν ακόμα μακριά. Τα σχόλια και τα κουτσομπολιά έδιναν κι έπαιρναν, μερικοί πετούσαν υπονοούμενα, ακούγονταν εδώ κι εκεί χαιρέκακα γέλια. Να, έλεγαν μερικοί, που ο πρώτος σπουδασμένος του τόπου δεν είχε ούτε άλογα ούτε αμάξια, να που δεν έβγαζαν παράδες τα σχολεία και τα γράμματα. Ο δάσκαλος του Παλιόκαστρου ταξίδευε όπως κι ένας μικροπραματευτής, βουτηγμένος από την κορφή μέχρι τα νύχια στη σκόνη σαν αγωγιάτης, χιχίριζαν άλλοι.

Κάνοντας πως δεν άκουγε, πως δεν καταλάβαινε, αντιχαιρετώντας λιγόλογα αυτούς που τον χαιρέταγαν, ο καπετάνιος προχώρησε κι ανέβηκε σ' ένα μπεντένι.

Με την πρώτη ματιά που 'ριξε κάτω στον κάμπο ένιωσε την καρδιά του να χτυπάει δυνατά, ξέχασε όλες του τις αγωνίες: καβάλα σ' ένα μουλάρι, με δυο τεράστια ταγάρια κρεμασμένα από το σαμάρι, ο Φώτης έκανε χαρούμενα σινιάλα σ' αυτούς που 'χαν απομείνει πάνω στα τείχη και τον περίμεναν σφυρίζοντας ρυθμικά όπως στα πανηγύρια και στους χορούς, ανεμίζοντας μαντίλια. Λίγο πιο πίσω ακολουθούσε ένα γαϊδούρι δεμένο με μια τριχιά, φορτωμένο με την κασέλα του δάσκαλου και δυο τρεις μπόγους με τα ρούχα και τα πράγματά του. Ξαφνικά κάποιος έδειξε ψηλά στον ουρανό κι αμέσως όλοι έμπηξαν φωνές χαράς, τα σφυριχτά δυνάμωσαν: κατά νότου μεριά, ανάμεσα στα σύννεφα, ένας αϊτός έκοβε κύκλους πετώντας αργά, επιβλητικά, με τις φτερούγες του ολάνοιχτες. Σε κάθε βόλτα που συμπλήρωνε το πουλί χαμήλωνε όλο και πιο πολύ, ο ήλιος που κείνη την ώρα πήγαινε να βασιλέψει του πορφύρωνε το κορμί, ήταν σαν να πέταγαν φλόγες τα πούπουλά του.

Ήταν καλό το σημάδι, θεόσταλτο.

Πριν καλά καλά προλάβει να πεζέψει, ο Φώτης βρέθηκε περικυκλωμένος, χαμένος μέσα σ' ένα δάσος χέρια που υψώνονταν ολούθε και τον άγγιζαν, τον χτυπούσαν με στοργή στις πλάτες, τον χαιρετούσαν. Κι όλοι του 'διναν ευχές που 'βγαιναν από την καρδιά τους, του 'λεγαν και του ξανάλεγαν πως θα 'καναν ό,τι μπορούσαν, θα του 'διναν με χίλιους τρόπους χέρι και θα τον βοηθούσαν για να φτιάξει το σχολειό που ονειρευόταν εδώ και χρόνια, πως από την άλλη κιόλας μέρα θα φρόντιζαν να συμμαζέψουν τα παιδιά τους που γκεζέραγαν εδώ κι εκεί στις γειτονιές, που τρεχόπαιζαν ολοχρονίς στις λάκκες. Για την ώρα, ώσπου να βρίσκονταν οι παράδες και ν' άρχιζε η δουλειά, ας τα μάζευε στην εκκλησία, όπως έκανε κι ο παπάς όταν τα κατηχούσε. Τι πείραζε; Ο σκοπός ήταν ν' ανοίξουν τα μάτια τους και να γενούν ανθρώποι. Σάμπως στην εκκλησία δεν είχαν γίνει χριστιανοί; Εκεί μέσα δεν τα 'χαν βαφτίσει;

Σε μια στιγμή ο κόσμος μέριασε με σεβασμό.

Ο Κώστα Μπέκας προχωρούσε λεβεντόκορμος, στητός. Ο αποβραδινός άνεμος, που κείνη την ώρα φυσούσε ανάλαφρα, ανάδευε τα μακριά του μαλλιά, τα κάτασπρα φαρδομάνικα του πουκαμίσου του. Κι έτσι που κράταγε ολάνοιχτα τα μπράτσα για να υποδεχτεί τον Φώτη, που 'χε βιαστεί να πεζέψει και πρόστρεχε, έμοιαζε σαν να πετούσε κι αυτός όπως πριν λίγο ο αϊτός, σαν να μην είχε βάρος το κορμί του, λες και δεν πάταγαν στη γη τα πόδια του.

93

Τραβώντας τα ζώα που κουβαλούσαν τα πράγματά του, ο Φώτης βάδιζε ολομόναχος πια. Η νύχτα είχε φτάσει από ώρα, το σκοτάδι είχε πέσει για τα καλά, απλωνόταν στην πόλη κατά κύματα που περνούσαν πάνω από τα σπίτια σαν χαμηλή συννεφιά, γλιστρούσαν από στέγη σε στέγη κι ύστερα ξεχύνονταν στα καλντερίμια, πηδούσαν αθόρυβα τους φράχτες και σιγοσέρνονταν στις αυλές, έφταναν μέχρι τα κεφαλόσκαλα, άγγιζαν τις πόρτες. Τίποτα πια δε θα τάραζε τον ύπνο της πολιτείας μέχρι τα ξημερώματα: οι βιγλάτορες πηγαινοέρχονταν κιόλας πάνω στα μπεντένια στέλνοντας ο ένας στον άλλο συνθηματικά σφυρίγματα, χτυπώντας κατά διαστήματα της βίγλας τα καμπανάκια. Από πέρα μακριά, από τον κάμπο, τους αποκρίνονταν με τον ίδιο τρόπο τα καρακόλια που θα περιπολούσαν μέχρι το πρωί με τα μάτια τους τέσσερα, με τ' αυτιά τρουλωμένα. Τον τελευταίο καιρό οι ληστές είχαν πληθύνει στα γύρω μέρη, έφτιαχναν μπουλούκια γερά, πάνοπλα, κατέβαιναν συχνά από τα βουνά, έσπερναν παντού τρόμο μέρα και νύχτα.

Ξαφνικά ο Φώτης κοντοστάθηκε και πήρε να οσφραίνεται σαν σκυλί τον αέρα. Ήταν η ώρα που οι γυναίκες έριχναν λάδι στα λυχνάρια και τ' άναβαν, ετοίμαζαν της φαμίλιας το δείπνο — πάνω στις σιδεροστιές των τζακιών τα τσουκάλια άχνιζαν. Του δάσκαλου η καρδιά χτυπούσε δυνατά. Άδικα τον είχε τριβελίσει η αγωνία τόσον καιρό στα ξένα: τίποτα δε θα 'χε αλλάξει, ακόμα κι αν του 'χαν ξεριζώσει την καρδιά, έστω κι αν είχαν καταφέρει να σβήσουν τη μνήμη του, ν' αλλάξουν το μυαλό του. Ακόμα κι έτσι, αλλιωτεμένο κι ανάπηρο, το κορμί του θα 'χε βρει μονάχο το δρόμο του, θα τον οδηγούσε άσφαλτα στον τόπο του, θα τον περνούσε μέσα απ' όλα τα σκοτάδια και θα τον έβγαζε στο λημέρι του, στη φωλιά του.

Σε μια στιγμή, εκεί που προχωρούσε σύρριζα σε μια μάντρα, ένιωσε τα χαμηλά κλαδάκια μιας περικοκλάδας να τ' αγκαλιάζουν τις κνήμες, να μπλέκονται στους αστραγάλους του. Δε θέλησε να τραβήξει απότομα τα πόδια, να συνεχίσει τσαλαπατώντας τους βλαστούς που 'χαν απλωθεί στη γη μπροστά του, που 'παιζαν ανήμερα κι αθώα με τις πατούσες του. Σκύβοντας για να τους παραμερίσει με το χέρι, θυμήθηκε την εποχή που 'ταν ακόμα μια σταλιά παιδί, τότε που 'βγαινε από το σπίτι του και το κεφάλι του δεν έφτανε καν ούτε στη μέση του μαντρότοιχου. Η περικοκλάδα τον χαιρετούσε πάντα με τον ίδιο τρόπο, έγερνε από πάνω του στοργικά, τον άρπαζε παιχνιδιάρικα από τα ρούχα, χάιδευε τα μαλλιά του. Και να που τώρα, λες κι ήξερε πως είχε περάσει πολύς καιρός από κείνα τα χρόνια, έπαιζε αλλιώτικα μαζί του. Τα πιο ψηλά από τα φύλλα της, που άλλοτε δεν καταδέχονταν να σκύψουν για να φτάσουν κοντά του, σειούνταν σήμερα μπροστά στο πρόσωπό του, άγγιζαν τα μάτια του, σκούπιζαν με τ' απαλό τους χνούδι τα δάκρυά του.

Θ

Σ' ΕΝΑ ΝΤΟΥΛΑΠΙ ΤΗΣ ΒΙΒΛΙΟΘΗΚΗΣ ΒΡΙΣΚΟΝΤΑΙ Τ' ΑΡχεία της μονής: χειρόγραφα, περγαμηνές σε ρολά και με πάνω τους ακόμα τα βουλοκέρια, έγγραφα που 'χουν πάνω πάνω στην πρώτη σελίδα δικέφαλους αετούς, η επίσημη αλληλογραφία των ηγούμενων του Προφήτη Ηλία. Όταν ο Μελέτιος ξεσκονίζει και ταχτοποιεί το ντουλάπι, δίπλα του, πάνω σ' ένα τραπέζι, απλώνονται και παίρνουν τον αέρα τους ένα σωρό χαρτιά, επιστολές με τη βούλα Βυζαντινών και Ρώσων αυτοκρατόρων, γράμματα Φράγκων βασιλιάδων και φιρμάνια σουλτάνων, κείμενα με την υπογραφή αλλοτινών μεγάλων και τρανών.

Ώσπου να τελειώσει το συγύρισμα, οι εποχές της Ιστορίας ανακατώνονται, τα γεγονότα παίρνουν άλλη σειρά, συναπαντιούνται και γειτονεύουν για λίγες στιγμές άσχετα μεταξύ τους χρόνια. Σε μια άκρη του τραπεζιού ένας πάπας, δυο Ισπανοί βασιλιάδες κι ένας από τους Κομνηνούς περιμένουν υπομονετικά ν' ασχοληθεί ο Μελέτιος μαζί τους, να ελέγξει την κατάσταση της χάρτινής τους ύπαρξης, να εξετάσει μήπως έχουν αρχίσει να μαδάνε και να διαλύονται οι σελίδες με τις θεολογικές τους αναλύσεις και τις αλάθητες θεωρίες τους, τις συμβουλές τους. Όλοι αυτοί οι σπουδαίοι του κόσμου πάνε, ξόφλησαν, άφησαν τους λαούς στην ησυχία τους. Εκεί που βρίσκονται τώρα δε βασανίζουν ανθρώπους στ' όνομα του Χριστού, δεν έχουν πια κανένα στην εξουσία τους, περιμένουν όπως όλοι οι θνητοί να 'ρθει κι η δική τους σειρά να γονατίσουν μπροστά στο θρόνο του Θεού που θα κρίνει τα έργα τους.

Καμιά φορά ο Μελέτιος παίρνει στην τύχη μια περγαμηνή και την ξετυλίγει, πηγαίνει κοντά στο παράθυρο και την εξετάζει καλά στο φως. Μια εγκύκλιος που 'στειλε πριν λίγο καιρό σ' όλα τα παλιά μοναστήρια η Υπηρεσία Αρχαιοτήτων συνιστά στους μοναχούς που ασχολούνται με τις βιβλιοθήκες να προσέχουν ιδιαίτερα τα χειρόγραφα τις μέρες που κάνει πολλή ζέστη ή όταν η ατμόσφαιρα είναι υγρή, γιατί τα παλιά μελάνια έχουν μεγάλη ευπάθεια στις απότομες αλλαγές της θερμοκρασίας κι υπάρχει κίνδυνος ν' αλλοιωθούν και να πάθουν μεγάλες ζημιές τα κείμενα.

Ο Μελέτιος σαλεύει το κεφάλι και χαμογελάει πικρά. Να που οι δόξες και τα μεγαλεία των ανθρώπων δεν καταφέρνουν να επιζήσουν ούτε μέσα στα ντουλάπια των μοναστηριών και των μουσείων, συλλογίζεται, να που δεν τα βγάζουν πέρα με το θάνατο ούτε τα χειρόγραφα και τα βιβλία.

Πού να 'χε φανταστεί ότι θα βρισκόταν ένας αναγνώστης, και μάλιστα στις μέρες μας, που θα ενδιαφερόταν για το Τετραβάγγελο του Ισίδωρου και που θα 'μενε κάμποσον καιρό στο μοναστήρι για να μελετήσει και ν' αντιγράψει με την ησυχία του εκείνο το χρονικό... Από τότε που ο μακαρίτης ο προκάτοχός του του μίλησε γι' αυτό το κειμήλιο τότε που του παράδινε το υλικό της βιβλιοθήκης, ο Μελέτιος δεν έπαψε να το δείχνει σ' όλους τους επισκέπτες, αλλά κανείς δεν του 'δωσε ποτέ την παραμικρή σημασία, δε βρέθηκε άνθρωπος να το ξεφυλλίσει, να το διαβάσει. Ποιος να κάτσει και ν' ασχοληθεί με τα ορνιθοσκαλίσματα του Ισίδωρου στα περιθώρια του βιβλίου του όταν βλέπει γύρω του, στα ράφια, τόσους και τόσους θησαυρούς, πολύτιμα χειρόγραφα, περγαμηνές, ντουκουμέντα...

Ο Μελέτιος διαπιστώνει με λύπη πως οι επισκέπτες που περνάνε μπροστά από τη βιβλιοθήκη όλο και λιγοστεύουν. Αλλά ακόμα πιο λίγοι είναι αυτοί που ανοίγουν την πόρτα και μπαίνουν, ίσα ίσα για να ρίξουν μια ματιά στην προθήκη που 'χει κάτι παλιά ιερά σκεύη και άμφια, για να θαυμάσουν μερικά χρυσόδετα Ευαγγέλια. Τι να σου κάνουν, δεν έχουν κανένα φταίξιμο οι άνθρωποι, είναι απλοί προσκυνητές, ευλαβικοί χριστιανοί. Αν αποφασίζουν ν' ανέβουν σε τούτα τα κατσάβραχα, είναι επειδή το 'χουν τάμα να προσκυνήσουν ή να λειτουργηθούν στην εκκλησιά.

97

Τώρα τελευταία οι καλόγεροι ζήτησαν από τις Αρχές μια μικρή επιχορήγηση για να κάνουν επισκευές στη μονή, να στηρίξουν μερικά κτίσματα που κινδυνεύουν να καταρρεύσουν και να φτιάξουν την οροφή της βιβλιοθήκης που 'χει ρωγμές, να προστατέψουν τις τοιχογραφίες.

Ο ηγούμενος πήρε απάντηση από την Αθήνα πως δεν υπάρχουν διαθέσιμα κοντύλια για τέτοια έργα κι ότι τώρα, με τη μεγάλη ευρωπαϊκή αγορά, η χώρα έχει ν' αντιμετωπίσει πολύ πιο σοβαρά προβλήματα. Από τη μεριά τους, οι αρμόδιοι της Εκκλησίας προτείνουν στον Προφήτη Ηλία να κάνει ό,τι και μερικά άλλα μοναστήρια που 'χουν ανάλογες ανάγκες, συμβουλεύουν τους καλόγερους να βάλουν νερό στο κρασί τους, όπως και τόσοι άλλοι άνθρωποι, ν' απαλύνουν λίγο τους αυστηρούς κανόνες που τους ρυθμίζουν τη ζωή και δεν τους επιτρέπουν να προσαρμοστούν στον καιρό τους, να σώσουν το μοναστήρι τους. Γιατί να μην έρθουν σ' επαφή με τη Νομαρχία για να τους ανοίξει δρόμο της προκοπής, ώστε να μπορούν οι επισκέπτες ν' ανεβαίνουν πιο εύκολα μέχρι τη μονή, για να προσελκυστούν έτσι κι οι ξένοι; Γιατί επιμένουν να ζουν πάνω σε κείνους τους βράχους, όπως ζούσαν οι προκάτοχοί τους εδώ κι αιώνες; Τι φοβούνται πια; Τους Τούρκους ή τους πειρατές; Άμα οργανωθούν σωστά, το κοινόβιο μπορεί να βγάλει λεφτά με τον τουρισμό και να μην έχει πια ανάγκη από κανέναν.

«Αν τους ακούσουμε, πάμε χαμένοι», στενάζει ο Μελέτιος. «Αυτοί που 'ρθαν εδώ πάνω στα παλιά χρόνια και μόνασαν ήταν σοφοί άνθρωποι, ήξεραν τη ζωή καλά, από την καλή κι από την ανάποδη, δεν είχαν βγει από την κοιλιά της μάνας τους καλόγεροι. Λίγες συμβουλές μάς δίνουν μ' όλα τούτα τα βιβλία και τα χαρτιά; Λίγες ορμήνιες μάς γράφουν; Να 'χετε το νου σας, μας λένε και μας ξαναλένε, μην αφήσετε νά 'ρθουν εδώ πάνω όποιοι όποιοι, τα μοναστήρια δεν είναι ούτε παζάρια ούτε θέατρα για να κάνει ο κόσμος χάζι. Έρχονται τώρα οι άλλοι και σου λένε: να οργανωθείτε και να κάνετε τουρισμό, να πουλάτε ενθύμια και καρτποστάλ, να βάλετε εισιτήριο. Άκου πράγματα, άκου ρεζιλίκια... Μα δε

98

μου λες, τι προκοπή είδε η Ελλάδα που κάνει αυτή τη δουλειά εδώ και χρόνια; Γέμισε ο τόπος ξενοδοχεία και καφενέδες, παρατήσαμε τα χωράφια και τ' αμπέλια και γινήκαμε γκαρσόνια, λακέδες, δεν πατάμε πια το πόδι στην εκκλησία, αλλά βγαίνουμε στο δρόμο και πουλάμε στους ξένους τα εικονίσματα...»

Ο Μελέτιος πηγαινοέρχεται μέσα στη βιβλιοθήκη αγριεμένος, η άσπρη του γενειάδα σιγοτρέμει, λες κι είναι φυτρωμένη όχι στα μάγουλα και το σαγόνι του αλλά πάνω στην οργισμένη ψυχή του:

«Μα πώς διάολο —ήμαρτον, Θεέ μου!— καταφέραμε και ζήσαμε σ' αυτό τον τόπο τόσους αιώνες μονάχοι μας, χωρίς να προσπέσουμε σε κανένα, χωρίς να ζητιανέψουμε; Και να 'μαστε καινούριοι σ' αυτά τα χώματα, να πεις κομμάτια να γίνει. Αλλά το βιολί της ανέχειας κρατάει εδώ και χιλιάδες χρόνια· από την αρχαιότητα τα βγάζουμε πέρα μ' ελιές και κρεμμύδια, φάγαμε μέχρι και λούπινα. Πες μου, στο Θεό σου, πώς μπορέσαμε και φτιάξαμε τόσα πράγματα με μισοάδεια τα στομάχια; Πώς γράψαμε τόσα βιβλία φέγγοντας με τα λυχνάρια;»

Έτσι που στέκεται μπροστά σ' ένα ανοιχτό παράθυρο, η λάμψη του καλοκαιριάτικου ήλιου δεν αφήνει να ξεδιακρίνει κανείς τα χαρακτηριστικά του. Καταμεσής στ' ολογάλανο κομμάτι τ' ουρανού που 'χει για φόντο, το πρόσωπο του Μελέτιου σχηματίζει μια μαύρη κηλίδα.

Η φωνή του γερο-βιβλιοθηκάριου ακούγεται λες και κατεβαίνει από τα ύψη:

«Πού 'ναι τα έργα μας από τότε που τρώμε καλά; Τι σπουδαίο γράψαμε από τότε που φέγγουμε με πολύφωτα;»

Καθώς απομακρύνεται από το παράθυρο και πλησιάζει στο τραπέζι, είναι σαν ν' αναδύεται μέσα από το φως. Φαίνεται πιο ήρεμος, το βλέμμα του έχει ημερέψει, η γενειάδα του δεν τρέμει πια. Με μια βαριεστισμένη χειρονομία δείχνει τα βιβλία που τον περιβάλλουν, τα χειρόγραφα, τα χαρτιά και τις περγαμηνές πάνω στο τραπέζι:

«Αναρωτιέμαι σε τι μας ωφέλησε όλη αυτή η σοφία».

Ψαύει το ανοιγμένο Τετραβάγγελο του Ισίδωρου, τα δάχτυλά του γυρίζουν προσεχτικά τις φθαρμένες του σελίδες. Σε μια στιγμή, σαν να βρήκε τη σελίδα που αναζητούσε, σκύβει λίγο και μορφάζοντας για να βοηθήσει την όρασή του, διαβάζει μερικές αράδες από μέσα του πριν συνεχίσει το μονόλογό του:

«Να, τότε, στην εποχή του Ισίδωρου, άρχισε το κακό, όταν άρχισαν να μας ανακαλύπτουν οι Ευρωπαίοι. Όπως ανακάλυψαν τους Κινέζους και τους Ινδιάνους... Το κακό μ' αυτούς τους ανθρώπους είναι που μοιάζουν με τα μικρά παιδιά: νομίζουν ότι τα πράγματα αρχίζουν να υπάρχουν από τη στιγμή που τα πρωτοβλέπουν εκείνοι, φαντάζονται πως ο πολιτισμός άρχισε από τη στιγμή που εκπολιτίστηκαν αυτοί. Από το Μεσαίωνα και μετά, από τότε δηλαδή που άρχισαν να ενώνονται και να σχηματίζουν κράτη ισχυρά και πλούσια, δεν έπαψαν να αιματοκυλάνε όλη τη γη, κάνουν πολέμους σ' όλα τα πλάτη και μήκη, σκοτώνουν, ξεθεμελιώνουν. Λες και θέλουν σώνει και καλά να γκρεμίσουν τον κόσμο και να τον ξαναφτιάξουν στα μέτρα τους, να τον κάνουν να χωρέσει με το ζόρι στο μυαλό τους».

Ξανασκύβει για μια στιγμή πάνω από το κείμενο του Ισίδωρου, σαν να θέλει να ξαναβρεί το σημείο απ' όπου ξεκίνησε ο συλλογισμός του:

«Να σου πω και κάτι άλλο; Πιστεύω ότι αυτός είναι ο ρόλος τους, αυτό το παιχνίδι τούς έβαλε ο Θεός να παίζουν. Δεν είπαμε; Μικρά παιδιά. Άμα τους βάλεις στο χέρι ένα κουτί σπίρτα, μερικά κάθονται και παίζουν μπροστά στο τζάκι. Άλλα βάζουν φωτιά στο σπίτι τους».

Με το φαρδομάνικο του ράσου σκουπίζει το ιδρωμένο μέτωπό του. Έχει μεσημεριάσει από ώρα κι η ζέστη όλο και σφίγγει. Μέσα στη φυλλωσιά ενός τεράστιου γερο-πλάτανου, που 'ναι καταμεσής στην αυλή της μονής, έχουν καταφύγει όλα τα μικροπούλια της περιοχής. Με τα φτερά ανασηκωμένα για ν' αερίζουν τα κορμάκια τους, με τα ραμφιά τους μισανοιγμένα, περιμένουν να περάσει η κάψα, νά 'ρθει η απογευματινή δροσιά.

«Την εποχή του Ισίδωρου περνούσαν αρκετοί ξένοι από την Ελλάδα. Ήταν άλλης λογής άνθρωποι αυτοί, δεν ήταν όπως οι σημερινοί τουρίστες, δεν έρχονταν μόνο και μόνο για να ξαπλώσουν γυμνοί στις παραλίες. Μερικοί αγαπούσαν ειλικρινά αυτό τον τόπο, πολέμησαν μαζί μας τους Τούρκους, ξόδεψαν περιουσίες για τον Αγώνα, άφησαν στη γη μας τα κόκαλά τους. Μπορείς να τους κατηγορήσεις επειδή πολέμησαν για τη λευτεριά και την ανεξαρτησία; Κι όμως, δίχως να το θέλουν, άνοιξαν το δρόμο και σε κάτι άλλους, τους στρατούς και τους στόλους των Άγγλων, των Γάλλων και των Ρώσων, σ' όλους αυτούς που 'ρθαν να γίνουν αφέντες στο σπίτι μας, ν' αντικαταστήσουν τους Οθωμανούς. Φταίμε όμως κι εμείς γιατί ζητήσαμε τη βοήθειά τους, γιατί πέσαμε στα γόνατα και τους παρακαλέσαμε. Εμείς ανοίξαμε την πόρτα και μπάσαμε το λύκο στο μαντρί. Και τώρα μας φαίνεται παράξενο που άρχισε να τρώει ένα ένα τα πρόβατα... Να το ξέρεις: όλα τα κακά του κόσμου αρχίζουν από τη ζητιανιά. Άμα έχεις το χέρι απλωμένο, δεν μπορείς να κρατάς το κεφάλι όρθιο. Είδες ποτέ σου περήφανο ζητιάνο;»

Από τ' απέναντι βουνό ακούγονται κατσικοκούδουνα. Διδαγμένα από τις λάβρες που βασάνισαν τον τόπο όλα τα τελευταία καλοκαίρια, τα γιδοπρόβατα παρατάνε το βόσκημα κι αναζητούν μέρη ισκιερά, μουλώχνουν πίσω από βράχους, στριμώχνονται κάτω από θάμνους. Ασυγκίνητος μπροστά στο μαρτύριό τους ο ήλιος δε σκοπεύει να τ' αφήσει να ξεμυτίσουν από τα καταφύγιά τους μέχρι αργά τ' απόγεμα. Ως τότε θα 'χει βαρεθεί να πυρώνει και να χτυπάει σαν μανιασμένος σιδεράς ό,τι βρίσκει μπροστά του, θα 'χει φτάσει η ώρα να επιτρέψει στη μισή γη να συνεφέρει και να ξανασάνει, ώστε αυτός να πάει και να βασανίσει με την ησυχία του την άλλη μισή.

Μαζί με την κάψα έρχεται από τα μέρη του νότου κι ένας δυνατός κατάξερος λίβας. Μια ξαφνική πνοή, που μπαίνει από το παράθυρο, ανακατεύει τα χαρτιά που 'ναι πάνω στο τραπέζι κι ο ρολός μιας περγαμηνής κυλάει και πέφτει, ξετυλίγεται μπροστά στα πόδια του Μελέτιου. Σκύβοντας για να τον περιμαζέψει ο γερο-βιβλιοθηκάριος προσπαθεί με τ' άλλο χέρι να κρατήσει ανοιχτό το Τετραβάγγελο με το χρονικό, για να μη χάσει τη σελίδα.

... Ἐδῶ καὶ λίγες μέρες ἔχουμε τρεῖς Γάλλους στὸ μοναστήρι. Οἱ Τοῦρκοι δὲν τοὺς πείραξαν, γιατὶ ἔχουν χαρτὶ μὲ τὴν ὑπογραφὴ τοῦ σουλτάνου.

Κίνησαν χειμώνα καιρὸ κι ἔφτασαν τώρα μὲ τὴν ἄνοιξη. Χασομερήσανε πολὺν καιρὸ στὴ Βενετιά, γιατὶ εἶχε πέσει πανούκλα καὶ δὲν ἔβρισκαν καράβι νὰ τοὺς πάει μέχρι τὴν Κέρκυρα. Ὕστερα τοὺς πῆρε ἕνα μπρίκι σπανιόλικο, ἀλλὰ τὸ 'στρωσαν κάτι πειρατὲς στὸ κυνήγι καὶ ξαναγύρισε πίσω. Στὸ τέλος ἔφυγαν μὲ μιὰ σκούνα πρεβεζιάνικη.

Εἶχαν σκοπὸ νὰ πᾶνε μέχρι τὸ Παλιόκαστρο, ἀλλὰ ὁ Σελὴμ πασὰς δὲν τοὺς ἄφησε. Κι ἤθελαν νὰ παραδώσουν στὸν καπετὰν Μπέκα ἕνα γράμμα. Μὲ χίλιους φόβους κάναμε σινιάλα μὲ καπνό, γιὰ νὰ στείλουν οἱ Παλιοκαστρίτες ἄνθρωπο.

....
.... ἀλλὰ τώρα ποὺ 'γινε στὴ Γαλλία ἐπανάσταση, πολλὰ θ' ἀλλάξουν στὴν Εὐρώπη, μᾶς εἴπανε. Θὰ 'ρθουνε, λέει, καλύτεροι καιροὶ γιὰ ὅλους τοὺς σκλαβωμένους λαούς. Μακάρι, ὁ Θεὸς νὰ δώσει. Ἀλλὰ ἐμεῖς οἱ Ἕλληνες πάθαμε πολλὰ κι ἔχουμε γίνει ἄπιστοι Θωμάδες. Πῶς νὰ ξεχάσουμε ὅσα τραβήξαμε; Ξεχνάει ὁ γάιδαρος τὸ φόρτωμα ποὺ 'χει στὴν πλάτη;
.... γιὰ νὰ πάρει τὸ γράμμα. Ἀκούσαμε τὸ σύνθημα κι εἴπαμε, νά, μᾶς ἔστειλαν ἀπὸ τὸ Παλιόκαστρο ἄνθρωπο. Ἀνεβάζουμε τὸ κοφίνι, κάνουμε ἔτσι καὶ βλέπουμε μέσα τὸν καπετὰν Μπέκα. Ποὺ ἀφήνεις τὴν πόλη καὶ φεύγεις; Ἂν πάθεις τίποτα, τὶ θὰ γίνει; τοῦ λέμε. Ἂν ἔχει μόνο ἕναν ἄξιο ἄνθρωπο τὸ Παλιόκαστρο, καλύτερα νὰ χαθεῖ, μᾶς ἀπαντάει.
.... στὴ βιβλιοθήκη. Ἦρθε κι ὁ ἡγούμενος

πού 'ναι σοφὸς ἄνθρωπος. Φωνάξαμε κι ἕναν ἀδελφὸ ποὺ ξέρει τὴ γλῶσσα τῶν ξένων. Εἶναι ἀπὸ τὴν Πόλη. Ἦταν πρῶτα δραγουμάνος στὸ Φανάρι .... τοὺς ἄκουγα, ἀλλὰ ἔγραφα καὶ μερικὰ γιὰ νὰ τὰ θυμᾶμαι. Οἱ ξένοι .... Ἔγινε λόγος γιὰ τὰ γυναικόπαιδα. Γιατὶ νὰ μὴν ἔφευγαν ἀπὸ τώρα; Ἂν ἔπεφτε τὸ Παλιόκαστρο, οἱ Τοῦρκοι δὲ θ' ἄφηναν κανένα ζωντανό. Οἱ ξένοι εἶπαν ὅτι μποροῦσαν νὰ φροντίσουν γιὰ νὰ 'ρθουνε καΐκια ἀπὸ τὴν Κέρκυρα, νὰ πάρουν τὶς γυναῖκες καὶ τὰ παιδιὰ ἀπὸ τὴν Ἡγουμενίτσα. Ὕστερα, ἂν μὲ τὸ καλὸ ....
Ὁ καπετάνιος θύμωσε καὶ σηκώθηκε νὰ φύγει. Νὰ τοὺς πεῖς ὅτι δὲ θέλουμε βοήθεια γιὰ νὰ φύγουμε, ἀλλὰ γιὰ νὰ μείνουμε, φώναξε στὸ δραγουμάνο.

Ο Μελέτιος αφήνει το βιβλίο ανοιχτό πάνω στο τραπέζι και μένει συλλογισμένος περιφέροντας το βλέμμα του εδώ κι εκεί μέσα στη βιβλιοθήκη, στα βιβλία, στα έπιπλα, στα σεντούκια με τα πολύτιμα αρχεία της μονής, στις καρέκλες με τα φαγωμένα ψαθιά, στα σκαμνιά που το ξύλο τους γυαλίζει από τη χρήση και την πολυκαιρία.

Ακόμα και στις μέρες μας οι καλόγεροι προτιμούν αυτή τη μικρή αίθουσα, όταν είναι να κάνουν σύναξη και να συζητήσουν κάποιο σπουδαίο ζήτημα. Δεν πάνε ούτε στ' αρχονταρίκι ούτε στην ευρύχωρη τραπεζαρία, όπου θα μπορούσαν να καθίσουν άνετα πάνω από εκατό κοινοβίτες. Έρχονται εδώ και στριμώχνονται ο ένας κοντά στον άλλο, ο τόπος γεμίζει ράσο, ο Μελέτιος παίρνει άδεια από τον ηγούμενο και βγάζει από 'να ντουλάπι μια σακούλα με στραγάλια κι ένα μπουκάλι ρακή. Αντίθετα με ό,τι συμβαίνει όταν η σύναξη γίνεται σε άλλο χώρο, η συζήτηση εδώ εξελίσσεται ήρεμα, χαμηλόφωνα, λες κι οι καλόγεροι ντρέπονται τα παλιά βιβλία και τα χαρτιά, σαν να φοβούνται μην τους αποπάρουν οι άγιοι από τα παλιά εικονίσματα που κρέμονται στους τοίχους. Ίσως προτιμούν αυτό το μέρος επειδή από τα παράθυρα φαίνεται καλά όλη η περιφέρεια και το βλέμμα τους μπορεί κάπως κι αναπαύεται, ταξιδεύει παντού λεύτερα. Όσο κι αν μοιάζουν άγρια τα βουνά, πιάνουν πιο εύκολα κουβέντα με την ψυχή του ανθρώπου απ' ό,τι οι σκοτεινοί τοίχοι του κελιού.

«Να 'φευγαν, λέει, τα γυναικόπαιδα από το Παλιόκαστρο... Πού να πήγαιναν;» στενάζει ο Μελέτιος.

Η ματιά του έχει σταματήσει σ' ένα μακρινό σημείο του κάμπου, εκεί που κατέληγε άλλοτε η δημοσιά. Τη θέση της έχει πάρει ένας στενός και κακοσυντηρημένος καρόδρομος γεμάτος λακκούβες, σπαρμένος αγκωνάρια που πέφτουν από τα φορτηγά των λατομείων που 'χουν ανοίξει τα τελευταία χρόνια στην περιοχή. Στη χάση και στη φέξη, σηκώνοντας σύννεφα τον μπουχό, περνάνε από κει και κάτι γυρολόγοι με τρίκυκλα, αγροτικά με καρπούζια και ζαρζαβατικά που 'ρχονται από τα νότια. Όσο για ξένους, μόνο κάτι Γερμανοί εμφανίζονται πού και πού, με νοικιασμένα τζιπ και μ' επιτελικούς χάρτες στα χέρια. Όταν φτάνουν στην αρχή του κάμπου, άδικα σταματάνε για να συμβουλευτούν τους ταξιδιωτικούς τους οδηγούς: δε βρίσκουν λέξη για το μέρος, δε βλέπουν πουθενά κανένα αξιόλογο μνημείο. Δε θα 'γινε ποτέ τίποτα σ' αυτό τον απομονωμένο κι αφιλόξενο τόπο, συμπεραίνουν και φεύγουν δίχως να χασομερούν.

«Τις προάλλες ήρθαν να προσκυνήσουν κάτι Έλληνες από τη νότια Ιταλία. Μας είπαν πως οι πρόγονοί τους ήταν από τα μέρη μας κι ότι μετανάστεψαν στα 1740 στην Καλαβρία. Τους είχε αλαλιάσει η πείνα, ξεκληρίζονταν ολάκερα σόγια, ήρθε κι από πάνω ένα θανατικό και θέρισε κάμποσους. Οι υπόλοιποι, καμιά διακοσαριά νομάτοι, έκαναν πέτρα την καρδιά, πήραν τα μάτια τους και ξενιτεύτηκαν. Πριν κινήσουν, πήγανε στο κοιμητήρι και ξεχώσανε τα κόκαλα των πατεράδων και των παππούδων τους, τα 'βαλαν σ' ένα σεντούκι για να τα θάψουν στην καινούρια τους πατρίδα».

Η ζέστη έχει γίνει αβάσταχτη. Ο Μελέτιος κουφώνει ένα ένα τα παντζούρια των παράθυρων. Ώσπου να συνηθίσουν τα μάτια στο μισόφωτο, το περίγραμμα του κορμιού του θολώνει.

«Εκεί στην Καλαβρία που πήγαν κατάφεραν και ρίζωσαν, χτίσανε ολόκληρο χωριό, πρόκοψαν. Την πατρίδα όμως δεν την ξέχασαν, δεν αρνήθηκαν ούτε τη θρησκεία ούτε τη γλώσσα τους. Σέβονταν τους ντόπιους που τους είχαν δεχτεί στη γη τους, αλλά απόφευγαν τα πολλά πάρε δώσε μαζί τους, δεν παντρολογιούνταν με τους ξένους. Έκαναν ό,τι μπορούσαν για να μην αφήσουν τον ξένο τόπο να τους χωρίσει, για να μη διαλυθούν και γίνουν σκορποχώρι. Αλλά ποιο τ' όφελος; Άμα υποψιάζεσαι το ψωμί που τρως, δεν το φχαριστιέσαι, δε γίνεται να μασάς και να φοβάσαι συνέχεια μπας και τ' αλεύρι έχει μέσα καμιά πέτρα και σπάσεις τα δόντια σου. Τι να 'καναν κι αυτοί; Όσο πέρναγε ο καιρός, τόσο και λιγότερο εξέταζαν την κάθε μπουκιά που 'βαζαν στο στόμα».

Έξω τα τζιτζίκια φορτσάρουνε. Για λίγη ώρα ο Μελέτιος μένει σιωπηλός λες κι έχει στήσει αυτί κι ακούει με προσοχή το τραγούδι τους, σαν να περιμένει να ξεχωρίσει κάτι το καινούριο μέσα στο μονότονο σκοπό τους.

«Η πατρίδα δεν είναι άρωμα για να το βάζεις σε μπουκαλάκι και να το παίρνεις μαζί σου όπου πας, για να το 'χεις και να το οσφραίνεσαι όταν θέλεις», στενάζει.

Μ' ένα μπάσο και τρεμουλιαστό τζιτζίρισμα ένας γεροτζίτζικας υπογραμμίζει τα λόγια του Μελέτιου, κρατάει ίσο στη φωνή του.

«Προσκύνησαν πρώτα στην εκκλησία, ύστερα ήρθαν εδώ στη βιβλιοθήκη και με ρώτησαν αν υπάρχει κάνα παλιό κατάστιχο από κείνα που κράταγαν οι παπάδες κι οι μοναχοί για τις γεννήσεις και τους θανάτους, κάποιο βιβλίο που να γράφει κάτι για τους προγόνους τους και για το παλιό τους χωριό. Τους βρήκα μια διήγηση γραμμένη από 'ναν ηγούμενο δικό μας που 'ταν από τα μέρη τους. Μόλις έβρισκαν κει μέσα κάποιο περιστατικό ή ένα όνομα που τους ενδιέφερε, τους έπνιγε η χαρά, έκαναν σαν τα μικρά παιδιά, έκλαιγαν. Έκλαιγα κι εγώ αλλά γι' άλλο λόγο. Έκλαιγα γιατί τους άκουγα που μίλαγαν συναναμεταξύ τους μια γλώσσα περίεργη, μπάσταρδη, με λίγες λέξεις ελληνικές, λίγες ιταλιάνικες. Ποιος ξέρει τι να 'ταν οι άλλες...»

Νιώθοντας πως η ζέστη πάει κάπως να καταλαγιάσει, τα τζιτζίκια βάζουν λίγη σουρντίνα στα τζιτζιρίσματά τους. Είναι η ώρα που αρχίζουν να ψάχνουν για να βρουν ένα σίγουρο μέρος πάνω στους φλοιούς των δέντρων, γιατί τώρα που θα πιάσει ο ήλιος να χαμηλώνει θα καταφτάσουν τα πουλιά. Κι αλίμονό τους αν τα βρούνε να 'χουν αποξεχαστεί και να τραγουδάνε στα κλαδιά όπου πάνε και κουρνιάζουν εκείνα, στις διχάλες όπου έχουν στήσει τις φωλιές τους.

I

ΜΕΣΑ ΣΤΗΝ ΚΑΜΑΡΟΥΛΑ ΤΟΥ ΔΑΣΚΑΛΟΥ ΑΧΝΟΛΑΜΠΙΖΕΙ ένα φως. Ο Κώστα Μπέκας το 'χει πάρει από ώρα για οδηγό. Καθώς ανηφορίζει κατά το σχολείο, που 'ναι σε ύψωμα, είναι σαν να βλέπει ένα γνώριμο άστρο τ' ουρανού και τραβάει ίσια κατά πάνω του, δε χάνει στιγμή από το βλέμμα την τρέμουσα αναλαμπή του. Ξέρει πως ακόμα κι αν χαθούν όλα τ' άλλα ουράνια σώματα, αυτό δεν πρόκειται να βασιλέψει, να μετακινηθεί, ότι κανένα σύννεφο δε θα καταφέρει να το σκεπάσει με την αχλή του.

Σε λίγο, όταν η περπατησιά τ' αλόγου αντηχήσει στο λιθόστρωτο της αυλής, κείνη η φεγγοβολή θα δυναμώσει, θα ζυγώσει στο παράθυρο, κι αφού κοντοσταθεί πίσω από το τζάμι για να παίξει μια στιγμή με τους ίσκιους της κάμαρης, θα κατευθυνθεί προς την πόρτα και θ' ακινητήσει πάνω από την είσοδο του σχολείου, θα φέξει το κατώφλι του. Ο καπετάνιος θα δέσει τ' άλογο σ' ένα χαλκά μπηγμένο στον τοίχο κι ακολουθώντας το κιτρινόθαμπο φως, θα μπει. Μόλις η πόρτα κλείσει, η φεγγοβολή θ' απομακρυνθεί, η φλογίτσα που τη γεννάει θα κουρνιάσει στο χείλος του λυχναριού της συνεχίζοντας να σιγοτρώει το φιτίλι, να πίνει σταγόνα σταγόνα το λάδι της. Κι όπως κι άλλες φορές, κι άλλα βράδια, θα περιμένει να δει τον Κώστα Μπέκα να βγάζει από τον κόρφο ένα μισοκουρελιασμένο τετράδιο και να γράφει, θα τον ακούσει να διαβάζει.

Εξόν από κείνο το λυχνάρι και τον Φώτη, κανείς άλλος δεν ξέρει ότι ο καπετάνιος πάει σχολείο και μαθαίνει γραφή κι ανάγνωση. Ο Κώστα Μπέκας δε θέλει να το μάθει η πόλη, ν' αρχίσουν να τον ρωτάνε πώς και γιατί οι προεστοί, να του πετάνε σπόντες τα παλικάρια, οι φίλοι.

Η ιδέα ωρίμασε μέσα του σιγά σιγά.

Κάθε φορά που πήγαινε να συναντήσει το δάσκαλο κι έβρισκε τα παιδιά σκυμμένα πάνω από τις πλάκες τους, σαν τ' άκουγε να διαβάζουν φωναχτά το βιβλίο που κράταγε ο Φώτης ανοιχτό μπροστά τους, είχε την εντύπωση ότι χωρίς να το θέλουν, δίχως καν να το υποψιάζονται, αυτά τα Παλιοκαστρόπουλα απομακρύνονταν κάθε μέρα όλο και πιο πολύ από τον κόσμο που 'ξεραν, πως έχαναν λίγο λίγο την επαφή τους με τη γη που πατούσαν. Ήταν σαν να 'χαν πάρει ένα δρόμο καινούριο κι ανεξερεύνητο και τον τραβούσαν αδίσταχτα και μπιστεμένα, δίχως να κοιτάζουν τριγύρω και πίσω τους όπως όλοι οι οδοιπόροι, να σιγουρεύονται πού και πού για την πορεία, να βεβαιώνονται ότι δεν έχουν χάσει τον ντορό τους.

Δεν είχε περάσει καλά καλά ούτε χρόνος από τα εγκαίνια του σχολείου, όταν ο Κώστα Μπέκας άρχισε ν' αναρωτιέται αν είχε λογαριάσει καλά όλες τις συνέπειες που θα 'χε για τον τόπο αυτή η δουλειά, αν είχε αναλογιστεί τ' απρόοπτά της, τους κινδύνους της. Τι ήξεραν τάχα, τόσο αυτός όσο κι ο Φώτης, για τους καιρούς που θα 'ρχονταν, για τους κόσμους που θα γεννιούνταν; Το μέλλον του τόπου δεν ήταν ούτε χωράφι ούτε τσιφλίκι τους. Ποιος τους είχε δώσει το δικαίωμα να βγάζουν φετφάδες στ' όνομα των μελλοντικών γενεών, να καθορίζουν το συμφέρον τους, να υποθηκεύουν τη ζωή τους; Από ποιον είχαν πάρει το λεύτερο να καταργήσουν τους παμπάλαιους και χιλιοπατημένους δρόμους που 'χαν ακολουθήσει αμέτρητοι Παλιοκαστρίτες πριν απ' αυτούς, οι πατεράδες κι οι παππούδες τους, οι πρόγονοί τους; Η πατρίδα τους είχε πίσω της κάπου πενήντα αιώνες Ιστορία: οι Έλληνες δεν είχαν βγει, όπως οι άλλοι λαοί της Ευρώπης, μόλις προχτές στο κουρμπέτι της Ιστορίας, η μνήμη τους κουβαλούσε μεγάλη και πολύτιμη πραμάτεια, είχαν δει πολλά τα μάτια τους.

Κατά τα λεγόμενα του Φώτη, οι λαοί που θα φρόντιζαν για τη μόρφωση των παιδιών τους θα ζούσαν μια καλύτερη, μια πιο φωτισμένη ζωή. «Ώστε δηλαδή», αναρωτιόταν δύσπιστος ο Κώστα Μπέκας, «τόσα και τόσα χρόνια πηγαίναμε στα τυφλά; Ζούσαμε δίχως να το ξέρουμε στα σκοτάδια;

Και πώς έγινε κι ανοίξαμε τα μάτια μας έτσι στα ξαφνικά; Μήπως κείνα τα φώτα που θα δούμε δεν τ' αντέξει η όρασή μας και τυφλωθούμε για τα καλά;»

Όμως δε γινόταν αλλιώτικα: το Παλιόκαστρο, όπως κι ολάκερη η Ελλάδα, δε ζούσε μοναχό του στον κόσμο. Μάλλον δίκιο είχε ο Φώτης όταν έλεγε ότι από δω και πέρα οι λαοί θα επικοινωνούσαν όλο και πιο εύκολα μεταξύ τους και πως τα καράβια που θα σκαρώνονταν θα ταξίδευαν όλο και πιο μακριά, όλο και πιο γρήγορα. Μερικοί σοφοί πρόβλεπαν μάλιστα ότι οι άνθρωποι θα 'φτιαχναν κάποτε μηχανές με φτερά, θα πετούσαν σαν τα πουλιά. Μαζί με τις πραμάτειες, με τ' αγαθά και τα πλούτια, θα ταξίδευαν και θα διαδίδονταν σ' όλο τον κόσμο κι ένα σωρό άλλα πράγματα, άυλα, ανεξέλεγκτα, γνώσεις και πολιτισμοί από χώρες μακρινές — μέσα στ' αμπάρια των πλοίων θα κρύβονταν σαν τους λαθρεπιβάτες αμέτρητες νέες σκέψεις και θρησκείες. Ποιος μπορούσε να μαντέψει, ακόμα και να φανταστεί, τι θα 'βγαινε μέσα απ' όλο τούτο το μάλε βράσε, τι θ' άλλαζε, ποιοι κόσμοι θα 'σβηναν και τι όψη θα 'χαν κείνοι που θα γεννιούνταν...

Όχι, ο Κώστα Μπέκας δε θ' άφηνε τον τόπο να τα βγάλει πέρα μονάχος του, δε θα καθόταν αδιάφορος κι άπραγος να τον κοιτάζει καθώς θα ετοιμαζόταν κι αυτός για το ταξίδι του, δε θα 'μενε ασυγκίνητος όταν θα τον έβλεπε να σηκώνει και να φορτώνεται τα πράγματά του, τα μπογαλάκια του. Θα συνεννογιόταν με το δάσκαλο και θα πήγαινε κι αυτός σχολείο, θα 'πιανε την πλάκα και το κοντύλι, θα μάθαινε γραφή κι ανάγνωση. Ό,τι μπορούσε, ό,τι προλάβαινε. Άλλος τρόπος δεν υπήρχε για να ψυχανεμιστεί τα καλά και τα κακά, τα στραβά και τα ίσια του κόσμου που θα 'βλεπαν κάποτε τα παιδιά του Παλιόκαστρου, για να μπορέσει να ζήσει με τον τρόπο του λίγη από τη ζωή τους, έστω κι ένα μικρό, ένα ασήμαντο κοψίδι από το μέλλον τους. Όσα δεν ήτανε γραφτό να δει με τα σάρκινα μάτια του, ίσως κατάφερνε να τα ξεδιακρίνει με κείνα που θ' αποχτούσε ο νους του.

Απόψε ο λύχνος μοιάζει ανυπόμονος.

Από την ώρα που σκοτείνιασε, εγκατέλειψε κάμποσες φορές το κρεμαστάρι του στον τοίχο της κάμαρης, πιάστηκε από το χέρι του Φώτη και πήγε μέχρι το παράθυρο για να μπορέσει το φως του να περάσει από το τζάμι, να γλιστρήσει στη σιωπηλή και θεοσκότεινη αυλή. Όταν σε κάποια στιγμή, ανήσυχος, ο δάσκαλος άνοιξε την πόρτα και βγήκε, ο λύχνος βιάστηκε να μπουκώσει το φιτίλι του με λάδι για να μπορέσει η φλόγα να τα βγάλει πέρα με τον αγέρα που 'χε σηκωθεί και φύσαγε. Προστατευμένο κι από την παλάμη του Φώτη, που του κράταγε πατζανέμι, το φως κατάφερε να φτάσει πιο μακριά από πριν, ν' αγγίσει τα όρια της αυλής, το χαμηλό μολοτοίχι της.

Ξαφνικά, σαν να 'θελε να παίξει με το σκοτάδι, το φέγγος του λύχνου σύρθηκε πρώτα στο χώμα κι ύστερα απλώθηκε πάνω σ' ένα μικρό κυκλικό χάλασμα, σκαρφάλωσε στις πέτρες του, ξεχύθηκε στο εσωτερικό του. Ο δάσκαλος ξέχασε για λίγο την ανησυχία του για την καθυστέρηση του Κώστα Μπέκα, το βλέμμα του ειρήνεψε.

Είχαν να λένε ότι κείνο το ερείπιο έμνησκε εκεί πολύ πριν αρχίσει να χτίζεται η πόλη. Οι σκαφτιάδες που άνοιγαν τα θεμέλια του σχολείου εξήγησαν μια μέρα στον Φώτη ότι κανείς δεν ήξερε, κανείς δεν μπορούσε να καταλάβει τι ακριβώς ήταν και σε τι χρησίμευε κάποτε κείνο το περίεργο κτίσμα. Αν έκριναν από τον τρόπο που 'ταν λαξεμένες οι πέτρες κι από το χαρμάνι που 'χε χρησιμοποιηθεί για το χτίσιμο, ήταν πάρα πολύ παλιό, βυζαντινό, ίσως αρχαίο. Πάντως ένα πράγμα ήταν βέβαιο: κείνοι που κάποτε κατάφυγαν σ' αυτό το βουνό κι έριξαν τα θεμέλια των πρώτων σπιτιών του Παλιόκαστρου βρήκαν αυτό το χάλασμα εδώ. Και δεν το πείραξαν, δεν του πήραν τ' αγκωνάρια, σεβάστηκαν την ηλικία του. Πώς να τολμούσαν; Ποιανού τα χέρια να σήκωναν πρώτα τον κασμά; Ποιος να 'παιρνε πάνω του τ' όνειδος να πατήσει δυο πήχες τόπο που δεν έμοιαζαν ν' ανήκουν σε κανένα θνητό, να περιφρονήσει τους αιώνες που 'χαν περάσει δω πάνω τη ζωή τους κι είχαν δει να γεννιούνται και να πεθαίνουν ένα ένα τα χρόνια τους;

Από κείνο το μέρος, που 'ταν το πιο ψηλό σημείο της πολιτείας, το βλέμμα μπορούσε και ταξίδευε παντού λεύτερα, έφτανε πέρα στον ορίζοντα και τον γυρόφερνε, τον ξεπερνούσε, συνέχιζε. Τα βουνά ήταν ατέλειωτα, διαδοχικά: σ' ανατολή, σε νότο και σε βοριά, σ' όλες τις εποχές, άσπριζαν στις κορφές άλιωτα χιόνια. Μονάχα από τη μεριά της δύσης, με καθαρό καιρό, το ασκημένο μάτι ξεδιάκρινε καμιά φορά τη θαμπή γυαλάδα της θάλασσας. Κάποια παλιά παραμύθια έλεγαν ότι σε κείνη την ακτή είχαν φανερωθεί μια φορά κι έναν καιρό χιλιάδες ξένοι πολεμιστές — ένας λαός βάρβαρος, τολμηρός, διψασμένος για σφαγή και για κούρσος. Κανείς δεν ήξερε, κανείς δεν μπορούσε να πει από πού είχαν έρθει τούτοι οι ξενομπάτες, πού βρισκόταν η πατρίδα τους, ποιο ήταν τ' όνομά τους. Έφτασαν έτσι στα ξαφνικά, όπως φτάνουν από το πέλαγο οι θύελλες, οι σίφουνες κι οι δυνατοί άνεμοι, ξεχύθηκαν παντού σαν τις ακρίδες. Τα καράβια που τους είχαν κουβαλήσει περίμεναν μήνες και μήνες ξενερισμένα στην παραλία, ώσπου να γυρίσουν οι κουρσάροι που 'χαν τραβήξει βαθιά στα χώματα της Ηπείρου και που επιστρέφοντας θα οδηγούσαν κάρα φορτωμένα με θησαυρούς από τα πλιάτσικα, θα 'σερναν δεμένους πιστάγκωνα σκλάβους από τις καταστραμμένες πολιτείες και τα χωριά. Να όμως που ο καιρός περνούσε και κανείς δε φαινόταν, τα πλεούμενα αργοσαπίζαν γερμένα στην αμμουδιά, η αλμύρα τούς σιγότρωγε τα πανιά, τ' άλμπουρα.

Δεν ξανακούστηκε τίποτα για κείνους τους πειρατές, δεν πλέχτηκε κανένα τραγούδι για τη συνέχεια της ιστορίας τους, δε βρέθηκε καμιά μνήμη που να συγκράτησε έστω κι ένα περιστατικό από το τέλος της περιπέτειάς τους.

Θα τους κατάπιε κι αυτούς, όπως και τόσους άλλους, η γη του Παλιόκαστρου, συλλογιζόταν συχνά ο δάσκαλος σαν πήγαινε σε κείνο το χάλασμα και καθόταν ν' αγναντέψει τριγύρω. Κάπου εδώ στον κάμπο και στις αντικρινές πλαγιές θ' άφησαν την τελευταία τους πνοή, τα κόκαλά τους. Από δω ψηλά θα τους είδαν οι τοτινοί Παλιοκαστρίτες καθώς θ' ανηφορίζαν κατά την πολιτεία με χαντζάρια και με πελέκια στα χέρια, με δίκοπες κάμες περασμένες στα ζωνάρια τους. Θα τους παρακολούθησαν ύστερα επί μέρες και μέρες που 'κοβαν δέντρα κι έφτιαχναν πολιορκητικούς πύργους και σκάλες, που ετοίμαζαν αρπάγια, ακόνιζαν μαχαίρια, ξετύλιγαν κουλούρες σκοινιά.

Ποιος ξέρει πώς κατάφεραν να τα βγάλουν πέρα, πόσα ρεσάλτα ν' αντιμετώπισαν και πώς απώθησαν τους κουρσάρους, αναγκάζοντάς τους στο τέλος να λύσουν την πολιορκία και να υποχωρήσουν, να φύγουν... Σίγουρα οι Παλιοκαστρίτες δε θα 'νιωσαν την ανάγκη να κάνουν έξοδο και να τους πάρουν φαλάγγι, να τους ριχτούν στον κάμπο με την καβαλαρία τους. Δεν υπήρχε κανείς λόγος να διακινδυνέψουν άδικα, να χάσουν κι άλλα παλικάρια. Από κει και πέρα τη δουλειά θα την αποτέλειωναν τα βουνά και τα φαράγγια της περιοχής, τον πόλεμο θα τον συνέχιζαν κάθε νύχτα οι λύκοι και τα τσακάλια.

Μετά από τη νίκη τους, από δω πάνω, από τούτο το χάλασμα θ' αντίκρισαν άδειο τον κάμπο τους, χωρίς ρουθούνι εχθρικό τη δημοσιά τους. Θα μαζεύτηκαν τότε όλοι και θα 'στησαν γλέντι τρικούβερτο, θα 'πιασαν χορό, τα τραγούδια και τα όργανα θ' αντήχησαν μέχρι πέρα στ' αντικρινά βουνά, η τσίκνα από τις γίδες που ψήνονταν στις σούβλες θα 'φτασε μέχρι τα σύννεφα. Πίνοντας και γλεντώντας επί μέρες και μέρες, θα πάσχισαν να ξεχάσουν το κακό που 'χε βρει γι' άλλη μια φορά στην Ιστορία της την πατρίδα τους, θα 'χυσαν στο χώμα κρασί για να τιμήσουν τους νεκρούς τους, θα 'καναν ευχές για να κρατήσει περισσότερο καιρό αυτή τη φορά η ειρήνη στον τόπο τους.

Ύστερα η πανάρχαιη τούτη βίγλα θα ξαναβρήκε την ησυχία της. Γλιτωμένα από τους δικούς τους εχθρούς, από τα πόδια των χορευτών, τ' αγριόχορτα θα σήκωσαν και πάλι τα καχεκτικά κορμάκια τους, τα ταπεινά λουλούδια του βουνού θα 'βγαλαν πίσω από τις πέτρες τα κεφάλια και θα 'ριξαν ξεθαρρεμένα μια ματιά γύρω τους. Σιγά σιγά, μέρα τη μέρα, το μοναχικό ερείπιο θα ξαναπήρε τη συνηθισμένη του όψη, τ' αγριμάκια που 'χαν σκορπίσει εδώ κι εκεί θα ξαναβρήκαν καταφύγιο στην αγκαλιά του, θα συγύρισαν τις αναστατωμένες τους φωλιές και θα του εμπιστεύτηκαν όπως και πριν τα μικρά τους. Κοντά στους ανθρώπους είχαν πάρει κι αυτά μια ακόμα παράτα για να χαρούν τη ζωή που τους απόμενε, τη λευτεριά τους.

Από τη μέρα π' άρχισαν να καταφτάνουν τ' ασκέρια του Σελήμ πασά, ο Φώτης δεν έπαψε ν' αναρωτιέται αν οι Παλιοκαστρίτες θα κατάφερναν να τα βγάλουν πέρα γι' άλλη μια φορά, αν είχαν αρκετές δυνάμεις για ν' αντέξουν σε μια σκληρή και μακρόχρονη πολιορκία. Όσο κι αν ήταν άπειρος από πολέμους, είχε μάτια κι έβλεπε όπως όλος ο κόσμος· από το παρατηρητήριό του στο χάλασμα παρακολουθούσε προσεχτικά τους Οθωμανούς που όλο και πλήθαιναν στον κάμπο, έβλεπε πόσο συστηματικές κι έντονες ήταν οι προετοιμασίες τους. Σ' αυτή τη νέα σύγκρουση της Ιστορίας του, το Παλιόκαστρο δεν είχε να κάνει ούτε με κουρσάρους ούτε και με ληστές, τα παλικάρια του δεν είχαν ν' αντιμετωπίσουν τίποτα τυχαίους ξενομπάτες. Μπροστά στα τείχη της μικρής πολιτείας είχε συγκεντρωθεί ο αθέρας του οθωμανικού στρατού, ο σουλτάνος είχε βάλει σερασκέρη τον καλύτερό του πολέμαρχο, του 'χε δώσει άφθονα μέσα, κανόνια, εφόδια, του 'χε εμπιστευτεί ακόμα και τους γενίτσαρούς του.

Ήταν ολοφάνερο ότι αυτή τη φορά η Πύλη είχε αποφασίσει να δώσει ένα καλό μάθημα σ' όλους τους ορεινούς πληθυσμούς που κάθε λίγο και λιγάκι ξεσηκώνονταν κι επαναστατούσαν, να βγάλει από τη μέση την πόλη που δεν είχε ποτέ της δεχτεί να δηλώσει υποταγή στους Τούρκους, να τους πληρώσει δοσίματα και χαράτσια, ν' αναγνωρίσει την εξουσία τους.

Οι Οθωμανοί ήξεραν τι έκαναν.

Ο σουλτάνος που 'χε ανέβει πριν τρία χρόνια στο θρόνο δεν ήταν όποιος όποιος, κράταγε γερά τα ηνία της εξουσίας, ήταν ηγέτης δραστήριος και τολμηρός, διορατικός πολιτικός. Μόλις ήρθε στα πράματα, καταπιάστηκε ν' αναδιοργανώσει τη διοίκηση κι όλο τον κρατικό μηχανισμό, να επιβάλει τάξη και πειθαρχία στο στρατό που 'ταν σχεδόν μισοδιαλυμένος μετά από τις συγκρούσεις με τους Ρώσους και τους Αυστριακούς, ύστερα από τις πρώτες μεγάλες του ήττες από τους Ευρωπαίους. Ήξερε καλά ότι η Δύση, από τον καιρό του Βυζάντιου, δεν είχε πάψει ποτέ να ξερογλείφεται για τα Βαλκάνια και τη Μαύρη Θάλασσα, πως ήθελε να βάλει πόδι στα Δαρδανέλια για να περάσει αργότερα στη Μικρασία όπως ο Μεγαλέξαντρος, κι από κει να συνεχίσει για τη Μεσανατολή, την Αραπιά, την Περσία. Είχε καταλάβει και καλομελετήσει το δυτικό παιχνίδι ο σουλτάνος, τη διπλοπρόσωπη πολιτική των Γάλλων, την υποκρισία των Άγγλων, τις μηχανορραφίες των Αυστριακών. Όλοι τους, τάχαμου, υπόφεραν πολύ που 'βλεπαν την Ελλάδα σκλαβωμένη στους Τούρκους, τους έτρωγε το μαράζι για τους ραγιάδες Ρωμιούς, έκαναν πως ανησυχούσαν μήπως οι Οθωμανοί καταστρέψουν τ' αρχαία μνημεία, μην τυχόν και κάνουν κακό στα ερείπια. Κατά βάθος δεν έδιναν δυάρα για όλα αυτά, έστελναν στην Ελλάδα ένα σωρό αδίσταχτους τυχοδιώκτες που παράσταιναν τους αρχαιολάτρες και που, αφού μπαξίσωναν καλά τους παραδόπιστους πασάδες, ξήλωναν ολόκληρα κομμάτια από ναούς και μνημεία και τα 'στελναν στην Ευρώπη για να στολίζουν οι πλούσιοι άρχοντες τα παλάτια τους, έκαναν πεσκέσι αγάλματα στους βασιλιάδες.

Αυτούς όλους ένα πράγμα τούς ενδιέφερε: ο παράς. Ό,τι έκαναν το 'καναν για τα νιτερέσα τους, για το εμπόριό τους. Οι πρεσβευτές κι οι κόνσολες που 'χαν στην Πόλη έστελναν και ξανάστελναν γραφές στις κυβερνήσεις και στους υπουργούς τους: παρά τα τετρακόσια χρόνια σκληρής σκλαβιάς, οι Έλληνες δεν είχαν χαθεί, δεν είχαν λυγίσει, δεν είχαν εγκαταλείψει τη γη τους για να σκορπίσουν στις τέσσερις άκρες του κόσμου όπως άλλοι λαοί. Επωφελούμενοι από την αδιαφορία ή την ανικανότητα των Οθωμανών για το θαλάσσιο εμπόριο, είχαν ανοίξει χρυσές δουλειές μ' ολάκερη την Ανατολή, όργωναν με τα καράβια τους τη Μεσόγειο, την είχαν καταντήσει, όπως στ' αρχαία χρόνια, λίμνη δικιά τους. Τι θα γινόταν αργότερα, έγραφαν και ξανάγραφαν οι διπλωμάτες, αν κάποτε οι Έλληνες λευτερώνονταν κι αποχτούσαν κράτος δικό τους, αν γίνονταν αφέντες στην πατρίδα τους; Ποιος θα μπορούσε πια να κάνει ζάφτι τον εμπορικό τους στόλο, να σταματήσει τ' αλισβερίσια με τους παλιούς τους φίλους τους Άραβες, να τους συναγωνιστεί;

Μόνο μια λύση υπήρχε, υπογράμμιζαν οι πρεσβευτές: οι Μεγάλες Δυνάμεις έπρεπε να στείλουν, όσο γινόταν πιο γρήγορα, ανθρώπους έμπιστους κι εμπειροπόλεμους στρατιωτικούς, που, όταν κάποτε οι Έλληνες ξεσηκώνονταν κι άρχιζε το πανηγύρι, θα πλαισίωναν το στρατό τους, θα γίνονταν σύμβουλοι των πολιτικών τους, χρηματοδότες των κομμάτων τους, θ' άπλωναν τα βρόχια τους παντού. Έτσι, αν η Ελλάδα γλίτωνε μια μέρα από τους Τούρκους, θα 'ταν μια χώρα λεύτερη μα όχι κι ανεξάρτητη, δε θα 'φερνε εμπόδια στους Ευρωπαίους, δε θα 'χε δική της πολιτική. Σιγά σιγά, μια με το μαλακό και μια με τ' άγριο, λίγο με την πονηριά και λίγο με το χρήμα, η απελευθερωμένη Ελλάδα θα γινόταν ένα πολύτιμο προγεφύρωμα για όλη την ανατολική Μεσόγειο, οι ξένοι στόλοι θα 'χαν για ορμητήριο τα λιμάνια της, σε ώρα κινδύνου θα μπορούσαν να καταφεύγουν στα νησιά της.

Σίγουρα τα 'ξερε όλα αυτά ο σουλτάνος, θα τα 'χε κουβεντιάσει άπειρες φορές με τους συμβούλους του, θα 'χε διαβάσει κάμποσα σχετικά ραπόρτα που θα του 'χαν στείλει οι πρεσβευτές του. Δε θ' άφηνε τους Δυτικούς να παίξουν ανενόχλητοι το παιχνίδι τους, να παραστήσουν όπως συνήθως τους πονετικούς κι ευαίσθητους ανθρωπιστές, να στήσουν τη σκηνή για το θέατρό τους. Ο κίνδυνος για την Οθωμανική Αυτοκρατορία ήταν μεγάλος: αν επέτρεπε στους Αγγλογάλλους και στους Ρώσους να βάλουν την ουρά τους στους ξεσηκωμούς της Ελλάδας, θα τους έφερνε μια ώρα αρχύτερα κοντά της, θα 'μπαζε πεινασμένους λύκους στο μαντρί της, θα 'σκαβε το λάκκο της.

Ο Φώτης ήταν βέβαιος ότι ο σουλτάνος θα ενεργούσε γρήγορα και δραστήρια, δε θ' άφηνε τα πράγματα να ξεφτίσουν. Η Πύλη δεν είχε και πολύν καιρό μπροστά της: η επανάσταση που 'χε ξεσπάσει στη Γαλλία ήταν σαν άνεμος που φύσαγε πάνω σ' αναμμένα κάρβουνα, ξεσήκωσε σπίθες και τις πήγαινε μακριά, θα 'βαζε σίγουρα και σ' άλλες χώρες φωτιά. Μπορεί να μην ήξερε ο σουλτάνος τι λογής βιβλία και φυλλάδια τύπωνε κείνο το τυπογραφείο που 'χαν εγκαταστήσει οι Γάλλοι στην πρεσβεία τους στην Πόλη, τι καπνό φούμερναν εκείνοι που τα μοίραζαν μυστικά, όπως κι αυτοί που τα διαβάζαν; Ήταν δυνατό να μην είχε πληροφορίες για την αλληλογραφία και τις επαφές που 'χαν με τους επαναστάτες της Γαλλίας μερικοί Έλληνες λόγιοι, κάποιοι μεγαλέμποροι στη Βλαχιά και κάτι καλογέροι που πηγαινοέρχονταν τάχα για δουλειές των μοναστηριών τους ανάμεσα σε Βιέννη, Βουκουρέστι κι Οντέσα;

Θα χτυπούσε αδίσταχτα ο σουλτάνος, αδίσταχτα κι αποφασιστικά, τ' ασκέρια του δε θα 'φευγαν αν δεν κατέστρεφαν το Παλιόκαστρο για παραδειγματισμό, για να μην τολμήσουν να σηκωθούν κι άλλα κεφάλια, σ' άλλα μέρη της Ελλάδας. Η Πύλη κάτεχε καλά ότι εξόν από τον Κώστα Μπέκα, υπήρχαν κι άλλοι καπετάνιοι έτοιμοι να ξεσηκώσουν τις περιοχές τους, να συγκεντρώσουν ασκέρια, να υψώσουν τα μπαϊράκια τους. Έπρεπε να μπήξει γρήγορα και βαθιά το μαχαίρι σ' όλα αυτά τ' αποστήματα πριν αφορμίσουν, πριν προλάβουν οι Ευρωπαίοι να συνεννοηθούν μεταξύ τους και πάρουν τα δικά τους μαχαίρια, τα δικά τους σύνεργα κι έρθουν να κάνουν αυτοί τους γιατρούς.

Άδικα ήπιε ένα ολόκληρο ροΐ λάδι τούτη τη νύχτα το λυχνάρι περιμένοντας να δει τον Κώστα Μπέκα να βγάζει από τον κόρφο το τετράδιο, του κάκου η φλόγα του έκανε υπομονή ελπίζοντας ότι ο καπετάνιος θ' άνοιγε σε κάποια στιγμή τ' αναγνωστικό του. Πού να 'ξερε το καημένο το φως ότι τα μαθήματα είχαν πάρει τέλος, πως οι πλάκες και τα κοντύλια είχαν μπει στην άκρη και θα 'μεναν για καιρό αχρείαστα... Από δω κι εμπρός θα 'χαν το λόγο τα γιαταγάνια και τα τουφέκια: το Παλιόκαστρο ξανάπιανε την παλιά και δοκιμασμένη τέχνη του, άφηνε κατά μέρος την αλφαβήτα κι άρπαζε

116

τ' άρματα για να σώσει από τον αφανισμό τον κόσμο του, για να γλιτώσει από το λεπίδι του Τούρκου τις γυναίκες και τα παιδιά του.

Εκεί κατά τα ξημερώματα ο λύχνος άρχισε να πίνει το τελευταίο του λάδι, η φλόγα του δεν έπαυε να τσιτσιρίζει, να χαμηλώνει. Αν ήταν πράγμα ζωντανό κι είχε στόμα ανθρώπινο, θα καληνύχτιζε τους δυο άντρες και θ' αποτραβιόταν στη γωνιά του, θα λούφαζε στο ράφι όπου τ' απίθωνε συνήθως ο Φώτης για να περάσει την υπόλοιπη νύχτα του. Κι εκεί, περιμένοντας να το πάρει ο ύπνος, θα ξανάφερνε στη μνήμη ό,τι είχε δει κι ακούσει κείνο το βράδυ, θα προσπαθούσε ίσως να εξηγήσει την ταραχή που κάτεχε τον αφέντη του, να καταλάβει γιατί, παρά τον πράο χαρακτήρα του και το σέβας που 'χε για τον Κώστα Μπέκα, ο δάσκαλος είχε εκνευριστεί αρκετές φορές, είχε υψώσει τη φωνή άλλες τόσες.

Το γράμμα που 'χε φέρει ο καπετάνιος από το μοναστήρι είχε διαβαστεί δεκάδες φορές. Κι όπως συνήθως, ο Φώτης είχε δει και πάθει για να μεταφράσει σωστά τα γραφόμενα του Ετιέν ντε Μπρισάκ, είχε ιδρώσει και ξεϊδρώσει ώσπου να καταλάβει τι ακριβώς ήθελε να πει ο Γάλλος αριστοκράτης με κάποιες φράσεις διφορούμενες, μπερδεμένες. Εκεί που διάβαζε κι εξηγούσε στον Κώστα Μπέκα, ξαφνικά κόμπιαζε και σταματούσε, έκλεινε τα μάτια και σκεφτόταν, μουρμούριζε μέσα από τα δόντια του. Ύστερα, μόλις του φαινόταν πως είχε βρει τη λύση, έπαιρνε βαθιά ανάσα, λες κι ήταν να σαλτάρει πάνω από κάνα βάραθρο ή να ριχτεί σε καμιά ανηφόρα, ν' ανέβει κάποια απότομη πλαγιά.

Τη φοβόταν αυτή τη γλώσσα ο δάσκαλος, δεν είχε εμπιστοσύνη στις λέξεις της. Τότε που 'ταν ακόμα στα ξένα και που, χάρη σε κάτι κοσμικούς Έλληνες λόγιους, τον καλούσαν καμιά φορά σ' αρχοντικά και σε σαλόνια, άκουγε που μιλούσαν συναναμετάξυ τους γαλλικά όλα τα μεγάλα κι επίσημα πρόσωπα της Ευρώπης. Άλλωστε, αυτή τη γλώσσα χρησιμοποιούσαν οι σύνεδροι στις διεθνείς διαπραγματεύσεις και στα συνέδρια, σ' αυτή συζητούσαν οι βασιλιάδες, οι υπουργοί κι οι διπλωμάτες όταν συναντιούνταν για να μοιραστούν τα εδάφη που 'χαν κατακτήσει οι στρατοί τους, κάθε φορά που κορόιδευαν με παχιά και κούφια λόγια τους λαούς που αλληλοσφάζονταν για χάρη τους.

Όμως ο Ετιέν ντε Μπρισάκ δεν ήταν ούτε υπουργός ούτε διπλωμάτης αλλά ένας μισοξεπεσμένος Γάλλος αριστοκράτης, που, αντί να περνάει τον καιρό του κάνοντας υποκλίσεις και σαλιαρίζοντας με τις γυναίκες στους χορούς, ξημεροβραδιαζόταν στη βιβλιοθήκη του πύργου του σκυμμένος πάνω από βαριά και δερματόδετα βιβλία, στραβωνόταν διαβάζοντας τη νύχτα, στο φως του καντηλεριού, ελληνικά και λατινικά συγγράμματα, μεταφράζοντας στη γλώσσα του ολάκερα κατεβατά. Στ' αρχοντικό του, κοντά σ' ένα ποτάμι έξω από την Τουλούζη, τον επισκέπτονταν διάφοροι αριστοκράτες φίλοι αλλά από το δικό του φύραμα, άνθρωποι μορφωμένοι κι αυτοί, που 'χαν τις ίδιες συνήθειες και τις ίδιες μανίες με τον οικοδεσπότη. Όταν τ' αμάξια τους διέσχιζαν το μεγάλο κήπο και σταματούσαν μπροστά στο κεφαλόσκαλο της πόρτας του πύργου, δεν πρόστρεχαν ένα σωρό υπηρέτες για να βοηθήσουν τους καλεσμένους να κατέβουν, για να τους πάρουν τα πράγματα ή να υποκλιθούν ταπεινά βλέποντας τις γυναίκες τους. Οι φίλοι του Ετιέν ντε Μπρισάκ άφηναν δυο ηλικιωμένους και νυσταλέους ιπποκόμους να ξεζέψουν τ' άλογα και να κουβαλήσουν τα λιγοστά μπαγκάζια, ενώ εκείνοι χάνονταν ένας ένας στον προθάλαμο τ' αρχοντικού σφίγγοντας στην αγκαλιά βιβλία ή κρατώντας παραμάσχαλα εξάντες, θεοδόλιχους και κανοκιάλια, κασετίνες με διάφορα επιστημονικά όργανα.

Όποιος περνούσε τα βράδια μπροστά από τα παράθυρα της μεγάλης αίθουσας του ισόγειου δεν άκουγε μουσικές, καντρίλιες και μενουέτα, όπως σ' άλλα αρχοντόσπιτα, δεν έφταναν μέχρι τ' αυτιά του κοσμικά κουβεντολόγια και γυναικεία χάχανα, θροΐσματα από κρινολίνα. Οι καλεσμένοι του Ετιέν ντε Μπρισάκ έτρωγαν κι έπιναν συζητώντας ήρεμα και σοβαρά. Καμιά φορά σηκώνονταν μασουλώντας από το τραπέζι, ανέβαιναν στις κάμαρές τους κι ύστερα ξαναγύριζαν κουβαλώντας χαρτιά ή βιβλία, τα φυλλομετρούσαν και τα 'δειχναν στους ομοτράπεζούς τους. Μετά το επιδόρπιο, αφού οι τραπεζοκόμοι μάζευαν τα περιττά πιάτα, ένας κελάρης έφερνε σ' ένα δίσκο μπουκάλια με γλυκά κρασιά κι άλλα ηδύποτα, γέμιζε των συνδαιτυμόνων τα ποτήρια. Κι ενώ οι λίγες γυναίκες που τύχαινε να πάρουν μέρος σ' αυτά τα συμπόσια αποτραβιούνταν σ' ένα διπλανό σαλόνι για να παίξουν χαρτιά και για να πούνε τα δικά τους με την ησυχία τους, οι άντρες έπιαναν άλλου είδους κουβέντα, ο τόνος της φωνής τους υψωνόταν, έχαναν την ηρεμία τους. Μερικές λέξεις και φράσεις έρχονταν και ξανάρχονταν σ' όλα τα χείλια, γινόταν λόγος για το βασιλιά και για τους θεσμούς του τόπου, για το παρελθόν του, για το μέλλον του. Ορισμένοι υποστήριζαν το θρόνο τονίζοντας ότι δεν υπήρχε πιο αποτελεσματικός τρόπος για να κυβερνηθεί μια χώρα που την αποτελούσαν ένα σωρό διαφορετικοί λαοί, ο καθένας με την Ιστορία του και με τις παραδόσεις του, με τη δική του γλώσσα. Μόνο με τη βασιλεία, έλεγαν, θα τα 'βγαζε πέρα η Γαλλία μέσα σε μια Ευρώπη που σπαράζοταν συνέχεια από σκληρούς κι αιματηρούς πολέμους, θα μπορούσε ν' ανταγωνιστεί τους Άγγλους, τους Αυστριακούς και τους Ρώσους, που 'χαν βάλει πόδι στα Βαλκάνια και που αργά ή γρήγορα θα ρίχνονταν στους Οθωμανούς για να μοιραστούν τις κτήσεις του σουλτάνου αναμεταξύ τους. Μερικοί από τους συνδαιτυμόνες δε συμφωνούσαν, μίλαγαν ξαναμμένοι για συντάγματα και για ρεπούμπλικες, πρόβλεπαν ότι θα ξεσπούσαν εδώ κι εκεί στην Ευρώπη ταραχές κι επαναστάσεις που θα συνέπαιρναν στη δίνη τους όλα τα κράτη, μικρά και μεγάλα, θ' ανάτρεπαν τις τυραννίες, θα σάρωναν βασιλιάδες κι αυτοκράτορες, θα 'φερναν αντιμέτωπους ολάκερους λαούς.

Πιο αργά, όταν η νύχτα είχε προχωρήσει, οι συμποσιαστές άφηναν την τραπεζαρία κι έβγαιναν στους εξώστες και στις ταράτσες του πύργου, έστηναν τα κανοκιάλια σε τρίποδα και παρατηρούσαν τ' άστρα, μελετούσαν τις τροχιές τους ξετυλίγοντας ρολούς με ουράνιους χάρτες, συγκρίνοντας κι επαληθεύοντας τις παρατηρήσεις τους. Μα η συζήτηση που 'χε αρχίσει την ώρα του δείπνου δε σταματούσε: ακόμα κι

εκεί, μέσα στη νύχτα, μέσα στο σκοτάδι, κάτω από τον α-
στροσπαρμένο θόλο τ' ουρανού με τους αστερισμούς του, με
το γαλαξία του, με κάποιον κομήτη που άπλωνε σαν μαρ-
γωμένη φωτεινή σαύρα την ουρά του, με τους διάττοντες
που τινάζονταν ξαφνικά μέσα από τη μαύρη απεραντοσύνη
του χάους και χαράκωναν το στερέωμα με τις φευγαλέες
τους αναλαμπές. Με τα μάτια κολλημένα στα κανοκιάλια ή
πίσω από των οργάνων τα στόχαστρα, οι φίλοι του Ετιέν
ντε Μπρισάκ δεν έπαυαν να κουβεντιάζουν για τους καινού-
ριους κόσμους που θ' ανάτελλαν σε λίγο καιρό εδώ κι εκεί
πάνω στη γη, για τις νέες κοινωνίες που θ' αναπτύσσονταν
σιγά σιγά σ' όλη την οικουμένη, για τους λαούς που θα 'παιρ-
ναν στα ίδια τους τα χέρια τη μοίρα τους και που δε θα 'λυ-
ναν πια με πολέμους τις διαφορές τους. Κάτω από τον ουρα-
νό με τα εκατομμύρια άστρα, τους μακρινούς ήλιους και τους
υποταγμένους σε μια αιώνια και σταθερή πορεία αστερισμούς,
μια χούφτα μορφωμένοι αριστοκράτες ονειρεύονταν τους
μελλοντικούς θεσμούς του κόσμου, έβλεπαν κιόλας να βασι-
λεύει στην υφήλιο η σύνεση κι η λογική, κουβέντιαζαν μέχρι
τα ξημερώματα για ελευθερία, ισότητα κι αδελφοσύνη.

Όταν δεν άνοιγαν τέτοιου είδους κουβέντες, οι καλεσμέ-
νοι του Ετιέν ντε Μπρισάκ μιλούσαν για τα ταξίδια τους,
περιέγραφαν τις χώρες που 'χαν επισκεφτεί, διάβαζαν απο-
σπάσματα από τα οδοιπορικά τους, σχολίαζαν τις εντυπώ-
σεις τους. Τον τελευταίο καιρό έκαναν συχνά λόγο για τους
διάφορους λαούς της Μεσογείου και της Ανατολής, συζητού-
σαν για την Ιστορία και τον πολιτισμό τους, για τα μνημεία
που 'χαν αφήσει οι άνθρωποι που 'χαν κατοικήσει κείνα τα
μέρη πριν χιλιάδες χρόνια, για τις πανάρχαιες γλώσσες που
εξακολουθούσαν να μιλιούνται στα χώματά τους. Τους φαινό-
ταν απίστευτο το ότι ύστερα από τόσους και τόσους αιώνες
υπήρχαν ακόμα στον κόσμο Αιγύπτιοι, Πέρσες και Σύροι,
που παρά τις μακρόχρονες και σκληρές κατοχές από Ρω-
μαίους, Φράγκους κι Οθωμανούς, οι Έλληνες δεν είχανε κα-
θόλου ξεχάσει το παρελθόν και τις παραδόσεις τους, μιλού-
σαν κι έγραφαν πάντα τη γλώσσα των προγόνων τους. Γιατί

αυτοί και όχι κι άλλοι; αναρωτιούνταν. Οι λεγεώνες της Ρώμης δεν είχαν κατακτήσει κι υποτάξει μονάχα την Ελλάδα κι ένα μεγάλο μέρος της Ανατολής αλλά κι όλους σχεδόν τους λαούς της Δύσης. Τι απόμενε όμως απ' αυτούς σήμερα; Γιατί οι Γαλάτες είχαν χαθεί από το πρόσωπο της γης δίχως ν' αφήσουν πίσω τους μνημεία κι άλλα αχνάρια; Πώς γινόταν κι οι Καρνούτιοι, οι Αλόβρογοι κι οι Ολέρκοι είχαν αφανιστεί, ενώ ζούσαν και βασίλευαν στην κεντρική Ελλάδα οι Θεσσαλοί κι οι Θηβαίοι, στην Πελοπόννησο οι Σπαρτιάτες κι οι Μεσσήνιοι;

Όλα αυτά τα ερωτήματα δεν είχαν πάψει να τους απασχολούν από κείνο το βράδυ που ο Ετιέν ντε Μπρισάκ τους πρωτομίλησε για το ταξίδι του στην Ελλάδα. Και κάθε φορά που ξανάπιαναν αυτή την κουβέντα διαπίστωναν ότι παρ' όλες τις σπουδές που 'χαν κάνει, παρά τα βιβλία που 'χαν διαβάσει, δεν ήξεραν σχεδόν τίποτα για τη σύγχρονη, τη ζωντανή Ελλάδα. Τόσο γι' αυτούς, όσο και για τους περισσότερους καλλιεργημένους ανθρώπους της Ευρώπης, η Ιστορία της Ελλάδας σταματούσε εκεί που σταματούσαν και τα συγγράμματα που μίλαγαν γι' αυτήν: τα πιο πολλά δεν έλεγαν λέξη για τη ζωή και τον πολιτισμό των Ελλήνων μετά το θάνατο του βασιλιά Αλέξανδρου του Μακεδόνα, σιωπούσαν για το Βυζάντιο και για την εποχή του. Κανείς απ' όλους τους ελληνολάτρες ανθρωπιστές που 'γραφαν στα βιβλία τους για τους Έλληνες δεν είχε πατήσει το πόδι του στη γη τους, δεν είχε ακούσει να μιλιέται η γλώσσα τους. Ο Έρασμος δίδασκε ελληνικά δίχως να ξέρει πως τα μιλούσε πάντα ένας ολάκερος λαός. Σάμπως το 'ξεραν ο Πασκάλ κι ο Άλντος Μανούτιος; Το υποπτεύονταν τάχα ο Μοντεσκιέ, ο Ντιντερό κι ο Βολταίρος;

Αυτά κουβέντιαζαν ο Ετιέν ντε Μπρισάκ κι οι φίλοι του κάθε φορά που δεν παρατηρούσαν με τα κανοκιάλια τ' άστρα, όταν δεν έπιαναν συζήτηση για τα πολιτικά. Στο μεταξύ τα ποτηράκια με το αρμανιάκ στέγνωναν, γέμιζαν και πάλι ξαναστέγνωναν, τα βλέφαρα βάραιναν, τα μυαλά κάπως θολώναν. Λίγο πριν από τα μεσάνυχτα, επωφελούμενος από την τελευταία διαύγεια των καλεσμένων του, ο Ετιέν ντε Μπρισάκ τους εξιστορούσε για πολλοστή φορά το ταξίδι του, τους έδειχνε τα σκίτσα που 'χε κάνει εδώ κι εκεί μπροστά στα διάφορα μνημεία, διάβαζε αποσπάσματα από τις σημειώσεις του.

Στην αρχή τον άκουγαν κάπως βαριεστισμένα. Μα όταν ο οικοδεσπότης άρχιζε να περιγράφει την τελευταία φάση του ταξιδιού του, το πέρασμά του από τα βουνά της Ηπείρου και την άφιξή του στην οχυρή πολιτεία του Παλιόκαστρου, ο ένας μετά τον άλλον εγκατέλειπαν το λήθαργο όπου τους είχε βυθίσει το πιοτό, ξέχναγαν ότι αυτή η ιστορία τούς ήταν γνωστή από άλλα, παλιότερα δείπνα. Συνεπαρμένοι σαν τα μικρά παιδιά που ακούνε ανιστορήματα για χώρες μακρινές κι άγνωστες, συνόδευαν νοερά τον Ετιέν ντε Μπρισάκ σ' όλη του τη διαδρομή, ακολουθούσαν τους αγωγιάτες που κουβάλαγαν με κάτι βαρβάτα μουλάρια τις αποσκευές του, ανεβαίναν μαζί του από πλαγιά σε πλαγιά, περπατούσαν με τα δόντια σφιγμένα δίπλα σ' άπατα βάραθρα. Τα βουνά διαδέχονταν τα βουνά, τα φαράγγια μοιάζαν ατέλειωτα. Πού θα τους έβγαζε άραγε αυτή η φοβερή διαδρομή από διάσελο σε διάσελο, από κορφή σε κορφή, από λαγκάδι σε λαγκάδι; Τι λογής τόπος θα ξεφύτρωνε από τη μια στιγμή στην άλλη μπροστά τους, αν βέβαια στο μεταξύ δεν έπεφταν πάνω σε τίποτα ληστές που θα τους έσφαζαν σαν τα τραγιά, θα τους έπαιρναν τα κεμέρια κι ύστερα θα πέταγαν τα κουφάρια τους στα ξεροπήγαδα;

Δεν ήξεραν, δεν μπορούσαν να υποθέσουν, να μαντέψουν. Πρώτη φορά στη ζήση τους έβλεπαν τόση ερημιά και πέτρα παντού, τόσο φτωχά και λιγόδεντρα χώματα, τόσο άγρια κι αφιλόξενα βουνά. Στη δικιά τους πατρίδα, σχεδόν όπου κι αν πήγαιναν, απ' όπου κι αν περνούσαν, η γη ήταν αφράτη και γόνιμη, οι ρόδες των αμαξιών τους χώνονταν μέχρι τα τιγκίλια μέσα σε παχύ και καταπράσινο χορτάρι, τα ρυάκια κελάρυζαν δίπλα σαν πόδια τους.

Όσο προχωρούσε η διήγηση του Ετιέν ντε Μπρισάκ, τόσο και περισσότερο οι καλεσμένοι του ένιωθαν ανήσυχοι, είχαν την εντύπωση ότι δεν ήταν μόνοι τους σε κείνη την ερημιά και πως κάποιοι, ίσως κακοποιοί, ίσως τίποτα ρέμπελοι επικηρυγμένοι, τους παρακολουθούσαν από κάπου ψηλά, κρυμμένοι πίσω από δέντρα ή βράχια. Άδικα όμως κοντοστέκονταν για ν' αφουγκραστούν, του κάκου προσπαθούσαν κάτι να ξεδιακρίνουν: η όρασή τους ήταν ασυνήθιστη σ' αυτό το άπλετο και δυνατό φως που κατάκλυζε ολούθε τον τόπο, τα μάτια τους δεν άντεχαν από την αμείλικτη λάμψη του ήλιου που τους πολιορκούσε από παντού. Κάθε φορά που απευθύνονταν στους αγωγιάτες και τους ρωτούσαν, κείνοι τους αποκρίνονταν με μονοσύλλαβα ή τους έκαναν νόημα για να μη μιλήσουν, σταματούσαν τα μουλάρια, ξάπλωναν τ' απίστομα και κόλλαγαν τ' αυτί στο χώμα.

Σε μια στιγμή, σε μια απ' αυτές τις στάσεις, φαίνεται πως κάτι θ' άκουσαν, γιατί πήραν να κουβεντιάζουν γρήγορα και χαμηλόφωνα, να κοιτάζουν γύρω τους έχοντας το χέρι στ' άρματά τους. Βλέποντας όμως πως η ώρα πέρναγε δίχως να συμβαίνει τίποτα, αποφάσισαν να κινήσουν και πάλι. Τότε ξαφνικά φανερώθηκαν καμιά δεκαριά Παλιοκαστρίτες καβαλάρηδες που περίμεναν σε μια στροφή του μονοπατιού, με τα γιαταγάνια τους στα θηκάρια, σιωπηλοί κι ασάλευτοι πάνω στ' άτια τους. Όταν η μικρή συνοδεία ζύγωσε, ένας που 'μοιαζε να κουμαντέρνει τ' απόσπασμα χαιρέτησε απλά και καλοσυνάτα τον Ετιέν ντε Μπρισάκ και του 'δειξε ένα σελωμένο ψαρί άτι. Φχαριστημένος που θ' άφηνε το σκληρό κι άβολο σαμάρι του μουλαριού του, ο ξένος καβαλίκεψε, έσφιξε γερά τα γκέμια τ' αλόγου και χάιδεψε μ' εμπιστοσύνη τη χαίτη του.

Όταν έφτανε σ' αυτό το σημείο της διήγησης, ο Ετιέν ντε Μπρισάκ δεν ξέχναγε να θυμίσει στους ακροατές του ότι το Παλιόκαστρο ήταν ειδοποιημένο πριν κάμποσες βδομάδες, πως οι προεστοί της πολιτείας είχαν ενημερωθεί για τον ερχομό του κι ότι τον είχε συστημένο στον Κώστα Μπέκα ένας ζάπλουτος Κερκυραίος κόντες, ο Νταλαπίκολας. Γνωστός σ' όλους τους Ευρωπαίους ταξιδιώτες που πέρναγαν από το νησί του, ο εμποροτραπεζίτης Νταλαπίκολας ήταν

διάσημος σ' Ανατολή και Δύση για τ' αλισβερίσια του μ'
εφοπλιστές, τράπεζες και μεγαλοτοκογλύφους σ' όλα τα με-
γάλα λιμάνια του κόσμου, για τις σχέσεις και τις φιλίες που
διατηρούσε με πασίγνωστα πολιτικά πρόσωπα της Ευρώ-
πης, για τις γνωριμίες που 'χε ακόμα και σε αυλές βασιλιά-
δων, σε προθαλάμους υπουργών. Στο σπίτι του, ένα πολυτε-
λέστατο αρχοντικό σε μια ακτή κοντά στην πόλη της Κέρκυ-
ρας, μπαινόβγαιναν άνθρωποι απ' όλες τις φυλές και τις χώ-
ρες της γης, περιηγητές και πολιτικοί, καλλιτέχνες, διανοού-
μενοι, μουσικοί. Άλλοτε πάλι περίμεναν στο σαλόνι του για
να τους δεχτεί και κάποιου άλλου είδους υποκείμενα, ληστές
αρματωμένοι μέχρι τα δόντια, με τους σωματοφύλακές τους,
πειρατές και λαθρέμποροι ναυτικοί. Μ' όλους είχε πάρε δώ-
σε, απ' όλους έβγαζε ζουμί ο Νταλαπίκολας, από μεγάλους
κι από μικρούς, από Ευρωπαίους, από Σλάβους κι από Ανα-
τολίτες, από αγίους κι από διαβόλους.

Αυτός είχε ναυλώσει ένα καΐκι για να περάσει ο Ετιέν ντε
Μπρισάκ από την Κέρκυρα απέναντι, στην ηπειρωτική Ελ-
λάδα, του 'χε βρει έμπειρους αγωγιάτες για να τον οδηγή-
σουν δίχως κακά συναπαντήματα από τα επικίνδυνα φαράγ-
για και τους ερημότοπους της περιοχής μέχρι τα τείχη του
Παλιόκαστρου. Από κει και πέρα θα τον αναλάβαινε ο Κώ-
στα Μπέκας. Ο Νταλαπίκολας τον ήξερε καλά, από χρόνια,
έκανε συχνά το μεσάζοντα με πειρατές κι εμπόρους για λο-
γαριασμό της απομονωμένης πολιτείας, της έστελνε στάρι
για να μπορεί να φτιάχνει το ψωμί της, ταγή για τ' άλογά
της. Σε περίοδο κινδύνου, εφοδιοπομπές από μουλάρια πέρ-
ναγαν από μυστικά και σίγουρα μονοπάτια κι έφερναν μέχρι
το Παλιόκαστρο όπλα και πολεμοφόδια, μπάλες για τα κανό-
νια, βαρέλια με μπαρούτια.

Άλλος τόπος σαν το Παλιόκαστρο δε βρισκόταν πουθενά
στην Ελλάδα. Από τα πιο αρχαία χρόνια αυτή η πόλη έμενε
απάτητη από εχθρούς, δεν είχε υποκύψει ούτε σε Σλάβους
ούτε σε Βυζαντινούς, δε δεχόταν να πληρώσει φόρους και
χαράτσια στους Τούρκους. Μερικοί Έλληνες έλεγαν ότι το
κύλισμα του χρόνου είχε σταματήσει πριν αιώνες κι αιώνες

στο Παλιόκαστρο, πως πίσω από τα τείχη αυτής της πολιτείας η ζωή είχε ακινητήσει. Κάθε φορά που άνοιγε συζήτηση γι' αυτό το θέμα με τους καλεσμένους του, ο Ετιέν ντε Μπρισάκ δήλωνε ότι δε συμφωνούσε καθόλου μ' αυτή την άποψη. Για να μπορέσει κανείς να κρίνει το σημερινό Παλιόκαστρο, υπογράμμιζε, έπρεπε πρώτα να μάθει τη μακρόχρονη και πολυκύμαντη ιστορία των ανθρώπων του, ν' ακούσει τα παλιά τραγούδια που λένε στις γιορτές και στα γλέντια οι ντόπιοι τραγουδιστές, τα παραμύθια και τους θρύλους που διηγιούνται οι γέροντες. Η μνήμη του κόσμου έχει καταγράψει με το νι και με το σίγμα το παρελθόν του τόπου, την πορεία του από αιώνα σ' αιώνα, τις μαύρες εποχές αλλά και τις ευτυχισμένες στιγμές του βίου του. Οι Παλιοκαστρίτες δεν ανήκουν σε κείνους τους λαούς που ξεχνούν εύκολα, δεν αφήνουν τη θεά Λήθη ν' αποκοιμίσει με τα φίλτρα της το θυμητικό τους, δεν αρνιούνται και δεν κρύβουν τα προαιώνια κουσούρια τους.

Από τα πρώτα χρόνια της Τουρκοκρατίας βρέθηκαν σε δυσκολότερη θέση από τους περισσότερους Έλληνες. Ήταν λίγοι, μια χούφτα άνθρωποι, κι από πάνω ζούσαν σε μια θεόφτωχη γη. Πώς θα τα 'βγαζαν πέρα πάνω στα κατσάβραχά τους; Πώς θα επιβίωναν; Αν ήταν νησιώτες, θ' αρμάτωναν καράβια και θα όργωναν τις θάλασσες, θα πολεμούσαν τους Τούρκους σ' όλο το Αιγαίο όπως έκαναν οι Υδραίοι κι οι Σπετσώτες, θα ζούσαν λεύτεροι στις πλωτές πατρίδες τους. Όμως δεν ήταν νησιώτες. Ούτε κι ήθελαν ν' αρχίσουν να ξενιτεύονται όπως κάμποσοι άλλοι που 'χαν ριζώσει κι αυτοί σε φτωχά μέρη, να δουν τον τόπο τους σιγά σιγά ν' αδειάζει, να ερημώνεται. Δε δέχονταν να καταντήσει το Παλιόκαστρο ένα απέραντο κοιμητήρι, που αντί για μνήματα θα 'χε σπίτια ερειπωμένα, θεόβουβα. Δεν είχανε περάσει από τόσες και τόσες φουρτούνες, δεν είχαν αποφύγει ένα σωρό δουλείες για να καταλήξουν περιπλανώμενοι απάτριδες, για να δουν τα παιδιά τους ν' αλλαξοπιστούν και να γίνονται αλλόγλωσσα, για ν' απαλλαγούν από τους σκληρούς αφέντες, αλλά να καταπιωθούν από την ξενιτιά.

Αποφάσισαν να μείνουν, να μην εγκαταλείψουν τα πάτρια χώματα, με την ελπίδα πως οι Οθωμανοί θα τους άφηναν ήσυχους τουλάχιστο τον πρώτο καιρό, ότι δε θα τα 'βαζαν μαζί τους. Γιατί να θυσίαζε ο σουλτάνος στρατό πάνω στους βράχους του Παλιόκαστρου; Τι πλιάτσικο να 'καναν τ' ασκέρια του; Τι να 'παιρναν από 'ναν τόπο που δεν μπορούσε να ταΐσει ούτε καν τους ανθρώπους του; Αν πάλι οι Τούρκοι είχαν ανάγκη από σκλάβους, θα τους έβρισκαν πολύ πιο εύκολα αλλού. Ήξεραν καλά πως οι Παλιοκαστρίτες δεν ήταν από κείνους που κάθονται να τους πιάσουν οι εχθροί ζωντανούς, να τους σύρουν ύστερα αλυσοδεμένους στα σκλαβοπάζαρά τους.

Συχνά, αργά τη νύχτα, ενώ ετοιμάζονταν ν' αποτραβηχτούν στις κάμαρές τους, οι φίλοι του Ετιέν ντε Μπρισάκ μάθαιναν από το στόμα του οικοδεσπότη τους τα τελευταία νέα του Παλιόκαστρου. Σ' ένα από τα γράμματά του ο Κώστα Μπέκας έγραφε στο μακρινό του φίλο ότι τώρα, με το νέο σουλτάνο που 'χε ανέβει στο θρόνο, οι Τούρκοι είχαν αλλάξει ταχτική απέναντι στους ραγιάδες και πως ανησυχούσε σοβαρά για το μέλλον του τόπου του. Βλέποντας πως η Αυτοκρατορία είχε αρχίσει να παίρνει την κάτω βόλτα, ο σουλτάνος καταπιάστηκε μ' όλα τα σοβαρά προβλήματα, έβαλε στον απείθαρχο στρατό του γκέμια και τα πήρε στα χέρια του, έκοψαν κάμποσα κεφάλια αξιωματούχων οι δήμιοί του. Μόλις έφταναν στην Πόλη μαντάτα για κάποιον ξεσηκωμό, δεν καθυστερούσε, δεν άφηνε την κατάσταση να χειροτερέψει, αλλά έστελνε αμέσως ασκέρι και τα 'κανε όλα γης Μαδιάμ, πέρναγε από το μαχαίρι μέχρι μωρό και γέρο, έπνιγε το ρεμπελιό στο αίμα. Ο Κώστα Μπέκας φοβόταν ότι αργά ή γρήγορα θα 'ρχόταν κι η σειρά του Παλιόκαστρου. Μέχρι πότε οι Οθωμανοί θ' ανέχονταν να το βλέπουν λεύτερο κι απάτητο, να μη λογαριάζει τις διαταγές του σουλτάνου, να γράφει στα παλιά του τα παπούτσια τους νόμους του ντοβλετιού;

Οι φόβοι του Κώστα Μπέκα δεν ήταν καθόλου αδικαιολόγητοι, έλεγε καληνυχτίζοντας τους φίλους του ο Ετιέν ντε

Μπρισάκ. Ο σουλτάνος που καθόταν στο θρόνο του Μωάμεθ του Πολιορκητή έκανε ό,τι μπορούσε για να σταματήσει την παρακμή της Αυτοκρατορίας που 'ταν σοβαρά κλονισμένη μετά τους τελευταίους πολέμους, για να καθυστερήσει την αρχή της κατάρρευσης. Πριν αποφασίσει τι λογής πολιτική θα εφαρμόσει με τις Μεγάλες Δυνάμεις, που 'χαν αρχίσει να τον περισφίγγουν και να τον απειλούν, έπρεπε να βάλει πρώτα τάξη στη χώρα του, να φέρει σε λογαριασμό τους ραγιάδες στα Βαλκάνια και στην Ελλάδα, για να 'χει ήσυχο απ' αυτή τη μεριά το κεφάλι του.

Δεν υπήρχε καιρός για χάσιμο, ανάγγειλε ένα βράδυ στους καλεσμένους του ο Ετιέν ντε Μπρισάκ. Σ' ένα μήνυμα που του 'χε στείλει από την Κέρκυρα ο Νταλαπίκολας έγραφε πως ένας άνθρωπος δικός του, που δούλευε για λογαριασμό του στην Κωνσταντινούπολη, είχε μάθει από 'να γραμματικό του σαραγιού πως ο σουλτάνος είχε δώσει διαταγή να ετοιμαστεί ασκέρι που θα 'φευγε σε λίγους μήνες για την Ελλάδα, με αποστολή να ξεμπερδεύει με τους κλέφτες που όλο και πλήθαιναν στα βουνά, να δώσει ένα καλό μάθημα σ' όλους τους ρέμπελους. Ο Νταλαπίκολας δεν είχε καμία αμφιβολία ότι πριν κατηφορίσει κατά τα νότια, ο στρατός του σουλτάνου θα ξεκαθάριζε τους λογαριασμούς που 'χε ανοιχτούς στο βοριά, θα ριχνόταν στο Παλιόκαστρο, για να ξεμπερδέψει μια και καλή με το αιώνιο ρεμπελιό του.

Έπρεπε να κάνουν γρήγορα, εξόρκισε τους φίλους του ο Ετιέν ντε Μπρισάκ, να κινήσουν γη και ουρανό, να συγκεντρώσουν χρήματα, να στείλουν γρήγορα μέσω του Νταλαπίκολα εφόδια. Η εποχή ήταν κατάλληλη: η επανάσταση που 'χε ξεσπάσει εδώ και καιρό στο Παρίσι είχε προκαλέσει σ' όλη τη Γαλλία σύγχυση κι ανακατωσούρα, κανείς δεν ήξερε ποιος ήτανε εχθρός και ποιος φίλος, ποιοι έλεγχαν πραγματικά την κατάσταση, πού ήταν κι αν υπήρχε ακόμα το κράτος. Μέσα σε κείνο τον αναβρασμό που επικρατούσε σ' όλες τις μεγάλες πόλεις, ποιος θα παραξενευόταν αν έβλεπε να βγαίνουν από το λιμάνι της Μασσαλίας δυο καράβια φορτωμένα όπλα και πολεμοφόδια; Ο Ετιέν ντε Μπρισάκ είχε κιόλας εξασφαλίσει τη συνεργασία μερικών εμπόρων της πόλης, που 'χαν προσχωρήσει στην επανάσταση. Τους είχε υποσχεθεί πως όταν θα ξεσπούσε επανάσταση και στην Ελλάδα κι οι Τούρκοι θα 'φευγαν, ο φίλος του ο Νταλαπίκολας θα μεσολαβούσε για να εγκαταστήσουν οι Μασσαλιώτες πρακτορεία όχι μονάχα στην Κέρκυρα αλλά και στα υπόλοιπα Επτάνησα.

Μέσα στην κάμαρη του Φώτη ο Κώστα Μπέκας στήνει αυτί κι αφουγκράζεται. Από τη μια στιγμή στην άλλη θ' ακούσει έξω στην αυλή του σχολείου τα βιαστικά βήματα του Δήμου, του παλικαριού που 'χει ορίσει γι' αγγελιοφόρο, για σύνδεσμο της πολιτείας με τον έξω κόσμο. Έχει εμπιστοσύνη στη λεβεντιά και στην καπατσοσύνη του. Πριν λίγο καιρό, ενώ οι Τούρκοι είχαν κατακλύσει κιόλας την περιοχή κι ετοίμαζαν το στρατόπεδό τους, τον έστειλε να ειδοποιήσει τον Νταλαπίκολα και να του εξηγήσει την κατάσταση ώστε να ξέρει και να πάρει τα μέτρα του, να πει στους αγωγιάτες που θα 'φερναν τα εφόδια ν' αλλάξουν δρομολόγιο, να μην έρθουν από τον κάμπο.

Αυτή τη φορά ο Δήμος έχει αναλάβει μια πολύ πιο σπουδαία αποστολή: πρέπει να φτάσει μέχρι τον Νταλαπίκολα όσο γίνεται πιο γρήγορα και να του παραδώσει στα χέρια το γράμμα με την απάντηση του Κώστα Μπέκα στον Ετιέν ντε Μπρισάκ. Όμως οι Τούρκοι είναι οργανωμένοι, το στρατόπεδό τους είναι έτοιμο, όλοι οι δρόμοι κι οι γύρω πλαγιές επιτηρούνται από τα καρακόλια τους.

Ο Δήμος θα βγει από τη γαλαρία που περνάει κάτω από τα τείχη και θα ξεφυτρώσει στο βάθος μιας ρεματιάς, θα προχωρήσει προστατευμένος από καλαμιές και σκίνα, θα τσαλαβουτήσει μέσα σε λάσπες και νερά. Αν ακούσει κάναν ύποπτο θόρυβο ή αν αντιληφθεί τίποτα Τούρκους, θα πέσει κάτω και θα γίνει ένα με το χώμα, θα χωθεί κάτω από καμιά θεριεμένη ντοροβάτα. Όταν εγκαταλείψει τον κρυψώνα του, το πρόσωπό του θα 'ναι καταγδαρμένο από τ' αγκάθια, από τα χέρια του θα τρέχουν αίματα. Μα δε θα τον νοιάξει, ούτε που θα το προσέξει καν, ο νους του θα 'ναι αλλού, στην αποστολή του, σε κείνο το σπουδαίο γράμμα που θα 'χει παραχώσει βαθιά στον κόρφο του.

Αν πάνε όλα καλά και δεν του τύχει κάνα κακό συναπάντημα, σε μισή ώρα θα φτάσει στην άλλη άκρη της ρεματιάς, θα κοντοσταθεί και θ' αφουγκραστεί προσεχτικά για να εξακριβώσει αν είναι λεύτερο το γεφύρι που θα 'ναι ακριβώς από πάνω του. Όταν σιγουρευτεί πως δεν υπάρχει άνθρωπος στη δημοσιά, θα σφυρίξει σιγανά, συνθηματικά. Την ίδια σχεδόν στιγμή θα του αποκριθεί ένα άλλο σιγανό σφύριγμα κι από την μπούκα μιας σπηλιάς θα πεταχτεί ένας άντρας που θα κρατάει από το καπίστρι ένα σελωμένο άλογο. Όταν ο Δήμος καβαλικέψει και φύγει, ο άλλος θα ξαναγυρίσει στη σπηλιά του. Είναι εκεί και περιμένει από τη μέρα που τα μακρινά καραούλια των Παλιοκαστριτών ειδοποίησαν για τον ερχομό των Τούρκων. Εκεί θα μείνει, δε θα σαλέψει αν δεν του δώσουν διαταγή. Δουλειά του είναι να φυλάει και να φροντίζει τρία από τα καλύτερα άλογα του τόπου για τους αγγελιοφόρους, που δε θα 'χουν έτσι να διασχίσουν τον κάμπο, να περάσουν κοντά στις γραμμές του εχθρού.

Όταν ο Δήμος φτάσει στην Ηγουμενίτσα, θα 'ναι νύχτα πάλι. Σ' έναν απόμερο όρμο θα τον περιμένει ένα καΐκι που θα κάνει αμέσως πανιά για την Κέρκυρα. Από κει και πέρα, όλα τ' άλλα είναι δουλειά του Νταλαπίκολα: ο τραπεζίτης όλο και θα βρει κάποιο καράβι που να φεύγει για την Τουλόνα, την Αντίπολη ή τη Μασσαλία, θα φροντίσει ώστε το γράμμα να μην παραπέσει, να μην καθυστερήσει.

Ο Κώστα Μπέκας το φαντάζεται κιόλας στα χέρια του Ετιέν ντε Μπρισάκ, βλέπει το Γάλλο φίλο του να τ' ανοίγει και να το διαβάζει, να πολεμάει να βγάλει τα κουτσογαλλικά του δάσκαλου. «Δεν πειράζει», συλλογίζεται ο καπετάνιος, «τι να γίνει... Πού να βρούμε καιρό για να μάθουμε ξένες γλώσσες, αφού πολεμάμε εδώ κι αιώνες να σώσουμε τη δικιά μας... Σημασία έχει να ειδοποιηθεί ο Ετιέν ντε Μπρισάκ, να μάθει πως από τότε που 'λαβε το τελευταίο γράμμα από το Παλιόκαστρο τα πράγματα άλλαξαν, οι Τούρκοι έφτασαν, ο κάμπος πλημμύρισε στρατό. Δεν υπάρχει καιρός για χάσιμο, ας κάνει ό,τι μπορεί αλλά γρήγορα. Για την ώρα, ας στείλει κείνα τα πολεμοφόδια, γιατί όπου να 'ναι θ' αρχίσει το πανηγύρι. Πιο ύστερα, αν είναι ακόμα το Παλιόκαστρο ζωντανό, βλέπουμε για τους εθελοντές που λέει».

Έξω στην αυλή ακούγονται τα βήματα του Δήμου.

Ο Κώστα Μπέκας παίρνει ένα κομμάτι βουλοκέρι και το ζυγώνει στη φλόγα του λύχνου, που κάνει μια ύστερη προσπάθεια για να τα βγάλει πέρα και με τούτη την παραπανίσια δουλειά που του ζητάνε. Αλλά δεν αντέχει και πολύ ο κακομοίρης — έμεινε αναμμένος μια ολόκληρη νύχτα και το φιτίλι του καπνίζει, έχουν ξεραθεί τελείως τα σωθικά του. Πάνω που η πόρτα ανοίγει και μπαίνει ο αγγελιοφόρος, η φλόγα αφήνει μια τελευταία αναλαμπή και σβήνει.

Μέσα στο πρώτο φως της μέρας που ξεχύνεται στην κάμαρη, κανείς δεν την προσέχει.

Κ

ΓΕΡΤΟΣ ΠΑΝΩ ΑΠΟ ΤΗ ΧΑΙΤΗ Τ' ΑΛΟΓΟΤ ΠΟΤ ΚΑΛΠΑΖΕΙ
ξέφρενα, ο Δήμος σφίγγει τα δόντια. Έχει ακόμα κά-
που μισή ώρα δρόμο στη δημοσιά κι ο κίνδυνος να πέσει
πάνω σε κάνα τούρκικο καρακόλι είναι μεγάλος. Θα μπορού-
σε να κόψει μέσα από τα βουνά, να πάρει μονοπάτια και να
ξαναβγεί στη δημοσιά μακριά από το στρατόπεδο, ώστε ν'
αποφύγει τα κακά συναπαντήματα. Όμως αυτό θα τον ανά-
γκαζε να κάνει ολόκληρο κύκλο — άσε που τ' άλογο δε θα
μπορούσε να τρέξει και θα καθυστερούσε άδικα.

Πριν η δημοσιά χαθεί πίσω από 'να λόφο, ο Δήμος στρέ-
φει το κεφάλι και ρίχνει μια ματιά στην πολιτεία. Ο ήλιος
μόλις που 'σκασε μύτη και σουλατσάρει κιόλας πάνω στα
μπεντένια, το φως του αντικαθρεφτίζεται εδώ κι εκεί από
των παλικαριών τ' άρματα που πετάνε αναλαμπές, λες και
κάνουν στον αγγελιοφόρο του Παλιόκαστρου σινιάλα. Μέσα
στη χρυσορόδινη θολούρα της αυγής η πόλη παραμονεύει πα-
νέτοιμη, κοιτάζει μέσα από τις τουφεκότρυπες και τις πολε-
μίστρες, έχει το νου της, παρακολουθεί με χίλια μάτια. Κά-
τω στον κάμπο το στρατόπεδο βρίσκεται σ' αναβρασμό, οι
ντερβίσηδες έχουν σηκωθεί από τα ξημερώματα και φανατί-
ζουν την Τουρκιά με κραυγές και με τραγούδια, ακούγονται
ταμπούρλα. Όλα δείχνουν πως ζυγώνει η ώρα για το πρώτο
γιουρούσι των Οθωμανών κι ότι μόλις ψηλώσει λίγο ακόμα
ο ήλιος, τ' ασκέρια θα κινήσουν.

Ο Δήμος γέρνει ακόμα πιο πολύ πάνω από το λαιμό τ'
αλόγου και με τις φτέρνες του τσιγκλάει το ζώο, του δίνει
να καταλάβει ότι πρέπει να βάλει τα δυνατά του.

Ξαφνικά ένας περίεργος θόρυβος φτάνει μέχρι τ' αυτιά του
αγγελιοφόρου. Ο Δήμος έχει την εντύπωση πως οι οπλές τ'
αλόγου βγάζουν έναν αλλιώτικο, μπερδεμένο ήχο. Δίχως να

τ' ανακόψει την ορμή, μισοσκύβει και ρίχνει μια ματιά στα πόδια του ζώου, για να δει μπας κι έχει τυλιχτεί καμιά τσουκνίδα ή κάνα κλαδί από ντοροβάτα στις κνήμες του. Όχι, τίποτα.

Τότε μονάχα ο Δήμος βλέπει έναν Τούρκο καβαλάρη, μόλις μια τουφεκιά απόσταση πίσω του!

Καλπάζει δαιμονισμένα κι αυτός, τσιγκλάει συνέχεια τ' άτι του και χουγιάζει. Ο Δήμος τον αναγνωρίζει μόνο και μόνο με την άκρη του ματιού του. Είναι ο Χαλήλ, ο καλύτερος ταχυδρόμος του Σελήμ πασά, κολλημένος κι αυτός σαν στρείδι πάνω στη χαίτη του δικού του αλόγου, με μοναδικό και πολύτιμο φορτίο ένα σακίδιο που κρέμεται από τη σέλα του.

Τον ξέρει ο Δήμος, έχουν διασταυρωθεί δυο τρεις φορές στη δημοσιά αλλά και σ' άλλους δρόμους. Όμως σε κάθε τέτοια στιγμή μοιάζουν να ξεχνάνε πως ο ένας είναι Τούρκος κι ο άλλος Έλληνας, δε βάζουν ποτέ το χέρι στη λαβή του γιαταγανιού ή της πιστόλας τους. Και των δυονών το χρέος είναι να φτάσουν όσο γίνεται πιο γρήγορα στον προορισμό τους, να παραδώσουν σε σίγουρα χέρια τα μηνύματα, την αλληλογραφία που κουβαλάνε στους κόρφους και στα σακίδιά τους.

«Καλύτερα να τον αποφύγω αυτή τη φορά. Γιατί να με δει που θα κόψω κατά τα δυτικά;» λέει μέσα του ο Δήμος και ζορίζει όσο μπορεί το άτι.

Αλλά το ζώο καλπάζει κιόλας μ' όλες του τις δυνάμεις, από το στόμα του βγαίνουν αφροί, τα πόδια του δεν αγγίζουν πια τη γη. Ο Χαλήλ έχει κι αυτός βαρβάτο άλογο, η απόσταση που χωρίζει τους δυο καβαλάρηδες όλο και μικραίνει, ο Τούρκος ζυγώνει, είναι τώρα δίπλα στον Έλληνα. Με μια γρήγορη κίνηση ο Δήμος σιγουρεύεται ότι το γράμμα του Κώστα Μπέκα είναι καλά παραχωμένο στον κόρφο του, ενώ την ίδια στιγμή ο Χαλήλ πασπατεύει το σακίδιό του.

Ξαφνικά ο Τούρκος στρέφει το κεφάλι. Το ίδιο κάνει κι ο Έλληνας. Οι δυο αγγελιοφόροι κοιτάζονται κατάματα, ντόμπρα, σχεδόν φιλικά.

Καλπάζουν εδώ και κάμποση ώρα ο ένας κοντά στον άλλο, τ' άλογά τους είναι μούσκεμα στον ίδρωτα, από τα ρουθούνια τους βγαίνουν αχνοί, το σάλιο έχει κρυσταλλιάσει γύρω από τις μουσούδες τους σαν χιόνι. Όταν ο δρόμος στενεύει και δε χωράνε πλάι πλάι δυο καβαλάρηδες, πότε μένει πίσω ο ένας και πότε ο άλλος. Και κάθε φορά που ζυγώνουν σε μέρη επικίνδυνα, όπου μπορεί να τους έχουν στήσει καρτέρι τίποτα ληστές, ένα και μόνο βλέμμα τούς φτάνει για να συνεννοηθούνε, έχουν το νου τους ο ένας δεξιά κι ο άλλος αριστερά, κρατάνε με το 'να χέρι τα γκέμια, με τ' άλλο την πιστόλα.

Μακριά μπροστά τους, σε μια καμπή της δημοσιάς, βλέπουν να θαμπασπρίζει του Σαμουήλη το χάνι. Σε λίγο θα ξεδιακρίνουν καθαρά το μεγάλο πλατάνι μπροστά στην πόρτα, τις καρότσες, τις σούστες και τα κάρα που 'ναι αραγμένα στην ευρύχωρη αυλή. Ταχυδρόμοι, έμποροι, αγωγιάτες και όλοι σχεδόν οι ταξιδιώτες εδώ σταματάνε πάντα για να ξεκουραστούνε και ν' αλλάξουν άλογα, φτωχοί οδοιπόροι τρώνε ένα κομμάτι ψωμί μ' ελιές κι ύστερα το κόβουν δίπλα στο στάβλο, πάνω στ' άχυρο, οι περαστικοί χωριάτες δένουν τα μουλάρια τους σε κάτι χαλκάδες που 'ναι μπηγμένοι στο μαντρότοιχο της αυλής, τυλίγονται με τις πατατούκες και κοιμούνται κοντά στα ζώα τους.

Ο Σαμουήλης δεν έχει ούτε εχθρούς ούτε φίλους, τα 'χει καλά με όλους, ντόπιους κι αλλομερίτες, με τίμιους ανθρώπους αλλά και μ' επικηρυγμένους κοντραμπατζήδες κι εγκληματίες, με ληστές και με ζαπτιέδες, μ' Έλληνες και Τούρκους. Μέσα στο μαγαζί του σμίγουν αναπάντεχα ένα σωρό υποκείμενα του σκοινιού και του παλουκιού, γίνονται μερικές φορές καβγάδες, συμπλοκές, βγαίνουν μαχαίρια και κουμπούρια. Ο Σαμουήλης ρίχνει στο κεμέρι τα μπαξίσια που του δίνουν και κουβαλάει τη νύχτα κουφάρια, τα πετάει σε ξεροπήγαδα. Οι ζαπτιέδες της περιοχής το ξέρουν, αλλά δε λένε τίποτα, γιατί τον μπαξισώνουν κι αυτοί γερά και μαθαίνουν ένα σωρό πράγματα, είναι το μυστικό αυτί τους για ό,τι γίνεται στα γύρω χωριά.

Σίγουρα ο Σελήμ πασάς έχει οργανώσει καλά τη δουλειά του, λέει μέσα του ο Δήμος, έχει καλοπληρώσει τον Σαμουήλη για να περιποιείται και να ταΐζει μερικά καλά άλογα για λογαριασμό του, για να μπορούν ν' αλλάζουν οι ταχυδρόμοι του. Αλλά το ίδιο έχει κάνει κι ο Κώστα Μπέκας, για να δίνει ο χανιτζής ταγή και στα δικά του άτια, να καλοδέχεται τους αγγελιοφόρους του.

«Για να δούμε ποια λεφτά θα φανούνε σήμερα στον Σαμουήλη πιο γλυκά: τα ελληνικά ή τα τούρκικα;» συλλογιέται ο Δήμος κι ανακρατάει λίγο τ' άλογό του για να μη φτάσει πρώτος στο χάνι.

Σαν να μαντεύει τη σκέψη του, ο Χαλήλ του κάνει νόημα να σταματήσει. Οι δυο άντρες πεζεύουνε. Δεν τους απομένει παρά μια τουφεκιά δρόμος μέχρι το χάνι. Κατακουρασμένα τ' άλογα ίσα που στέκονται στα πόδια τους, οι κοιλιές τους ανεβοκατεβαίνουν σαν φυσερά, ο ιδρωτάς τους τρέχει μπουργάνα, η γη λασπώνει κάτω από τα κορμιά τους.

— Μπέσα, ορέ Έλληνα; ρωτάει ο Χαλήλ.

— Μπέσα, Τούρκο, αποκρίνεται ο Δήμος.

Κοιτάζονται κατάματα, φέρνουν το χέρι στην καρδιά. Άλλα λόγια δε χρειάζονται. Κάνουν τον υπόλοιπο δρόμο περπατώντας δίπλα δίπλα.

Όταν μπαίνουν στην αυλή, ο Σαμουήλης προστρέχει. Είναι παχύς, κοντοκλότσης, δυσκίνητος. Αν και δεν έκανε ούτε δέκα βήματα, έχει λαχανιάσει, βαριανασαίνει. Βλέποντας τον Δήμο παρέα με τον Χαλήλ, μένει με το στόμα ανοιχτό, δεν ξέρει πώς να φερθεί, χειρονομεί νευρικά. Το πονηρό μυαλό του δουλεύει γρήγορα, ζυγιάζει τα υπέρ και τα κατά της κάθε λέξης, τους κινδύνους και τα οφέλη από την κάθε ενέργεια. Ο Σαμουήλης ξέρει ότι όποια στάση κι αν τηρήσει, θα πρέπει να 'ναι έτοιμος ν' αλλάξει φύλλο από τη μια στιγμή στην άλλη. Στη ζωή χρειάζεται να 'χεις πολλά πρόσωπα, να φοράς διαφορετική μουτσούνα κάθε φορά.

Όταν οι δυο άντρες ζυγώνουν, ο χανιτζής έχει πάρει την απόφασή του: ενώ χαιρετάει τον Δήμο απλά, χωρίς πολλά πολλά, μπροστά στον Χαλήλ κάνει μια βαθιά υπόκλιση.

— Στις προσταγές σου, αφέντη, ψελλίζει.

Ο ταχυδρόμος του Σελήμ πασά τον κοιτάζει αδιάφορα να πηγαίνει κατά το χάνι πισωπατώντας, να τρέχει και να καθαρίζει ένα τραπέζι με την ποδιά του. Αν γινόταν, δε θα δίσταζε να το σκουπίσει με τη γλώσσα του. Ο Δήμος, που τον παρατηρεί κι αυτός, ντρέπεται για λογαριασμό του. Δεν είναι η πρώτη φορά που ο Σαμουήλης φέρεται έτσι περίεργα, αλλοπρόσαλλα. Άλλοτε κάνει λίγους κι άλλοτε πολλούς τεμενάδες, καμιά φορά σκύβει λιγάκι το κεφάλι του ή, αντίθετα, προσκυνάει βαθιά, λυγίζει το κορμί του μέχρι τη γη.

Ο αγγελιοφόρος του Κώστα Μπέκα δεν μπόρεσε ποτέ του να καταλάβει πώς γίνεται να προσκυνάει ο άνθρωπος άνθρωπο. Από τα πιο αρχαία χρόνια μέχρι και τώρα, αυτά τα φερσίματα θεωρούνται ντροπές στην Ελλάδα, δεν ταιριάζουν στους λαούς που 'χουν λεύτερο φρόνημα, είναι χούγια ανατολίτικα. Μια φορά που πέρασε από το Παλιόκαστρο ένας αριστοκράτης από την Ευρώπη με την ακολουθία του, ο κόσμος θαύμαζε που οι άνθρωποί του υποκλίνονταν μπροστά του όπως και σ' ένα θεό, που πρόστρεχαν και του τα 'διναν όλα στα χέρια λες κι είχαν να κάνουν με κατάκοιτο.

Ο Χαλήλ πίνει αμίλητος. Σε μια στιγμή, βλέποντας τον Σαμουήλη να στέκεται πίσω του και να περιμένει διαταγές, τραβάει το σακίδιο που 'χει ριγμένο στην πλάτη και το φέρνει μπροστά του για περισσότερη ασφάλεια. Ο Δήμος κοιτάζει με θαυμασμό το λουρί του, που 'χει στολίδια φτιαγμένα με κόκκινη κι ασημένια κλωστή. Γύρω από το κούμπωμά του υπάρχουν κι άλλα όμορφα κεντίδια, αραβικά γράμματα.

— Μου το 'κανε χάρισμα μια όμορφη Τσερκέζα, εξηγεί ο Χαλήλ χαμογελώντας.

— Έχεις ταξιδέψει πολύ; ρωτάει συλλογισμένα ο Δήμος.

— Τι να κάνω; Όπου πάει ο πασάς, πάω κι εγώ. Είναι μεγάλο το ντοβλέτι.

Ο Σαμουήλης πλησιάζει διστακτικά, με σκυφτό το κεφάλι:

— Να σου ετοιμάσω ναργιλέ, αφέντη; ρωτάει ταπεινά.

Αντί γι' απάντηση, ο Χαλήλ σηκώνει το χέρι και του δείχνει «δύο» με τα δάχτυλα. Ο χανιτζής μένει δισταχτικός.

— Και γρήγορα, μουγκρίζει ο Τούρκος.

— Πώς είναι ο κόσμος που 'δες; ρωτάει ο Δήμος μόλις απομακρύνεται ο Σαμουήλης.

— Μεγάλος, δεν τον χωράνε οι λέξεις, στενάζει ο Χαλήλ.

Η πόρτα του χανιού ανοίγει και μπαίνει ένας ψηλόκορμος κι ασπρομάλλης γέροντας με μια μακριά και περιποιημένη γενειάδα, τυφλός. Στο χέρι κρατάει ένα χοντρό πουρναρένιο ραβδί, από τον ώμο του κρέμεται ένα φαρδύ ταγάρι. Καθώς κοντοστέκεται στο κατώφλι περιφέροντας τ' άπλανο βλέμμα του πάνω από τα κεφάλια των ταξιδιωτών που τρώνε και πίνουν, είναι σαν να προσπαθεί ν' αφουγκραστεί, σαν να περιμένει ν' ακούσει μια υπερκόσμια φωνή που κατεβαίνει από ψηλά και κάτι του λέει, τον συμβουλεύει, τον καθοδηγεί μυστικά. Για λίγες στιγμές η σύναξη βουβαίνεται. Οι πιο πολλοί πελάτες σκύβουν πάνω από τα πιάτα και τα ποτήρια τους, άλλοι κάνουν ότι κοιτάζουν αλλού. Μα πιο ανήσυχος απ' όλους είναι ο Σαμουήλης: το κούτελό του έχει ιδρώσει κι ας μην κάνει ζέστη μέσα στο χάνι, τρέμει το σαγόνι του. Κάνει ό,τι μπορεί για να μη δείξει το φόβο του, αλλά δεν τα καταφέρνει. Κάθε λίγο και λιγάκι ρίχνει ανήσυχες ματιές μια κατά τον Χαλήλ, μια σε κάτι Τούρκους εμπόρους που 'ναι αρματωμένοι μέχρι τα δόντια και που τώρα που απόφαγαν κι απόπιαν κάθονται και φουμέρνουν θεριακλίδικα τους ναργιλέδες τους.

Τον ξέρει κείνο τον τυφλό ο Δήμος. Τον έχει δει κάμποσες φορές να πολεμάει να βγάλει το ψωμί του με ποιήματα και τραγούδια σε διάφορα χάνια, τον έχει απαντήσει σε δημοσιές, σε γιδόστρατες, τον έχει αντικρίσει να ξεκουράζεται καθισμένος σε μια πέτρα στα σταυροδρόμια. Τα καλοκαίρια έρχεται αρκετά συχνά στην περιοχή, το χειμώνα φανερώνεται πολύ πιο σπάνια. Κανείς δεν ξέρει από πού κρατάει η σκούφια του ούτε ποιο είναι τ' όνομά του. Μα όπου κι αν πηγαίνει, όλοι τον φωνάζουν «γερο-παππού». Και μόλις τον αντικρίσουν, προστρέχουν κι ασπάζονται το δεξί του χέρι λες κι είναι κάνας άγιος, ζητάνε την ευλογία του κι ύστερα τον προσκαλούν στα σπίτια τους, του δίνουν να φάει και να πιει, ακούνε τα παραμύθια και τις ιστορίες που τους διηγιέται, τα τραγούδια του.

Οι αγάδες κι οι κοτζαμπάσηδες τον έχουν στο μάτι, κάνουν ό,τι μπορούν για να του φέρνουν εμπόδια, στέλνουν ανθρώπους και του απαγορεύουν να μπει σε μερικά χωριά. Δε θα δίσταζαν ούτε στιγμή να τον βγάλουν από τη μέση αν δε φοβούνταν την κατακραυγή του κόσμου, αν δεν ήξεραν πως χάνοντας έναν πλανόδιο τραγουδιστή, οι ραγιάδες θ' αποχτούσαν ένα μάρτυρα. Κείνο που τους πειράζει είναι που οι στίχοι των τραγουδιών του είναι διαφορετικοί από των άλλων ποιητάρηδων και δεν κάνουν τους ανθρώπους να διασκεδάζουν και να γελάνε περνώντας την ώρα τους, δεν τους βοηθάνε να ξεχνούν τη σκλαβιά, την κακομοιριά, τα βάσανά τους. Μόλις ο τυφλός γέροντας αρχίζει ν' απαγγέλλει τα δικά του ποιήματα, οι ακροατές του νιώθουν να τους έρχονται δάκρυα, η μνήμη τους ματώνει σαν ανεπούλωτη πληγή, αναθυμούνται περασμένες ευτυχίες, τις πρότερες δόξες τους, την εποχή που ήταν λεύτεροι στα χώματά τους.

Σ' ένα κεφαλοχώρι στα μέρη της Θεσσαλίας, όπου πήγε μια φορά και τραγούδησε, την άλλη μέρα ο κόσμος ξεσηκώθηκε, τα 'βαλε με τους Τούρκους φρουρούς του αγά, ήθελε να κρεμάσει τον αφέντη του σε μια ελιά. Σε κάποιο άλλο χωριό, στη Βοιωτία, μόλις ο γέροντας τέλειωσε με τα τραγούδια και τα ποιήματα, οι χωριάτες βάρεσαν τις καμπάνες, πήραν αξίνια και δικράνια κι έπιασαν θέσεις σε μια γέφυρα για να περιμένουν τους Τούρκους φοροεισπράκτορες που θα 'ρχονταν την άλλη μέρα το πρωί για κάτι δοσίματα.

Ο Δήμος ρίχνει μια ματιά στον τυφλό και χαμογελάει.

— Εγώ ξέρω μια λέξη που τα χωράει όλα. Όχι μόνο τον κόσμο αλλά και τον ίδιο το Θεό, λέει σαν ν' απευθύνεται στον εαυτό του.

Οδηγημένος από 'να παιδί που δουλεύει στο χάνι, ο «γεροπαππούς» πάει και κάθεται σε μια άκρη, σ' ένα σκαμνί. Ύστερα, με ήρεμες κι αργές κινήσεις, βγάζει από το ταγάρι ένα μικρό κι όμορφο σκαλισμένο σαντούρι, τ' απιθώνει στα γόνατά του κι αρχίζει να το κουρντίζει.

Ο Χαλήλ ούτε που του δίνει σημασία.

— Ποια είναι αυτή η λέξη, μωρέ Έλληνα; ρωτάει.

Ο Δήμος σκύβει πάνω από το τραπέζι και κοιτάζει τον αγγελιοφόρο του Σελήμ πασά κατάματα, θαρραλέα:

— Λευτεριά, αποκρίνεται.

Η λέξη ακούγεται στα γύρω τραπέζια, κάμποσα κεφάλια στρέφονται απότομα, τα βλέμματα πετάγονται ανήσυχα από το 'να πρόσωπο στ' άλλο. Κάτι Πελοποννήσιοι αγωγιάτες, που προβλέπουν συμπλοκή, έχουν κιόλας έτοιμο το χέρι στη λαβή της κουμπούρας. Μερικοί ταξιδιώτες από τα Γιάννενα σηκώνονται διακριτικά και βγαίνουν στην αυλή, ταμπουρώνονται πίσω από μια καρότσα, περιμένουνε να περάσει η μπόρα. Ο Σαμουήλης τρέμει σαν το ψάρι, δεν ξέρει τι να κάνει, κατά πού να πρωτοκοιτάξει.

Ο Χαλήλ δεν ανησυχεί. Έχει εμπιστοσύνη στον Δήμο. Κι ας είναι η πρώτη φορά που κουβεντιάζει μαζί του, που ακούει της φωνής του τον ήχο, που βλέπει από κοντά το πρόσωπό του. Ούτε που σκέφτεται ότι ο άντρας που κάθεται απέναντί του και σιγοπίνει είναι εχθρός του. Κείνο που μετράει σε τέτοιες ώρες είναι που κι οι δυο έχουν οργώσει με τ' άλογά τους τις ίδιες δημοσιές, έχουν παίξει κορόνα γράμματα τη ζωή τους πηδώντας πάνω από τα ίδια σκοτεινά κι άπατα βάραθρα, έχουν περάσει τα ίδια επικίνδυνα φαράγγια.

Βλέποντας ότι δεν έγινε τελικά καβγάς, ο Σαμουήλης ξεθαρρεύει, γεμίζει μια κανάτα ρακή και την προσφέρει στους δυο αγγελιοφόρους — κέρασμα, λέει, από το μαγαζί. Δε συνηθίζει τέτοια κουβαρνταλίκια· κάθε φορά που χάνει παράδες είναι σαν να χάνει κομμάτια από το κορμί του. Όμως αυτή τη φορά δε γίνεται αλλιώτικα. Αν όλοι εκείνοι οι άντρες είχαν βγάλει κουμπούρια κι είχαν έρθει στα χέρια, το χάνι θα 'ταν τώρα γινωμένο γυαλιά καρφιά — πάνω στο μάλε βράσε μπορεί να του 'χαν βάλει και καμιά φωτιά.

Για κάμποση ώρα ο Δήμος κι ο Χαλήλ πίνουν αμίλητοι, συλλογισμένοι. Οι Πελοποννήσιοι έχουν ξαναβάλει τα κουμπούρια στα σελάχια, τα μαχαίρια έχουν κρυφτεί. Οι Γιαννιώτες, που 'χαν ταμπουρωθεί πίσω από την καρότσα, ξαναγυρίζουν ένας ένας και πιάνουν πάλι την κουβέντα.

Ο τυφλός έχει αποκουρντίσει το σαντούρι και πιάνει να σιγοπαίζει ένα τραγούδι του Παλιόκαστρου. Ο Δήμος που τ' ακούει νιώθει την καρδιά του να σφίγγεται, γιατί ξέρει τι λένε τα λόγια του, τι συμβολίζει ο κοφτός κι ανάλαφρος ρυθμός του. Στα παλιά τα χρόνια το πρωτοτραγούδησαν οι μαστόροι κι οι χτιστάδες που 'φτιαξαν τα τείχη της πολιτείας, που 'χτισαν τις ντάπιες της, που θεμελιώσαν τις βίγλες, για να μπορούν ν' αγναντεύουν κατά τον κάμπο και κατά τις πλαγιές των γύρω βουνών οι φρουροί της. Καθώς πηγαινόρχονται και χοροπηδάνε πάνω στις χορδές του σαντουριού, τα φιλντισένια πλήκτρα γεννούν στην ακοή του Δήμου ένα σωρό αντίηχους, αλλόκοτους θορύβους, χτύπους. Σιγά σιγά, καθώς το παίξιμο του γέροντα δυναμώνει, ο αγγελιοφόρος του Κώστα Μπέκα νομίζει πως ακούει τις βαριές των νταμαρτζήδων που χτυπούν και κομματιάζουν αλύπητα τους βράχους, τ' αυτιά του βουίζουν από τα ντιντινίσματα των καλεμιών, από τ' ασταμάτητα αγκομαχητά των σκαφτιάδων. Ξαφνικά, από τη μια μέχρι την άλλη άκρη του βουνού, αντηχεί μια στεντόρεια κραυγή — είναι ο πρωτομάστορας που ουρλιάζει από 'να ύψωμα μέσα σ' έναν τηλεβόα, κάτι προστάζει. Καμιά εκατοστή μπρατσωμένοι άντρες προστρέχουν, αρπάζουν ένα παλαμάρι και τραβάνε όλοι μαζί χουγιάζοντας ρυθμικά, ο ίδρωτας τρέχει μπουργάνα από τα κούτελά τους: ένας θεόρατος βράχος, πελεκημένος, πανέτοιμος, σηκώνεται αργά από τη γη κι ανεβαίνει, αιωρείται πάνω από τα κεφάλια τους. Νέο χουγιαχτό του πρωτομάστορα κι ο ογκόλιθος μετακινείται αυτή τη φορά οριζόντια, ταξιδεύει στον αέρα, ύστερα χαμηλώνει κι ακουμπάει στο μισοχτισμένο μπεντένι απαλά. Ύστερα νέος βράχος, ακόμα πιο μεγάλος, ακόμα πιο φοβερός, οι τροχαλίες του παλάγκου τρίζουν, στριγκλίζουν, οι άξονές τους βγάζουν καπνούς. Στα μπράτσα και στα στήθια των αντρών που τραβούν το παλαμάρι οι τανυσμένοι μυώνες μοιάζουν με χοντρά σκοινιά, οι φλέβες πλημμυρίζουν αίμα, ξεδιακρίνονται κάτω από το δέρμα ανάγλυφες, μελανές. Αλλά παρ' όλο το μόχθο και τον κάματο, δεν ακούγεται η παραμικρή βαρυγκόμια, δε βγαίνει παράπονο από κανένα στόμα.

Με το μυαλό θολό από τη ρακή, ο Δήμος πετάγεται πάνω σαν να θέλει κι αυτός να προστρέξει, να δώσει ένα χέρι στους εργάτες, να προσθέσει ένα ακόμα κορμί, μια δύναμη ακόμα στο παλαμάρι. Για ν' ανυψωθεί ο βράχος πιο γρήγορα, για να φτάσει ψηλά, ψηλότερα, για να σηκωθεί το μπεντένι και ν' ασφαλιστεί η πόλη, για να μην τη βρουν ανοχύρωτη οι εχθροί. Σιγά σιγά, δίχως να το καταλάβει, ο Δήμος αρχίζει να λυγίζει το κορμί, να σηκώνει τα χέρια, να χτυπάει δυνατά τα πόδια στη γη, να υπακούει στο ρυθμό που του δίνει του τυφλού το σαντούρι, να χορεύει.

Ένα χαμόγελο έκστασης ανθίζει κι απλώνεται στο πρόσωπο του μουσικού. Δεν έχει αυτός ανάγκη από το φως του κόσμου για να δει το χορευτή που με κάθε του κίνηση ξαναχτίζει ολομόναχος κι από την αρχή την πόλη, που με κάθε στροφή του κορμιού του θεμελιώνει κι από 'να σπίτι, που με κάθε του πήδο στήνει και μια καινούρια ντάπια πάνω στα τείχη. Μέσα στα σκοτεινιασμένα μάτια του τυφλού γέροντα αναβλύζουν ξαφνικά ποτάμια φωτεινά, ανατέλλουν ολόλαμπροι ήλιοι, ξαναγεννιούνται αλλοτινοί άνθρωποι και κόσμοι. Από τη μια ο γερο-μουσικός, από την άλλη ο Δήμος, ο ένας με το τραγούδι και τ' όργανο, ο άλλος με το χορό, δυο άντρες έχουν αγκαλιάσει μια πολιτεία ολάκερη και τη σηκώνουν από τη γη, τη φορτώνονται, τη σφίγγουν πάνω τους γερά και προχωράνε, ταξιδεύουνε. Όπου κι αν πάνε από δω και πέρα, όσο κι αν περιπλανηθούνε, θα 'χουν μαζί τους της πόλης τα χώματα, θα ζούνε πάνω τους, θα τρέφονται όπως και τα φυτά στη γλάστρα — από τους χυμούς τους.

Μόλις ο Δήμος γυρίζει στο τραπέζι, σηκώνεται ο Χαλήλ, βγάζει από 'να πουγκί παράδες και δίνει στον τυφλό, του παραγγέλνει έναν τούρκικο χορό, ένα αργό ζεϊμπέκικο. Η ρακή του Σαμουήλη έχει ανέβει και στο δικό του κεφάλι, το σπίρτο έφτασε μέχρι τις πιο απόμερες γωνιές του μυαλού του, αναστατώνει τη μνήμη του. Καθώς χορεύει, του φαίνεται πως ακούει χίλιες μουσικές, ότι σ' άλλο ρυθμό υπακούνε τα πόδια του και σ' άλλον η καρδιά του. Είναι μεγάλη, απέραντη η γη της Αυτοκρατορίας, τα τραγούδια κουβαλάνε μαζί τους αμέτρητους τόπους και κόσμους. Άλλα μιλάνε για στέπες και γι' ατέλειωτους κάμπους, άλλα για πανύψηλα και χιονοσκέπαστα βουνά, άλλα για μέρη εύφορα, καταπράσινα, λιβάδια και ποτάμια, μερικά για την έρημο και την καυτή άμμο, για την Μπαρμπαριά και την Αίγυπτο, την Αραβία. Μα όπου κι αν πήγε μέχρι σήμερα ο Χαλήλ, όπου κι αν ταξίδεψε με τ' ασκέρι, μόνο Τουρκιά είδε, μόνο μια θέληση και μια εξουσία, εκείνη που προέρχεται από του σουλτάνου το βούρδουλα.

Χορεύει ο Χαλήλ το ζεϊμπέκικό του, ανοίγει τα χέρια δεξιά κι αριστερά σαν πουλιού φτερά, τεντώνει το κορμί του προς τα πάνω λες και θέλει να πετάξει και να διασχίσει τον ουρανό ολάκερου του ντοβλετιού, να δει από ψηλά την απεραντοσύνη του οθωμανικού κόσμου. Εκατοντάδες λαοί, φυλές και έθνη που ζουν εδώ κι αιώνες κάτω από το ζυγό των Τούρκων, με τους νόμους του σουλτάνου. Σλάβοι, Έλληνες, Αλβανοί, Άραβες, Κούρδοι, όλοι ραγιάδες που προσκυνάνε τον πατισάχ και του πληρώνουν χαράτσια, που κάνουν τεμενάδες μπροστά στους πασάδες του, τρέμουν την οργή του.

Χορεύει ο Χαλήλ, γέρνει το κορμί λεβέντικα, μαστορικά, τα μπράτσα του κινούνται ανάλαφρα σαν υδρόβια φυτά, σχεδιάζουν στον αέρα παράξενα σχήματα. Ο Τούρκος κλείνει τα μάτια σαν να θέλει να κρατήσει βαθιά μέσα του τη χαρά που του δίνουν οι τελευταίες στιγμές του χορού, τινάζει το πανωκόρμι κι ύστερα σταματάει μένοντας για μερικά δευτερόλεπτα ακίνητος πριν γυρίσει στη θέση του αργά, τελετουργικά, περήφανα.

— Μου φαίνεται πως είναι ώρα, λέει στον Δήμο.

— Ναι, είναι ώρα, αποκρίνεται κείνος.

Ο Σαμουήλης τους περιμένει κιόλας στην αυλή κρατώντας από τα γκέμια τα δυο άλογα. Τα σελωμένα άτια χαρακώνουν με τις οπλές τους ανυπόμονα το χώμα, βλέπουν τους καβαλάρηδες κι ορθώνονται, χλιμιντρίζουν. Πριν καβαλικέψουν, ο Χαλήλ κι ο Δήμος τα εξετάζουν καλά, προσέχουνε μπας κι έχουν πουθενά καμιά πληγή, κοιτάζουν τη ράχη τους στα νεφρά και κάτω από τη σέλα, τους ψαύουν τα πόδια.

Ξαφνικά φανερώνεται στο κεφαλόσκαλο ο τυφλός, με το ταγάρι κρεμασμένο από τον ώμο, με το ραβδί στο χέρι.

— Για πού με το καλό; ρωτάει ο Δήμος.

Ο «γερο-παππούς» σηκώνει το χέρι και κάνει μια κίνηση αόριστη, σαν να μην ξέρει κατά πού πηγαίνει ή σαν να μην μπορεί να εξηγήσει. Με κείνη τη χειρονομία δείχνει παντού, κατά βοριά και κατά νότο, κατά δύση κι ανατολή, ενώ το άπλανο βλέμμα του είναι κιόλας μακριά, πλανιέται πάνω από τη θολή κι αβέβαιη γραμμή του ορίζοντα.

Έχουν σταματήσει καταμεσής σ' ένα σταυροδρόμι.

Πάει αρκετή ώρα π' άφησαν πίσω τους το χάνι και την κανάτα με τη ρακή, που δεν καμπανίζει πια στ' αυτιά τους το σαντούρι. Ό,τι ήπιαν ήπιαν· όσο πρόλαβαν να χορέψουν χόρεψαν. Από δω και πέρα τους περιμένουν η αγωνία κι η μοναξιά του δρόμου. Ο καθένας με τ' άλογό του και με τους δικούς του φόβους, με όσα του 'χει γραμμένα η τύχη του.

Στέκονται πάνω στ' άτια ασάλευτοι σαν αγάλματα, σιωπηλοί. Έτσι τους έχουν κατηχήσει οι αιώνες, έτσι τους δίδαξαν οι καιροί: όχι κλαψούρες, όχι βαρυγκόμια, κουβέντες λίγες και σωστές. Πάνε κάπου χίλια χρόνια που οι λαοί τους κουβεντιάζουν όχι με λόγια αλλά με σπαθιά, με γιαταγάνια, με βόλια, που τους χωρίζουν χρέη αίματος και θανάτου, μίση αγεφύρωτα. Ξέρουν καλά ότι δεν έχουν το δικαίωμα ν' αγνοήσουν την Ιστορία τους, το παρελθόν τους, να παραστήσουν ότι τάχα δεν άκουσαν ποτέ λέξη από γονιούς και δασκάλους, ν' αφήσουνε να πάνε στράφι τα παραμύθια π' άκουσαν από τους παππούδες τους.

Ξαφνικά τ' άλογο του Δήμου στρέφεται και κάνει λίγα βήματα για να μη μουδιάσουν τα πόδια του, για να 'ναι έτοιμο να ξαναπιάσει τον καλπασμό του. Άθελά τους οι δυο αγγελιοφόροι βρίσκονται ο ένας απέναντι στον άλλο, κοιτάζονται, κάτι θέλουν να πουν, μα δεν τα καταφέρνουν, δε βγαίνει λέξη από το στόμα τους. Μια έκφραση αλληλεγγύης αλλά μαζί κι απόγνωσης έχει φανερωθεί στα πρόσωπά τους, λες κι είναι άρρωστοι που μόλις έμαθαν ότι πάσχουν από την ίδια βαριά αρρώστια που δεν έχει φάρμακο, που δεν παίρνει καμιά γιατρειά.

ΔΕΥΤΕΡΟ ΜΕΡΟΣ

Ε ΔΩ ΚΑΙ ΛΙΓΕΣ ΜΕΡΕΣ ΤΟ ΜΟΝΑΣΤΗΡΙ ΠΑΡΟΥΣΙΑΖΕΙ ΑΣΥ-νήθιστη κίνηση. Η Υπηρεσία Βυζαντινών Αρχαιοτήτων έστειλε από την Αθήνα συνεργείο για να εκτιμήσει και να καταγράψει τους καλλιτεχνικούς θησαυρούς του Προφήτη Ηλία, να εξετάσει και να φωτογραφίσει τις εικόνες και τις τοιχογραφίες, να περάσει σε μικροφίλμ τα χειρόγραφα, να κάνει πραγματογνωμοσύνη στα πολύτιμα βιβλία.

Από το πρωί ως το βράδυ ο Μελέτιος κάθεται σ' αναμμέ-να κάρβουνα, στενάζει και πασπατεύει τα γένια του νευρικά, κάνει ό,τι μπορεί για να μη χάσει την υπομονή του. Αλλά κάθε φορά που καταφέρνει να διώξει για λίγο από μέσα του την οργή που τον τριβελίζει, όλο και κάποιος βρίσκεται και τον αναγκάζει να ξαναμαρτήσει. Ο ένας έρχεται και του ζη-τάει ν' ανοίξει τα παράθυρα, σε λίγο καταφτάνει άλλος και του γυρεύει να τα κουφώσει ή να κατεβάσει τα στόρια. Κά-ποιος από το συνεργείο ζεσταίνεται και μουρμουρίζει πως ο ιδρώτας που στάζει από το κούτελό του κινδυνεύει να κατα-στρέψει το μηχάνημα που χρησιμοποιεί, ενώ ένας συνάδελ-φός του παραπονιέται ότι η βιβλιοθήκη διασχίζεται από ρεύ-ματα και θα βρεθεί στο κρεβάτι με καμιά πούντα. Όπου κι αν πάει ο γερο-βιβλιοθηκάριος, σ' όποια γωνιά κι αν καταφύ-γει, ανάμεσα στα πόδια του περνάνε σύρματα και καλώδια, σκοντάφτει σ' εργαλεία, σε διάφορα συμπράγκαλα.

Σε μια στιγμή φτάνουν μέχρι τ' αυτιά του οι βλαστήμιες κάποιου που φωτογραφίζει κάτι εικονίσματα. Προσπαθώ-ντας γι' άλλη μια φορά να συγκρατηθεί, ο Μελέτιος τον πλησιάζει:

«Τι σου συμβαίνει, γιε μου;» ρωτάει.

Με μια βαριεστισμένη χειρονομία ο άλλος του δείχνει μια εικόνα με τη Σταύρωση. Στημένος σ' ένα στρίποδο, ένας δυ-

νατός προβολέας χτυπάει τον Χριστό καταπρόσωπο, τ' α-
μείλικτο φως του βασανίζει το κορμί του Σταυρωμένου πε-
ρισσότερο κι από τους Ρωμαίους εκτελεστές του.

«Δε βγαίνουν καλές οι φωτογραφίες, οι εικόνες είναι σκο-
τεινές. Τις καταστρέψατε με τα λιβάνια και με τα κεριά»,
εξηγεί ο φωτογράφος.

Σαν να μην τον άκουσε ο Μελέτιος σκύβει μπροστά στην
εικόνα που 'ναι τοποθετημένη σ' ένα καβαλέτο και κάνει το
σταυρό του, κάτι ψιθυρίζουν τα χείλια του. Μέσα στη σκιά
που ρίχνει για λίγα δευτερόλεπτα το κορμί του καλόγερου
το πρόσωπο του Χριστού χάνεται, ο σταυρός γίνεται ένα με
τη νύχτα που σκεπάζει ξαφνικά τον Γολγοθά. Μονάχα μια
λεπτή φωτεινή λουρίδα που ξεφεύγει από τη δέσμη του
προβολέα πέφτει πάνω σε μια κατακόκκινη παπαρούνα που
'χει φυτρώσει μαζί με άλλα αγριολούλουδα κοντά στη ρίζα
του σταυρού, κάτω από τα καρφωμένα πόδια του Σταυρωμέ-
νου.

«Είναι έργα τέχνης», προσθέτει ο φωτογράφος βλέποντας
τον Μελέτιο ν' ανησπάζεται.

Ο βιβλιοθηκάριος στρέφεται αργά, ήρεμα.

«Όχι, παιδί μου, δεν είναι έργα τέχνης αλλά πίστης», α-
ποκρίνεται.

Ο άλλος κοιτάζει το γερο-μοναχό με απορία, λες και του
μίλησαν σε κάποια ξένη γλώσσα.

Η εικόνα φωτίζεται και πάλι από τον προβολέα. Λίγα
βήματα πιο πέρα από το σταυρό, σ' ένα πλάτωμα του λόφου,
κάτι Ρωμαίοι στρατιώτες έχουν στρώσει στη γη μια χλαμύ-
δα και παίζουνε στα ζάρια τα ρούχα του Χριστού, που 'ναι
σωρός δίπλα τους. Βυθισμένοι στη λύπη τους, στην περισυλ-
λογή τους, δυο μαθητές ετοιμάζονται να φύγουν. Μπροστά
στα πόδια τους αρχίζει ένα μονοπάτι που κατηφορίζει φιδω-
τά και διασχίζει τον κάμπο, σμίγει με τη δημοσιά που 'ρχε-
ται από την αμαρτωλή πόλη, από τα Ιεροσόλυμα.

Για κάμποση ώρα ο Μελέτιος παρακολουθεί σιωπηλός τη
δουλειά του συνεργείου, παρατηρεί προσεχτικά τα διάφορα

μηχανήματα, τις οθόνες, τα κουμπιά. Κάτι του λέει πως όλη αυτή η ανακατωσούρα δε θα βγει σε καλό. Ποιος ξέρει τι να σοφίστηκαν πάλι κείνοι οι λιμοκοντόροι με τις γραβάτες και τους μαύρους χαρτοφύλακες που 'ρθαν τότε από την Αθήνα κι έκαναν πραγματογνωμοσύνη για το δάνειο που ζήτησε η μονή, τι καινούριες κομπίνες καταστρώνουν... Οι προθέσεις τους φάνηκαν από την πρώτη στιγμή: ο Προφήτης Ηλίας, είπανε, θα πάρει δάνειο μόνο αν δεχτεί να εκμεταλλευτεί την περιουσία του, αν αποφασίσει ν' αξιοποιήσει τους θησαυρούς του.

Ο Μελέτιος μορφάζει ειρωνικά:

«Δηλαδή να γίνουμε κι εμείς έμποροι, να βγάλουμε στο μεϊντάνι και τους αγίους, να κάνουμε το μοναστήρι μαγαζί», μουρμουρίζει.

Όταν κατέφτασε το συνεργείο, πήγε και βρήκε τον ηγούμενο για να κουβεντιάσει μαζί του, να του εξηγήσει τους φόβους του. Πώς τους κατέβηκε, του 'πε, έτσι στα ξαφνικά η ιδέα της καταγραφής; Γιατί όλα αυτά τα μηχανήματα, τόσοι άνθρωποι, τόσα έξοδα; Πώς έγινε και βρέθηκαν λεφτά γι' αυτή τη δουλειά, ενώ δεν υπήρχε δεκάρα για την επιχορήγηση που ζητάει η μονή; Όλα αυτά είναι περίεργα πράγματα, τόνισε στον ηγούμενο, κάτι τους μαγειρεύουν στην Αθήνα. Ίσως να γυρεύουν πρόφαση για να ορίσουν κρατικό διαχειριστή, όπως έκαναν και σ' άλλα μοναστήρια, να βρουν πάτημα για να τα κουβαλήσουν όλα στην πρωτεύουσα, να τα βάλουν στα μουσεία.

Δεν είναι αυτός μόνο που φοβάται, εξήγησε ο Μελέτιος· έχουν μπει ψύλλοι στ' αυτιά κι άλλων αδελφών. Τις προάλλες συζήτησε και με κείνον τον ξένο που δουλεύει εδώ και κάμποσον καιρό στη βιβλιοθήκη και που γράφει ένα βιβλίο για το Παλιόκαστρο. Αυτός ο άνθρωπος ζει μέσα στον κόσμο και τον ξέρει, ταξιδεύει, βλέπει πράγματα που δεν τα βλέπουν οι καλόγεροι. Λέει ότι το κοινόβιο πρέπει να 'χει το νου του, να προσέχει τα κειμήλιά του, τα βιβλία και τις εικόνες του. Γίνονται πολλά σήμερα, λέει, σ' όλο τον κόσμο, οι άνθρωποι που 'ναι στην εξουσία δεν έχουν ούτε ιερό ούτε όσιο, παντού βασιλεύει το χρήμα. Ο ένας μετά τον άλλο, όλοι οι λαοί λατρεύουν τον μόσχον τον χρυσούν, που λέει κι η Παλαιά Διαθήκη, πέφτουν στα γόνατα και προσκυνάνε το Μαμμωνά.

Η φωτογράφηση της Σταύρωσης τέλειωσε.

Ο φωτογράφος έχει βάλει τώρα στο καβαλέτο τον Αϊ-Γιάννη τον Πρόδρομο, ο προβολέας ρίχνει άπλετο φως στη γιδοπροβιά που σκεπάζει το κοκαλιάρικο κορμί του, στην αγριεμένη γενειάδα του. Το υψωμένο χέρι του Βαφτιστή δείχνει κατά το αμαρτωλό παλάτι του Ηρώδη. Σε μια ξετυλιγμένη περγαμηνή, που κρέμεται από το ραβδί του άγιου, είναι γραμμένες με καταπόρφυρες λέξεις οι φοβερές απειλές του, οι κατάρες του. Πέρα στην πόλη, που τα πρώτα σπίτια της ξεδιακρίνονται στο βάθος της εικόνας, οι άνθρωποι τρέχουν αλαλιασμένοι και κλείνουν των σπιτιών τους τα παράθυρα, ταπώνουν με τις παλάμες τ' αυτιά για να μην ακούνε τη φωνή του.

Προσέχοντας να μην μπερδευτούν τα πόδια του στ' απλωμένα καλώδια, ο Μελέτιος πλησιάζει το μοναδικό αναγνώστη της βιβλιοθήκης, αλλά δεν τον ενοχλεί, δεν του μιλάει. Αρκετά τον εκνευρίζουν οι άνθρωποι του συνεργείου, που του παραχώρησαν μια άκρη του τραπεζιού για να στριμώξει τα βιβλία και τα χαρτιά του, για να κάνει δουλειά. Όταν περνούν από δίπλα του, τον λοξοκοιτάζουν, λες κι η παρουσία του τους εμποδίζει σε κάτι. Αν τύχει και πιάσουν καμιά συζήτηση σχετικά με την καταγραφή, όλο και κάποιος βρίσκεται να κάνει σε μια στιγμή νόημα προς την κατεύθυνσή του και τότε χαμηλώνουν όλοι τη φωνή, λες κι έχουν να κάνουν μ' εχθρό ή με κάναν κατάσκοπο. Άλλοτε πάλι, βλέποντάς τον να ιδρώνει και να ξεϊδρώνει γράφοντας με κείνη την παλιά και σαραβαλιασμένη γραφομηχανή που 'χει δανειστεί από τη βιβλιοθήκη, πετάνε καμπανιές αναμεταξύ τους και τον κοροϊδεύουνε, γελάνε.

Για να του δώσει κουράγιο, για να του δείξει πως τον συμπαραστέκεται, ο Μελέτιος ακουμπάει απαλά το χέρι στον ώμο του και ρίχνει μια ματιά στο Τετραβάγγελο, που 'ναι πάντα ανοιχτό μπροστά του. Όταν ο άλλος στρέφεται, βλέπει το γερο-βιβλιοθηκάριο να του χαμογελάει μπιστεμένα, συνένοχα.

... Οἱ Τοῦρκοι εἶναι ἔτοιμοι. Δὲ θ᾽ ἀργήσουνε νὰ κάνουν τὸ πρῶτο τους γιουρούσι. Δὲν ξανάδα ποτὲ τόσα λεφούσια, τόσα κανόνια. Πῶς θὰ τὰ βγάλει πέρα τὸ Παλιόκαστρο μ᾽ ὅλη τούτη τὴν Τουρκιά;

Ἦρθε προχτὲς καὶ μὲ βρῆκε ὁ ἡγούμενος. Κείνη τὴν ὥρα ἦταν καὶ δυὸ ἀδελφοὶ στὴ βιβλιοθήκη, συγυρίζανε, ἀλλὰ ὁ ἡγούμενος τοὺς εἶπε νὰ βγοῦνε κι ὕστερα κλείδωσε τὴν πόρτα, πῆρε ἕνα Εὐαγγέλιο καὶ μ᾽ ὅρκισε νὰ μὴν πῶ σὲ κανένα τίποτα γιὰ ὅ,τι δῶ. Ὕστερα μοῦ 'πε καὶ τραβήξαμε ἕνα σεντούκι μὲ σκεύη τῆς ἐκκλησίας, ἔσπρωξε μὲ τρόπο ἕνα σουβαντιπί, κι ἡ πλάκα ποὺ 'ταν ἀπὸ κάτω μέριασε σὰν νὰ 'χε μεντεσέδες, φάνηκε ἡ μπούκα ἑνὸς τουνελιοῦ. Εἶχε καὶ σκάλα. Τὰ 'χασα. Ζωὴ ὁλόκληρη κεῖ μέσα καὶ δὲν ἤξερα τίποτα.

Πήραμε κεριὰ καὶ κατεβήκαμε, μπήκαμε σὲ μιὰ γαλαρία. Νόμιζα πὼς εἶχα κατεβεῖ στὸν ἄλλο κόσμο ὁλοζώντανος, τόσο σκοτεινὰ ἤτανε. Ὕστερα βρεθήκαμε σ᾽ ἕνα σπήλιο· ἤτανε μεγάλο, θὰ χώραγε ἴσαμε ἑκατὸ νομάτους. Ὁ ἡγούμενος σήκωσε τὸ κερὶ καὶ μοῦ 'δειξε κάτι χαράγματα τριγύρω στοὺς βράχους. Ἐδῶ κατέβαιναν στὰ παλιὰ χρόνια οἱ χριστιανοὶ καὶ λειτουργιοῦνταν, μοῦ 'πε. Ἀλλὰ ἐμεῖς θὰ κατεβάζαμε κεῖ μέσα τὶς εἰκόνες καὶ τ᾽ ἅγια λείψανα, κι ὅ,τι ἄλλο πολύτιμο ἔχουμε.

Ὕστερα ....
.... δυὸ νύχτες καὶ δυὸ μέρες αὐτὴ τὴ δουλειὰ κάναμε ἐγὼ κι αὐτὸς ....
..... τὰ τυλίξαμε ὅλα μὲ κεροπάνι γιὰ νὰ μὴν τὰ φάει ἡ ὑγρα.

Ἄν μποῦνε στὸ μοναστήρι Τοῦρκοι, μοῦ 'πε, ἐσὺ δὲ θὰ γνοιαστεῖς γιὰ τίποτ᾽ ἄλλο παρὰ γιὰ ὅλα αὐτὰ ἐδῶ. Δὲ θὰ βγεῖς ὅ,τι κι ἂν γίνει. Ἀκόμα καὶ νὰ μᾶς σφάξουν ὅλους ἕναν ἕναν, νὰ μᾶς κόψουνε κομμάτια καὶ νὰ μᾶς ρίξουνε στὰ σκυλιά. Θ᾽ ἀνοίξεις καὶ θὰ βγεῖς μόνο ἅμα φύγουνε οἱ ἄπιστοι.

Κι ἐγὼ ποῦ θὰ τὸ ξέρω; ρώτησα.

Θὰ τὸ καταλάβεις, μοῦ λέει, γιατὶ θὰ γίνει στὰ ξαφνικὰ ἡσυχία. Θ᾽ ἀκούσεις ὕστερα καὶ τὰ ὄρνια ποὺ θὰ πέσουν νὰ φᾶνε τὰ κουφάρια μας, θὰ μυριστεῖς καὶ τὸν καπνὸ ἀπὸ τὴ φωτιὰ ποὺ θὰ καίει τὴ μονή.

.... λέω νὰ κατέβω ἀπὸ τώρα γιὰ νὰ συνηθίσω σιγὰ σιγὰ στὸ σκοτάδι. ᾽Αλλὰ καλύτερα νὰ μὴ δώσει ὁ Θεός. Ποῦ νὰ ᾽ξερα τότε ποὺ ὁ μακαρίτης ὁ ᾽Αρσένιος μοῦ μάθαινε τὴν ἀλφαβήτα... Τὰ γράμματα εἶναι ὁ ἥλιος ποὺ φωτίζει τὸ μυαλὸ τ᾽ ἀνθρώπου, μοῦ ᾽λεγε. ᾽Αλλὰ νὰ ποὺ ἐξαιτίας τους ἐγὼ θὰ ζήσω στὰ κατάβαθα τῆς γῆς.

Μεσημέρι.

Οι άνθρωποι του συνεργείου έχουν βγει στην αυλή και κολατσίζουν στη σκιά ενός πλάτανου. Μέσα στη βιβλιοθήκη τα μηχανήματα έχουν κάνει κι αυτά κράτει, οι προβολείς είναι σβηστοί. Στην οθόνη ενός υπολογιστή αναβοσβήνουν λέξεις φυλακισμένες μέσα σε πλαίσια, κάτι φωτεινά βέλη τις επιτηρούν, τις παραμονεύουν ακίνητα. Όταν πατήσεις ένα ειδικό πλήκτρο, ζωντανεύουν απότομα και τρέχουνε, ρίχνονται στις λέξεις και τις χτυπάνε, τις σπρώχνουν, τις τσιγκλίζουν, όπως οι βοϊδολάτες τα καματερά.

Ο Μελέτιος κι ο αναγνώστης του κοντεύουν ν᾽ αποτελειώσουν το δικό τους κολατσιό. Πριν λίγο ένας καλόγερος τους έφερε ένα μεγάλο κεσέ γιαούρτι κι ένα πεπόνι. Πάνε κάμποσες μέρες που κάθονται και τρώνε παράμερα, μοιράζονται αδελφικά το φαΐ που τους φέρνουν από το μαγερειό, κουβεντιάζοντας χαμηλόφωνα. Αν κάποιος μπορούσε ν᾽ ακούσει, θα ᾽βλεπε ότι τις περισσότερες φορές συζητάνε για καιρούς και για τόπους αλλοτινούς, πως μιλάνε για πανάρχαια παραμύθια και θρύλους. Όταν τυχαίνει και δε θυμούνται μια φράση, μια λέξη ή κάποιο περιστατικό, τα πρόσωπά τους σκοτεινιάζουν, λες και μόλις τους ανάγγειλαν το θάνατο ενός κοινού κι αγαπημένου φίλου. Μόλις όμως κάτι αρχίσει και ζωντανεύει στη θύμησή τους, χαίρονται και γελάνε σαν τα μικρά παιδιά που 'χαν χαθεί σ' ένα πυκνό δάσος, αλλά, εκεί που δεν το περίμεναν πια, ξαναβρήκαν το μονοπάτι που οδηγεί στο σπίτι τους, στους γονιούς τους.

Σε μια στιγμή, μασουλίζοντας ακόμα, ο Μελέτιος σηκώνεται και πηγαίνει μέχρι την πόρτα σέρνοντας τα βήματα, ρίχνει μια ματιά στην αυλή:

«Έχουμε λίγη ώρα ακόμα,» λέει.

Πριν ξανακαθίσει, στρέφεται προς την ανατολή και κάνει το σταυρό του, σιγοαπαγγέλλει, όπως το συνηθίζει, μια δικιά του προσευχή, έτσι όπως τη νιώθει να γεννιέται μέσα του κείνη την ώρα, κατά πώς ταιριάζει στην περίσταση. Δεν του αρέσουνε τα έτοιμα και τυποποιημένα λόγια, οι λέξεις κι οι φράσεις που σέρνονται πάνω σ' αμέτρητα χείλια, που κουβαλάνε όλα τα βάσανα και τις ελπίδες του κόσμου, που 'χουν καταντήσει σαν τους αχθοφόρους που προστρέχουν όπου τους φωνάξουνε για να βγάλουν το μεροκάματό τους.

Αυτή τη φορά η προσευχή του Μελέτιου λέει για τη βρώση και την πόση που του εξασφάλισε και σήμερα ο Θεός, για τη χάρη που του 'κανε να τον αφήσει ακόμα μια μέρα στη γη. Κάνοντας μια τελευταία φορά το σταυρό του, ο γερο-βιβλιοθηκάριος ευχαριστεί το Δημιουργό που τον αξίωσε να κάτσει και να φάει μ' ένα συνάνθρωπο, μ' έναν καλό φίλο, που του 'δωσε τη μεγάλη χαρά να γευτεί μια κουταλιά γιαούρτι, να κρατήσει στα χέρια του ένα μυρουδάτο πεπόνι.

Ο χειριστής του υπολογιστή ήρθε και κάθισε μπροστά στο μηχάνημά του. Ξαφνικά μια λέξη στην οθόνη τινάζεται και τρέχει από δω κι από κει, λες και προσπαθεί να ξεφύγει από το πλαίσιο που την περισφίγγει, να βρει ένα μέρος για να κρυφτεί. Ένα φωτεινό βέλος την επισημαίνει και τη στρώνει στο κυνήγι, την προλαβαίνει, την απειλεί. Η λέξη εγκαταλείπει τον αγώνα, υπακούει και ξαναγυρίζει στη θέση της σαν πρόβατο που τσιληπούρδισε για λίγα λεπτά μακριά από το κοπάδι, αλλά που βρέθηκε ξαφνικά μπροστά στου βοσκού το σκυλί.

«Ελπίζω να μη χρειαστεί να τα ξανακατεβάσουμε όλα αυτά στη σπηλιά», μονολογεί ο Μελέτιος δείχνοντας γύρω του τις στοίβες με τα βιβλία.

Και να το κάνουν, δεν πρόκειται να ωφεληθούν σε τίποτα. Σήμερα κανείς δεν μπορεί να πει με σιγουριά ποιοι είναι οι εχθροί και ποιοι οι φίλοι, από ποιους θα τη βρει, από πού θα του 'ρθει. Στις μέρες μας όλα τα σύνορα, υλικά κι άυλα, είναι θολά, ευμετάβλητα, ο κόσμος δεν ξέρει κατά πού να κάνει, προς τα πού να στραφεί. Στα χρόνια του Ισίδωρου τα πράγματα ήταν ακόμα σχετικά ξεκάθαρα: από δω οι πιστοί, από κει οι άπιστοι· από τη μια οι δήθεν πολιτισμένοι, από την άλλη οι δήθεν απολίτιστοι. Οι λαοί αλληλοσφάζονταν στα φανερά, δε χρειαζόταν ν' αποφασίσουν τα Ενωμένα Έθνη για να γεμίσει η γη πτώματα. Οι Βάνδαλοι, οι Ούνοι κι οι Μογγόλοι έσφιγγαν στα δόντια μαχαίρια, κράταγαν τσεκούρια, αναμμένα δαυλιά. Ποιος μπορούσε ν' αμφιβάλλει για τους σκοπούς τους; Ποιος δεν ήξερε τι τον περίμενε αν έπεφτε στα χέρια τους; Όμως τι γίνεται με τους σημερινούς βάρβαρους, που 'ναι ίδιοι κι απαράλλαχτοι μ' όλους τους άλλους ανθρώπους γύρω τους, που δεν κρατάνε κεφαλοθραύστες και χαντζάρια, που φοράνε κοστούμια και γραβάτες και σουλατσάρουν ανενόχλητοι ανάμεσά μας, μιλάνε τη γλώσσα μας;

Ένας από το συνεργείο ζυγώνει κρατώντας μια εικόνα που παριστάνει μια σκηνή από την Αποκάλυψη ή τη Δεύτερη Παρουσία. Σ' έναν κάμπο μισοφωτισμένο από 'ναν ήλιο άρρωστο περιμένουν χιλιάδες αμαρτωλοί πεσμένοι στα γόνατα, με τα μάτια τους γουρλωμένα από τον τρόμο, μ' αλλοιωμένα πρόσωπα. Από ψηλά, από τον ουρανό, ένας Αρχάγγελος έχει απλώσει μια πύρινη ρομφαία κι ετοιμάζεται να χτυπήσει αλύπητα όλον εκείνο το γονατισμένο λαό, να τον καταγκρεμίσει σ' ένα βαθύ και θεοσκότεινο βάραθρο.

«Δεν τη βρίσκω στον κατάλογο», λέει στον Μελέτιο ο άνθρωπος του συνεργείου.

Έτσι που κρατάει την εικόνα, η παλάμη του σκεπάζει του Αρχάγγελου το πρόσωπο. Πάνω στην πύρινη ρομφαία είναι γραμμένα κάτι λόγια: «Ουαί, ουαί, ουαί τους κατοικούντας επί της γης».

«Ποιον κατάλογο, παιδί μου;»

Ο άλλος αφήνει την εικόνα στο τραπέζι και φέρνει ένα βιβλίο με γερμανικό τίτλο, τ' ανοίγει μπροστά στον Μελέτιο:

«Εδώ είναι καταγραμμένες όλες οι βυζαντινές εικόνες που υπάρχουνε, τα μοναστήρια, οι εκκλησίες, οι συλλογές ή τα μουσεία όπου βρίσκονται, οι τιμές που 'χουν σήμερα στην α- γορά», εξηγεί.

Ο Μελέτιος δε δείχνει καμιά έκπληξη. Από τη μέρα που 'ρθε το συνεργείο άκουσε πράγματα που δεν τα 'χε ακούσει σ' όλη του τη ζωή, τίποτα πια δεν του κάνει εντύπωση. Μένει ατάραχος ακόμα κι όταν βλέπει τους προβολείς και τα φώτα να καταυγάζουν τα κορμιά των αγίων λες κι είναι πριμαντό- νες στα θέατρα, τα ιερά βιβλία και τα χειρόγραφα να 'χουν μπει στη σειρά για φωτογραφία, τα χρυσά κι ασημένια σκεύη της εκκλησίας χύμα στη ζυγαριά, όπως οι πατάτες και τα κρεμμύδια στα μπακάλικα. Σε κείνο το γερμανικό κατά- λογο όλες οι βυζαντινές εικόνες περιγράφονται με κάθε λε- πτομέρεια, η καθεμιά έχει τον κωδικό της αριθμό, την τιμή της: τόσες χιλιάδες δολάρια η Γέννηση του δωδέκατου ή του δέκατου τέταρτου αιώνα, τόσο η Σταύρωση στα χρόνια του Ιωάννη του Τσιμισκή, τόσο η Ανάσταση της εποχής των Παλαιολόγων. Είναι καταγραμμένα τα πάντα, η αξία που 'χουν οι εικόνες στην πιάτσα του Λονδίνου ή της Φραγκφούρ- της, πόσα μπορεί να πιάσει η υπογραφή του τάδε Αγιορείτη ζωγράφου, οι απομιμήσεις των έργων του. Έχουν βάλει σφραγίδα στην πλάτη, τους έχουν δώσει κι ένα σωρό πιστο- ποιητικά για τη γνησιότητα. Κάποιοι προφήτες που μια φο- ρά κι έναν καιρό κατακεραύνωναν τους ανθρώπους για την παραδοπιστία τους τους βοηθάνε τώρα για να βγάλουν λε- φτά, μεταμορφώνονται σ' επενδύσεις, μπαίνουν στις τράπε- ζες και στα χρηματιστήρια. Δεν τους είναι καθόλου εύκολο να κρυφτούν, να γλιτώσουν. Σ' όποια απομακρυσμένη εκκλη-

155

σία κι αν καταφύγουν, σ' όποιο εικονοστάσι κι αν χωθούν, εκείνοι που 'ναι επιφορτισμένοι με τη σύνταξη του καταλόγου ενημερώνονται αμέσως και καταφτάνουν, καταγράφουν τα νέα στοιχεία των αγίων και τους ιδιοκτήτες τους, τη διεύθυνσή τους.

«Δεν αναφέρεται πουθενά αυτή η Αποκάλυψη. Και πρέπει να κάνω μια εκτίμηση, έστω και προσωρινή», επιμένει ο άνθρωπος του συνεργείου.

Παίρνει ένα μεγάλο και χοντρό φακό και τον περιφέρει πάνω από την εικόνα, ψάχνει για καμιά υπογραφή, μια ημερομηνία, μια ένδειξη. Καθώς περνάει πάνω από το πρόσωπο τ' Αρχάγγελου, η λαμπίτσα του φακού φωτίζει το βλέμμα του, τα μαλλιά του π' ανεμίζουν, το λαμπερό κι ολόλευκο ιμάτιό του. Ύστερα, καθώς συνεχίζεται η εξέταση, το φως καταυγάζει κι έναν άλλον άγγελο που δε φαινόταν μέχρι τώρα. Μισοκρυμμένος πίσω από μια σταχτοκίτρινη νεφέλη, κρατάει μια σάλπιγγα κι ετοιμάζεται να τη φέρει στα χείλια του για ν' αναγγείλει τον ερχομό του Κριτή. Καταμεσής στον ουρανό τα σύννεφα έχουν κιόλας παραμερίσει, ο ήλιος σταμάτησε και περιμένει, η ώρα πλησιάζει.

«Πόσο να κάνει πάνω κάτω;» μονολογεί ο άλλος.

«Δεν ξέρω, παιδί μου. Θα το μάθουμε την τελευταία στιγμή», αποκρίνεται ειρωνικά ο Μελέτιος.

Τα μάτια του έχουν καρφωθεί στην εικόνα μ' ολοφάνερη στοργή, αναγνωρίζουν την κάθε της λεπτομέρεια, παρατηρούν κάτι τοσοδούλικους λεκέδες που 'χει προκαλέσει η υγρασία, τις σχεδόν αδιόρατες χαραμαδιές που διασχίζουνε εδώ κι εκεί τη γη μπροστά στα πόδια των αμαρτωλών, την μπογιά που 'χει ένα σωρό σκασίματα πάνω στα χέρια και στα κορμιά τους, γύρω από τα κεφάλια τους. Ήταν νέος ο Μελέτιος, κάπου είκοσι χρόνων παλικάρι, όταν προσκύνησε για πρώτη φορά τούτη την Αποκάλυψη. Του 'χε πει ο ηγούμενος να μείνει γονατιστός μπροστά της την παραμονή της κουράς του, να προσευχηθεί όλη τη νύχτα και να παρακαλέσει το Θεό να του δώσει υπομονή και δύναμη, γιατί σε λίγο θ' άρχιζε γι' αυτόν η σκληρή και άτεγκτη μοναστική ζωή.

Από ψηλά, από την εικόνα τους, οι δυο άγγελοι του 'χαν κρατήσει συντροφιά μέσα στο σκοτάδι, τον είχαν συμπαρασταθεί. Και την άλλη μέρα, την ώρα που 'μπαινε στην εκκλησία για την τελετή της κουράς, τους ένιωσε να προχωρούν και να βαδίζουν δίπλα του, ο ένας στα δεξιά κι ο άλλος στα ευώνυμα, είδε τους αδελφούς να σκύβουν και να προσκυνούν την εξουσία τους, τη δόξα του Θεού που προμηνούσε η εμφάνισή τους.

Ο Μελέτιος απλώνει τα χέρια και παίρνει την αγαπημένη του εικόνα, τη σφίγγει στην αγκαλιά, οι άγγελοι σκεπάζονται από τα γένια του, οι αμαρτωλοί βρίσκουν μια πρόσκαιρη προστασία πίσω από τα φαρδομάνικά του.

« Ουαί, ουαί, ουαί τους κατοικούντας επί της γης», ψιθυρίζουν τα χείλια του.

Μ

ΣΕ ΛΙΓΟ ΧΑΡΑΖΕΙ. Το στρατόπεδο των Τούρκων περιμένει το σύνθημα για το γιουρούσι: πρώτα τα ταμπούρλα που θα βαρέσουν μόλις ο ουρανός αρχίσει να φωτίζεται, ύστερα τις τρουμπέτες που θ' αντηχήσουν όταν πιάσει να σκάει μύτη ο ήλιος. Τότε όλη κείνη η μυρμηγκιά θα κινηθεί, θα βαδίσει. Βαριά στην αρχή, μπατάλικα, ώσπου οι άντρες να κάνουν καμιά εκατοστή βήματα και να βρουν το ρυθμό τους. Πιο σβέλτα μετά, πιο αποφασιστικά, τη στιγμή που το πρώτο φως της μέρας θα φανερώσει του εχθρού τα μπαϊράκια πάνω στα παλιοκαστρίτικα μπεντένια.

Ξαφνικά οι τρουμπέτες θα ξανακουστούν.

Από παντού, απ' όλα τα σημεία του κάμπου, θα τους αποκριθούν ιαχές, άγριες κραυγές, βούκινα. Κάτω από τα πόδια του τούρκικου ασκεριού η γη θα σειστεί, μια υπόκωφη βουή θ' αναδυθεί από τα σπλάχνα της. Μέσα από τα δέντρα, τις λόχμες και τους θάμνους θα πεταχτούν σμάρια τα πουλιά, θα πάρουν φτερό και θα τραβήξουν κατά τα γύρω βουνά, θ' αναζητήσουν καταφύγιο στα υψώματα. Η μάχη θ' αρχίσει μόλις ο ήλιος βγάλει το κεφάλι πάνω από μια κορφή, όταν η μέρα θα 'χει καρδαμώσει.

Για την ώρα κανείς δε σαλεύει.

Στις πιο προχωρημένες θέσεις του στρατόπεδου οι ακιντζήδες κρατάνε γερά τα γκέμια των αλόγων τους που χλιμιντρίζουν ανυπόμονα, μερικοί πεζεύουνε και ρίχνουνε μια τελευταία ματιά στο καπίστρι, στα χάμουρα, βεβαιώνονται πως είναι γερά δεμένη η σέλα. Τα χαντζάρια τους είναι διαφορετικά από κείνα που 'χουν οι πεζοί, λιγότερο κυρτά και πιο μεγάλα, ώστε να τα δουλεύουν από ψηλά, να κόβουν εύκολα τα κεφάλια. Οι πιο πολλοί έχουν περασμένα στα ζωνά-

ρια δαυλιά πασαλειμμένα με ρετσίνι, για να τα πετάξουν α-
ναμμένα στους θάμνους που καλύπτουν τα ταμπούρια, για να
βάλουν φωτιά σε χαρακώματα όπου οι αμυνόμενοι κρύβουν
συχνά μπαρουτοβάρελα.

Κοντά στους ακιντζήδες, σε στρατηγικά σημεία του κά-
μπου, μυρμηγκιάζουν οι ασάπηδες: όλοι πεζοί, με γιαταγά-
νια μικρά, ελαφριά, με μαχαίρια και κουμπούρια στα ζωνά-
ρια. Όπως γίνεται συνήθως σε κάθε μάχη, αυτοί θα επιτε-
θούν πρώτοι για να βγάλουνε το φίδι από την τρύπα, αυτοί
θ' αφήσουν πίσω τους τα πιο πολλά κουφάρια. Τα πρώτα
πυρά του εχθρού, τα πιο πυκνά, τα πιο θανατηφόρα, αυτούς
θα θερίσουν, τα παλιοκαστρίτικα γιαταγάνια τα δικά τους
κορμιά θα πρωτοπετσοκόψουνε. Μα ούτε που το σκέφτονται
καν: όλη την περασμένη νύχτα οι ντερβίσηδες δεν έπαψαν να
τους φανατίζουν με κάθε τρόπο, να τους πιπιλίζουν το μυα-
λό, να τους περιγράφουν τον Παράδεισο, να τους μιλάνε για
τα βουνά τα πιλάφια κι όλα τ' άλλα καλά, για τα ουρί που θα
τους χορεύουνε καθώς θα παίζουνε τα επουράνια σάζια. Τώ-
ρα είναι έτοιμοι να χυθούν αλαλάζοντας κατά την πλαγιά, να
σκαρφαλώσουν με το χαντζάρι στα δόντια, να ορμήσουν κατά
τα μπεντένια φορτωμένοι σκάλες, γάντζους, παλαμάρια. Δε
θα τους καίγεται καρφί που τα βόλια θα πέφτουν βροχή, ούτε
που θα νιώθουν τα γιαταγάνια που θα τους μπήγονται στην
κοιλιά, που θα τους κόβουν αυτιά ή χέρια. Είναι πια βέβαιοι
πως όσο περισσότερους άπιστους σφάξουν, τόσο και πιο ολά-
νοιχτη θα βρουν του Αλλάχ την αγκαλιά, πως είτε ζήσουν
είτε πεθάνουν, θα τους γράψει η Ιστορία, θα 'χουν σίγουρη
την αιώνια δόξα.

Οι κανονιέρηδες, ξένοι οι πιο πολλοί, είναι ακόμα πιο α-
διάφοροι. Ξέρουν ότι σ' αυτή τη φάση της πολιορκίας δε δια-
τρέχουν κανένα κίνδυνο, πως οι γραμμές τους είναι μακριά
από τους εχθρούς. Για να φτάσουν κοντά τους, οι Παλιοκα-
στρίτες πρέπει να διασχίσουν ολάκερο το στρατόπεδο, ν' α-
νοίξουν δρόμο μέσα από το στρατό.

Οι Παλιοκαστρίτες...

Κανείς από τους στρατιώτες του Σελήμ πασά δεν τους

έχει δει από κοντά, δεν ξέρει πώς πολεμάνε, ποια είναι η ταχτική τους. Έχουν ακουστεί βέβαια πολλά για την παλικαριά τους, κυκλοφορούν ένα σωρό διαδόσεις για την πόλη τους. Μερικοί λένε ότι από τα πιο παλιά χρόνια ετούτοι οι άνθρωποι έχουν κλείσει μυστική συμφωνία μ' αλλοτινούς θεούς και δαίμονες που τους βοηθάνε στις κρίσιμες ώρες, πως η θρησκεία τους δεν είναι ίδια κι όμοια με κείνη που 'χουν οι υπόλοιποι Γιουνάνηδες. Γι' αυτό και ζούνε ολομόναχοι κι απομονωμένοι σ' αυτά τα κατσάβραχα, γι' αυτό και τ' αδέλφια τους σ' όλη την άλλη Ελλάδα αποφεύγουν τα πολλά αλισβερίσια με την πόλη τους.

Μια μέρα κάτι σαράτζηδες που δούλευαν δίπλα στο ποτάμι είπαν πως είχαν δει καμιά δεκαριά Παλιοκαστρίτες καβαλάρηδες να φανερώνονται ξαφνικά μπροστά τους σαν να 'χαν ξεφυτρώσει από τη γη, να περνάνε γρήγοροι σαν αστραπές από μια γέφυρα και να χάνονται πέρα μακριά, πίσω από κάτι υψώματα. Τα πέταλα των αλόγων τους έβγαζαν σπίθες και φωτιές, πάνω από τα κεφάλια τους πετούσαν και τους συνόδευαν ένα σμάρι κατάμαυρες κουρούνες. Άδικα οι σαράτζηδες καβαλίκεψαν κι αυτοί και τους έστρωσαν στο κυνήγι, του κάκου τους αναζήτησαν παντού, μάταια έψαξαν για ίχνη πίσω από κάτι λόφους όπου είχαν χαθεί: οι Παλιοκαστρίτες είχαν γίνει άφαντοι.

Μόλις αυτή η ιστορία έφτασε στου Σελήμ πασά τ' αυτιά, ο σερασκέρης έστειλε τον Ομάρ και μερικούς γενίτσαρους να πάνε να φέρουν τους σαράτζηδες, τους έμπασε στη σκηνή του, κλείστηκε μαζί τους κάμποση ώρα και τους ανάκρινε. Σε μια στιγμή βγήκε και φώναξε πάλι τον Ομάρ και του ζήτησε να μυρίσει τα χνώτα τους για να δει αν είχαν πιει. Μετά την εξέταση, ο αρχιγενίτσαρος αποφάνθηκε πως ο κάθε σαράτζης θα 'χε κατεβάσει ίσαμε έναν κουβά ρακή.

Τους έστειλαν στον καζασκέρη.

Λίγη ώρα αργότερα τα κεφάλια τους επιδείχτηκαν από τους βοηθούς του δήμιου σ' όλο το στρατόπεδο, καρφωμένα πάνω σε κάτι κοντάρια.

Ο Μουσταφάς περιμένει κι αυτός το σύνθημα.

Είναι απλός ασάπης, στην πρώτη γραμμή, μ' ένα μικρό γιαταγάνι και μια κάμα περασμένη στο ζωνάρι. Πάνε κάπου είκοσι χρόνια που κατατάχτηκε. Κείνη την εποχή είχε πέσει μεγάλη σιτοδεία στα μέρη του, οι άνθρωποι πέθαιναν σαν τις μύγες στο χωριό του. Είχε κάπου δυο χρόνια να βρέξει και τα λιγοστά σπαρτά που 'χε ο τόπος κάτσιαζαν, το καλαμπόκι ξεραινόταν πάνω που 'βγαιναν τα πρώτα του φύλλα. Πώς να ξεχάσει ο Μουσταφάς ότι στο σπίτι τους έβραζαν κι έτρωγαν αγριόχορτα, ρίζες, βαλάνια, πώς να μη θυμάται σ' όλη του τη ζωή τις ατέλειωτες συνοδείες των πεινασμένων που περνούσαν μέρα και νύχτα από τη δημοσιά, πώς να μη βλέπει στον ύπνο του όλα κείνα τα κουφάρια που 'ταν σπαρμένα στο δρόμο που τραβούσε για το Ερζερούμ ή για τ' Άδανα...

Χρόνια σκληρά, ανελέητα, οι άνθρωποι δε λογάριαζαν τίποτα πια για να μπορέσουν να φάνε, είχαν καταντήσει σκέτα θηρία. Γίνονταν σφαγές για ένα κομμάτι ψωμί, σκοτωμοί για το νερό, φριχτά φονικά για μια χούφτα αραποσίτι. Οι δρόμοι είχαν γεμίσει ληστές, δολοφόνους, φυγόδικους. Όλο και σκότωναν οι ζαπτιέδες, όλο κι αποκεφάλιζαν, αλλά οι απελπισμένοι απόκληροι ποτέ δε λιγόστευαν, όλο κι έβγαιναν καινούριοι πεινασμένοι στη ληστεία, έπαιρναν τα βουνά, χτυπούσαν όπου έβρισκαν, όπου μπορούσαν, ακόμα και του σουλτάνου τ' ασκέρια.

Μια μέρα έφτασαν στο χωριό του Μουσταφά τελάληδες: ο στρατός έπαιρνε εθελοντές.

Ο Μουσταφάς πρόστρεξε από τους πρώτους και ποτέ δεν το μετάνιωσε· έφαγε, χόρτασε και, κάτι με τον ψωρομισθό, κάτι με τα πλιάτσικα, κατάφερε να βάλει στην πάντα και λίγους παράδες. Κι από πάνω ταξίδεψε κιόλας, είδε κόσμο, γνώρισε χώρες μακρινές κι άγνωστες, άκουσε να μιλιούνται ένα σωρό γλώσσες. Από πόλεμο σε πόλεμο, από μάχη σε μάχη, όλο και μάθαινε τη ζωή, όλο και κάτι περισσότερο καταλάβαινε μ' όλα τα τρομερά και φοβερά που 'βλεπε. Το πρώτο πράγμα που του 'κανε εντύπωση ήταν το πόσο έμοιαζαν όλοι οι άνθρωποι όταν κρατούσαν σπαθί ή τουφέκι, πόσο ανήλεοι ήταν για τους αντιπάλους τους αλλά μπόσικοι, γεμάτοι κατανόηση, για τους εαυτούς τους. Την ίδια ομοιότητα είχαν συναναμετάξυ τους κι οι φτωχοί όπου κι αν κοιτούσε, όπου κι αν πήγαινε: τα κουρέλια τους ήταν ίδια σ' όλη την οικουμένη, οι τρώγλες κι οι καλύβες τους ήταν σαν αδελφάδες, δεν έβλεπες καμιά διαφορά στ' άδεια τσανάκια π' άπλωναν στους περαστικούς τα πεινασμένα παιδιά τους.

Όταν τ' ασκέρι οδοιπορούσε, ο Μουσταφάς παρατηρούσε τους ξωμάχους που 'σκαβαν κι ιδροκοπούσαν στα χωράφια, που πάλευαν ολημερίς με τα χώματα. Με τον ίδιο τρόπο έγερναν όλοι τα κορμιά σαν έσπερναν, σαν θέριζαν, όταν ποτίζαν, την ίδια ώρα καβαλίκευαν τα γαϊδούρια ή τα μουλάρια για να γυρίσουν το βράδυ στα χωριά. Κάθε φορά που μπορούσε ο Μουσταφάς έμπαινε στους οικισμούς και πλησίαζε στα σπίτια, κοντοστεκόταν εδώ κι εκεί στα καλντερίμια. Ήταν ικανός να κάθεται και να χαζεύει τα πιο απλά και συνηθισμένα πράγματα λες και τα 'βλεπε για πρώτη φορά, κοίταζε μ' ένα βλέμμα γεμάτο στοργή τους στάβλους και τα κοτέτσια, γυρόφερνε με θαυμασμό τις θημωνιές που περίμεναν τ' αλώνισμα, έστηνε αυτί τις νύχτες κι άκουγε με αγαλλίαση τους τριγμούς π' άφηναν τα καρπούζια καθώς μεγάλωναν μέσα στα μποστάνια. Όταν δεν υπήρχε κίνδυνος κι είχε από τους ανώτερους το λεύτερο, έπιανε κουβέντα με τους χωριάτες. Δεν τον πείραζε καθόλου που τις πιο πολλές φορές δεν καταλάβαινε τίποτε από τη γλώσσα τους: κατάφερνε να συνεννοηθεί χρησιμοποιώντας ένα χαρμάνι από ξένες λέξεις που 'ξερε, μάθαινε των ανθρώπων τα ονόματα, τους ρώταγε αν είναι φχαριστημένοι από τη συγκομιδή τους, αν ο Αλλάχ είχε στείλει βροχή στα μέρη τους.

Κάποτε, σ' ένα κεφαλοχώρι στη Μικρασία, βρήκε τους δρόμους έρημους, τις αυλές άδειες, τις πόρτες των σπιτιών θεόκλειστες. Σε μια στιγμή δυο παιδιά που 'χαν ξεμείνει σε μια λάκκα κι έπαιζαν πέρασαν από μπροστά τους σαν σαΐτες, χώθηκαν σ' ένα χαμόσπιτο και δεν ξαναφάνηκαν. «Καλύτερα να του δίνουμε μπας και μας βρει κάνα κακό», συμβούλεψαν κάτι συνάδελφοι που 'ταν μαζί του.

Ξαφνικά, εκεί που ετοιμάζονταν να φύγουν, ένα σκυλί πήρε να τους γαβγίζει, αλλά την ίδια στιγμή μια γυναίκα βγήκε από τη χαμοκέλα της κι έτρεξε να προγκήξει το ζώο που 'χε μιλήσει στους ξένους, που δεν είχε κάνει παρά το σκυλίσιο χρέος του, τη δουλειά του. Ο Μουσταφάς τη χαιρέτησε, αλλά εκείνη έκανε πως δεν άκουσε, πως δεν τον είδε. Κρατώντας το γιασμάκι για να μην ανοίξει, πέταξε ένα ξεροκόμματο στο σκυλί, του 'βαλε λίγο νερό σε μια κουρούπα και ξαναμπήκε στη χαμοκέλα της βιαστική.

Λίγο καιρό μετά ο Μουσταφάς είδε τη μάνα του σ' όνειρο. Ο γιος της γύριζε, λέει, επιτέλους στο πατρικό του ύστερα από χρόνια και χρόνια, ήταν κατακουρασμένος, κουρελιάρης, πασπαλισμένος από τη σκόνη του δρόμου. Η γριά στεκόταν όρθια στο κατώφλι κι ο Μουσταφάς, που την είχε δει από μακριά, πρόστρεξε, άνοιξε τα μπράτσα διάπλατα, έκανε να την αγκαλιάσει. Εκείνη όμως, την τελευταία στιγμή, απόστρεψε το πρόσωπο σαν να 'ταν θυμωμένη, σαν να 'χε ξαγαπήσει το γιο της και δεν ήθελε να τον δει. Κι όταν μετά στράφηκε και μπήκε στο σπίτι της, ο Μουσταφάς δεν τόλμαγε να την ακολουθήσει, αλλά καθόταν εκεί στο κατώφλι και κοίταζε την πόρτα που 'χε μείνει μισάνοιχτη, που κουνιόταν από τον άνεμο κι έτριζε στα στροφύλια της.

Σε καμιά άλλη χώρα του κόσμου δεν ένιωσε ο Μουσταφάς τόσο βαθιά κι άσβηστη την έχθρα του ραγιά όσο στην Ελλάδα. Τον καιρό που υπηρετούσε σ' ένα ασάπικο ασκέρι στην Κρήτη είχε καταφέρει να μάθει μερικά ελληνικά και τα μίλαγε τσάτρα πάτρα, άνοιγε καμιά φορά κουβέντα με τους Κρητικούς, ψώνιζε από τα μαγαζιά τους, έμπαινε στους καφενέδες τους. Μόλις καθόταν, έσπευδαν τουλάχιστο δυο τρεις πελάτες και τον κερνούσαν, του παράγγελναν μάλιστα συχνά και ναργιλέ. Χρειάστηκε να περάσει κάμποσος καιρός ώσπου ο Μουσταφάς να καταλάβει ότι δεν το 'καναν ούτε για να τον καλοπιάσουν ούτε για να του δείξουν τη φιλία τους: τον κερνούσαν για να μην αναγκαστούν να δεχτούν το δικό του κέρασμα, του πρόσφεραν ναργιλέ για να μην προλάβει να προσφέρει εκείνος. Όταν τύχαινε να παίζουν μαζί του χαρτιά, μηχανεύονταν ένα σωρό κόλπα ώστε να χάσουν. Όχι, όπως νόμιζε στην αρχή, για να τον φχαριστήσουν, αλλά γιατί, αν κέρδιζαν, θα 'πρεπε να πάρουν τους παράδες του.

Μια μέρα ο Μουσταφάς δεν άντεξε: «Μαγαρισμένα είναι τα λεφτά μου;» ρώτησε τους συμπαίχτες του. Εκείνοι έδειξαν ότι κάπως ντράπηκαν. Γι' αυτό, για να μην αποφανούν, πήραν τους παράδες που 'χαν κερδίσει, αλλά τους έδωσαν αμέσως σ' ένα ζητιάνο που πέρναγε κείνη τη στιγμή από το δρόμο.

Τέτοιες και χειρότερες προσβολές καταπίνει πολλές ο Μουσταφάς, δε διαμαρτύρεται σχεδόν ποτέ, δεν κάνει καβγάδες. Ξέρει δα το κρυφό του κουσούρι, κείνο το φόβο, κείνη τη λιποψυχιά που του τριβελίζει στις δύσκολες στιγμές την καρδιά. Τι να κάνει; Έτσι γεννήθηκε, έτσι τον έφτιαξε ο Αλλάχ. Κανένας δε γλιτώνει από τα καλά κι από τα κακά του χούγια, δεν υπάρχει άνθρωπος στον κόσμο που να μπορεί ν' αλλάξει το αίμα που τρέχει στις φλέβες του.

Παρ' όλα όσα έχουν δει τα μάτια του μέχρι τώρα, ύστερα απ' όλους αυτούς τους πολέμους και τους σκοτωμούς, δεν έχει συνηθίσει. Κάθε φορά π' ακούει κείνο το λυγμερό ήχο που βγάζουν τα γιαταγάνια καθώς ξεθηκαρώνονται όλα μαζί, ανατριχιάζει, το γιουρούσι της καβαλαρίας τού φέρνει πανικό, τα χουγιαχτά των εχθρών που χιμάνε με τα χαντζάρια στα χέρια κάνουν να του φεύγει το κάτουρο. Πριν από κάθε κρίσιμη μάχη οι πιο θαρραλέοι από τους συμπολεμιστές του του δίνουν κουράγιο, άλλοι του λένε να πιει ρακή και να μεθύσει, να χασισωθεί. Όλα τα δοκίμασε, τίποτα δε γίνεται. Ευτυχώς που υπάρχουν κι άλλοι, πολλοί, στην περίπτωσή του. Κι ας μην τ' ομολογούν. Μόλις ακούγονται τα τούμπανα που βαράνε γιουρούσι, ο Μουσταφάς τους βλέπει που παριστάνουν τους ατρόμητους, που ξεκινάνε με βήμα λεβέντικο κι αποφασιστικό, που χιμάνε από τους πρώτους. Μα του εχθρού οι θέσεις είναι ακόμα μακριά, οι αντίπαλοι περιμένουν ταμπουρωμένοι, δεν αντιδρούν. Όταν όμως πέφτουν τα πρώτα βόλια, τα πράγματα αλλάζουν, η αφοβιά ξεχνιέται, πάει περίπατο η γενναιότητα.

Γιουρούσι.

Τρέχα, Μουσταφά, τρέχα και μην κοιτάζεις ούτε δεξιά ούτε ζερβά. Όσο πιο γρήγορα φτάσεις μπροστά στων Παλιοκαστριτών τα ταμπούρια, τόσο καλύτερα. Αν κιοτέψεις τώρα, αν κάνεις πως σταματάς, θα πέσουν πάνω σου οι δικοί σου και θα σε κάνουν κομμάτια, άνθρωποι κι άλογα θα τσαλαπατήσουν τ' απομεινάρια σου. Γι' αυτό τρέχα, κάνε κουράγιο όπως και τότε που 'σουν παιδάκι, τότε που 'φευγες από το σπίτι κι έπαιρνες τους δρόμους για να βρεις κάτι να φας, γύριζες από δω κι από κει, ζητιάνευες. Για θυμήσου που το χειμώνα βούλιαζες μέχρι τα γόνατα στη λάσπη του δρόμου, που το καλοκαίρι έβαζες πάνω στο κεφάλι βρεγμένα πανιά για να μη σε ζαλίζει η πύρα του ήλιου... Μόλις έβρισκες κάνα σταυροδρόμι, καθόσουν σε μια πέτρα και περίμενες να περάσει με την άμαξά του κάνας άρχοντας ή πραματευτής, κάποιος ζωέμπορος. Άπλωνες το χέρι κι ό,τι κατάφερνες. Καμιά φορά η άμαξα είχε και γυναίκες, όμορφες σαν ουρί του Παραδείσου, με ματόκλαδα κατάμαυρα που γυάλιζαν, με μάγουλα και χείλια βαμμένα. Αν ο αμαξάς σταμάταγε, σήκωναν με χάρη τα γιασμάκια και χαμογελάγανε, σου χάιδευαν τα μαλλιά, άπλωναν ύστερα τα πόδια και σου 'διναν ένα βελουδένιο πανί για να τους σκουπίσεις τα πασουμάκια. Οι δούλες που τις συνόδευαν όλο και με κάτι σε φίλευαν, σου 'διναν κάνα κομμάτι ψωμί, σου 'βαζαν μια χούφτα μπουλγούρι στο τσανάκι.

Τρέχα, Μουσταφά.

Ό,τι και να σοφιστείς, δε γλιτώνεις. Ακόμα και στην κοιλιά της μάνας σου να ξαναμπείς, τίποτα δε θ' αλλάξει. Σάμπως με το φόβο δεν έζησες κι εκεί μέσα; Η κακομοίρα η Εζμέ σε είχε στην κοιλιά της και ξενοδούλευε, ξάριζε ή θέριζε στα χωράφια των μπέηδων, έκανε μπουγάδες σ' αρχοντικά των τσιφλικάδων. Όταν άκουγε τους τελάληδες να φωνάζουν ότι έρχονταν καραβάνια να μοιράσουνε στους πεινασμένους πληθυσμούς αλεύρι ή ψωμί, άρπαζε ένα τσουβάλι κι έτρεχε. Γκαστρωμένη ξεγκαστρωμένη, δε λογάριαζε τίποτα η Εζμέ, η κοιλιά της σερνόταν στο χώμα, μα δεν την ένοιαζε: η φαμίλια σε λίγο θα πλήθαινε, ένα ακόμα παιδί θα περίμενε κάθε μέρα στο σπίτι μ' ανοιχτό το στόμα.

Την πρώτη σου μάχη την έδωσες μέσα από τα σπλάχνα της μάνας σου, Μουσταφά. Μπορεί να μην την ένιωσες, να μην την είδες, αλλά εκείνη βρήκε τρόπο να φτάσει κοντά σου, μπήκε κι ανακατεύτηκε για πάντα με το αίμα σου. Γιατί τάχα νομίζεις ότι ετούτη τη στιγμή, τώρα που η ζωή σου και πάλι κινδυνεύει, ανεβαίνει από μέσα σου μια πίκρα και σου φαρμακώνει τα χείλια; Πάνε χρόνια που πασχίζεις ν' απαλλαγείς από δαύτη, μα δεν μπορείς, σε κυνηγάει κείνη η ιστορία που σου διηγήθηκε η μάνα σου, όταν μια μέρα σου εξήγησε πως ήσουν σημαδεμένος από τον πρώτο φόβο της ζωής σου. Να, κοίτα τους συμπολεμιστές γύρω σου, αυτούς όλους που τρέχουν δίπλα σου, μαζί σου: όπως σε κάθε μάχη, σου φαίνεται ότι δεν κρατάνε γιαταγάνια, όπλα και χαντζάρια αλλά σακούλια, καλάθια, τσουβάλια, οι άνθρωποι του καραβανιού θα τους δώσουν σε λίγο να φάνε για να μην πεθάνουν από την πείνα, θα τους μοιράσουν μπουλγούρι, καλαμπόκι, παξιμάδια. Τρέχουν οι συγχωριανοί σου για να προλάβουν τη διανομή, τρέχει κι η μάνα σου, αλλά η κακομοίρα η Εζμέ κουβαλάει μέσα στην κοιλιά της εσένα και δεν μπορεί να πηλαλήσει όπως οι άλλοι, κάθε τόσο τρεκλίζει και πέφτει, σηκώνεται, συνεχίζει, είναι σε μαύρο χάλι.

Τρέχα, Μουσταφά.

Ξαφνικά ο κόσμος γύρω σου τραντάζεται, ακούγονται φωνές, γίνεται μεγάλο κακό. Όχι, δεν είναι οι Παλιοκαστρίτες, αλλά οι πεινασμένοι χωριάτες που 'ρχονται στα χέρια με τους ζαπτιέδες που φρουρούν τα κάρα με τα τρόφιμα, μουγκρίζουνε σαν αγκρισμένα θεριά, αναποδογυρίζουνε τα πάντα, οι άντρες βγάζουνε μαχαίρια και σφάζονται, οι γυναίκες μαλλιοτραβιούνται. Το κορμί της μάνας σου κλυδωνίζεται σαν καράβι που θαλασσοπαλεύει κι εσύ νιώθεις πως όλα γύρω σου τρέμουνε, δεν μπορείς ν' ανασάνεις, πνίγεσαι.

Σε μια στιγμή η Εζμέ βλέπει ένα γεμάτο τσουβάλι.

Πάνω που χιμάει και τ' αγκαλιάζει, τη βλέπει μια συγχωριανή, έγκυα κι αυτή αλλά πιο νέα, πιο χεροδύναμη, στην

166

κοιλιά της έχει τον πρώτο σου αντίπαλο, τον πρώτο σου εχθρό. Κινδυνεύει κι αυτός όπως κι εσύ, τραντάζεται, υποφέρει. Ποιος ξέρει... Ίσως αυτή τη στιγμή να 'ναι κι αυτός ασάπης στ' ασκέρι του Σελήμ πασά, να ουρλιάζει και να τρέχει, να νιώθει την ίδια πίκρα στα χείλια του, τον ίδιο τρόμο στην καρδιά του... Η μάνα σου κι η μάνα του έχουν αρπαχτεί, δαγκώνουνε η μια την άλλη, χτυπιούνται, αλλά τους έχουν έρθει και των δυονών οι πόνοι και δε βαστάνε, ξεσμίγουνε, σφίγγουνε με τα χέρια τις κοιλιές τους κι αποτραβιούνται σε μια άκρη, χώνονται κάτω από 'να θάμνο, ξαπλώνουν δίπλα δίπλα και γεννάνε.

Τρέχα, Μουσταφά.

Τα παλιοκαστρίτικα ταμπούρια φαίνονται τώρα καθαρά, πίσω από τους βράχους ξεφυτρώνουν φέσια κατακόκκινα, τα όπλα ξερνάνε φωτιά, αστράφτουν τα γιαταγάνια.

Ήχοι μονάχα οδηγούν τον Μουσταφά, κλαγγές και ντιντινίσματα από όπλα, συρσίματα από πόδια, βογκητά. Δικό του είναι το αίμα που του 'χει μουσκέψει τα μαλλιά, που του κατεβαίνει από τ' ακρόφρυδα; Ο Μουσταφάς κοντοστέκεται, σηκώνει το χέρι κι αγγίζει το πρόσωπό του, ψαύει τα μάτια του. Κάποιος που βαδίζει συνέχεια από πίσω του τον σπρώχνει μαλακά:

— Προχώρα, δε φτάσαμε ακόμα, του λέει φιλικά.

Μα πότε σκοτείνιασε και δεν το κατάλαβε; Πολέμαγε λοιπόν μια ολάκερη μέρα; Ένιωσε κείνο το δυνατό χτύπημα στον αυχένα πάνω που σήκωνε για πρώτη φορά το γιαταγάνι. Ήταν μπροστά σ' ένα ταμπούρι κι έπεφταν τα βόλια βροχή.

— Μη φοβάσαι. Ώσπου να φτάσουμε στο στρατόπεδο, θα 'χεις ξαναβρεί το φως σου.

Ώστε δε βλέπει, έχει τυφλωθεί. Θα 'γινε τη στιγμή που πήγαινε να ορμήσει και να πέσει μέσα στο ταμπούρι. Το μόνο που θυμάται καλά είναι κείνος ο βρόντος που αισθάνθηκε σ' όλο του το κορμί, κείνη η έκρηξη που 'γινε την ίδια στιγμή μέσα στο κεφάλι του. Το κεφάλι του... Καλά· πώς έγινε και δεν του το 'κοψε το γιαταγάνι;

— Γι' άλλον προοριζόταν η γιαταγανιά. Γι' αυτό σε βρήκε η λάμα με το μάγουλο. Φτηνά τη γλίτωσες, εξηγεί η φωνή.

Φτηνά... Την έχει ακούσει τόσες και τόσες φορές αυτή την κουβέντα... Από ανθρώπους κουτσουρεμένους που κωλοσέρνονται στο χώμα δίχως πόδια, που τους λείπουν τα χέρια ή τ' αυτιά, που 'χουν άμορφες μάζες σάρκας αντί για πρόσωπα.

— Το 'παθα κι εγώ μια φορά. Είναι από το χτύπημα.

Ο συνάδελφος που μιλάει τον πιάνει από τους ώμους, τον στηρίζει και τον βοηθάει να κατέβει σιγά σιγά σε μια απότομη ρεματιά. Ο Μουσταφάς ακούει να κατρακυλούν πίσω τους πέτρες, να τους προσπερνάνε και να πέφτουν πιο κάτω παφλάζοντας σε νερά.

— Άργησες να ξαναβρείς το φως σου;

— Μερικές μέρες.

Στο βάθος της ρεματιάς κοντοστέκονται για να ξανασάνουν. Πάνω από τα κεφάλια τους όλο και κατεβαίνουν οι ασάπηδες, ο τόπος έχει γεμίσει κορμιά που σαλεύουν, που μαζεύονται εδώ κι εκεί στα περάσματα και πιάνονται από τους βράχους σχηματίζοντας τεράστια και ζωντανά τσαμπιά. Ξαφνικά κάποιος γλιστράει και πέφτει, κατρακυλάει, προσπαθεί από κάπου ν' αρπαχτεί, βρίσκει ένα πόδι και τ' αγκαλιάζει, το κακό αρχίζει. Μέσα σε λίγα δευτερόλεπτα όλα έχουν γίνει σωρός κουβάρι, ακούγονται από παντού βόγκοι, ντιντινίσματα από σιδερικά, βρισίδια.

— Αν κάνουν πως μας ρίχνονται εδώ μέσα, δε θα μείνει ούτε ένας από μας ζωντανός, λέει ο σύντροφος του Μουσταφά.

Ο Μουσταφάς τρίβει άδικα με τα δάχτυλα τα μάτια του.

— Μου φαίνεται ότι για μένα τέλειωσε ο πόλεμος, στενάζει.

— Από πού είσαι;

— Από 'να χωριό κοντά στ' Άδανα.

— Είσαι παντρεμένος;

— Δεν πρόλαβα. Μου 'χαν κάνει προξενιά λίγο πριν καταταχτώ.

Μια μέρα ήρθε στο σπίτι με τη μάνα της κι ο Μουσταφάς την είδε και τ' άρεσε, φαινόταν ήσυχη, σεμνή. Δεν τον πείραζε που 'ταν μικρή ακόμα, άγουρη, που μόλις κι είχαν αρχίσει να στρογγυλεύουν τα στήθια της, που δεν είχαν πιάσει αρκετό ψαχνό τα γοφιά της. Θα μεγάλωνε, θα μέστωνε, θα την έψηνε η δουλειά, θα μάθαινε σιγά σιγά όλα τα μυστικά της ζωής, ένα ένα και με την πρεπούμενη σειρά, θα τη δίδασκαν η ανάγκη κι η φτώχεια.

Οι δυο μανάδες είχαν καθίσει μπροστά στο τζάκι και σιγοκουβέντιαζαν ήρεμα, σοβαρά. Τ' αυτί του Μουσταφά έπαιρνε πού και πού μερικές λέξεις, γινόταν λόγος για προικιά, δηλαδή για μερικά ψευτοπράματα, κάτι σεντόνια, ένα χάλκωμα, μια σιδεροστιά. Σε μια στιγμή οι γυναίκες σηκώθηκαν και του 'δειξαν χαμογελώντας ένα ζευγάρι κόκκινα και καλοπλεγμένα ντιρλίκια με κίτρινα κορδόνια.

— Γιατί δεν την πήρες αφού σ' άρεσε;

— Δεν ξέρω τι μ' έπιασε. Τη λυπήθηκα.

Ήξερε κείνο το έθιμο, η μάνα του τον είχε κατηχήσει. Η Εζμέ κοίταγε μια το κοριτσάκι και μια εκείνον, χαμογέλαγε και περίμενε. Όλα τα πράγματα στο συνοικέσιο έπρεπε να γίνουν σωστά, όπως είχαν ορίσει οι παλιοί που 'ξεραν τι ακριβώς χρειαζόταν για να στεριώσει το ζευγάρι, για να του τα φέρει ο Αλλάχ όλα δεξιά. Αλλά τη στιγμή που ο Μουσταφάς έσκυβε για να βάλει στα πόδια τα ντιρλίκια, η άλλη μάνα έκανε στην κόρη της νόημα κι εκείνη πρόστρεξε, τα πήρε στα χέρια της και γονάτισε για να του τα φορέσει, όπως ήταν πρεπούμενο, η ίδια.

— Και γι' αυτό τα χάλασες;

— Όχι ακριβώς, μα, να, πώς να σ' το πω... Έτσι που την είδα, θυμήθηκα κείνα τα χρόνια που ζητιάνευα, τότε που καθόμουν και περίμενα τις άμαξες των πλούσιων στα σταυροδρόμια. Έμπαινα και γονάτιζα όπως κι εκείνη, σκούπιζα μ' ένα πανί των μεγαλοκυράδων τα πασουμάκια.

Πιάνονται από το χέρι σαν μαθητούδια που γυρίζουν από

το σχολείο, μπαίνουν στο νερό για να βγουν απέναντι, στην άλλη πλαγιά της ρεματιάς. Στα ρουθούνια του Μουσταφά φτάνει μια μυρουδιά βαριά, αναγουλιαστική.

— Θα 'ναι το αίμα, λέει ο σύντροφός του.

— Δε θα τους βγάλουμε ποτέ από κει πάνω. Θα μας τρώνε λίγους λίγους, όπως και σήμερα.

— Κάθε φορά όμως θα τρώμε κι εμείς μερικούς. Πόσο θ' αντέξουν; Δεν είναι και πολλοί.

— Λένε ότι πολεμάνε κι οι γυναίκες τους.

Αχ, αν είχε τότε πιο πολύ μυαλό στο κεφάλι... Η μάνα του θα του 'χε προξενέψει άλλη, θα του 'χε βρει μια καλή και άξια γυναίκα. Αυτή τη φορά δε θα 'χε κάνει το δύσκολο με τα ντιρλίκια, θα 'χε απλώσει όχι μονάχα τα πόδια μα και τα χέρια.

— Έπρεπε να 'χα ακούσει τη μάνα μου.

— Κι ο πατέρας σου;

— Σπάνια τον έβλεπα, τον κακομοίρη...

Νύχτα σηκωνόταν από το στρώμα ο Αλής, νύχτα ξαναγύριζε στο σπίτι του. Ήθελε κάπου δυο ώρες δρόμο μέχρι το μεταλλείο, έπρεπε να περάσει από 'να διάσελο στ' απέναντι βουνό, να διασχίσει μετά ένα μικρό κάμπο. Όταν έφτανε μπροστά στο κεντρικό πηγάδι του μεταλλείου, οι άλλοι είχαν κάνει κιόλας ουρά και περίμεναν. Μόλις ερχόταν η σειρά του, ο Αλής έπαιρνε το πικούνι που του 'διναν, καθόταν σ' ένα σαμπάνι και τον κατέβαζαν. Κείνη την ώρα ο ουρανός είχε ακόμη άστρα.

Χρόνια και χρόνια ο Αλής στα έγκατα της γης. Έξω ξημέρωνε, ερχόταν μεσημέρι, τ' απόγεμα κι η δύση έφταναν, αλλά αυτός δεν έβλεπε ποτέ ήλιο, είχε ξεχάσει πώς ήτανε ο κόσμος τη μέρα, πώς πέταγαν τα πουλιά, πώς γυάλιζαν οι σταγόνες της δροσιάς πάνω στων δέντρων τα φύλλα. Από 'να κορδόνι, που 'ταν περασμένο στο λαιμό του, κρεμόταν ένα μπουκαλάκι λάδι για το λυχνάρι του. Καμιά φορά, για να μην τρώει σκέτο το μπουλγούρι που του 'βαζαν σε μια ξύλινη γαβάθα, έριχνε μέσα λίγο λυχναρόλαδο για να το νοστιμίσει κάπως, αλλά το φως κρατούσε λιγότερο κείνη τη μέρα κι ο Αλής αναγκαζόταν να σκάβει στα σκοτεινά.

— Πού είμαστε; ρωτάει ο Μουσταφάς.

— Ζυγώνουμε στο στρατόπεδο.

Από πέρα μακριά ακούγονται κάτι τρουμπέτες που βαράνε σύναξη στη σκηνή του σερασκέρη. Σε λίγο θα μαζευτούν εκεί μέσα οι αξιωματικοί που 'χαν την ευθύνη για το γιουρούσι, θα σχολιάσουν την πρώτη μάχη του πολέμου, πάνω στα τραπέζια θ' απλωθούν χάρτες, θα γίνουν αναφορές. Σε μια στιγμή η πόρτα θ' ανοίξει, θα φανερωθεί ένας γενίτσαρος, θα κάνει μια βαθιά υπόκλιση και θα δώσει στον Σελήμ πασά ένα χαρτί με τις απώλειες.

Για λίγα δευτερόλεπτα θ' απλωθεί σιωπή.

Ύστερα ο σερασκέρης θα πάρει ένα βαρύ κατάστιχο, το ημερολόγιο της πολιορκίας, και κάτι θα γράψει. Μερικές λέξεις. Το πολύ πολύ μια δυο αράδες.

N

ΗΣΥΧΑ, ΑΘΟΡΥΒΑ, ΔΙΧΩΣ ΒΙΑΣΥΝΗ, ΟΙ ΠΑΛΙΟΚΑΣΤΡΙΤΕΣ ανεβάζουν τους σκοτωμένους στην πόλη. Ξαναμμένος από τη μάχη, πασπαλισμένος μπουχό, ο Κώστα Μπέκας στέκεται μπροστά στην ανοιχτή πύλη και κοιτάζει αμίλητος τα κορμιά που περνάνε απλωμένα και ξέσκεπα πάνω σε φορεία, τις ματωμένες φουστανέλες που κρέμονται κι αγγίζουν το χώμα, που μπλέκονται στις αιχμηρές πέτρες και στ' αγκάθια. Πού και πού, όταν αναγνωρίζει τη μαλαμοκαπνισμένη πιστόλα ενός παλιού σύντροφου, το πλουμιστό φέσι ενός γείτονα ή τα γκρίζα μαλλιά ενός συνομήλικου φίλου, κάνει με το χέρι νόημα κι η συνοδεία των νεκρών σταματάει. Για λίγα δευτερόλεπτα το βλέμμα του Κώστα Μπέκα μένει προσηλωμένο πάνω στον σκοτωμένο, λες κι ο καπετάνιος περιμένει να χαραχτεί στη μνήμη του η μορφή του, σαν να ξαναζωντανεύουν μέσα του περιστατικά από τη ζωή του νεκρού πολεμιστή, από τους αγώνες του.

Σε λίγο, μπροστά στο κεφαλόσκαλο κάποιου σπιτιού, θα υποδεχτεί τον πεθαμένο η φαμίλια του, θα τον περιτριγυρίσουν τα παιδιά του, οι φίλοι του. Μετά θα περάσει από κει όλο το Παλιόκαστρο για να προσκυνήσει, οι μεγάλοι θα δείχνουν στα παιδιά τις λαβωματιές που 'χει ο νεκρός στο στήθος, θ' ανησπάζονται τα σταυρωμένα του χέρια, θ' αγγίζουν με σεβασμό το γιαταγάνι ή το τουφέκι που θα 'ναι ακουμπισμένο δίπλα του. Αργά τη νύχτα, όταν θα 'χει αποτελειώσει την επιθεώρηση τ' ασκεριού, ο Κώστα Μπέκας θα φέρει κι αυτός βόλτα όλα τα χαροκαμένα σπίτια. Όχι για να θρηνήσει ή να συλλυπηθεί, αλλά για ν' αποχαιρετήσει τους νεκρούς συμπολεμιστές του, να παραδώσει τα τιμημένα τους όπλα στους γιους τους. Δε θ' ακουστεί θρήνος από κανένα σπίτι, το Παλιόκαστρο δεν έχει καιρό για κλάματα και για μοιρολόγια: οι πεθαμένοι με τους πεθαμένους κι οι ζωντανοί με τους ζωντανούς, ζωσμένοι τ' άρματά τους, πάνω στα τείχη, στα πόστα τους.

Τις προάλλες ο Κώστα Μπέκας τους κάλεσε όλους σε σύναξη και τους μίλησε καθαρά, σταράτα. Ο Σελήμ πασάς, είπε, δεν είναι όποιος όποιος, έχει μαζί του ασκέρι γερό κι άξιο, ξέρει να το κουμαντάρει, να το χρησιμοποιεί. Απ' ό,τι δείχνουν τα πράγματα, ο σουλτάνος αποφάσισε να ξεμπερδεύει μια και καλή με τούτη την ανυπόταχτη κι αντάρτισσα πολιτεία που ποτέ δε θέλησε να προσκυνήσει το θρόνο του, να καταστρέψει αυτή την αϊτοφωλιά και να ξεκάνει τους αϊτούς που πετάνε λεύτεροι εδώ κι αιώνες, που δίνουν το κακό παράδειγμα και σ' άλλα πουλιά. Έρχονται δύσκολοι καιροί για όλους τους Έλληνες, είπε ο καπετάνιος. Όπως κι άλλοτε, στην Ελλάδα πάλι θά 'ρθουν και θ' αναμετρηθούν, θα λύσουν τις διαφορές τους τα μεγάλα έθνη, εδώ θα σμίξουνε ξανά Δύση κι Ανατολή, θ' αρπαχτούν και θα παλέψουν χριστιανοί και μουσουλμάνοι.

Το Παλιόκαστρο κινδυνεύει θανάσιμα, φώναξε ο Κώστα Μπέκας για να τον ακούσουν όλοι. Όποια απόφαση κι αν παρθεί, πρέπει να ζυγιαστεί καλά. Όσοι πιστεύουν πως η πόλη πρέπει να δοκιμάσει να σωθεί δίχως πόλεμο, να παζαρέψει με τον Σελήμ πασά, να το πούνε χωρίς δισταγμό. Δεν είναι ντροπή να θέλεις να γλιτώσεις την πατρίδα δίχως να χυθεί αίμα, να κάνεις ό,τι μπορείς για να μη στείλεις τζάμπα τα παλικάρια στο χαμό. Η Ελλάδα αγωνίζεται εδώ κι αιώνες, τα χωριά της έχουν ερημωθεί, τα παιδιά της παίρνουν τα μάτια τους και φεύγουν, ξενιτεύονται, μένουν χέρσα τα χωράφια της.

Όσοι πάλι νομίζουν ότι δεν υπάρχει άλλη λύση εξόν από τον αγώνα ας μιλήσουν κι αυτοί λεύτερα. Δε θα βρεθεί κανένας να τους κατηγορήσει για ψευτοπαλικαράδες, να πει πως είναι από κείνους που πολεμάνε εύκολα με τα λόγια αλλά δύσκολα με τ' άρματα. Δεν υπάρχει ούτε ένας Παλιοκαστρίτης που να μην έχει στο κορμί του σημάδια από βόλια, που να μη χόρτασε μάχες, πολιορκίες και γιουρούσια στη ζήση του.

Λίγοι πήραν το λόγο, αλλά κι αυτοί δεν είπαν πολλά. Δείχνοντας κατά τη μυρμηγκιά των Τούρκων που μαύριζε κάτω στον κάμπο, κατά τα σύννεφα τον μπουχό που σήκωναν πέρα στη δημοσιά οι εφοδιοπομπές του Σελήμ πασά που όλο κι έρχονταν, έλεγαν περίπου όλοι το ίδιο πράγμα: τι να διαπραγματεύονταν; Τι θα κερδίζαν; Αν οι Τούρκοι είχαν σκοπό να το ρίξουν στα παζάρια, δε θα 'χαν συγκεντρώσει όλα τούτα τ' ασκέρια. Και ποιος δεν ήξερε τι ήθελαν οι Οθωμανοί; Το πρώτο που θ' απαιτούσε ο σερασκέρης θα 'ταν να γκρεμίσει το Παλιόκαστρο τα μπεντένια του, να παραδώσει τα κανόνια και τ' άρματά του, να δεχτεί Τούρκο μπέη στο χώμα του. Όλα τ' άλλα κακά θα 'ρχονταν ύστερα μόνα τους, το 'να μετά το άλλο, σαν του κομπολογιού τις χάντρες, θ' άρχιζαν τα δοσίματα και τα χαράτσια, τα προσκυνήματα, η ανυπόφερτη σκλαβιά.

— Να κοιτάξουμε μπας και μπορούμε να σώσουμε τα γυναικόπαιδα, είπε κάποιος.

— Πες πως μπορούμε. Τι θα γίνει μετά; τον ρώτησε απότομα ο Κώστα Μπέκας.

Για κάμποση ώρα κανείς δε μίλαγε, όλοι ανασκαλίζαν στη μνήμη τους ένα σωρό παρόμοια περιστατικά που 'χαν ακούσει, πράγματα που 'χαν γίνει σε γειτονικές πόλεις και χωριά, παντού σ' όλη την Ελλάδα: κλάματα, θρήνοι, ξεριζωμοί, πορείες τη νύχτα μέσα από βουνά και φαράγγια, με το φόβο και την αγωνία στην καρδιά. Ύστερα η μαύρη κι άραχλη ζωή σε μακρινά κι αφιλόξενα μέρη, οι λαύρες του καλοκαιριού κι οι παγωνιές του χειμώνα σε σπηλιές και κάτω από τα δέντρα στα χωράφια, μέσα σ' ερειπωμένα σπίτια, σ' εγκαταλειμμένα μαντριά. Όλοι με αποφόρια των ξένων στα κορμιά, με απλωμένα τ' άδεια τσανάκια, με δανεικιά και κατάπικρη λευτεριά. Οι Παλιοκαστρίτισσες, που 'ταν μαθημένες να ζουν με ψηλά τα κεφάλια, να κοιτάζουν γύρω τους με περήφανα βλέμματα, να δουλεύουν στην ανάγκη γιαταγάνια, θ' αναγκάζονταν να ζητιανεύουν από πόρτα σε πόρτα, θα κάθονταν και θα περίμεναν βοήθεια σε ξένα κατώφλια, με τα μωρά στην αγκαλιά. Τι θα 'λεγαν σε κείνα τα παιδιά όταν θα μεγάλωναν; Πώς θα τους εξηγούσαν; Ποια απάντηση θα τους έδιναν, όταν μια μέρα θα τις ρώταγαν με ποιο δικαίωμα τα καταδίκασαν στην αιώνια περιπλάνηση, στην ταπεινωτική ξενιτιά;

— Μετά τι θα γίνει; επέμεινε ο Κώστα Μπέκας.

Κανείς δεν αποκρίθηκε. Ούτε αυτός που 'χε ρωτήσει ούτε κι άλλος κανείς, άλλη γνώμη δεν ειπώθηκε. Μέσα στη σιωπή π' απλώθηκε δεν ακούγονταν παρά τα ταμπούρλα κι οι τρουμπέτες των Τούρκων που όλο και πλήθαιναν στον κάμπο. Πάνω στα τείχη, σαν να τους αποκρίνονταν, αντηχούσαν τα συνθηματικά σφυρίγματα των παλικαριών που φύλαγαν καραούλι. Από τις πλαγιές των γύρω βουνών έφταναν πού και πού μέχρι τ' αυτιά τους τα κρωξίματα των αϊτών που 'κοβαν κύκλους στον ουρανό επιτηρώντας από ψηλά τα λημέρια τους, προσέχοντας μπας και ζυγώσουν τίποτε αγρίμια στις φωλιές τους.

Μ' όλη του την προσοχή συγκεντρωμένη, με το μυαλό του να σκέφτεται και να ζυγιάζει χίλια πράγματα την ίδια στιγμή, ο Κώστα Μπέκας κοιτάζει το χάρτη του Παλιόκαστρου και του κάμπου που κρέμεται σ' έναν τοίχο της τάξης του σχολείου, μπροστά του. Μην ξέροντας σχεδόν τίποτε από χαρτογραφία, μόνο και μόνο με τη βοήθεια ενός βιβλίου με χάρτες που 'χε φέρει από τη Βενετιά, ο Φώτης είδε κι έπαθε για να τον σχεδιάσει κοιτάζοντας όλη τη μέρα μ' ένα κανοκιάλι το στρατόπεδο των Τούρκων, σημειώνοντας προσεχτικά όλες τις λεπτομέρειες του εδάφους, τα γύρω βουνά με τις κορφές και τις πλαγιές τους, τις ρεματιές π' ανοίγονταν εδώ κι εκεί πάνω στους επιβλητικούς όγκους τους. Διαβάζοντας τις συμβουλές που 'δινε το βιβλίο, όλο και καλυτέρευε, όλο και συμπλήρωνε το χάρτη μ' ένα σωρό σημάδια, κουκίδες και κυκλάκια που 'δειχναν τις θέσεις των τούρκικων ασκεριών, με φιδωτές γραμμές που σήμαιναν τα μονοπάτια, τα περάσματα. Όταν ο δάσκαλος αποτέλειωσε τη δουλειά, η πατρίδα του ήταν στριμωγμένη σ' ένα κομμάτι χαρτί, τα βουνά της είχαν χωρέσει σε μια τοσηδούλα επιφάνεια, τα παλιοκαστρίτικα ταμπούρια ήταν μεταμορφωμένα σε κάτι μικρά τετράγωνα. Τίποτα δεν είχε παραλειφθεί, τίποτα δεν έλειπε, ήταν σημειωμένα ακόμα και τ' αργαστήρια των ταμπάκων, οι σκηνές των γενίτσαρων, τα μέρη όπου βρίσκονταν αραγμένες οι άμαξες των εμπόρων και των γιατρών, τ' αναχώματα που προστάτευαν τις μπαρουταποθήκες των Τούρκων.

Μπροστά σε κείνο το χάρτη επεξεργάστηκε ο Κώστα Μπέκας το παράτολμο σχέδιό του, εξέτασε μαζί με τους προεστούς όλες τις φάσεις της επιχείρησης που 'χε από καιρό ωριμάσει στη σκέψη του.

Δε θα του χρειάζονταν παρά λίγοι άντρες, καμιά πενηνταριά καβαλάρηδες, που θα ξεπετάγονταν νύχτα από τη ρεματιά, που θα ξεχύνονταν μαζί του μέσα στα σκοτάδια. Ώσπου να καλοκαταλάβουν τα καραούλια των Τούρκων τι γινόταν, οι Παλιοκαστρίτες θα 'χαν φτάσει στην καρδιά του στρατόπεδου, θ' άνοιγαν δρόμο σφάζοντας τους πανικόβλητους φρουρούς, θα συνέχιζαν, θα προχωρούσαν. Πριν προλάβουν οι Τούρκοι να συνέρθουν και ν' ανάψουν δαυλιά για να φέξουν κάπως τον τόπο γύρω τους, οι καβαλάρηδες του Κώστα Μπέκα θα 'χαν πλησιάσει στα κανόνια και θα ρίχνονταν με λύσσα στους κανονιέρηδες που 'ταν ο στόχος τους, θα χτύπαγαν γερά, θα σκότωναν αλύπητα. Αν όλα πήγαιναν καλά, αν οι Τούρκοι δεν τους κύκλωναν, θα 'χαν αρκετό χρόνο για να ξεκάνουν κάμποσους, πολλούς — με λίγη τύχη ίσως να τους ξεμπέρδευαν όλους. Ύστερα θα 'φευγαν από την άλλη μεριά του στρατόπεδου και θα 'φταναν στη ρεματιά, θα 'κρυβαν σβέλτα τ' άλογα σε μια σπηλιά που χρησιμοποιούσαν για τα νυχτερινά γιουρούσια, θα χώνονταν μετά σε μια γαλαρία και θα εξαφανίζονταν.

Θα 'ταν μεγάλο χτύπημα για το ηθικό των Τούρκων.

Όχι τόσο επειδή οι Παλιοκαστρίτες θα 'χαν δείξει στον Σελήμ πασά ότι μπορούσαν να κινούνται στον κάμπο σαν να 'ταν άδειος, σαν να μην υπήρχε τούρκικος στρατός, αλλά γιατί το πυροβολικό θα 'μενε για κάμποσον καιρό βουβαμένο, άχρηστο. Ο Κώστα Μπέκας ήξερε καλά ότι ο σερασκέρης θα δυσκολευόταν πολύ για ν' αντικαταστήσει τους ξένους πυροβολητές, όλους εκείνους τους Ιταλούς κι Αυστριακούς που τους ακριβοπλήρωνε μ' αληθινό χρυσάφι και τους περιποιόταν λες κι ήτανε παιδιά του σουλτάνου, τους κέρναγε ρακή στο προαύλιο της σκηνής του, καλούσε τον αρχηγό τους, ένα Βενετσιάνο μηχανικό, στο τραπέζι του. Ώσπου να βρει άλλους Ευρωπαίους που να ξέρουν καλά τη δουλειά, ώσπου να στείλει μήνυμα στην Πόλη κι από κει να ειδοποιήσει ο σουλτάνος τους πρεσβευτές του για να στρατολογήσουν νέους κανονιέρηδες, θα πέρναγαν κάμποσοι μήνες. Στο μεταξύ το Παλιόκαστρο θα 'χε καιρό να οργανώσει καλύτερα την άμυνά του, τα παλικάρια του θα μπορούσαν να κάνουν εξόδους και γιουρούσια χωρίς να φοβούνται τα κανόνια, ίσως έφτανε κι από τη Γαλλία κείνη η βοήθεια.

Ο Κώστα Μπέκας συλλογίζεται, καταστρώνει το σχέδιό του, μελετάει τις λεπτομέρειες, κοιτάζει το χάρτη και προσπαθεί να μαντέψει, να φανταστεί όλες τις ενδεχόμενες επιπλοκές. Πίσω του ο Φώτης ρίχνει στο λυχνάρι λάδι με το ροΐ, είναι κι αυτός βυθισμένος στις σκέψεις του, κάνει τους λογαριασμούς του.

— Πόσοι λες να 'ναι οι κανονιέρηδες, καπετάνιο; λέει σε μια στιγμή.

— Καμιά κατοσταριά, ίσως και περισσότεροι, αποκρίνεται ο Κώστα Μπέκας δίχως ν' αποσύρει το βλέμμα του από το χάρτη.

— Και ποιος τους κουμαντάρει;

— Ένας Βενετσιάνος, ο Τζουζέπε. Δουλεύει χρόνια για τους Τούρκους, είναι από τους καλύτερους μηχανικούς.

Ο δάσκαλος σκουπίζει τα λαδωμένα του χέρια μ' ένα πανί και κοιτάζει με τη σειρά του το χάρτη. Έχει καταλάβει πόσο δύσκολο, πόσο επικίνδυνο είναι το σχέδιο του καπετάνιου, συμμερίζεται τους φόβους του, μαύρες ιδέες κατακλύζουν το νου του. Καλά, να κινδυνέψουν τα παλικάρια, να θυσιάσουνε πενήντα Παλιοκαστρίτες τη ζωή τους για να βγουν από τη μέση οι κανονιέρηδες του Σελήμ πασά. Μα ποιο τ' όφελος; Ο σερασκέρης δε θ' αργήσει και πολύ να βρει καινούριους πυροβολητές: άμα θ' ανοίξει ο σουλτάνος τον μπεζαχτά του, μόλις δουν και γυαλοκοπήσει λίγο το χρυσάφι του, θα τρέξουν κατά εκατοντάδες οι ξένοι εθελοντές. Τι τους νοιάζει αυτούς; Γιατί να διστάσουν; Οι Τούρκοι πρεσβευτές στην Ευρώπη ξέρουν καλά τη δουλειά τους, κουβεντιάζουν και τα κάνουν πλακάκια με τα γκουβέρνα της Δύσης, βάζουνε στο χέρι υπουργούς, ώστε στην κρίσιμη στιγμή να κλείνουν τα μάτια, να παριστάνουν τους αθώους, τους ανήξερους. Ο σουλτάνος έχει μάθει πια τις αδυναμίες των Δυτικών, ξέρει ότι γυρεύουν ευκαιρία να βάλουν πόδι στα Βαλκάνια, ότι ξερογλείφονται για τα παράλια της Δαλματίας και για τη γη των Αλβανών και των Σέρβων, πως ονειρεύονται να βγουν μια μέρα στη Μαύρη Θάλασσα, να κυριαρχήσουν στο Αιγαίο. Αν χρειαστεί, είναι έτοιμοι να στείλουν στην Ελλάδα στρατό για να βοηθήσουν τους Οθωμανούς, ώστε ν' αντέξει ακόμα λίγο η Αυτοκρατορία τους, για να προλάβουν να ετοιμαστούν καλύτερα, να τη χτυπήσουν αργότερα, να τη μοιράσουν αναμεταξύ τους. Ποιον έχουν να λογαριάσουν; Ποιον να φοβηθούνε; Το πολύ πολύ να φωνάξουνε εδώ κι εκεί μερικοί φωτισμένοι αριστοκράτες σαν εκείνους που στέλνουν από τη Γαλλία γράμματα στον Κώστα Μπέκα, να κλαψουρίσουνε δυο τρεις φιλέλληνες. Ύστερα, όταν οι Τούρκοι θα 'χουν κυριέψει το Παλιόκαστρο, όταν θα 'χουν κάνει τα σπίτια του στάχτη, όταν θα 'χουν αποσφάξει τα παιδιά του και τις γυναίκες του, θα τους πιάσουν τάχα βαριές τύψεις όλους αυτούς, θ' ανάψουνε μεγάλες συζητήσεις στα σαλόνια τους. Την ώρα που θα χορεύουν καντρίλιες και μενουέτα, οι κόμητες κι οι μαρκήσιοι θα εκφράζουν ευγενικά τον αποτροπιασμό τους, θα μιλάνε για τους πολιτισμένους Έλληνες και για τους απολίτιστους Οθωμανούς, οι παρφουμαρισμένες κυράδες θα βγάζουν μεταξωτά μαντιλάκια και θα σκουπίζουν τα δάκρυά τους.

«Αυτή τη φορά πρέπει να πολεμήσουμε αλλιώτικα», συλλογιέται ο δάσκαλος. «Έφτασε πια ο κόμπος στο χτένι, η κατάσταση δε σηκώνει δισταγμούς, μισές δουλειές: για να τα βγάλεις πέρα με τους λυσσασμένους, πρέπει ν' αφήσεις να ξεσπάσει κι η δική σου λύσσα, οι αδίσταχτοι να βρίσκουν στο δρόμο τους αδίσταχτους. Δε χρησιμεύει σε τίποτα να πολεμάς ανθρώπινα και πολιτισμένα όταν έχεις να κάνεις με λύκους».

— Έχω μια ιδέα, καπετάνιο.

Ο Κώστα Μπέκας στρέφεται, κοιτάζει τον Φώτη και γουρλώνει τα μάτια, δεν μπορεί να κρύψει την έκπληξή του. Το πρόσωπο του δάσκαλου είναι αλλοιωμένο, βαθιές ρυτίδες χαράζουν το κούτελό του, το σαγόνι του σιγοτρέμει.

— Τι τρέχει, Φώτη;

— Άκου, καπετάνιο... Θέλω να σου πω για τους κανονιέρηδες. Ναι, πρέπει να ξεμπερδεύουμε με δαύτους, το παραδέχομαι. Αλλά πες πως ξεμπερδέψαμε. Τι θα ωφεληθούμε; Σε δυο τρεις μήνες θά 'ρθουν άλλοι, ίσως πιο πολλοί, πιο έμπειροι.

— Θα 'χουμε προλάβει να οχυρωθούμε καλύτερα, να φτιάξουμε μερικά καινούρια ταμπούρια. Στο μεταξύ ίσως να 'χουν φτάσει και τα πολεμοφόδια. Τα 'χω λογαριάσει καλά όλα. Όσο για τον κίνδυνο, αν είναι αυτό που σ' ανησυχεί, δε γίνεται αλλιώτικα. Πιστεύω πως θα τους πιάσουμε στον ύπνο και θα φάμε κάμποσους δίχως να πολυκινδυνέψουμε.

— Θά 'ρθουν άλλοι στο πόδι τους, τα κανόνια θα ξαναδουλέψουν. Κι αυτή τη φορά οι Τούρκοι θα βάλουν καραούλια, επέμεινε ο Φώτης.

Ο Κώστα Μπέκας κοιτάζει και πάλι το χάρτη, το βλέμμα του πλανιέται πάνω από τη σχεδιασμένη πόλη, κοντοστέκεται εδώ κι εκεί στη δαντελωτή γραμμή των τειχών, ύστερα κατεβαίνει στον κάμπο και γλιστράει ανάμεσα στα τμήματα των Τούρκων, περνάει δίπλα από τις σκηνές των ασάπηδων και συνεχίζει τη γρήγορη κι αθόρυβη πορεία του μέχρι τ' αναχώματα των κανονιών.

— Δεν μπορούμε να κάνουμε τίποτε άλλο, Φώτη.

— Μπορούμε, καπετάνιο.

Το πρόσωπο του δάσκαλου είναι τώρα κάπως πιο ήρεμο. Το δικό του βλέμμα δεν είναι καρφωμένο στο χάρτη, αλλά στον κατασκότεινο ουρανό που 'χει απλωθεί σαν μαύρο σεντόνι μπροστά στο παράθυρο.

179

— Θα κινδυνέψουν που θα κινδυνέψουν τα παλικάρια, καπετάνιο. Γιατί να μην κάνουν και κάτι που δε θα τα βάλει σε μεγαλύτερο κίνδυνο και που ίσως μας βοηθήσει πολύ αργότερα;

— Τι θες να πεις;

— Όσους μπορούν νὰ ξεκάνουν ας τους ξεκάνουν, αλλά να πιάσουν και κάμποσους ζωντανούς, να μας τους φέρουνε εδώ για όμηρους. Άμα θα καταφτάσουνε καινούριοι κανονιέρηδες από την Ευρώπη, θα βγάλουμε δυο τρεις από τους παλιούς πάνω στα μπεντένια και θα τους κόψουμε μπροστά στα μάτια των συμπατριωτών τους. Ύστερα θα στείλουμε μήνυμα στον Σελήμ πασά: αν δε γυρίσουν στις πατρίδες τους όλοι οι ξένοι που 'χουν καταταχτεί στ' ασκέρι του, θα σφάξουμε έναν έναν και τους υπόλοιπους ομήρους ή θα τους κρεμάσουμε μ' ένα σκοινί από τα μπεντένια για να τους φάνε τα όρνια. Άμα τους αντικρίσουν οι συμπατριώτες τους ν' αργοπεθαίνουν μπροστά τους, θα τα μαζέψουν και θα φύγουν. Άσε που το νέο θα μαθευτεί στην Ευρώπη και θα κόψει την όρεξη όλων εκείνων που σκοπεύουν να καταταχτούν στον τούρκικο στρατό για να γεμίσουν το κεμέρι τους με τους παράδες του σουλτάνου, να πλουτίσουν με το αίμα των Ελλήνων.

Ο Κώστα Μπέκας στέκεται συλλογισμένος.

Η σκέψη πέρασε πριν λίγο κι από το δικό του μυαλό, αλλά ο καπετάνιος είδε αμέσως τα μειονεκτήματά της. Μια τέτοια επιχείρηση θα προκαλούσε σάλο στην πόλη: ποτέ οι Παλιοκαστρίτες δε μεταχειρίστηκαν δόλους και μπαμπεσιές στους πολέμους, δεν είναι στο χαρακτήρα τους να κάνουν εκβιασμούς. Όσο κι αν ξέρουν πόσο μεγάλος είναι ο κίνδυνος που τους απειλεί, δε θα δεχτούν εύκολα να σπιλώσουν την τιμή τους με τέτοιες άναντρες πράξεις, δεν μπορούν να γράψουν στα παλιά τους τα τσαρούχια την Ιστορία τους. Άλλωστε, μια τέτοια ενέργεια κινδυνεύει να κάνει κακό αντί καλό σε μια στιγμή που το Παλιόκαστρο περιμένει βοήθεια από μερικούς φίλους που 'χει στην Ευρώπη. Τι θα 'λεγε ο Ετιέν ντε Μπρισάκ, όταν θα μάθαινε ότι ο Κώστα Μπέκας έπαψε να πολεμάει παλικαρίσια και πως το 'ριξε στις μπα-

μπεσιές και τους εκβιασμούς σαν λήσταρχος κυνηγημένος α-
πό τους ζαπτιέδες, σαν φυγόδικος κακούργος;

— Φαντάζουμαι πως σκέφτηκες ότι θα βουίξει ολάκερη η
Ελλάδα κι ότι τα χαμπάρια θα ταξιδέψουν, θα φτάσουν μα-
κριά, αποκρίνεται ο καπετάνιος. Ακόμα προχτές στείλαμε
γράμμα σε κείνους τους Γάλλους και ζητάμε τη βοήθειά
τους, περιμένουμε πολεμοφόδια, ίσως και τίποτα κανόνια.
Αν καταφύγουμε σε τέτοια μέσα, όλοι οι τουρκόφιλοι της
Ευρώπης θα βρούνε πάτημα και θα μας πούνε άγριους, απο-
λίτιστους, οι κυβερνήσεις τους θ' αρπάξουν την ευκαιρία για
να βοηθήσουν στα φανερά πια τους Οθωμανούς.

— Μπορεί να μας πούνε άγριους, καπετάνιο, αλλά θα μας
υπολογίσουν πιο πολύ από πριν, γιατί θα δούνε ότι κ. εμείς
μπορούμε να χρησιμοποιήσουμε τη βία, να μιλήσουμε δηλαδή
τη γλώσσα τους. Άλλη δεν καταλαβαίνουν οι Ευρωπαίοι.
Αυτή δε μεταχειρίζονται εδώ κι αιώνες μ' όλο τον κόσμο;
Μ' αυτή δεν κουβέντιασαν οι Ρωμαίοι, οι Βάνδαλοι κι οι
Νορμανδοί με τους λαούς που σκλάβωσαν, που αφάνισαν; Με
την ίδια δε μας μίλησαν κάμποσες φορές ως τα τώρα οι Φρά-
γκοι κι οι Σταυροφόροι; Από πότε άρχισαν να μοιράζουν τίτ-
λους πολιτισμού οι άνθρωποι που αιματοκύλησαν μια ολάκε-
ρη ήπειρο με τις ευλογίες του Πάπα, που γέμισαν την Ευ-
ρώπη κουφάρια για το χατίρι του Λούθηρου και του Καλβί-
νου; Ποιοι είναι άγριοι, καπετάνιο; Εμείς οι Έλληνες, που
δεν αφήσαμε τους Τούρκους να περάσουν από την Ανατολή
στη Δύση για να κυριέψουν τη χριστιανοσύνη, ή το παπαδα-
ριό των Λατίνων, που 'χει ξεκάνει μέχρι σήμερα περισσότε-
ρους πιστούς παρά άπιστους, που ξεπέρασε σε βαρβαρότητα
ακόμα και τους Αγαρηνούς;

Ο Κώστα Μπέκας κοιτάζει απορημένος το δάσκαλο. Ο
Φώτης δε γνώρισε τους πολέμους που 'δε αυτός, δεν ξέρει
από πολέμους, δεν πέρασε τη ζωή του με το τουφέκι και με
το γιαταγάνι στο χέρι, δεν άσπρισαν τα μαλλιά του μέσα
στις μάχες. Κι όμως, άμα τον ακούς, άμα προσέχεις τα λό-
για του, έχεις την εντύπωση ότι αυτός ο άνθρωπος βασανί-
στηκε από 'να σωρό μπόρες και θύελλες, πως κουβέντιασε

με χίλιους σοφούς ανθρώπους σ' όλη την οικουμένη, άκουσε άπειρες διαφορετικές γνώμες, ότι τ' αυτιά του χόρτασαν φοβερές διηγήσεις, απίστευτες ιστορίες. Ίσως αυτό να 'ναι το πιο μεγάλο όφελος που βγάζει κανείς από τα γράμματα, από τα σχολεία, από τα διαβάσματα: ν' ανοίγει αλισβερίσια μ' όλο τον κόσμο δίχως να σαλεύει από το σπίτι του, να παίρνει μέρος σ' ανήλεες μάχες χωρίς να κινδυνεύει η ζωή του.

— Δίκιο έχεις, Φώτη, αλλά, να, εμείς δεν είμαστε ούτε Φράγκοι ούτε Βάνδαλοι. Την Ιστορία μας δεν την έχουμε γράψει με ξένο αίμα αλλά με το δικό μας, αποκρίνεται ο καπετάνιος.

Με μια βαριεστισμένη χειρονομία ο δάσκαλος δείχνει τα ράφια της μικρής βιβλιοθήκης του:

— Τα βλέπεις αυτά τα βιβλία, καπετάνιο; Ιστορία της Ελλάδας, Ιστορία της Ρωμαϊκής Αυτοκρατορίας, Ηρόδοτος, Θουκυδίδης, Όμηρος, Καίσαρας... Έχει ποτάμια αίμα κει μέσα, αίμα προδομένο ή λησμονημένο, ξεπουλημένο για μερικά δραμάκια νοθεμένης λευτεριάς, για λίγα ψίχουλα αξιοπρέπειας. Άπειροι αγώνες, προσπάθειες και θυσίες που χώρεσαν σε λίγες σελίδες, εκατομμύρια νεκροί που βολευτήκανε με δυο ή τρεις αράδες, ένοχες σιωπές. Ξέρουν οι ιστορικοί να δικαιολογούν, να τα μπαλώνουν, να σκεπάζουν τις ντροπές των μεγάλων, να γουδοκοπανάνε τα σφάλματα των μικρών. Ο καθένας τους μετράει τον κόσμο με τη δικιά του πήχη, τον κόβει και τον ξαναφτιάνει στα μέτρα του, για να τον κάνει να χωρέσει στο μυαλό του.

Από το παράθυρο της τάξης ξεδιακρίνονται κάτω στον κάμπο οι φωτιές που 'χουν ανάψει σε διάφορα σημεία του στρατόπεδου οι Τούρκοι. Πού και πού, όταν μια ριπή ανέμου τύχει να πάρει την κατεύθυνση της πολιτείας, φτάνουν στ' αυτιά του Κώστα Μπέκα και του Φώτη οι μακρόσυρτες προσευχές των χοτζάδων, τα νάι και τα λυγμερά τραγούδια των ντερβίσηδων.

— Στ' αρχαία χρόνια, καπετάνιο, ζούσε εκεί κάτω στα μέρη της Αττικής ένας αγριάνθρωπος, ένας φοβερός κακούργος που τον έλεγαν Προκρούστη. Όποιον οδοιπόρο πέρναγε από το λημέρι του, τον άρπαζε και τον πήγαινε μπροστά σε δυο κρεβάτια: το 'να ήταν μεγάλο και φαρδύ, τ' άλλο μικρό και θεόστενο. Αν ο αιχμάλωτος ήταν κάνας κοντοστούμπης, ο Προκρούστης τον ξάπλωνε στο μεγάλο κρεβάτι κι άρχιζε να του τραβάει τα χέρια και τα πόδια, να του μακραίνει με τη βία το κορμί, να του ξεμασχαλίζει τα μέλη. Αν πάλι ο παντέρμος οδοιπόρος τύχαινε να 'ναι πρώτο μπόι άντρας, ο Προκρούστης τον έβαζε στο μικρό κρεβάτι. Κι ό,τι περίσσευε ή έξεχε, χέρι, πόδι ή κεφάλι, έπαιρνε έναν μπαλτά και, χραπ, το 'κοβε. Όποιος και να περνούσε δε γλίτωνε: ο Προκρούστης κουτσούρευε όλους τους ανθρώπους, τους κλάδευε σαν να 'τανε περικοκλάδες, τους έφερνε στα μέτρα των κρεβατιών του. Το ίδιο κάνουν κι αυτοί που γράφουν την Ιστορία, καπετάνιο: αντί για κρεβάτια, έχουν τις σελίδες των βιβλίων τους και ξαπλώνουν πάνω ολάκερους λαούς, τους μακραίνουν ή τους κονταίνουν ανάλογα με την περίσταση, κατά τα μυαλουδάκια τους.

Ο Κώστα Μπέκας παίρνει ένα κανοκιάλι και κοιτάει από το παράθυρο το τούρκικο στρατόπεδο. Για πρώτη φορά, έτσι καθώς βλέπει τις φωτιές ν' ανάβουν μέχρι πέρα μακριά, στη δημοσιά, να συνεχίζουν και να φτάνουν στους πρόποδες του Προφήτη Ηλία, προσέχει πόσο τεράστια έκταση γης έχει πιάσει τ' ασκέρι του Σελήμ πασά, μονάχα τώρα αναλογίζεται τον όλεθρο που μπορεί να σπείρει αυτή η μυρμηγκιά. Μα γιατί επιστρατεύτηκε όλο τούτο το πλήθος, για να κατακτηθεί μια τοσηδούλα πολιτεία που δεν πείραξε ποτέ της κανέναν; Γιατί αυτό το μίσος για μια χούφτα ανθρώπους που ζούνε θεομόναχοι εδώ και κάμποσους αιώνες στα βουνά τους, με την Ιστορία τους, με τους καημούς τους, με τα όνειρά τους; Γιατί ενοχλεί τόσο πολύ η παρουσία τους;

Σαν να μαντεύει τις σκέψεις του Κώστα Μπέκα, ο Φώτης τον ζυγώνει και τον αγγίζει ανάλαφρα στον ώμο, όπως κάνει και με τους μαθητές του όταν τους βλέπει να δυσκολεύονται μπροστά στον πίνακα ή να 'χουν ξεχάσει μια λεπτομέρεια από τη γραμματική ή την ορθογραφία:

—Όλο πληθαίνουν στον κόσμο οι Προκρούστες, καπετάνιο. Μπροστά τους δεν πιάνουν μπάζα ούτε οι Τούρκοι ούτε οι Βάνδαλοι ούτε οι Αγαρηνοί. Κι αν μέχρι σήμερα αρκούνται να βασανίζουν και να παραμορφώνουν μονάχα των ανθρώπων τη μνήμη, στους καιρούς που 'ρχονται δε θα διστάσουν να ρίξουν πάνω στα κρεβάτια τους, για να την κόψουν και να τη φέρουν στα μέτρα που θέλουν, ακόμα και την ίδια τη ζωή.

Κάτω στο στρατόπεδο των Τούρκων κάτι τούμπανα βαράνε σιωπητήριο. Η μια μετά την άλλη οι φωτιές σβήνουν. Εδώ κι εκεί, μπροστά στις τελευταίες φλόγες που βγάζουν οι θράκες, οι στρατιώτες κρυφοπίνουν στα βιαστικά ακόμα μια γουλιά ρακή, κουβεντιάζουν λίγο στα όρθια. Πέρα στις παράγκες της ακροποταμιάς οι ντερβίσηδες σταματάνε τους χορούς, τα νάι βουβαίνονται. Σε λίγο δε θ' ακούγονται παρά τα συνθηματικά σφυρίγματα, που θα ξεπετάγονται πού και πού από τα παλιοκαστρίτικα ταμπούρια. Από τα γύρω βουνά θα τους αποκρίνονται των τσακαλιών τα ουρλιαχτά.

Ξ

ΚΑΘΙΣΜΕΝΟΣ ΣΤΟ ΚΕΦΑΛΟΣΚΑΛΟ ΤΗΣ ΒΙΒΛΙΟΘΗΚΗΣ ο Μελέτιος σιγοτραγουδάει ένα παλιοκαστρίτικο τραγούδι. Έτσι που 'ναι σκυφτός, η βραχνή του φωνή είναι σαν να βγαίνει από τη γη, κάπου κει μπροστά του, από το χάσμα π' αφήνει μια ξεκουνημένη πλάκα του φθαρμένου λιθόστρωτου. Κάθε φορά που ο γερο-βιβλιοθηκάριος σταματάει για λίγο και προσπαθεί να θυμηθεί τη συνέχεια του τραγουδιού, στρέφεται και ρίχνει μια ματιά γεμάτη συμπόνια στον κακομοίρη τον αναγνώστη του, που ξενυχτάει δουλεύοντας σε μια γωνιά του τραπεζιού, σε μια πιθαμή χώρο που του άφησαν οι άνθρωποι του συνεργείου. Ένα τρίφλογο καντηλέρι κάνει ό,τι μπορεί για να ψευτοφωτίσει τις κιτρινισμένες σελίδες του Τετραβάγγελου, τα βιβλία και τα χαρτιά, τα σημειωματάριά του. Το θολό φέγγος των κεριών πλανιέται μέσα στη μικρή αίθουσα σαν αχλή, εδώ κι εκεί στους τοίχους σχηματίζονται ίσκιοι παράξενοι, τρεμουλιαστοί, που ψαύουν τα πρόσωπα των αγίων στα εικονίσματα, παίζουν με τα γένια και τα κάτασπρα μαλλιά των προφητών, κρύβουνε για λίγες στιγμές τ' αγαθά και ντόμπρα βλέμματα των αγγέλων.

Όπως κάθε νύχτα, τέτοια ώρα, η βιβλιοθήκη μοιάζει να 'χει κυριευτεί από κάποιες υπερκόσμιες παρουσίες που 'ρθαν να τη νοικοκυρέψουν, να βάλουν τάξη στ' αλλοτινό τους βασίλειο, ν' αναστήσουν ξεχασμένους χρόνους, να ξαναζωντανέψουν παλιούς καιρούς. Για λίγες ώρες ακόμα, ώσπου ν' ακουστούν τα πρώτα λαλήματα των πετεινών από τα γύρω χωριά, μέχρι ν' αρχίσουν τα τιτιβίσματα των πουλιών στα πλατάνια, η νύχτα θα κατοικιέται από 'να σωρό οπτασίες, έξω στο λιθόστρωτο θ' αντηχούν πού και πού βήματα, αλλά δε θα φαίνεται κανείς, θα ντιντινίζουν κουδουνάκια από λιβανιστήρια που θα κρατάνε χέρια αόρατα.

Ξαφνικά η φωνή του Μελέτιου δυναμώνει.

Μια νύχτα τ' Απρίλη, λέει το τραγούδι, πάνω στα τείχη του Παλιόκαστρου που 'ταν ζωσμένο από τ' ασκέρια των Τούρκων, ακούστηκε ένας ξερός και διακριτικός ήχος σαν να δούλεψε απαλά μια κλειδαριά, ύστερα άνοιξε σιγοτρίζοντας μια πύλη. Σιωπηλοί σαν τα θεριά που πάνε για κυνήγι, βγήκαν και προχώρησαν ο ένας πίσω από τον άλλο καμιά πενηνταριά Παλιοκαστρίτες, ροβόλησαν κατά την πλαγιά και μετά κατεβήκαν και χώθηκαν μέσα στο ρέμα.

Ο Μελέτιος μπλέκεται σ' ένα μισοξεχασμένο στίχο και σταματάει, ξαναπιάνει το τραγούδι από την αρχή, στα τείχη του Παλιόκαστρου η κλειδαριά ξαναδουλεύει, η πύλη ξανατρίζει, τ' απόσπασμα βγαίνει και κατηφορίζει και πάλι. Πηδώντας ανάλαφρα σαν τ' αγριοκάτσικα από βράχο σε βράχο, οι άντρες του Κώστα Μπέκα ξαναβυθίζονται στη ρεματιά, τσαλαβουτάνε σε νερά, γλιστράνε ανάμεσα από καλαμιές και βούρλα, ύστερα μπαίνουνε σε μια σπηλιά.

Έξω στην αυλή κάποιος από το συνεργείο της βιβλιοθήκης έχει ανοίξει ένα τρανζίστορ κι ακούει ειδήσεις: η κατάσταση, λέει, στα Βαλκάνια χειροτέρεψε, η Ευρώπη κάνει συνέχεια εκκλήσεις για ανακωχή, ανησυχεί για την ασφάλεια του κόσμου και για την ειρήνη. Φλυαρίες, υποκρισία, λόγια διφορούμενα, χιλιοτριμμένα, βαρετά. Ειδικά όταν τ' ακούς από δω, πάνω απ' αυτό το βουνό που 'χει δει στη ζήση του σημεία και τέρατα, όταν πατάς σε μια γη που 'χει πια μάθει τα τερτίπια της Ιστορίας απ' έξω κι ανακατωτά. Τι να τις κάνουν τις «ανησυχίες» των Ευρωπαίων οι χιλιοβασανισμένοι και πολύπειροι λαοί που ζουν σ' αυτά τα χώματα, πώς να πιστέψουνε στην ειλικρίνειά τους; Λες και δεν ξέρουνε πως τα μεγάλα κράτη της Ευρώπης τους έβαλαν άπειρες φορές να φαγωθούν συναναμεταξύ τους, για να βρουν μετά πάτημα και νά 'ρθουν να παραστήσουν τους ειρηνοποιούς, τους καλοπροαίρετους ανθρωπιστές, τους φιλάνθρωπους.

Αδιαφορώντας για τις ειδήσεις, ο Μελέτιος γυρίζει και ξαναγυρίζει το τραγούδι πίσω, δίνει περισσότερη δύναμη στη φωνή του, παίρνει μεγαλύτερη φόρα η μνήμη του. Ο γερο-βιβλιοθηκάριος ακολουθεί τους άντρες του Κώστα Μπέκα στη ρεματιά, αλλά αυτή τη φορά δεν τους χάνει από τα μάτια του, μπαίνει μαζί τους στη σπηλιά, τους βλέπει να καβαλικεύουν τ' άλογά τους. Για πού τραβάνε μέσα στην κατασκότεινη νύχτα; Γιατί φοράνε μαύρες φουστανέλες κι έχουν πασαλείψει με φούμο τα πρόσωπα;

«Αυτό το τραγούδι το λένε ακόμα και σήμερα στην περιοχή», εξηγεί ο Μελέτιος. «Όμως κανείς δεν ξέρει όλους τους στίχους. Άλλος τραγουδάει λίγους κι άλλος πολλούς. Πέρσι, στο πανηγύρι του Προφήτη Ηλία, άκουσα ένα νέο τραγουδιστή που 'βγαλε καινούριους από το κεφάλι του».

Στο ραδιόφωνο οι ειδήσεις τέλειωσαν.

Γι' απόψε δε θ' «ανησυχήσει» άλλο η Ευρώπη, πρέπει να κάνει οικονομία στη φιλανθρωπία. Πώς θα περάσουν οι διπλωμάτες της την ώρα τους, αν δεν αφήσουν λίγη δουλειά και για την άλλη μέρα; Πώς θα δικαιολογήσουν τα ταξίδια και πώς θα εισπράξουν μισθούς οι μεσολαβητές; Τι θα γράψουν οι δημοσιογράφοι στις εφημερίδες;

Ο Μελέτιος φτάνει στην καρδιά του τραγουδιού.

Οι Παλιοκαστρίτες βγαίνουν ένας ένας από τη ρεματιά, τ' άλογά τους βαδίζουν προσεχτικά κι αθόρυβα, έχουν τις οπλές τους τυλιγμένες με πανιά. Ο Κώστα Μπέκας έχει μπει μπροστάρης κι οδηγεί τα παλικάρια του που τον ακολουθούν αποφασισμένα, με τα γιαταγάνια τους γυμνά.

Ξαφνικά τ' απόσπασμα σταματάει.

Οι άντρες λευτερώνουν τα πόδια των αλόγων, ξανακαβαλικεύουν σβέλτα και χύνονται κατά το τούρκικο στρατόπεδο, ζυγώνουν, ρίχνονται μέσα στη λυκοφωλιά, μπαίνουν στου λύκου το στόμα. Η Τουρκιά ξυπνάει, αλαλιάζεται, οι Οθωμανοί ψάχνουν στα σκοτεινά να βρουν τ' άρματά τους, πέφτουν ο ένας πάνω στον άλλο, χτυπιούνται, σφάζονται συναναμεταξύ τους. Ανάμεσά τους οι Παλιοκαστρίτες ανοίγουν δρόμο με τα γιαταγάνια, τ' άλογά τους πατάνε σε κουφάρια, ακούγονται τρουμπέτες και τούμπανα, εδώ κι εκεί ανάβουν δαυλιά. Όμως πάει άδικα το φως: μέσα σε κείνο το χαλασμό και τη χλαλοή, κανείς δεν ξέρει τι γίνεται, κανείς δεν μπορεί να δει πού και πόσοι είναι οι εχθροί, τι κάνουνε, πού πάνε. Στο μεταξύ ο Κώστα Μπέκας και τα παλικάρια του έχουν φτάσει μπροστά στ' αναχώματα με τα κανόνια, χιμάνε κατά τα τσαντίρια των κανονιέρηδων και σκοτώνουν αλύπητα όσους μπορούν, όσους προλαβαίνουν, άλλους τους αρπάζουν και τους σέρνουν ζωντανούς από τα μαλλιά.

«Έχει κάμποσους στίχους ακόμα, αλλά δεν τους καλοθυμάμαι», στενάζει ο Μελέτιος.

Λέει μερικούς, άκρες μέσες.

Κείνη την απριλιάτικη νύχτα οι Παλιοκαστρίτες έσπειραν μεγάλο όλεθρο στο στρατόπεδο του Σελήμ πασά, του 'καναν ανεπανόρθωτο κακό...

Με το πρώτο φως της αυγής ο σερασκέρης κάλεσε στη σκηνή του τους αξιωματικούς τ' ασκεριού, ύστερα μήνυσε στο δήμιο να ετοιμαστεί, γιατί θα 'χε σε λίγο κάμποση δουλειά, ν' ακονίσει καλά το χαντζάρι του...

Μόλις ο ήλιος βγήκε για τα καλά, η εξέδρα του δήμιου είχε κοκκινίσει από το αίμα, ένα ζεμπίλι εκεί δίπλα ήταν φίσκα κεφάλια...

Έπειτα οι Παλιοκαστρίτες είδαν από τα μπεντένια τους τον Σελήμ πασά και τη συνοδεία του να καλπάζουν ξέφρενα κατά το βουνό του Προφήτη Ηλία, να σταματάνε στη ρίζα του και να χτυπάνε μια καμπάνα για να τους ακούσουν οι καλόγεροι και να δουλέψουν το μαγκάνι, να κατεβάσουν το κοφίνι...

Ο Μελέτιος σωπαίνει.

Μέσα στην ησυχία π' απλώνεται, ακούγεται το μακρινό χουχούτισμα μιας κουκουβάγιας. Λες και του πουλιού η φωνή να του 'δωσε κάνα σινιάλο, ο αναγνώστης που ξενυχτάει ξανασκύβει πάνω από τα βιβλία του, συνεχίζει τη δουλειά του. Το φως του καντηλεριού αφήνει τα παιχνίδια με τις γενειάδες των αγίων στα εικονίσματα κι έρχεται να φέξει τις σελίδες του Τετραβάγγελου, το σημειωματάριο και τα χαρτιά όπου καταφεύγουνε σιγά σιγά, λέξη τη λέξη, του Ισίδωρου τα λόγια.

... Νὰ ποὺ τὸ 'γραφε ἡ μοίρα μας νὰ ξαναδοῦμε κεῖνον τὸν τρισκατάρατο τὸν Πέρση ποὺ τὸν ταΐσαμε καὶ τὸν ποτίσαμε στὸ μοναστήρι, ποὺ τοῦ 'στρωνα μὲ τὰ χέρια μου νὰ κοιμηθεῖ. Ἀλλὰ ὁ Θεὸς μᾶς τιμώρησε γιὰ τὶς πολλὲς ἁμαρτίες μας, μᾶς θόλωσε ὁ νοῦς καὶ δὲν καταλά-βαμε, δὲν πήραμε εἴδηση.

Καὶ νὰ τος ποὺ ξανάρθε. Μόνο ποὺ δὲν παριστάνει πιὰ τὸν Πέρση, ἀλλὰ εἶναι αὐτὸς ποὺ εἶναι, Τοῦρκος, σερασκέ-ρης, ὁ Σελὴμ πασᾶς μὲ τ᾽ ὄνομα.

Νὰ ποὺ βγήκανε σωστὰ κεῖνα τὰ σημάδια, ἀλήθεψαν τὰ κακὰ ὄνειρα, φτάσανε τὰ δίσεχτα χρόνια. Ὁ Θεὸς μᾶς ἐγκατέλειψε, μᾶς πῆρε τὴ μνήμη καὶ τὴ σύνεση, κλωσή-σαμε τοῦ φιδιοῦ τ᾽ αὐγό. Ὕστερα ἀναθρέψαμε καὶ τὸ φι-δόπουλο, τὸ ζεστάναμε στὸν κόρφο.

....

.... ἦρθε μὲ τὴ συνοδεία του καὶ τὸν ὑποδεχτήκαμε ἐδῶ, κάθισε στὸ ἴδιο μέρος ποὺ καθότανε καὶ τότε ποὺ 'κανε τὸ σοφό, τὸν Πέρση. Ταράχτηκα ποὺ τὸν ξανάβλεπα ἀπὸ κοντὰ τὸν ἄπιστο, τὸ φίδι τὸ κακό. Μὲ γνώρισε κι αὐτός, ἀλλὰ δὲ μίλησε κείνη τὴν ὥρα, δὲν εἶπε τίποτα. Κοίταζε μόνο ποὺ ἡ βιβλιοθήκη ἦταν σχεδὸν ἄδεια γιατὶ τὰ 'χαμε ὅλα καταχωνιάσει, εἴχαμε πάρει ἀκόμα καὶ τὰ εἰκονίσματα.

.... ἔλεος νὰ μὴν περιμένει πιὰ ἡ πόλη μετὰ ἀπὸ κείνη τὴν μπαμπεσιὰ καὶ τὴ σφαγή, μᾶς εἶπε. Θὰ περάσουν ἀπὸ τὸ μαχαίρι ὅλοι, δὲ θὰ μείνει πέτρα πάνω στὴν πέτρα. Μόνο ἂν ἀφήσουνε λεύτερους τοὺς ξένους ποὺ πιάσανε, ἴσως νὰ τοὺς λυπηθεῖ ὁ σουλτά-νος καὶ χαρίσει τὴ ζωὴ στὰ γυναικόπαιδα .... καὶ τὴ στιγμὴ ποὺ 'ταν νὰ φύγουνε, εἶπε ὁ Σελὴμ πασᾶς νὰ βγοῦνε ὅλοι, ἀλλὰ ἐγὼ νὰ μείνω. Νά, εἶπα μέσα μου, ἔ-φτασε ἡ τελευταία μου ὥρα. Ἄς τὰ πάθω τώρα γιὰ νὰ μάθω, ποὺ τὸν εἶχα καὶ τὸν περιποιόμουνα λὲς κι ἦταν συντοπίτης μου, κάνας συγγενής.

Σὲ μιὰ στιγμὴ μοῦ δείχνει τὰ ράφια ποὺ 'ταν ἄδεια. Εἴσαστε πονηρὴ φάρα, μοῦ λέει. Ὄχι, πασᾶ μου, τ᾽ ἀπο-

189

κρίνουμαι, δὲν εἴμαστε πονηροὶ ἀλλὰ λίγοι. Μὲ κοιτάζει καὶ βάζει τὰ γέλια. Καὶ μὲ τὰ βιβλία θὰ πληθύνετε, μωρέ; μοῦ κάνει.

Η κουκουβάγια χουχουτίζει μονότονα, ασταμάτητα.

Τριγύρω, πάνω στα δέντρα, μέσα στους θάμνους, χιλιάδες πουλιά κοιμούνται αμέριμνα στις φωλιές τους, κλωσάνε ήσυχα τ' αυγουλάκια τους, περιμένουνε να ξημερώσει ο Θεός τη μέρα με τα κεφάλια χωμένα κάτω από τα φτερά τους. Αλλά η κουκουβάγια ξαγρυπνάει, κάθεται φρουρά, φυλάει καραούλι από τότε που φτιάχτηκε ο κόσμος, τα μάτια της φωσφορίζουν μέσα στα σκοτάδια, ερευνούν σαν φάροι όλα τα σημεία του ορίζοντα.

Καθισμένος σ' ένα σκαμνί ο Μελέτιος κοιτάζει γύρω του σαν να βλέπει για πρώτη φορά το μέρος, το βλέμμα του πλανιέται ανάμεσα στα μηχανήματα του συνεργείου, σκαρφαλώνει στις στοίβες με τα βιβλία, ύστερα χάνεται μέσα στο πλέγμα των καλωδίων που 'ναι απλωμένα στο πάτωμα.

Ξαφνικά ο γερο-βιβλιοθηκάριος στρέφεται προς τον αναγνώστη που δουλεύει, παρατηρεί για λίγο αμίλητος των κεριών τις φλόγες και μονολογεί σαν ν' απευθύνεται στο φως:

«Ο κόσμος έχει γεμίσει Σελημπασάδες που παριστάνουν τους Πέρσες... Αλλά τίποτα εμείς, δε βλέπουμε, δεν καταλαβαίνουμε, δε θέλουμε να καταλάβουμε, έστω κι αν ξέρουμε πως βρίσκονται ανάμεσά μας και μας παρακολουθούνε, μας μελετάνε. Λένε πως είμαστε φιλόξενος λαός. Μόνο που δεν κρατάμε μόνο τις πόρτες μας ανοιχτές αλλά και τα μυαλά μας, υποδεχόμαστε όλες τις ιδέες, όλες τις θεωρίες. Δεν έχει άδικο ο Ισίδωρος. Βλέπεις τι λέει; Ζεσταίνουμε στον κόρφο μας το φίδι που μια μέρα θα μας φάει, το 'χουμε και το νταχταρίζουμε κοντά στην καρδιά μας».

Σηκώνεται, σέρνει τα βήματά του μέχρι τ' ανοιχτό παράθυρο και κοιτάζει έξω, κατά τη σκοτεινή απεραντοσύνη του κάμπου, κατά το βουνό του Παλιόκαστρου:

«Εγκαταλείπουμε το 'να μετά το άλλο όλα τα παλιά μας

μετερίζια, τα ταμπούρια που μας έσωσαν άπειρες φορές ως τα τώρα, όχι μονάχα από τη σκλαβιά και την εξαφάνιση αλλά κι από την πνευματική δουλεία...»

Για λίγα δευτερόλεπτα το χουχούτισμα της κουκουβάγιας σταματάει. Το νυχτοπούλι θα ψάχνει να βρει αλλού θέση, μια πιο καλή βίγλα σ' ένα πιο ψηλό κλαρί. Ξάφνου το διαπεραστικό του κρώξιμο ξανακούγεται από την κατεύθυνση του Παλιόκαστρου.

«Νομίζουμε πως οι ξένοι σέβονται τον τόπο μας και το παρελθόν μας, επειδή τους βλέπουμε που 'ρχονται και θαυμάζουν τ' αρχαία, που γράφουν και ξαναγράφουν βιβλία για τους προγόνους μας, που αναφέρονται συχνά στον πολιτισμό μας. Όλα αυτά είναι θέατρο, θέατρο και τίποτε άλλο. Κατά βάθος, όχι μονάχα δε δίνουν δεκάρα για μας, αλλά η παρουσία μας τους ενοχλεί. Ναι, μη σου κάνει εντύπωση, έτσι είναι. Αν δεν υπήρχαμε, αν είχαμε εξαφανιστεί από το πρόσωπο της γης, όπως τόσοι και τόσοι λαοί, θα 'ταν πολύ πιο λεύτεροι να κάνουν ό,τι θέλουν με την Ιστορία μας, να την ερμηνεύσουν κατά τα κέφια τους, να την κόψουν και να τη ράψουν στα μέτρα τους, να την κάνουν σιγά σιγά δικιά τους. Διάβασε τα οδοιπορικά και τ' απομνημονεύματα που 'γραψαν οι Ευρωπαίοι ταξιδιώτες π' άρχισαν να 'ρχονται στην Ελλάδα από το δέκατο έβδομο αιώνα και μετά και θα δεις, θα καταλάβεις. Όλοι αυτοί θαυμάζουν τα ερείπια, τους αρέσουν πολύ τα ελληνικά τοπία, αλλά τους ενοχλεί που βλέπουνε ότι υπάρχουν ακόμα Έλληνες, το λένε, το γράφουνε».

Την ώρα που μιλούσε έπιασαν βάρδια κι άλλες κουκουβάγιες, το σκοτάδι του κάμπου γέμισε χουχουτίσματα, ακούγονται φωνούλες από αγρίμια της νύχτας, γαβγίσματα τσοπανόσκυλων, βελάσματα από κάτι μακρινά μαντριά. Ο Μελέτιος έχει στήσει αυτί κι αφουγκράζεται με προσοχή, λες και προσπαθεί να ξεδιαλέξει τους ήχους που βγάζει η γη, να μεταφράσει τα μηνύματά της, να καταλάβει τη γλώσσα της.

Στρέφεται και πάλι κατά το φως πάνω στο τραπέζι της βιβλιοθήκης:

«Έχεις προσέξει μερικές εκφράσεις που χρησιμοποιούν οι

Ευρωπαίοι όταν αναφέρονται στην Ελλάδα; Σίγουρα θα 'χεις ακούσει που λένε "η Ελλάδα είναι η κοιτίδα του πολιτισμού μας", "η Ιστορία της είναι και Ιστορία μας". Παρατήρησες πόσο τονίζουν κείνο το "μας"; Δε σου φαίνεται περίεργο; Ναι, δε λέω, οι ιδέες κι η φιλοσοφία των προγόνων μας ταξίδεψαν σ' όλες τις βιβλιοθήκες της Ευρώπης και ξύπνησαν τους στοχαστές της Δύσης — με τον Μεγαλέξαντρο, τους Ρωμαίους και το Βυζάντιο έφτασαν μέχρι την καρδιά της Ανατολής. Ε, και λοιπόν; Τι σημαίνει αυτό;»

Ο γερο-βιβλιοθηκάριος κάνει μια χειρονομία κατά τα βιβλία που 'ναι στο τραπέζι και στα ράφια, δείχνει κάτι περγαμηνές που 'ναι ξετυλιγμένες μπροστά στα φωτογραφικά μηχανήματα, το ντουλάπι με τα χειρόγραφα:

«Λες να φταίνε όλα αυτά που οι Ευρωπαίοι αιματοκύλησαν όλο τον κόσμο, που 'καναν σχεδόν ολάκερη τη γη ρημαδιό; Ο Όμηρος είπε στους Ισπανούς να ξεκάνουν εκατομμύρια Ινδιάνους; Ο Πίνδαρος έβαλε τους Γερμανούς να ξολοθρέψουν τους εβραίους; Ή μήπως ήταν ο Αισχύλος που 'ριξε την ατομική μπόμπα στους Ιάπωνες, που κατάκαψε τις προάλλες στη Μέση Ανατολή χιλιάδες Άραβες; Ο ελληνικός πολιτισμός έχει καταντήσει δικαιολογία για όλους τους πολιτισμένους βάρβαρους, βολική αναφορά για να συγχωρούνται σημεία και τέρατα, γενοκτονίες, εγκλήματα. Πότε θα βρεθεί κάποιος να πει σ' όλους αυτούς τους κυρίους πως η Ελλάδα, που κάνουν τάχα ότι θαυμάζουν και σέβονται, δεν έχει ευθύνη για τα μαύρα χάλια του σημερινού κόσμου, ότι τίποτα στην Ιστορία της δεν τους επιτρέπει να την επικαλούνται, να την κάνουν με το ζόρι συνένοχο στις πράξεις τους;»

Μέσα στη νύχτα, που 'χει προχωρήσει για τα καλά, τα ερωτήματα του Μελέτιου μοιάζουν με κραυγές π' αφήνει στην ερημιά ένα ζώο αποξεχασμένο κι ολομόναχο, οι λέξεις που χρησιμοποιεί ανήκουν σε μια γλώσσα που δε μιλάει κανείς πια. Μόνο οι κουκουβάγιες, υπολείμματα όπως κι αυτός από άλλους κόσμους, από άλλους καιρούς, καταλαβαίνουν ίσως του γερο-βιβλιοθηκάριου τα λόγια και τ' αποκρίνονται από μακριά με δυνατά χουχουτίσματα.

Ο

ΟΤΑΝ Ο ΣΕΛΗΜ ΠΑΣΑΣ ΕΓΡΑΨΕ ΤΗΝ ΤΕΛΕΥΤΑΙΑ ΛΕΞΗ ΤΗΣ
αναφοράς του, πέταξε με μια κουρασμένη κίνηση το
χηνόφτερο σε μια άκρη του τραπεζιού κι έριξε μια μα-
τιά από το παράθυρο της σκηνής. Όπου να 'ταν, πίσω από
τ' αντικρινά βουνά, η αυγή θ' άφηνε τον ύπνο και θα σηκωνό-
ταν, τα κοκόρια την ένιωθαν κιόλας που σιγοξυπνούσε, την
ανάγγελναν μ' απανωτά λαλήματα. Κάτι αγριοκάτσικα, που
την είχαν πάρει είδηση κι αυτά, πηδοκοπούσανε εδώ κι εκεί
στους βράχους του Προφήτη Ηλία, έκαναν να κατρακυλούν
σαν βροχή από την πλαγιά οι πέτρες και τα χαλίκια. Ο Α-
ράμ, ο σκλάβος, σηκώθηκε από το σκαμνί του, πλησίασε δια-
κριτικά κι άλλαξε ακόμα μια φορά του καντηλεριού τα κεριά.

Όπως είχε κάνει όλη σχεδόν τη νύχτα, όταν η σκέψη του
σκάλωνε σε μια φράση ή σε μια λέξη, ο σερασκέρης βγήκε
λίγο στην πόρτα της σκηνής για να ξεμουδιάσει, άφησε το
βλέμμα του να πλανηθεί εδώ κι εκεί σ' όλο τον κάμπο, ά-
κουσε τις συνθηματικές κραυγές που 'βγαζαν τα περίπολα
που διασταυρώνονταν στα επίκαιρα σημεία του στρατόπεδου.
Μετά από τη φονική επίθεση που 'χε κάνει στα ξαφνικά, την
περασμένη νύχτα, ένα παλιοκαστρίτικο απόσπασμα, ο Σελήμ
πασάς είχε διπλασιάσει τις φρουρές, είχε βάλει να περιπο-
λούν παντού καρακόλια. Όπως έδειχναν τα πράγματα, για
την ώρα όλα πήγαιναν καλά, ο Ομάρ έκανε σωστά τη δου-
λειά του. Ο σερασκέρης του 'χε δώσει ρητή εντολή: όποιον
φρουρό θα 'πιανε στον ύπνο ή θα τον έβρισκε απρόσεχτο, θα
τον πέρναγε αμέσως κι επιτόπου από το λεπίδι.

Δυο τρεις φορές, εκεί που 'γραφε την αναφορά του στο
σουλτάνο, ο Σελήμ πασάς είχε σηκώσει το κεφάλι από το
χαρτί για ν' αφουγκραστεί. Μόλις ακουγόταν από κάπου του
Ομάρ η φωνή, της αποκρινόταν αμέσως μια άλλη ή αντηχού-

σε κάποιο σφυριχτό, ντιντίνιζε ένα καμπανάκι. Αντίθετα, αν ο φρουρός δεν απαντούσε με το πρώτο, ο Σελήμ άκουγε σε λίγο τα κλαψουρίσματα και τα παρακάλια του, ύστερα ερχόταν ένας γενίτσαρος και πέταγε μπροστά στη σκηνή του σερασκέρη το κεφάλι του εκτελεσμένου.

Ο πασάς ξανάσκυβε μετά στην αναφορά του.

Χωρίς τέτοια, δε γινόταν δουλειά, έγραφε στο σουλτάνο. Το νυχτερινό γιουρούσι που 'χαν οργανώσει οι Παλιοκαστρίτες έδειχνε πως ήταν ανάγκη να παρθούν κι άλλα, πιο αυστηρά μέτρα για την ασφάλεια του στρατόπεδου, για να μην πάθουν πάλι κάνα χουνέρι με τούτα τα παμπόνηρα θεριά που 'ξεραν ένα σωρό τερτίπια, που δε δίσταζαν μπροστά σε τίποτα. Παρ' όλη την έρευνα που 'κανε ο Ομάρ, δεν εξακριβώθηκε από πού ξεφύτρωσε τ' απόσπασμα, πώς μπόρεσε να φτάσει μέχρι το στρατόπεδο δίχως να το πάρουν είδηση οι φρουροί, πού εξαφανίστηκε μετά την επιχείρηση.

Όταν άκουσε ο ίδιος από τη σκηνή του τη φασαρία, ήταν αργά για ν' αντιδράσει. Οι Παλιοκαστρίτες —που, όπως έμαθε αργότερα από κάτι στρατιώτες που ανάκρινε, οδηγούσε ο πολέμαρχός τους, ο καπετάν Μπέκας— είχαν κιόλας μπει βαθιά στο στρατόπεδο και προχωρούσαν, έσφαζαν, κατευθύνονταν προς το νότο. Για μια στιγμή νόμισε ότι στόχος τους ήταν αυτός ο ίδιος: κάτι παλιά κιτάπια, που 'χε διαβάσει τότε που τον φιλοξενούσαν οι καλόγεροι στον Προφήτη Ηλία, έγραφαν πως οι Παλιοκαστρίτες συνήθιζαν να κάνουν τέτοιες επιχειρήσεις από τα πιο παλιά χρόνια κι ότι είχαν καταφέρει κάμποσες φορές να παραλύσουν τ' ασκέρια των εχθρών τους πιάνοντας στον ύπνο τούς αξιωματικούς ή βγάζοντας από τη μέση τον πολέμαρχό τους.

Όμως είχε γελαστεί.

Όταν άρπαξε το χαντζάρι του και πετάχτηκε έξω, διαπίστωσε ότι το παλιοκαστρίτικο απόσπασμα είχε άλλο σημείο του στρατόπεδου για στόχο, πως προχωρούσε κατά τ' αναχώματα που προστάτευαν τα κανόνια.

Άδικα δοκίμασε να τους αναχαιτίσει στέλνοντας τους γενίτσαρους να τους κυκλώσουν: μέσα στο σκοτάδι, με τη σύγχυση που επικρατούσε, οι άντρες του Ομάρ άρχισαν να χτυπούν στα στραβά, να παίρνουν τους φίλους για εχθρούς, να σκοτώνονται συναναμετάξυ τους. Ο Σελήμ πασάς κατάλαβε τότε πως δε γινόταν τίποτα πια κι ότι το καλύτερο που 'χε να κάνει ήταν ν' ανακαλέσει τους γενίτσαρους και να περιμένει να περάσει η μπόρα. Αλλιώτικα, αν είχε επιμείνει, τ' ασκέρι θα θρηνούσε τώρα περισσότερους νεκρούς.

Όταν τελικά κατάφερε ν' ανοίξει δρόμο με τη φρουρά του και να πλησιάσει στ' αναχώματα με τα κανόνια, οι Παλιοκαστρίτες είχαν τελειώσει το φονικό τους έργο κι είχαν γίνει άφαντοι. Ο Ομάρ είχε κιόλας αραδιάσει πλάι πλάι στη γη τους σκοτωμένους κανονιέρηδες: σαράντα δύο κουφάρια. Αργότερα, όταν άρχισαν να ψάχνουν ανάμεσα στα τσαλαπατημένα αντίσκηνα, ανακάλυψαν κι άλλα.

«Πρέπει να ομολογήσω, Πολυχρονεμένε μου, ότι το χτύπημα είναι πολύ σκληρό», υπογράμμιζε στην αναφορά του ο σερασκέρης. «Δεν μπορούσα να φανταστώ ότι θα 'φτανε μέχρι εκεί η τόλμη τους ή μάλλον η αποκοτιά τους. Αν είχαν επιτεθεί στα πιο προχωρημένα τμήματα τ' ασκεριού, αν είχαν ριχτεί στους ασάπηδες ή τις φρουρές, δε θα μου 'χε φανεί παράξενο: όπως λένε κάτι παλιές αναφορές που μελέτησα στα αρχεία του Μεγάλου Βεζίρη, αυτή την ταχτική ακολούθησαν πάντα οι Παλιοκαστρίτες. Όμως, αυτή τη φορά, χτύπησαν το ίδιο το στρατόπεδο, κινδύνεψαν πολύ, έδειξαν ότι σ' αυτή την πολιορκία σκοπεύουν ν' ακολουθήσουν διαφορετική στρατηγική. Αν ρίχτηκαν με τόση λύσσα στους ξένους κανονιέρηδες, είναι γιατί ξέρουν ότι μας είναι δύσκολο να βρούμε γρήγορα άλλους, πως δε θα μπορέσουμε ν' αντικαταστήσουμε από τη μια μέρα στην άλλη τους Αυστριακούς, τους Γάλλους και τους Ιταλούς αξιωματικούς.

»Μα το χειρότερο είναι που 'πιασαν ομήρους.

»Είναι τετραπέρατη, διαβολεμένη φάρα οι Ρωμιοί, Πολυχρονεμένε μου. Κατέχουν καλά πως όταν το πράγμα μαθευτεί στην Ευρώπη —αυτοί που τους υποστηρίζουν θα κάνουν ό,τι μπορούν γι' αυτό— θα προκληθεί αρκετός θόρυβος. Τους ξέρουμε δα τους Ευρωπαίους, οι πρεσβευτές σου δεν παύουν να μιλάνε στις αναφορές που σου στέλνουν για την υποκρισία τους, τη διπλοπρόσωπη πολιτική τους. Είναι βέβαιο πως θα ενοχληθούν πολύ όταν βγει στη φόρα το μυστικό, όταν μαθευτεί ότι εκατοντάδες Ευρωπαίοι στρατιωτικοί έχουν καταταχτεί κι υπηρετούν στο στρατό του σουλτάνου, ότι πολεμάνε στο πλευρό των άπιστων τους Έλληνες που 'ναι χριστιανοί, βοηθάνε τους Οθωμανούς, συμμαχούν με τους μουσουλμάνους.

»Ξέρουν καλά τον κόσμο οι Παλιοκαστρίτες. Κι ας μην έχουν πάρε δώσε με ξένα κράτη, κι ας μην έχουν πρεσβευτές στις ευρωπαϊκές πρωτεύουσες. Αυτός ο λαός, Πολυχρονεμένε μου, έχει μάθει πολλά στη ζωή του, είναι γεμάτη πυκνογραμμένα κατάστιχα η μνήμη του. Οι Έλληνες έχουν τραβήξει πολλά από τους Ευρωπαίους, έχουν πάθει μεγάλα χουνέρια από τους Φράγκους, από τους Δυτικούς, ξέρουν καλά τη νοοτροπία τους. Συμφέρον μας είναι, σου λέει, να τα χαλάσει η Ευρώπη με τους Τούρκους, ν' αρχίσουν οι μεγάλοι να τρώγονται συναναμετάξυ τους.

»Πιστεύω όμως πως η υπόθεση των ομήρων κινδυνεύει να τους βγει σε κακό. Γιατί αν, όπως είναι πολύ πιθανό, εκτελέσουν μερικούς για να κάνουν εκβιασμό —αλλιώτικα, για ποιο λόγο τούς έπιασαν;— πολλοί από κείνους που τους υποστηρίζουν στην Ευρώπη θα τους χαρακτηρίσουν βάρβαρους, όπως κι εμάς, η Ελλάδα θ' αρχίσει να χάνει το καλό της όνομα, οι φίλοι της θα βρεθούν σε δύσκολη θέση. Έτσι είναι οι Ευρωπαίοι, πολυχρονεμένε μου Πατισάχ, τους αρέσει πολύ το θέατρο, παίζουν με τις λέξεις, κρύβονται πίσω τους, μασκαρεύουν την πραγματικότητα, της φοράνε ένα σωρό μπιχλιμπίδια. Τα δικά τους εγκλήματα γίνονται στ' όνομα του πολιτισμού, ενώ αυτά που κάνει η Ανατολή είναι βάρβαρα».

Δίχως ο Σελήμ πασάς να την πάρει είδηση, έφτασε η αυγή. Πέρα μακριά, στο βορινό σύνορο του στρατόπεδου, η αγριοφωνάρα του Ομάρ ακούστηκε για μια ακόμα φορά μέσα στο πυκνό πούσι που σκέπαζε ολάκερο τον κάμπο, ένα καραούλι τού απάντησε. Σε λίγο θ' αντηχούσανε εδώ κι εκεί οι τρουμπέτες για το εγερτήριο, ολάκερο τ' ασκέρι θα ξυπνούσε, ο τόπος θα γέμιζε ήχους, θα σηκωνόταν από παντού χλαλοή.

Ο σερασκέρης δεν είχε αποφασίσει ακόμα τίποτα για τη μέρα που θ' άρχιζε. Όσο κι αν είχε αναλύσει την κατάσταση, καθώς έγραφε την αναφορά του, δεν ήτανε ακόμα καθόλου βέβαιος για την ταχτική που θα 'πρεπε ν' ακολουθήσει. Πριν από την επιδρομή των καβαλάρηδων, ήταν έτοιμος να διατάξει μια μαζική επίθεση σ' όλο το μέτωπο του κάμπου, ελπίζοντας, αν όχι να καταφέρει να πλησιάσει στα τείχη, να εγκαταστήσει μερικά τμήματα τ' ασκεριού στην πλαγιά του παλιοκαστρίτικου βουνού κι από κει, με καθημερινά γιουρούσια, να λυγίσει σιγά σιγά την αντίσταση του εχθρού. Τώρα όμως είχαν αλλάξει τα πράγματα, δεν ήταν δυνατό ν' αγνοήσει τους όμηρους που 'χαν στα χέρια τους οι Παλιοκαστρίτες, να μην ενδιαφερθεί για την τύχη τους. Ίσως θα 'ταν προτιμότερο να περιμένει να δει αν θα 'χε αποτέλεσμα το μήνυμα που 'χε στείλει με τους καλόγερους του Προφήτη Ηλία, αν θα 'φερναν απάντηση από τους πολιορκημένους.

Ο Σελήμ στράφηκε και κοίταξε το μοναστήρι.

Μέσα στην καταχνιά της αυγής αχνοφαινόταν το καμπαναριό της εκκλησίας του, τα θολά σχήματα των πλατανιών της αυλής του σιγά σιγά ξεκαθάριζαν. Όπως κάθε πρωί, μόλις θ' άκουγαν το σήμαντρο, οι καλόγεροι θ' άρχιζαν να βγαίνουν ένας ένας από τα κελιά τους για να πάνε να νιφτούν σε κείνην την αρχαία πηγή με τ' άγαλμα, ύστερα θα τραβούσαν αμίλητοι για την πρωινή προσευχή στην εκκλησία. Απ' όλο το κοινόβιο ένας μονάχα καλόγερος δε θα γνοιαζόταν για το κάλεσμα του σήμαντρου. Θα σηκωνόταν από το ξυλοκρέβατο όπου ανάπαυε κάθε νύχτα το γέρικο κορμί του, θα 'κανε το σταυρό του, μα δε θα σάλευε από τη θέση του, δε θ' άφηνε το πόστο του στη βιβλιοθήκη του μοναστηριού, δε θα εγκατέλειπε τα πολύτιμα βιβλία και τα χειρόγραφά του.

Ο Σελήμ ήταν βέβαιος πως όλοι κείνοι οι θησαυροί που 'χαν εξαφανιστεί από την αίθουσα δε θα βρίσκονταν και πολύ μακριά, ότι οι καλόγεροι θα τους είχαν κρύψει σε καμιά σπηλιά του βουνού ή σε κάνα ξεροπήγαδο. Τους ήξερε καλά τους

Ρωμιούς, έγραφε στο σουλτάνο, του θύμιζε πως είχαν κουβεντιάσει συχνά οι δυο τους γι' αυτά τα θέματα. Είναι παλιά και παμπόνηρη ράτσα τούτοι οι άνθρωποι, του 'χε πει, πέρασαν από μεγάλες φουρτούνες στην Ιστορία τους κι όμως επέζησαν, δεν εκφυλίστηκαν, όπως τόσοι άλλοι λαοί, δε λησμόνησαν την καταγωγή τους, τη γλώσσα τους. Αλλά κανείς απ' όλους τους σουλτάνους που 'βγαλε ως τα τώρα η Τουρκιά δεν κάθισε να μελετήσει αυτό το φαινόμενο, να τ' αναλύσει, να καταλάβει τι σημαίνει, ώστε να κυβερνήσει πιο αποτελεσματικά το ντοβλέτι.

«Θυμάσαι, Πολυχρονεμένε μου, τι σου είπα μια φορά;» έγραφε προς το τέλος της αναφοράς του ο Σελήμ. «Δεν κάναμε καθόλου καλά π' αφήσαμε απείραχτα τα μοναστήρια σ' αυτή τη χώρα, που θεωρήσαμε πως η θρησκεία κι η παράδοση των ραγιάδων δεν είναι επικίνδυνα πράγματα. Αναγνωρίζω βέβαια πως είναι βολικό —τουλάχιστο για ένα διάστημα— να κουμαντάρεις τους υποταγμένους λαούς χρησιμοποιώντας τους δικούς τους θεσμούς, αφήνοντας άθικτες τις συνήθειές τους, πηγαίνοντας με τα νερά της Ιστορίας και του χαρακτήρα τους. Είναι αλήθεια πως όταν δεν μπορείς να δαμάσεις τους ανθρώπους με ξένα χαλινάρια και καπίστρια, πρέπει να δοκιμάζεις εκείνα που φτιάχνουν οι ίδιοι με τα χέρια τους. Έτσι είναι ο κόσμος, Πολυχρονεμένε μου: σκύβει πιο εύκολα —καμιά φορά μάλιστα και με προθυμία— για να φάει βουρδουλιά, όταν ξέρει πως είναι ντόπιος ο βούρδουλας.

»Αναρωτιέμαι όμως τι θα γίνει όταν μερικοί, αμόρφωτοι σήμερα, λαοί του ντοβλετιού έρθουν σ' επαφή με τον έξω κόσμο, όταν θ' αρχίσουν τα πάρε δώσε με τους δασκάλους και τους σοφούς της Ευρώπης, άμα θα πιάσουν να στέλνουν τα παιδιά τους στα σχολεία τους. Ποιος κρατάει τους Έλληνες και ποιος τους κάνει ζάφτι, άμα θα μπούνε για τα καλά στα μυστικά της Ιστορίας τους, όταν θυμηθούνε το παρελθόν τους, σαν πάρουνε χαμπάρι ότι κρύβει θησαυρούς η μνήμη τους; Πώς θα τα βγάλουμε πέρα με τους Αιγύπτιους, τους Πέρσες και τους Άραβες, άμα θ' αρχίσουν να σκαλίζουν κι αυτοί τα περασμένα τους;»

Στον Προφήτη Ηλία η καμπάνα καλούσε για όρθρο.

Ο Σελήμ πασάς αφουγκράστηκε με προσοχή λες και μέτραγε τους χτύπους της, μισόκλεισε τα μάτια σαν να προσπαθούσε να μαντέψει πόσο μακριά θα μπορούσε να φτάσει ο αχός της. Τότε που 'ταν στο μοναστήρι, κείνος ο καλόγερος της βιβλιοθήκης του 'χε πει ότι την είχαν δωρίσει στον Προφήτη Ηλία κάτι πλούσιοι Έλληνες έμποροι που 'ταν εγκατεστημένοι στην Πετρούπολη. Είχε τόσο δυνατό ήχο, που, όταν χτύπαγε, έτριζαν τα τζάμια της εκκλησίας, οι εικόνες έτρεμαν στους τοίχους, ενώ οι καλόγεροι τάπωναν με τις παλάμες τ' αυτιά. Μια μέρα που ο σερασκέρης την παρατηρούσε από κοντά, πρόσεξε που 'χε πάνω μια ανάγλυφη επιγραφή: «Άγγελος ελευθερίας — 1732».

Η εξαφάνιση των βιβλίων και των θησαυρών της βιβλιοθήκης τον είχε εντυπωσιάσει πιο πολύ κι από τη νυχτερινή επίθεση που 'χαν κάνει οι Παλιοκαστρίτες. Όση ώρα κουβέντιαζε με τον ηγούμενο και τους μοναχούς που τον συνόδευαν, δεν έπαυε να κοιτάζει με τρόπο τα ράφια και τα ντουλάπια που 'ταν άδεια, το βλέμμα του καθυστερούσε στα σημάδια που 'χαν αφήσει στους τοίχους τα ξεκρεμασμένα εικονίσματα, στα έπιπλα που θα μπορούσαν να κρύβουν με τον όγκο τους μια μυστική πόρτα. Σε μια στιγμή πρόσεξε που τα μάτια του γερο-βιβλιοθηκάριου είχαν καρφωθεί πάνω του και τον παρακολουθούσαν.

Ένιωσε άσκημα.

Καθώς εξηγούσε στον ηγούμενο τα δεινά που θα 'βρισκαν τους Παλιοκαστρίτες αν δεν άφηναν λεύτερους τους όμηρους, ενώ τα χείλια του πρόφεραν απειλές, η θύμησή του πήρε να ξεκουκίζει μια τη μια τις μέρες που 'χε περάσει στο μοναστήρι, στο μυαλό του ζωντάνευαν ένα σωρό μικρά κι ασήμαντα περιστατικά που δεν τους είχε δώσει τότε καμιά σημασία, στην ακοή του αντηχούσαν λόγια που ποτέ του δε φανταζόταν πως θα ξαναναστραίνονταν. Όταν κοίταζε πού και πού κι αυτός κλεφτά τον Ισίδορο, του φαινόταν ότι ξανάκουγε την ήρεμη φωνή του όπως τότε που του κουβέντιαζε και του διηγιόταν την ιστορία του μοναστηριού, όταν ερχόταν και τον φίλευε καρύδια ή μύγδαλα και κάνα ποτηράκι ρακή, το βράδυ που τον καληνύχτιζε, αφού πρώτα του 'ριχνε με το ροΐ λίγο λάδι στο λυχνάρι. Ο Σελήμ πασάς είχε την εντύπωση ότι αυτές οι αθώες αναμνήσεις είχαν σφηνώσει στην καρδιά του σαν να 'ταν τίποτα μαγικά βόλια φτιαγμένα έτσι, που ο άνθρωπος να μη νιώθει το παραμικρό τη στιγμή που διαπερνούν το κορμί του, αλλά μονάχα ύστερα από καιρό, για να αισθάνεται τον πόνο μετά από χρόνια.

«Τι να κάνουμε όμως, δε γίνεται αλλιώτικα», έγραφε στην αναφορά του στο σουλτάνο, «οι πόλεμοι δεν κερδίζονται με αναστεναγμούς και καλά αισθήματα, οι αυτοκρατορίες δεν κυβερνιούνται με όμορφες αναμνήσεις και λόγια. Όσο κι αν ψάξουμε στην Ιστορία, δε θα βρούμε ειδυλλιακές εποχές, αιώνες δίχως αίματα, παλιανθρωπιές. Έτσι φαίνεται το θέλησε ο Θεός σαν έβαλε τον άνθρωπο να παρατήσει τ' αξίνι και το τσαπί, όταν του ψιθύρισε στ' αυτί ν' αφήσει κατά μέρος αυτά τα βλογημένα εργαλεία και να πάρει όπλα, να πάψει να σκύβει πάνω από τη γη και να βαλθεί να την περπατάει, να ταξιδεύει, να φέρνει βόλτα την οικουμένη.

»Έτσι άρχισε το κακό, Πολυχρονεμένε μου: με τη μετακίνηση, με τις ρόδες, με τ' αμάξια και τ' άλογα, με τα καράβια. Αλλιώτικα, τίποτα δε θα 'χε χαλάσει στον κόσμο, ο καθένας θα 'μενε στον τόπο του, στα χώματά του, θα πήγαινε μέχρι εκεί που 'χαν πάει κι οι πρόγονοί του. Τα ζώα αλληλοτρώγονται εδώ και χιλιάδες χρόνια δίχως να ρημάζουν τη γη, χωρίς ν' αλλάζουν του Αλλάχ την τάξη. Είδες όμως ποτέ τα λιοντάρια της Αφρικής να σηκώνονται και να πηγαίνουν να κυνηγήσουν στην Ασία; Άκουσες καμιά φορά να ξεκινήσουν λύκοι από την Ευρώπη για να πάνε να φάνε αρνιά στην Ανατολή;

»Μα ό,τι έγινε έγινε, ο κόσμος δε γυρίζει πίσω. Το καλύτερο που 'χουμε να κάνουμε είναι να ετοιμαστούμε για τους καιρούς που 'ρχονται. Από δω και πέρα ο κάθε λαός θα παλέψει με τον τρόπο του, ανάλογα με τις δυνάμεις του, με τις συνήθειές του: ποιος με τ' άρματα και ποιος με τα γράμματα, ο καθένας με τη δικιά του Ιστορία, με το δικό του παρελθόν. Τα τσακάλια με τα τσακάλια και τα πρόβατα με τα πρόβατα. Πώς αλλιώς να κάνουμε; Μπορούμε να βάλουμε ολάκερη την ανθρωπότητα να ξαναγυρίσει στα κυνήγια και στα χωράφια; Γίνεται να ξαναεπιστρέψουμε στην ευλογημένη άγνοια;

»Να λέμε τα σύκα σύκα και τη σκάφη σκάφη: τα κράτη που δημιουργήθηκαν με τη βία και με το αίμα είναι καταδικασμένα να συνεχίσουν με τον ίδιο τρόπο, δεν έχουν άλλη επιλογή, δεν υπάρχει άλλη λύση. Όταν κάνεις συνέχεια πολέμους, όταν υποτάζεις λαούς, τι περιμένεις; Μίσος σπέρνεις, μίσος θα θερίσεις. Μα πώς να γίνει αλλιώς, όταν κυβερνάς αυτοκρατορίες μ' ένα σωρό αλλόφυλα κι αλλόγλωσσα έθνη; Πώς ν' αποφύγεις τις φαγωμάρες, τους ξεσηκωμούς, τις συγκρούσεις;

»Ποιος ξέρει... Μπορεί αργότερα, όταν δε θα υπάρχουν πια ούτε τα κόκαλά μας, όταν η γη θα 'χει χωνέψει ακόμα και τη σκόνη μας, να μην έχουν οι άνθρωποι τέτοια προβλήματα, ίσως ο κόσμος να 'χει γίνει ένα και μοναδικό ντοβλέτι με την ίδια εξουσία παντού, με την ίδια γλώσσα, με την ίδια θρησκεία, να πέφτει σ' όλη την οικουμένη ο ίδιος βούρδουλας. Έτσι θα ησυχάσει η γη, έτσι θα σταματήσουν οι φαγωμάρες, οι πόλεμοι. Ποιος θα ξεσηκωθεί για να ζητήσει λευτεριά κι ανεξαρτησία, ποιος θα μιλήσει για δημοκρατίες και τέτοια όταν αυτές οι λέξεις θα 'χουν χαθεί από το λεξιλόγιο των ανθρώπων ή δε θα σημαίνουν πια τίποτα, σαν θα 'χουν σβήσει όλα τα καταστροφικά όνειρα και δε θα υπάρχει πια καμιά μνήμη με καταγραμμένα τα παλιά περιστατικά, όταν θα 'χει ξεχαστεί για τα καλά η Ιστορία;

»Να γιατί, Πολυχρονεμένε μου, πρέπει να βγουν από τη μέση όλα τα Παλιόκαστρα, να ξεθεμελιωθούν τα μοναστήρια σαν τον Προφήτη Ηλία, να γίνουνε σωρός όλα αυτά τα βιβλία και τα χειρόγραφα και να μπει φωτιά. Μη φοβάσαι για τις αντιδράσεις των ξένων, μη σε νοιάζει για τις φωνές που θα μπήξουν οι Ευρωπαίοι, για τις απειλές, των βασιλιάδων και των αυτοκρατόρων τους, για τις διαμαρτυρίες των πρεσβευτών τους. Με τον καιρό θα τους περάσει, θα ξεχάσουνε, θα βαρεθούνε. Ίσως μάλιστα, κάποτε, να μας μιμηθούνε. Σάμπως δε μας έδειξαν κιόλας το δρόμο με την Ιερά Εξέταση; Δεν έριξαν στη φωτιά αμέτρητους σοφούς με τα βιβλία τους και τα χειρόγραφά τους; Αυτοί δεν ήταν που άλειβαν στη Ρώμη με κατράμι τους χριστιανούς και λαμπάδιαζαν τα κορμιά τους;»

Ξημέρωνε πια για τα καλά.

Σιγά σιγά, καθώς ο ήλιος ξεμύτιζε, το στρατόπεδο ξυπνούσε, ακούγονταν κιόλας οι αγριοφωνάρες των αξιωματικών που ξεσήκωναν τους άντρες τους, που 'διναν τις διαταγές τους. Ο Σελήμ πασάς έριξε μια τελευταία ματιά στον Προφήτη Ηλία, στράφηκε για να μπει στη σκηνή του, μα κοντοστάθηκε, χαμογέλασε τ' αχείλι του: μπροστά στα πόδια του ο σωρός με τα κεφάλια των φρουρών που 'χαν πιαστεί στον ύπνο έδειχνε πως όλα πήγαιναν καλά, ότι ο Ομάρ είχε εκτελέσει πιστά τις διαταγές του.

Π

Ο ΞΗΜΕΡΩΜΑ ΒΡΗΚΕ ΤΟΝ ΚΩΣΤΑ ΜΠΕΚΑ ΠΑΝΩ ΠΟΥ ΤΕλειωνε την πρωινή του επιθεώρηση στα τείχη κι ετοιμαζόταν να πάει να ρίξει μια ματιά στην πόλη.

Ο κάμπος έδειχνε ήσυχος, οι Τούρκοι δε θα 'καναν σήμερα γιουρούσι. Ο καπετάνιος άνοιξε το κανοκιάλι, το κατεύθυνε πέρα κατά τη σκηνή του Σελήμ πασά, αλλά δεν παρατήρησε τίποτα το ύποπτο, καμιά ιδιαίτερη κίνηση, δεν είδε να μπαινοβγαίνουν αξιωματικοί, να πετάγονται και να τρέχουν προς όλες τις κατευθύνσεις του στρατόπεδου αγγελιοφόροι. Σίγουρα η νυχτερινή επίθεση είχε χαλάσει τα σχέδια του σερασκέρη. Ο Σελήμ θα 'χε μείνει ξάγρυπνος όλη τη νύχτα, θα 'χε πιει κάμποσα ποτήρια ρακή φουμέρνοντας νευρικά το ναργιλέ του — ίσως να 'χε στείλει και καμιά γραφή στην Πόλη, στο σουλτάνο, για να ζητήσει τη γνώμη του.

Βλέποντας τον ήλιο να φανερώνεται και να πιάνει τον καθημερινό του ανήφορο στον ουρανό, ο Κώστα Μπέκας κοντοστάθηκε, έβγαλε το φέσι του, έκανε το σταυρό του. Μέσα στ' αγιάζι της αυγής, το φως έμοιαζε μ' ένα άυλο και λαμπερό σύννεφο που απλωνόταν αργά πάνω από το Παλιόκαστρο, σκαρφάλωνε στις στέγες των σπιτιών του και, γλιστρώντας από τοίχο σε τοίχο, κατέβαινε στα καλντερίμια και προχωρούσε, τα 'βαζε με τα τελευταία απομεινάρια του σκοταδιού, που 'χαν κάνει την αποκοτιά να μείνουν και ν' αντισταθούν στη δύναμή του.

«Ας είναι δοξασμένος ο Θεός, που θέλησε να χαρίσει ακόμα μια μέρα ζωής στην πολιτεία», συλλογίστηκε ο καπετάνιος. Ας χαίρονταν και τούτη την αυγή οι άνθρωποί της, ας φχαριστιούνταν και σήμερα το κελάηδημα των πουλιών, που ξεπετάγονταν κατά σμάρια από τα φυλλώματα των δέντρων της, όλους αυτούς τους γνώριμους και καθημερινούς ήχους που 'βγαιναν από τα σπλάχνα της, τη βαβούρα του πληθυσμού της.

Δεν ήταν η πρώτη φορά που φχαριστούσε το Θεό για τέτοια μικροπράγματα, για απλές και συνηθισμένες χαρές της ζωής, για το φως του ήλιου και για τη δροσιά του νερού, για τη βροχή που πέφτει από τον ουρανό, για τ' απαλό χάδι του αγέρα. Μα πώς μπορούσε να κάνει κι αλλιώς; Εξόν από τα βράχια, την ερημιά και την απομόνωση, εξόν από τις ανήλεες κάψες του καλοκαιριού και τις άγριες παγωνιές του χειμώνα, ποια άλλα δώρα είχε πάρει από τη φύση το Παλιόκαστρο, τι άλλο του 'χε πέσει στην κληρονομιά; «Όλα μόνοι μας, με τους αγώνες μας τ' αποχτήσαμε», μουρμούρισε ο Κώστα Μπέκας, «δεν καταδεχτήκαμε ξένη βοήθεια, αρνηθήκαμε τη δανεική λευτεριά, δεν απλώσαμε ποτέ το χέρι για να μας ρίξουν στη χούφτα λίγη αξιοπρέπεια. Δεν ξέρω αν κάναμε καλά ή άσκημα. Για ένα είμαι βέβαιος: ότι μείναμε ως τα τώρα αφεντικά στα σπίτια μας, άρχοντες στα λιγοστά μας χώματα, βασιλιάδες στα βράχια μας, στη μοναξιά μας. Τ' άρματα, τα κανόνια και τα πολεμοφόδια τα πήραμε λάφυρα από τους εχθρούς ή τ' αγοράσαμε με τους παράδες μας από τους ξένους, οι γυναίκες μας πούλησαν τα γιορντάνια και τα ψωροχρυσαφικά τους, τα μπακίρια τους».

Όταν ήρθε τότε στο Παλιόκαστρο ο Ετιέν ντε Μπρισάκ κι είδε τη φτώχεια που βασίλευε, είπε στον καπετάνιο πως όταν θα γύριζε στην πατρίδα του, θα κινητοποιούσε τους φιλέλληνες και τους φιλάνθρωπους, θα συγκέντρωνε παράδες μ' εράνους, θα ξεσήκωνε φίλους. Ο Κώστα Μπέκας βρέθηκε σε δίλημμα: ήξερε καλά τις μεγάλες ανάγκες της πόλης, έβλεπε την ανέχεια των ανθρώπων της, αλλά, από την άλλη μεριά, κάτεχε τους κινδύνους που γεννούν αυτού του είδους τ' αλισβερίσια, τις συνέπειες που 'χει για τη ζωή των ανθρώπων η φανερή ή η μασκαρεμένη ζητιανιά. Γίνεται, αναλογιζόταν, ν' απλώνεις το χέρι, αλλά να κρατάς ψηλά το κεφάλι; Είδε ποτέ κανείς ζητιάνο να φχαριστάει όχι ταπεινά αλλά περήφανα, να μη σκύβει, έστω και λίγο, μπροστά σ' αυτόν που τον ελεεί; Πού ακούστηκε να βοηθάει άνθρωπος τον άνθρωπο δίχως ανταλλάγματα ή κάποια υστεροβουλία, χωρίς κρυφή ή φανερή υπεροψία;

Παρ' όλη την ατέλειωτη συζήτηση με τον Ετιέν ντε Μπρισάκ και το δραγουμάνο του, παρ' όλες του τις ερωτήσεις, ο καπετάνιος δεν έβρισκε καμιά ύποπτη πρόθεση στις προτάσεις του Γάλλου αριστοκράτη. Απ' ό,τι έδειχναν τα λεγόμενά του, αυτός ο τόσο διαβασμένος άνθρωπος ανακάλυπτε μια Ελλάδα αλλιώτικη από κείνη που του 'χαν διδάξει στα σχολεία, απ' αυτή που 'χε φανταστεί μελετώντας ένα σωρό βιβλία. Έλεγε και ξανάλεγε στον Κώστα Μπέκα ότι πριν πατήσει το πόδι του σ' αυτά τα χώματα, είχε την εντύπωση, όπως και τόσοι άλλοι ταξιδιώτες ή φιλέλληνες, ότι η Ελλάδα δεν ήταν μια ζωντανή χώρα που ανήκε στον κόσμο τού σήμερα, αλλά ένα απέραντο μουσείο γεμάτο ερείπια, σπαρμένο μάρμαρα κι απομεινάρια ναών, με τις πλαγιές των βουνών στολισμένες με κομμάτια από κολόνες, με κερκίδες από θέατρα στις υπώρειες. Κανείς δεν του 'χε μιλήσει ποτέ για τους ανθρώπους που εξακολουθούσαν να ζουν σ' αυτή τη γη, στις πολιτείες και στα χωριά που 'χαν θεμελιώσει πριν χιλιάδες χρόνια οι πρόγονοί τους, κανείς δεν του 'χε πει τίποτα για τη σκλαβιά των Οθωμανών που βάραινε πάνω τους επί αιώνες, για τους αγώνες και τις απανωτές επαναστάσεις τους. Μερικοί από τους περιηγητές, όταν γύριζαν στις πατρίδες τους κι έγραφαν βιβλία με τις ταξιδιωτικές τους εντυπώσεις, έλεγαν ότι όπου κι αν είχαν πάει, όποιο μέρος της Ελλάδας κι αν είχαν επισκεφτεί, δεν είχαν δει πουθενά Έλληνες έτσι που τους περιέγραφαν οι κλασικοί συγγραφείς που 'χαν διαβάσει, άντρες στους δρόμους και στις αγορές να φοράνε χλαμύδες, γυναίκες με πολύπτυχα ιμάτια, με χρωματιστές κορδέλες στα μαλλιά, με πέδιλα στα πόδια. Κι όσο για φιλόσοφους, ποιητές και καλλιτέχνες, δεν είχαν βρει ούτε έναν για δείγμα: στην Ελλάδα κατοικούσαν μόνο αγράμματοι χωριάτες κι άξεστοι βοσκοί, Τούρκοι, Ανατολίτες, Σλάβοι, Αλβανοί...

Να όμως που οι Έλληνες ζούσαν και βασίλευαν, ο Ετιέν ντε Μπρισάκ τους έβλεπε γύρω του με τα ίδια του τα μάτια, τους άκουγε που μιλούσαν τη γλώσσα τους, που του διηγιούνταν τους ασταμάτητους αγώνες τους για να διώξουν τους βάρβαρους Οθωμανούς, για να λευτερώσουν τη σκλαβωμένη πατρίδα τους.

Παρόλο που ο Γάλλος αριστοκράτης τού κουβέντιαζε με θέρμη κι ειλικρίνεια γι' αυτό τον τόπο και για τη μεγάλη κι ιερή υποχρέωση που 'χε η Ευρώπη απέναντι σ' αυτό το δοξασμένο αλλά υπόδουλο λαό, ο Κώστα Μπέκας αρνιόταν επίμονα τη βοήθεια που του πρότειναν, έλεγε πως η Ελλάδα δε θα λευτερωνόταν πραγματικά παρά μονάχα με τους αγώνες και τις θυσίες των παιδιών της, με τα δικά της μέσα και με το αίμα της, όπως είχε κάνει πάντα στο παρελθόν της. Ο καπετάνιος δεν ήθελε ούτε ζητιανιές ούτε φιλανθρωπίες, δεν τ' άρεσαν οι ελεημοσύνες. «Όποιος λευτερώνεται με ξένα χέρια μοιάζει με κείνον που γκαστρώνει τη γυναίκα του μ' αλλουνού αρχίδια», είπε μια μέρα στον Ετιέν ντε Μπρισάκ.

Αυτή την παροιμία την είχε ακούσει από το μακαρίτη τον πατέρα του. Ο Λάμπρο Μπέκας διηγιόταν ότι την είχαν πει οι Παλιοκαστρίτες προεστοί, τότε παλιά, σε κάτι φραγκοκαλόγερους, καπουτσίνους, που 'θελαν να χτίσουν μοναστήρι σε μια κοντινή πλαγιά, για να τιμήσουν, όπως έλεγαν, την Παναγία που 'χε φανερωθεί σε κείνο το μέρος σε κάτι Βενετσιάνους εμπόρους, τότε στους βυζαντινούς καιρούς. Αν οι Παλιοκαστρίτες τους επέτρεπαν να βάλουν μπροστά το χτίσιμο, οι καπουτσίνοι υπόσχονταν για την πολιτεία την προστασία της Βενετιάς και του πάπα, έταζαν λαγούς με πετραχήλια, στρατιωτική βοήθεια, πόλεμο στην Τουρκιά.

Να 'λειπε, είχαν αποκριθεί οι προεστοί, τέτοια βοήθεια, που θα τραβούσε σιγά σιγά όλο το φραγκοπαπαδαριό της Ευρώπης στου Παλιόκαστρου τα χώματα, που θα 'χε ως συνέπεια να γεμίσουν με δυτικά μοναστήρια όλα τα γύρω βουνά. Μπορεί οι Τούρκοι να κάτεχαν την Ελλάδα κάπου τέσσερις αιώνες, αλλά δε ζήτησαν ποτέ από τους Έλληνες ν' αλλαξοπιστήσουν, όπως έκαναν οι Φράγκοι, δεν κατηχούσαν όπως εκείνοι με το ζόρι τα παιδιά τους, δεν τους απαγόρευαν να λειτουργιούνται στις εκκλησίες τους. Οι Οθωμανοί απαιτούσαν υπακοή και τάξη, έσφαζαν τους ραγιάδες ανελέητα όταν επαναστατούσαν, αλλά δεν τα 'βαζαν ποτέ με τη θρησκεία τους, όπως οι Δυτικοί, δε γύρευαν ν' αγοράσουν τις ψυχές τους, τις συνειδήσεις τους.

Μάταια ο Ετιέν ντε Μπρισάκ εξηγούσε ότι το Παλιόκαστρο δεν είχε κανένα λόγο να φοβάται, πως άλλο πράγμα ήταν η Βενετιά κι άλλο η Γαλλία. Στην πατρίδα του, έλεγε, η κατάσταση είχε αλλάξει πολύ τα τελευταία χρόνια, ο λαός υπόφερε, πεινούσε, το καζάνι της οργής του έβραζε. Αργά ή γρήγορα οι αστοί θα ξεσηκώνονταν και θ' απαιτούσαν από το βασιλιά μεταρρυθμίσεις, θ' αποχτούσαν δικαιώματα, ελευθερίες. Σ' ολάκερη την Ευρώπη είχαν σιγά σιγά αρχίσει ν' αλλάζουν τα πράγματα, στις μεγάλες πόλεις ο λαός ξυπνούσε, διαδίδονταν παντού ένα σωρό νέες ιδέες. Στην Αυστρία, στην Αγγλία αλλά και σ' άλλες χώρες οι μονάρχες ανησυχούσαν, οι κυβερνήσεις έτρεμαν. Η Ελλάδα είχε συμφέρον να πάει από τώρα με το μέρος εκείνων που σε μερικά χρόνια θα 'ταν στην εξουσία και που θα 'χαν μεγάλη δύναμη. Αυτοί θα τη βοηθούσαν στον αγώνα της ενάντια στους Τούρκους, για να ξαναποχτήσει τη λευτεριά της, την αλλοτινή αίγλη της.

«Δε θέλουμε άλλη αίγλη. Αρκετά ακριβά πληρώσαμε ως τα τώρα αυτήν που κληρονομήσαμε», απάντησε ο Κώστα Μπέκας.

Βλέποντας τον Ετιέν ντε Μπρισάκ να τον κοιτάει μ' απορία, ο καπετάνιος τού εξήγησε πως οι Έλληνες δεν έπαψαν ποτέ να πληρώνουν τζερεμέδες για την κληρονομιά των προγόνων, να πολεμάνε και να χύνουν το αίμα τους για τ' αξόφλητα βερεσέδια που τους άφησε η Ιστορία.

«Θα σου φανεί παράξενο, αλλά μάθε ότι δεν αισθανθήκαμε ποτέ πραγματικά λεύτεροι σ' αυτό τον τόπο», πρόσθεσε. «Όπου κι αν πάμε, όπου κι αν σταθούμε μέρα νύχτα, έχουμε πίσω μας αυτούς τους άτιμους προγόνους που μας παρακολουθούνε, μας μπήγουν τις φωνές, μας τσιγκλάνε σαν να 'μαστε καματερά και δε μας αφήνουν να ξαποστάσουμε, να ζήσουμε κι εμείς ήσυχα, όπως και τόσοι άλλοι λαοί, να γνοιαστούμε για τα σπίτια μας, να μεγαλώσουμε ανθρωπινά τα παιδιά μας, να δουλέψουμε στα χωράφια μας. Αυτοί δεν τα υπολογίζουν όλα αυτά που λες, δε σκοτίζονται που ο κόσμος άλλαξε, βλέπουνε τους καιρούς μας και γελάνε, μας κοροϊδεύουνε. Ξέρουνε καλά, βλέπεις, ότι θα ξεπεραστούν δύσκολα —αν ξεπεραστούν ποτέ— τα κατορθώματα και τα έργα τους, ο πολιτισμός τους, πως όλοι εσείς οι σημερινοί σοφοί και γραμματισμένοι, θέλετε δε θέλετε, αναμασάτε τα λόγια τους, αλλά δε βρήκατε μέχρι τώρα τίποτα καινούριο για να πείτε, να φτιάξετε. Πώς θες να ικανοποιηθούν αυτοί οι περήφανοι άνθρωποι, αυτοί οι ασυμβίβαστοι πολεμιστές με τις ψευτολευτεριές μας, με τις κάλπικες ανεξαρτησίες μας; Πώς να μην περιφρονούν έναν κόσμο που ξέχασε τι πάει να πει τιμή, λευτεριά, αξιοπρέπεια, όταν κοιτάνε από τον Άδη και βλέπουν την πατρίδα τους γεμάτη σκλάβους με σκυμμένα κεφάλια; Πώς να δικαιολογηθούμε; Τι να τους πούμε; Ότι θα βρούμε δικούς μας τρόπους και νέες συνταγές για να γλιτώσουμε από την τυραννία και να κυβερνηθούμε; Πώς θ' αποχτήσουμε τη λευτεριά μας με παρακάλια και ζητιανιές; Εσείς οι Ευρωπαίοι έχετε καιρό μπροστά σας για να κάνετε τα σφάλματα που κάναμε εμείς άπειρες φορές, για να νομίσετε, όπως νομίσαμε, ότι το αύριο είναι πάντα καλύτερο από το χτες και πως σας περιμένουν όμορφες κι ευτυχισμένες μέρες. Εδώ που τα λέμε, δε φταίτε, έχετε δίκιο, είσαστε καινούριοι στην Ιστορία. Εμείς όμως ερχόμαστε από πολύ μακριά, τα μάτια μας έχουν δει σημεία και τέρατα, έχουν ακούσει πολλά τ' αυτιά μας. Πώς να τα ξεχάσουμε; Πώς να σβήσουμε όσα είναι χαραγμένα μέσα στη μνήμη μας;»

Τη μέρα που ο Ετιέν ντε Μπρισάκ έφευγε για να γυρίσει στην πατρίδα του, ο Κώστα Μπέκας τον συνόδεψε καβάλα στ' άλογό του, τον ξεπροβόδισε, όπως έκανε μ' όλους τους ξένους που εκτιμούσε κι ήθελε να τους δείξει τη φιλία του. Μόνο που αυτή τη φορά κράτησε συντροφιά στον Γάλλο αριστοκράτη και πέρα από τη δημοσιά, ανηφόρισε μαζί του σε μια πλαγιά και συμβούλεψε τους αγωγιάτες για το δρομολόγιο που θα 'πρεπε ν' ακολουθήσουν για ν' αποφύγουν τα κακά συναπαντήματα, για να μη νυχτωθούν σε καμιά επικίνδυνη ερημιά, σε κάνα δρόμο δίχως χάνια.

Σε μια στιγμή, κοντά στην εμπασιά μιας χαράδρας, ο καπετάνιος στράφηκε και κοίταξε πίσω του: το Παλιόκαστρο δε φαινόταν πια, ήταν κρυμμένο πίσω από 'να ύψωμα, ο κάμπος είχε χαθεί, δεν έξεχε στον ορίζοντα το καμπαναριό του Προφήτη Ηλία. Πήγαινε κάμποσος καιρός που δεν είχε απομακρυνθεί τόσο πολύ από την πόλη, που δεν είχε χάσει από το βλέμμα τα γνώριμα κατατόπια και τα χώματα. Ποτέ του δεν είχε επιθυμήσει να ταξιδέψει, έτσι για να κάνει το κέφι του, για να γνωρίσει κι άλλα μέρη εξόν από το δικό του. Μόνο και μόνο απ' όσα είχε δει κι ακούσει γύρω του σ' όλη του τη ζωή, από τις ιστορίες και τις διηγήσεις που του 'χαν ξεκουκίσει διάφοροι περαστικοί ξένοι, είχε καταλάβει πόσο ο κόσμος είναι μεγάλος, μεγάλος κι ανιστόρητος, πως οι καημοί και τα πάθια του δε χωράνε στο μυαλό τ' ανθρώπου, σχηματίζουν θάλασσα, ολάκερο ωκεανό τα δάκρυά του. Καλά καλά μια ζωή δε φτάνει, συλλογιζόταν ο Κώστα Μπέκας, για ν' ανταλλάξει κανείς λίγα ζουμερά λόγια με τους ανθρώπους που ζούνε γύρω του, με τη φαμίλια και με τους φίλους του, με τους ομοαίματούς του, να μπει στο νόημα των παραμυθιών και των θρύλων που άκουσε από τους γέροντες σαν ήτανε μικρό παιδί, να ξεδιαλύνει τα σπουδαία και τα προαιώνια μυστικά της Ιστορίας του τόπου του. Τι να τα κάνεις τα ταξίδια και τις περιπλανήσεις σε μακρινές κι αλλόγλωσσες χώρες, όταν δεν έχεις καταφέρει ν' ανακαλύψεις και να χαρείς τ' αμύθητα πλούτια που κρύβει η γλώσσα της γης όπου γεννήθηκες, όταν δεν έχεις ακόμα μάθει να κουβεντιάζεις μαζί της;

Βλέποντας που ο καπετάνιος είχε ξεμείνει πίσω και καθυστερούσε, ο Ετιέν ντε Μπρισάκ ανακράτησε το μουλάρι του και περίμενε. Παρόλο που τον αντιλήφθηκε, ο Κώστα Μπέκας δε βιάστηκε, δε σπιρούνισε τ' άλογό του που περπατούσε αργά, με σκυμμένο κεφάλι, λες και το βάραιναν κι αυτό οι σκέψεις ή σαν να 'νιωθε αυτές που τριβελίζαν το νου τ' αφέντη του. «Ακόμα και το ζωντανό ξεπροβοδίζει με βαριά καρδιά τούτο τον ξένο», είπε μέσα του ο καπετάνιος, «συμπάθησε αυτό τον άνθρωπο που 'ρθε από την άλλη άκρη του κόσμου και που αγάπησε, εκτίμησε τους ανθρώπους του Παλιόκαστρου, τα χώματά του. Ένας απλός Γάλλος αριστοκράτης, που δεν έχει πείρα από πολέμους και πολιορκίες, κατάλαβε τις μεγάλες ανάγκες που 'χει τούτη η πόλη, είδε τα μαύρα χάλια που 'χουν τα μπεντένια της, μάντεψε πως αν καμιά ώρα τής ρίχνονταν οι Τούρκοι μ' ένα δυνατό κι οργανωμένο ασκέρι, δε θ' άντεχε, δε θα τα 'βγαζε πέρα μοναχή της».

Πού θα 'βρισκε άλλο φίλο σαν κι αυτόν το Παλιόκαστρο; σκεφτόταν ο Κώστα Μπέκας βλέποντας τον Ετιέν ντε Μπρισάκ που τον περίμενε. Ποιος ξένος ή ντόπιος θα γνοιαζόταν ποτέ για την τύχη μιας απομονωμένης και πανάρχαιης πολιτείας, μιας χούφτας ανθρώπων που ζούσαν επί αιώνες κι αιώνες σε τούτα τ' άγρια βουνά, που 'μοιαζαν υπολείμματα από κόσμους αλλοτινούς, χαμένους; Παρ' όλα όσα έλεγε ο Φώτης, δεν ήταν δυνατό να 'ταν όλοι οι Ευρωπαίοι ψεύτες κι υποκριτές, πωρωμένοι από τα πλούτια τους, από την εύκολη ζωή τους. Στο κάτω κάτω της γραφής ποιοι είχαν μάθει γράμματα στο δάσκαλο; Ποιοι τον είχαν μορφώσει; Ποιοι είχαν απλώσει μπροστά του βιβλία και χαρτιά, του 'χαν ανοίξει τα μάτια; Όλο και θα υπήρχαν εδώ κι εκεί στην Ευρώπη, ίσως κρυμμένοι, ίσως παράνομοι, κυνηγημένοι από τους βασιλιάδες και τους τύραννους, κάμποσοι άξιοι κι ασυμβίβαστοι άνθρωποι, ανένδοτοι και πεισματάρηδες μαχητές της λευτεριάς και της αξιοπρέπειας. Αργά ή γρήγορα, όταν θ' άλλαζαν οι καιροί, όπως έλεγε ο Ετιέν ντε Μπρισάκ, όταν θα 'ρχονταν αλλιώτικα χρόνια, όλοι αυτοί θα ξεπετάγονταν από τους κρυψώνες, θ' άφηναν τις κατακόμβες και θα ξεχύνονταν στους δρόμους. Θα 'φτιαχναν αληθινά ασκέρια και θα καταργούσαν την τυραννία, θα 'δειχναν και σ' άλλους σκλάβους λαούς το δρόμο που οδηγεί στη λευτεριά.

Τι θα κέρδιζε το Παλιόκαστρο αν αποθάρρυνε αυτούς τους λίγους φίλους και σύμμαχους που 'χε στον κόσμο, αν αρνιόταν την αλληλεγγύη και τη βοήθειά τους; Δεν ήτανε θετά παιδιά της Ελλάδας, όπως έλεγε ο Ετιέν ντε Μπρισάκ; Δεν τους είχαν διδάξει στα σχολεία την Ιστορία της και τον πολιτισμό της; Οι ιδέες που 'χαν ανάψει άσβηστες φωτιές μέσα τους δεν ήταν κείνες που 'χαν κυβερνήσει στ' αρχαία χρόνια μερικές από τις δοξασμένες της πολιτείες;

Μπροστά στην εμπασιά της χαράδρας ο καπετάνιος σταμάτησε.

Ένιωθε αναποφάσιστος. Οι λίγες λέξεις που 'φταναν μέχρι τα χείλια του πάσχιζαν άδικα να πλησιάσουνε η μια την άλλη και να ενωθούν, να σχηματίσουν κάποιον αποχαιρετισμό, έναν απλό φιλικό λόγο. Οι αγωγιάτες είχαν προχωρήσει μέσα στη χαράδρα, ακούγονταν στο βάθος της τα βήματά τους, οι πέτρες και τα χαλίκια που κατρακυλούσαν, το φτερούγισμα των αγριόπουλων που τρόμαζαν από το θόρυβο που 'καναν οι οπλές των μουλαριών.

Ο Κώστα Μπέκας κατάλαβε πως ήταν αργά πια.

Την ώρα που εκείνος συλλογιόταν, κάποια άλλη θέληση βρήκε ευκαιρία και τον κυρίεψε δίχως να το πάρει είδηση, εδραίωσε μέσα του την κατοχή και την εξουσία της, έβγαλε την απόφασή της. Θα 'ταν χαμένος κόπος να της αντισταθεί. Ήξερε καλά τι έλεγε όταν μιλούσε στον Ετιέν ντε Μπρισάκ για τη δύναμη που 'χουν οι πεθαμένοι σ' αυτό τον τόπο, για τον έλεγχο που ασκούν οι πρόγονοι και για τους χίλιους τρόπους που βρίσκουν ώστε να τρυπώνουν και να μένουν απαρατήρητοι μέσα στη μνήμη και την καρδιά των ανθρώπων, να ταράζουν τα όνειρά τους, να νταχταρίζουν τις ελπίδες τους.

Πέζεψε ο καπετάνιος σβέλτα, έβγαλε από τον κόρφο ένα μαντίλι κι έσκυψε να μαζέψει λίγο χώμα για να το προσφέρει στον Ετιέν ντε Μπρισάκ, Έτσι έκαναν στα παλιά τα χρόνια αυτοί που μίσευαν, που 'φευγαν για μακριά, που 'ξεραν ότι θα πέρναγε πολύς καιρός πριν έρθει η άγια κι ευλογημένη στιγμή να ξαναδούν την πατρίδα. Κείνο το χώμα το κράταγαν πάντα κοντά τους, οι περισσότεροι το 'ραβαν σ' ένα σακουλάκι και το κρέμαγαν από το λαιμό, το 'χαν κατάσαρκα στο στήθος τους, πάνω στην καρδιά τους.

Μόλο που σκούπισε τη γη με το χέρι, ο Κώστα Μπέκας

λίγο χώμα βρήκε. Πριν το βάλει στο μαντίλι, στάθηκε και το παρατήρησε που σχημάτιζε ένα τοσοδούλι σωρουδάκι στη μέση της χούφτας του, ανακατωμένο με λίγο αίμα από τα δάχτυλά του: θα 'χαν πληγωθεί από καμιά κοφτερή πέτρα την ώρα που σκάλιζε τη σκληρή, την άγρια γη του τόπου του.

Μαζεμένες από τα ξημερώματα στην πλατεία, οι γυναίκες δούλευαν ασταμάτητα, έφτιαχναν φισέκια, ακόνιζαν γιαταγάνια, ετοίμαζαν ξαντό και μπάλσαμο για τα παλικάρια.

Ο Κώστα Μπέκας κοντοστάθηκε, τις κοίταξε συλλογισμένος.

Αυτές δεν είχαν ανάγκη από πολλές κουβέντες για να ριχτούν στη δουλειά, δεν τους χρειαζόταν να φιλοσοφήσουν με τις ώρες ή να μελετήσουν την Ιστορία για να σηκωθούν και ν' αρπάξουν μαχαίρια και κουμπούρια, για να σταθούν και να καρτερέψουν τους ξενομπάτες μπροστά στα κατώφλια τους. Ήξεραν καλά τι τις περίμενε αν θα 'μπαιναν οι Τούρκοι στο Παλιόκαστρο, σαν θα ξεχύνονταν στα καλντερίμια, όταν θα μπουκάριζαν στις αυλές με τα χαντζάρια στα χέρια...

Είχαν κάμποσες φορές παρατήσει τα σπίτια και τα παιδιά τους για να πιάσουν τ' άρματα, είχαν πολεμήσει μαζί με τους άντρες, ισάξιά τους. Κάποτε, σε μια κρίσιμη μάχη με κάτι Τουρκαλβανούς, πάνω που οι εχθροί ρίχνονταν να πάρουν τα ταμπούρια που 'ταν στην πλαγιά ώστε να προχωρήσουν μετά κατά τα μπεντένια, ο αρχηγός τους αντίκρισε να ξεπετάγεται στα ξαφνικά από την άλλη άκρη του κάμπου ένα μικρό ασκέρι από Παλιοκαστρίτισσες, που 'καναν γιουρούσι κατά τα παραπήγματα όπου οι Τουρκαλβανοί είχαν εγκαταστήσει την επιμελητεία. Κραυγάζοντας άγρια, κραδαίνοντας αναμμένα δαυλιά και γιαταγάνια, οι γυναίκες χίμηξαν σαν λυσσασμένες λύκαινες σε κάτι φρουρούς που πάσχισαν να τις σταματήσουν και τους πετσόκοψαν, έφτασαν στις σκηνές και στις παράγκες κι άρχισαν να βάζουν φωτιά, να χτυπάνε, να σφάζουνε. Βλέποντας ότι τ' ασκέρι του κινδύνευε να μείνει

χωρίς πολεμοφόδια, δίχως τρόφιμα και νερό, ο καπετάνιος
των Τουρκαλβανών αναγκάστηκε ν' αποτραβήξει από την
καρδιά της μάχης πάνω από διακόσιους άντρες για να τους
στείλει ν' αναχαιτίσουν τις Παλιοκαστρίτισσες, που 'χαν στο
μεταξύ καταρημάξει τον καταυλισμό, έβαζαν φόκο στις μπα-
ρουταποθήκες, ξεκοίλιαζαν τα τσουβάλια με το κριθάρι και
τη βρώμη για τ' άλογα.

Αυτό περίμεναν τα παλικάρια που πολέμαγαν στην πλα-
γιά.

Μόλις είδανε τους Τουρκαλβανούς να υποχωρούν, πετά-
χτηκαν από παντού κι έκαναν αντεπίθεση, επωφελήθηκαν α-
πό τη σύγχυση που 'χαν προκαλέσει οι γυναίκες με τον α-
ντιπερισπασμό τους και ρίχτηκαν με νέο κουράγιο στους ε-
χθρούς, τους πήρανε φαλάγγι και τους στρίμωξαν στο στρα-
τόπεδό τους.

Ποτέ δεν ξέχασε ο Κώστα Μπέκας κείνες τις Παλιοκα-
στρίτισσες, έτσι όπως τις είχε δει να γυρίζουν από τη μάχη
βουτηγμένες στο αίμα και στον ίδρωτα, με τα μαλλιά κολ-
λημένα στα πρόσωπα, με τα μάτια τους αγριεμένα. Αυτές οι
ίδιες ήταν που στέκονταν φρόνιμες κι ήσυχες νοικοκυρές στα
σπίτια τους; Που περπατούσαν στο δρόμο σεμνά και που δεν
ύψωναν ποτέ τη φωνή όταν μιλούσαν στους άντρες τους;
Κείνες που 'χαν ριχτεί στους Τουρκαλβανούς ήταν σκέτα θε-
ριά, δούλευαν το γιαταγάνι λες και δεν είχαν κάνει άλλη δου-
λειά στη ζωή τους, δε λύγισαν σε καμιά στιγμή της μάχης,
δεν έδειξαν στους εχθρούς τις πλάτες τους.

Μονάχα κάτι γέροντες που 'χαν δει με τα μάτια τους πολ-
λά, που 'χαν ακούσει άπειρες ιστορίες στα νιάτα τους, δεν
απορούσαν και δε θαύμαζαν. Είχαν γίνει πολλά τέτοια στους
αλλοτινούς καιρούς, έλεγαν, δεν ήταν η πρώτη φορά που οι
γυναίκες γλίτωναν τον τόπο από το χαμό, που 'δειχναν σ'
όλους τους Παλιοκαστρίτες, σ' όλους τους Έλληνες, το σω-
στό και πρεπούμενο δρόμο. Αυτές κρατάνε στα χέρια τους
τη μοίρα ολάκερου του γένους, αυτές που μεγαλώνουν τα
παιδιά, που κουμαντάρουν τη φαμίλια, που μαθαίνουν στους
ανθρώπους, σερνικούς και θηλυκούς, το χρέος τους. Ο λαός

που βγάζει άξιες γυναίκες, εξηγούσαν οι γερόντοι, δεν έχει να φοβηθεί τίποτα. Πάνε αιώνες κι αιώνες που οι λιόντισσες γεννάνε λιόντες κι οι τίγρισσες τίγρηδες. Όσο δεν μπασταρδεύουν και δε χαλάνε οι θηλυκές, κίνδυνος δεν υπάρχει για κανένα θεριό του κόσμου, η φύτρα του δε χάνεται, δεν αλλάζουν τα χούγια του.

Παρατηρώντας τις Παλιοκαστρίτισσες που δούλευαν στην πλατεία, ο Κώστα Μπέκας θυμήθηκε τον Ετιέν ντε Μπρισάκ τότε που πήγαινε και τις ζωγράφιζε εκεί που περίμεναν με τη σειρά για να γεμίσουν τα σταμνιά από την πηγή, όταν τραβούσανε την Κυριακή για την εκκλησία με τα καλά τους, κρατώντας από το χέρι τα παιδιά, με τα μωρά στην αγκαλιά τους. Του 'κανε εντύπωση που ντύνονταν απέριττα, που περπατούσαν δίχως τσαλίμια, που απόφευγαν τα πολλά και φανταχτερά στολίδια. Έλεγε στον καπετάνιο ότι στην πατρίδα του, στο σινάφι του, είχε να κάνει μ' άλλου είδους γυναίκες, του μιλούσε για τις όμορφες κι εντυπωσιακές αριστοκράτισσες που μπαινόβγαιναν στ' αρχοντικά και στα σαλόνια καταστολισμένες από την κορφή ως τα νύχια, με αλευρωμένες περούκες στα κεφάλια, με φτιασίδια και σουρμέδες στα μάτια, στα μάγουλα, στα χείλια. Αυτές δεν είχαν τις ίδιες σκοτούρες με τις Παλιοκαστρίτισσες, εξηγούσε, δεν υπόφεραν από πολέμους και σκοτωμούς, δεν είχανε κρατήσει ποτέ στη ζωή τους άρματα, δεν ήξεραν τι πάει να πει στέρηση, φτώχεια, πείνα. Ανήκαν σε μια τάξη ανθρώπων που την περνούσανε ζωή και κότα, που δεν τους έλειπε τίποτα και που δεν είχανε σχεδόν καθόλου αλισβερίσια με την υπόλοιπη κοινωνία.

Άμα θα τους έδειχνε τα σχέδια και τα πορτρέτα που 'χε κάνει στο Παλιόκαστρο, δε θα του ζήταγαν να μάθουν την ιστορία των γυναικών που 'χε ζωγραφίσει, δε θα ενδιαφέρονταν καθόλου για τη ζωή και για τα βάσανά τους, για τα όσα τραβούσαν για να επιζήσουν σε κείνο τ' απομονωμένο μέρος όπου τις είχε ρίξει η μοίρα τους. Όμως δε θα ξέχναγαν να του κάνουν χίλιες ερωτήσεις για το πώς ντύνονταν οι Παλιοκαστρίτισσες και γενικά οι Ελληνίδες, για το πώς συμπεριφέρονταν με τους άντρες και τους αγαπητικούς τους, θα του γύρευαν να τους μιλήσει για το φέρσιμό τους στο κρεβάτι, για τα ερωτικά τερτίπια τους. Θα τους ήταν σχεδόν αδύνατο να καταλάβουν πώς γινόταν κι οι Παλιοκαστρίτισσες είχαν άλλης λογής προβλήματα, θα τους φαινόταν περίεργο που δεν περνούσαν τη ζωή τους με χορούς, γλέντια κι έρωτες, που δούλευαν στα χωράφια και πολεμούσαν όπως κι οι άντρες.

Οι περισσότεροι μορφωμένοι άνθρωποι στη Δύση, έλεγε ο Ετιέν ντε Μπρισάκ, ήταν βέβαιοι πως δεν υπήρχε άλλος τρόπος για να ζει κανείς εξόν από τον δικό τους, φαντάζονταν ότι η λογική τους ήτανε η μόνη δυνατή και πως είχαν πάντοτε το δίκιο με το μέρος τους. Γι' αυτό και δεν έπαυαν να κουβεντιάζουν για το πώς θα 'βαζαν τάξη σ' ολάκερο τον κόσμο, για το πώς θα τον εκπολίτιζαν, θα του 'δειχναν το σωστό δρόμο.

Μήπως ο Ετιέν ντε Μπρισάκ είχε δίκιο που 'γραφε πως οι Παλιοκαστρίτες έπρεπε να γλιτώσουν τις γυναίκες και τα παιδιά από το χαμό; αναρωτήθηκε σε μια στιγμή ο Κώστα Μπέκας. Τι θα κέρδιζε, στ' αλήθεια, η πόλη από τη θυσία τους; Ποιος θα βρισκόταν για να φανερώσει στον κόσμο τον άδικο χαμό του Παλιόκαστρου; Ποιοι θα 'παιρναν το αίμα του πίσω; Οι γυναίκες και τα παιδιά ήτανε μια ελπίδα πως δε θα πήγαιναν όλα χαμένα, πως δε θα τέλειωνε μέσα στη βουβαμάρα και την αδιαφορία μια ιστορία που 'χε κρατήσει αμέτρητα χρόνια.

Ο καπετάνιος προχώρησε κατά τις γυναίκες για να τους μιλήσει.

Στην αρχή —πράγμα που δεν του 'χε συμβεί ποτέ— μπέρδεψε κάμποσες φορές τα λόγια του, σαν να μην ήξερε τι ακριβώς ήθελε να πει. Ύστερα, βλέποντας που οι γυναίκες τον κοιτούσαν απορημένες, δοκίμασε να ξεκαθαρίσει τις σκέψεις του κι άρχισε να μιλάει για τούτο τον πόλεμο που δεν ήταν όπως οι άλλοι, για το μεγάλο κίνδυνο που απειλούσε το Παλιόκαστρο. Όλα έδειχναν, είπε, ότι ο Σελήμ πασάς δεν το 'χε σκοπό να φύγει αν δεν ξεμπέρδευε με την πόλη, αν δεν την έκανε ίσωμα. Οι Παλιοκαστρίτες θα 'καναν βέβαια το χρέος τους όπως πάντα, θα πολεμούσαν σκληρά, θα 'διναν όσα χτυπήματα μπορούσαν στους Τούρκους. Αλλά ποιο τ' όφελος; Το Παλιόκαστρο δεν είχε αντιμετωπίσει ποτέ άλλοτε τέτοια μυρμηγκιά — ούτε που φαινόταν ο κάμπος από τα πολλά ασκέρια.

Οι γυναίκες δεν είπαν τίποτα, ακόμα κι όταν άκουσαν τον καπετάνιο ν' αναγγέλλει ότι θα πρότεινε στους προεστούς να στείλουν μήνυμα στον Σελήμ πασά και να του πουν πως ό,τι και να γινόταν, όπως και να 'ρχονταν τα πράγματα, η πόλη δε θα παραδινόταν και δε θα παζάρευε ούτε στιγμή τη λευτεριά της, δε θα ξεπούλαγε ύστερα από τόσα και τόσα χρόνια λεύτερης ζωής την ανεξαρτησία της. Αν όμως ο σερασκέρης άφηνε τους Παλιοκαστρίτες να βγάλουν από την πόλη τις γυναίκες και τα παιδιά και να τα στείλουνε σε μέρος σίγουρο, οι ξένοι όμηροι που 'χαν στα χέρια τους θ' απελευθερώνονταν και θα γύριζαν στο στρατόπεδό τους.

— Σίγουρο μέρος είπες, καπετάνιο; Ποιο είναι για να το ξέρουμε; ρώτησε ξαφνικά μια γριά.

Είχε αραδιασμένα μπροστά της κάτι πήλινα κεσεδάκια και τα γέμιζε με μαντζούνια κι αλοιφές που 'χε κουβαλήσει από το σπίτι της, έβαζε σε σακουλάκια βοτάνια και ξερά φύλλα που σταματάνε το αίμα, που δεν αφήνουν ν' αφορμίσουν οι πληγές. Είχε βοηθήσει σε κάμποσους πολέμους τους Παλιοκαστρίτες με την τέχνη και με τα γιατροσόφια της. Δεν υπήρχε λαβωμένος πολεμιστής που να μην είχε νιώσει να του καταλαγιάζουν οι πόνοι με τα μπάλσαμά της, που να μην είχε κάνει κουράγιο βλέποντάς την να σκύβει δίπλα του πάνω στη βράση της μάχης, ν' ανοίγει τον ντορβά με το ξαντό και τα φάρμακά της. Ο ίδιος ο Κώστα Μπέκας την είχε δει άπειρες φορές να τρέχει από δω κι από κει δίχως να γνοιάζεται για το χαλασμό που γινόταν γύρω της, την είχε θαυμάσει καθώς πεταγόταν και πήγαινε από ταμπούρι σε ταμπούρι, άτρομη, με τον ντορβά περασμένο μ' ένα λουρί από το λαιμό της.

Οι Παλιοκαστρίτισσες δεν παραξενεύονταν καθόλου που η

κυρα-Ρήνη μίλαγε στ' όνομά τους: όλος ο κόσμος ήξερε τη φρόνηση και τη σοφία της, οι γεροντότεροι έλεγαν ότι η φωνή που 'βγαινε από το στόμα της δεν ήτανε δική της, αλλά της ίδιας της γης που 'θρεφε τα χορτάρια, τους θάμνους και τα δέντρα απ' όπου έπαιρνε άνθη και φυλλαράκια για να φτιάξει τα μπάλσαμα και τις αλοιφές της.

— Θα κουβεντιάσω με τους προεστούς και θα δούμε, α-ποκρίθηκε κάπως στενάχωρα ο Κώστα Μπέκας.

Δίχως να σταματήσει τη δουλειά της, γεμίζοντας τα σα-κουλάκια και τους κεσέδες της, η κυρα-Ρήνη έριξε γύρω της μια ματιά, ύστερα το βλέμμα της αλάργεψε, αποξεχάστηκε για λίγο ψηλά στα μπεντένια, μα γρήγορα κίνησε και πάλι κατά τ' αντικρινά βουνά, πέρασε από ράχες, ανέβηκε σε κορφές, βυθίστηκε μέσα σε βαθιές κι ανήλιαγες χαράδρες.

— Αχ και να γινόταν το Παλιόκαστρο πουλί και να πέτα-γε, να πήγαινε κι αυτό μακριά, να γλίτωνε, είπε ξαφνικά η γριά σαν να 'χε θυμηθεί ένα στιχάκι από κάποιο τραγούδι που 'χε ακούσει στα νιάτα της από τους γονιούς της.

Οι γυναίκες συνέχιζαν τη δουλειά τους σιωπηλές.

Καθώς τις κοίταζε, ο Κώστα Μπέκας είχε την εντύπωση πως έκλωθαν κι αυτές μέσα τους αλλοτινές ιστορίες και πα-ραμύθια που τους είχαν διηγηθεί οι μανάδες τους, ότι η γριά είχε ανοίξει με τα λόγια της διάπλατη την πόρτα της μνή-μης τους και πως περίμεναν να φανερωθούν από τη μια στιγμή στην άλλη οι προγόνισσές τους για να πουν τη γνώ-μη τους, να τους δώσουν τη συμβουλή τους.

— Μα και να γινόταν πουλί, με τι καρδιά να παρατήσει τη φωλιά του, πώς να πετάξει με κομμένα τα φτερά, δίχως το ταίρι του, ν' αφήσει ακλώσητα τ' αυγά του, συνέχισε η κυρα-Ρήνη.

Έτσι μίλαγε πάντα, αργά, επιβλητικά, με λίγες μα ζουμε-ρές λέξεις που πέρναγαν από στόμα σε στόμα κι έφερναν βόλτα όλο το Παλιόκαστρο πριν φύγουν για μακριά, πριν ταξιδέψουν πιασμένα από τα χείλια των ανθρώπων που πλα-νιούνταν από τόπο σε τόπο, με τα μπουλούκια των μουσικά-ντηδων, με τα καραβάνια των πραματευτάδων. Κι όπως τα χρόνια περνούσαν, κι όπως οι καιροί έφευγαν, κανείς δεν ήξερε στο τέλος πώς έγινε κι ακούστηκαν και στα δικά του μέρη της κυρα-Ρήνης τα λόγια, πώς γλίτωσαν από τα κακά συναπαντήματα και τ' αναπάντεχα του δρόμου, από τη μαύρη λησμονιά που σκεπάζει όλα τα έργα του ανθρώπου.

—Άκουσες ποτέ εσύ, καπετάνιο, να γίνει κάτι τέτοιο; Πότε και σε ποιον τόπο; Πες μας για να μάθουμε, για να ξέρουμε, για να 'χουμε να το λέμε, συμπλήρωσε η γριά.

Το χέρι της, που ψαχούλευε στο βάθος μιας μεγάλης σακούλας, αναδύθηκε με τη χούφτα γεμάτη ξερά φύλλα και λουλούδια, από τα κοκαλιάρικα δάχτυλά της κρέμονταν ριζούλες που 'χαν ακόμα πάνω τους χώματα. Η κυρα-Ρήνη τ' άπλωσε όλα πάνω σ' ένα σεντόνι και πήρε να ξεδιαλέγει τα καλά και χρήσιμα βοτάνια, να τα βάζει κατά μέρος, να φτιάχνει σωρουδάκια.

Στην πλατεία βασίλευε σιωπή.

Ο Κώστα Μπέκας ένιωσε να του σφίγγεται η καρδιά κι αγκουσεύτηκε λες κι είχε κατεβεί, δίχως να το πάρει είδηση, στης γης τα βάθια, σαν να περπάταγε μέσα σε σκοτάδια ανεξερεύνητα.

ΤΡΙΤΟ ΜΕΡΟΣ

Ρ

ΠΑΝΕ ΜΕΡΕΣ ΠΟΥ 'ΧΟΥΝ ΠΛΗΣΙΑΣΕΙ ΓΙΑ ΤΑ ΚΑΛΑ ΟΙ ΤΟΥΡκοι, που 'χουν εγκατασταθεί στην πλαγιά και την κρατάνε γερά, κάνουν απανωτά και λυσσασμένα γιουρούσια. Μέχρι τώρα οι Παλιοκαστρίτες κατάφεραν ν' αποφύγουν την άλωση χάρη στα τουνέλια, που τους επιτρέπουν να επιχειρούν στην κρίσιμη στιγμή αντιπερισπασμούς, να στέλνουν τη νύχτα καβαλάρηδες και να χτυπάνε τα νώτα του Σελήμ πασά, να βάζουν φωτιά στις αποθήκες και τις εγκαταστάσεις του, να ρίχνονται στις εφοδιοπομπές του.

Όμως κανείς τους δεν ελπίζει.

Κάθε φορά που ο Κώστα Μπέκας γυρίζει με την καβαλαρία από τους νυχτερινούς του αιφνιδιασμούς, όλο και λείπουν μερικά παλικάρια στο μέτρημα. Το πρωί, σαν φέρνει βόλτα τα τελευταία ταμπούρια που κρατάνε ακόμα μπροστά στα μπεντένια, βρίσκει όλο και λιγότερους άντρες που να μην έχουν δεμένα με ξαντό και με μαντίλια τα χέρια ή τα κεφάλια τους, που να μην είναι αγνώριστα από τα πηγμένα αίματα τα πρόσωπά τους. Ύστερα, όταν ανεβαίνει στα τείχη και ρίχνει γύρω του μια ματιά, βλέπει κι εκεί το μεγάλο κακό που 'χει γίνει, τις επάλξεις που 'χουν μείνει εδώ κι εκεί χωρίς υπερασπιστές, τις τρύπες και τα ρήγματα που 'χουν ανοίξει προς τη μεριά του κάμπου των Τούρκων οι μπάλες. Τι να κάνουν, πώς να φτουρήσουν τα λιγοστά κανόνια του Παλιόκαστρου, κατά πού να πρωτορίξουν; Όταν τα λεφούσια του Σελήμ πασά χιμάνε κατά την πλαγιά κι αρχίζουν ν' ανεβαίνουν, η γη σκεπάζεται παντού από το τουρκολόι, ολάκερο το βουνό τρέμει σαν να 'χουν πέσει πάνω του μυριάδες βουβάλια, οι Παλιοκαστρίτες σκοτώνουν αβέρτα, μα έρχονται όλο κι άλλα κοπάδια.

Με τους όμηρους δεν έγινε τελικά τίποτα.

Άδικα οι πολιορκημένοι τούς έβγαλαν πάνω στα τείχη δεμένους πιστάγκωνα, του κάκου τους πέρασαν θηλιές από τα κεφάλια και τράβηξαν ύστερα σβανάδες απειλώντας πως θα τους έσφαζαν σαν τραγιά μπροστά στων συντρόφων τους τα μάτια. Μόλις ο Σελήμ πασάς είδε με το κανοκιάλι του τη σκηνή, έδωσε διαταγή στους τελάληδες του στρατόπεδου να βγούνε μπροστά και να φωνάξουνε ότι το αίμα των ξένων κανονιέρηδων θα χυνόταν τζάμπα και πως αυτό το έγκλημα δε θα χρησίμευε σε τίποτα. Ο πολυχρονεμένος σερασκέρης, εξήγησαν, δε σκόπευε να κάνει το χατίρι των γκιαούρηδων, να παζαρέψει για τη ζωή των ξένων. Αν ήθελαν να τους σκοτώσουν, ας τους σκότωναν. Τίποτα δε θ' άλλαζε. Έπρεπε όμως να ξέρουν ότι ακόμα κι αν γινόταν κάποιο θαύμα κι η πόλη γλίτωνε, θα 'χε μετά να κάνει με τους Αυστριακούς, τους Άγγλους και τους Γάλλους, που θα 'ρχονταν και θα την έκαναν στάχτη με τ' ασκέρια και με τα κανόνια τους.

Στο μεταξύ οι Παλιοκαστρίτες είχαν αρπάξει από τα μαλλιά τους όμηρους και με τους σβανάδες έτοιμους περίμεναν την απόφαση του Κώστα Μπέκα. Παρά την κρίσιμη θέση τους, μόλο που οι λάμες των σβανάδων ακούμπαγαν κιόλας στα ριζολάρυγγά τους, οι ξένοι φαίνονταν ήρεμοι, δε φώναζαν, δεν παρακαλούσαν.

Ο Φώτης, που 'χε τρέξει κι αυτός στα μπεντένια όπως όλος ο κόσμος, τους παρατηρούσε με βλέμμα σκοτεινό. Όλες αυτές τις μέρες πήγαινε συχνά και τους έβλεπε στην αποθήκη όπου τους είχαν κλεισμένους και, κάτι με τα ιταλικά που 'ξερε, κάτι με τα γαλλικά που κουτσομιλούσε, κουβέντιαζε κάμποσο μαζί τους. Οι περισσότεροι ήταν άνθρωποι του σκοινιού και του παλουκιού, τυχοδιώκτες που γύρευαν να πλουτίσουν με το αίμα και με τα δάκρυα του κόσμου και που δε θα δίσταζαν ούτε στιγμή να καταταχτούν μισθοφόροι και στο στρατό του ίδιου του Διαβόλου. Μερικοί που 'χαν λιποτακτήσει από τ' ασκέρια όπου υπηρετούσαν πριν προσφέρουν στο σουλτάνο τις υπηρεσίες τους έλεγαν ότι δεν τους καιγόταν καρφί για την τύχη που τους περίμενε. Αν γύριζαν στις πατρίδες τους, οι χωροφύλακες θα τους τσουβάλιαζαν και θα τους έστελναν χωρίς πολλά πολλά στην κρεμάλα. Ήταν επαγγελματίες στρατιωτικοί, δηλαδή πουλημένα κρέατα, σήμερα εδώ κι αύριο εκεί, για να σκοτώνουν και να σφάζουν στη δούλεψη του ενός και του άλλου άρχοντα, του όποιου πασά ή βασιλιά. Είχαν συνηθίσει από καιρό στην ιδέα πως η δουλειά τους δεν ήταν όπως οι άλλες δουλειές του κόσμου, ήξεραν ότι έτσι κι αλλιώς τους περίμενε κακό τέλος και πως δε θα πέθαιναν στα κρεβάτια τους.

Ξαφνικά ο Κώστα Μπέκας ξεθηκάρωσε το γιαταγάνι του.

Ίσως να περίμενε ότι μόλις θα τον έβλεπαν να ετοιμάζεται, οι όμηροι θα κιότευαν, θα 'πεφταν στα γόνατα, θα ικέτευαν, θα ζήταγαν από τους Παλιοκαστρίτες να τους επιτρέψουν ν' απευθυνθούν οι ίδιοι στους Τούρκους, να παρακαλέσουν τον Σελήμ πασά να παζαρέψει, να κάνει κάτι για τη σωτηρία τους.

Ο Φώτης χαμογέλασε πικρά.

Ήταν βέβαιος ότι οι ξένοι δε θα δείλιαζαν. Τους ήξεραν καλά τους Έλληνες, του 'παν μια μέρα, είχαν πολεμήσει κάμποσες φορές με το στρατό του σουλτάνου εναντίον τους, κάτεχαν τις αδυναμίες τους, τα τρωτά τους. Μπορεί να μάχονταν παλικαρίσια για την πατρίδα τους, να μη λογάριαζαν τη ζωή τους, αλλά ποτέ δεν καταδέχονταν να μεταχειριστούν άτιμα ή άναντρα μέσα στους αγώνες τους — προτιμούσαν να χαθούν παρά ν' ακουστεί πως λέρωσαν την τιμή τους. «Αν συνεχίσετε να πολεμάτε μ' αυτά τα μυαλά, δε θα τα βγάλετε πέρα με τους Τούρκους», είπαν στον Φώτη. «Μπας και νομίζετε πως ζείτε ακόμα στην αρχαιότητα; Αν δεν αλλάξετε νοοτροπία, πάτε χαμένοι, ο κόσμος θα σας κάνει μια μπουκιά και θα σας καταπιεί, θα σας χωνέψει. Ακόμα και να γλιτώσετε από τους Οθωμανούς, θα κατέβουν καμιά ώρα οι Σλάβοι και θα σας πετσοκόψουν, δε θα μείνει από σας ούτε ρουθούνι άμα θα πλακώσουν οι δικοί μας στρατοί, οι Αυστριακοί, οι Άγγλοι, οι Γάλλοι. Ακούστε μας, ξέρουμε τι σας λέμε, έχουμε γυρίσει όλα τα κράτη, έχουμε πολεμήσει εδώ κι εκεί. Κοιτάχτε να μάθετε να πολεμάτε όπως κι εμείς, βάλτε στην πάντα τους ανθρωπισμούς και τα τέτοια, μην τα κοσκινίζετε όλα, μην τα ψιλολογάτε. Αλλιώτικα, καθίστε ήσυχοι στ᾽ αυγά σας και μη γυρεύετε λευτεριές κι ανεξαρτησίες, μην τα βάζετε μ᾽ ολάκερες αυτοκρατορίες».

Βλέποντας τον Κώστα Μπέκα να περιμένει με γυμνό το γιαταγάνι, ο Φώτης πλησίασε. Αναγνωρίζοντάς τον οι ξένοι χαμογέλασαν.

— Για να δούμε αν ο φίλος μας έμαθε το μάθημα, είπε κοροϊδευτικά ένας Ιταλός.

Στ᾽ αυτιά του Φώτη καμπάνισαν πειράγματα κι ειρωνείες που του ᾽χε τύχει ν᾽ ακούσει τότε που σπούδαζε στην Ευρώπη, την εποχή που μπαινόβγαινε στ᾽ αρχοντικά της αριστοκρατίας μαζί με άλλους συμπατριώτες και πρόσπεφτε, παρακαλούσε, περιέγραφε και ξαναπεριέγραφε τη μαύρη σκλαβιά που βασίλευε στην πατρίδα, ζητιάνευε συμπαράσταση και βοήθεια. Είχε την εντύπωση ότι οι περισσότεροι φιλέλληνες αδιαφορούσαν κατά βάθος για την Ελλάδα, πως ό,τι έκαναν το ᾽καναν από συνήθεια, από ανία, για να τους περνάει η ώρα με μια ασχολία που να ταιριάζει στην κοινωνική τους θέση και την τάξη τους. Όπως μερικοί άλλοι του σιναφιού τους είχαν τους φτωχούς τους που περίμεναν τις Κυριακές στα σκαλοπάτια της εκκλησίας, έτσι κι αυτοί έβλεπαν να τους περιμένουν στους προθάλαμους και να τους κάνουν τεμενάδες οι Έλληνές τους.

Ο Φώτης ξεδιάκρινε στα λεγόμενά τους μια παράξενη ικανοποίηση, παρόλο που τις περισσότερες φορές κατάφερναν να την κρύψουν κάπως πίσω από ᾽να σωρό ευγενικά αλλά κούφια λόγια και περίτεχνα φραστικά πυροτεχνήματα. Η προθυμία τους να βοηθήσουν τη σκλαβωμένη Ελλάδα είχε για μυστικό κι ανομολόγητο κίνητρο την ικανοποίηση που ᾽νιωθαν ελεώντας τη χώρα που τους είχε μια φορά κι έναν καιρό εκπολιτίσει και ξοφλούσαν έτσι με το παλιό χρέος τους, εξαγόραζαν κατά κάποιον τρόπο την πρόοδο και τον πολιτισμό τους. Έτσι, μπορούσαν πια να αισθάνονται και να συμπεριφέρονται όπως όλοι οι μεγάλοι απέναντι στους μικρούς, οι ανώτεροι μπροστά στους κατώτερους, να νιώθουν την ικανοποίηση των νεόπλουτων που κάνουν ελεημοσύνη σ' αλλοτινούς αριστοκράτες και ξεπεσμένους πρίγκιπες.

— Άντε, πάρτε απόφαση για να τελειώνουμε, ξανάπε εκνευρισμένος τώρα ο Ιταλός.

Ο Κώστα Μπέκας στράφηκε κατά τον Φώτη:

— Λοιπόν, δάσκαλε;

Την ερώτηση του καπετάνιου υποδέχτηκαν μέσα στη σκέψη του Φώτη ένα πλήθος αναπάντητα ερωτήματα, διλήμματα που βασανίζουν τους ανθρώπους αυτού του τόπου από τα πιο παλιά χρόνια. Ακολουθώντας κάποιο ακατανόητο σχέδιο, ποιος ξέρει για ποιον κρυφό σκοπό, η Ιστορία τ' αποθηκεύει και τα διατηρεί στα βάθη της μνήμης, ξεδιαλέγει πού και πού μερικά και τα δουλεύει στ' αργαστήρι της, τα μεταμορφώνει σε θρύλους και παραμύθια, φτιάχνει έπη, τραγωδίες, ποιήματα.

— Πες τη γνώμη σου, επέμεινε ο Κώστα Μπέκας.

Το μόνο ξεκάθαρο συναίσθημα που 'νιωθε κείνη τη στιγμή ο δάσκαλος ήταν μια ανήμπορη οργή για την αδικία που 'χε κάνει η μοίρα σ' αυτό το μικρό και ταλαιπωρημένο λαό, για το μαρτύριο που του 'χε επιβάλει κρυφοσπέρνοντας στην ψυχή του τη μανία ν' ανοίγει συζήτηση με τους θεούς, να τους κρίνει για τον τρόπο που 'φτιαξαν τον κόσμο τους, να θέλει σώνει και καλά να μάθει τα μυστικά τους, αλλά ποτέ να μη βολεύεται με τις εξηγήσεις τους.

Συγκεντρωμένοι στα μπεντένια, οι Παλιοκαστρίτες παρακολουθούσαν βουβοί, μερικές γυναίκες έκλαιγαν, άλλες έκαναν το σταυρό τους δαγκώνοντας από την αγωνία τα χείλια τους. Ακόμα και στο στρατόπεδο των Τούρκων η συνηθισμένη χλαλοή είχε κοπάσει, οι τελάληδες κράταγαν τα χωνιά τους παραμάσκαλα και περίμεναν τις διαταγές του σερασκέρη.

Ξαφνικά ένας γέροντας ξεχώρισε από τον κόσμο και βγήκε μπροστά:

— Όχι, καπετάν Μπέκα, φώναξε. Μην ντροπιάσεις την πόλη με μια άναντρη πράξη, μη ρίξεις πάνω της του Θεού την κατάρα. Είναι άδικο το αίμα που πας να χύσεις. Άσε τους ξένους λεύτερους, για να μην έχουνε να λένε, άμα γυρίσουν καμιά ώρα στις πατρίδες τους, πως οι Παλιοκαστρίτες δεν είναι άνθρωποι αλλά λυσσασμένα θεριά κι ότι πολεμάνε με άτιμα μέσα.

Ο Φώτης έριξε μια γρήγορη ματιά στον καπετάνιο και προχώρησε κατά το γέροντα:

— Για ποια άναντρη πράξη μιλάς; τον ρώτησε. Για να τους πιάσουμε αυτούς εδώ, χάσαμε άντρες, πολεμήσαμε. Από πότε είναι άδικο το αίμα που χύνεται για να ξεπληρωθεί άλλο άδικο; Οι ξένοι που βλέπεις ήρθαν από την άλλη άκρη του κόσμου για να βοηθήσουν τους Τούρκους να μας ξεκάνουν, για να γεμίσουν τα κεμέρια με τους παράδες τους. Απ' αυτούς περιμένεις να μιλήσουν για μας έξω στην Ευρώπη; Αχ, γέροντα... Στα μέρη τους κανείς δε σκοτίζεται για την τύχη μας, γι' αυτούς δεν υπάρχει η Ελλάδα που ξέρεις αλλά κάποια άλλη, αυτή που περιγράφουν τα βιβλία τους, που θαυμάζουν οι γραμματισμένοι κι οι σοφοί τους. Εμάς, τους σημερινούς Έλληνες, μας θεωρούν μυρμήγκια, παράσιτα, σκουλήκια, μια παρακατιανή φάρα που βρέθηκε, ποιος ξέρει πώς και γιατί, σε τούτα τα χώματα. Άλλωστε, αυτοί δεν κοιτάζουν τους ανθρώπους, γέροντα, αλλά τους χάρτες τους, δε γνοιάζονται παρά για τα συμφέροντά τους. Τις κατάρες και τ' άδικα που λες τα γράφουν στα παλιά τους τα παπούτσια, δεν είναι πρωτάρηδες στα κρίματα. Απ' όπου κι αν πέρασαν, όπου κι αν πήγαν, τα 'καναν όλα γης Μαδιάμ, έφτασαν στα πέρατα της γης με τα καράβια τους, δεν άφησαν πέτρα πάνω στην πέτρα. Μην κοιτάς που μερικοί λένε ότι μας θαυμάζουν και που μας γεμίζουν παινέματα· δεν εννοούν εμάς αλλά τους προγόνους μας, σέβονται τους πεθαμένους Έλληνες κι όχι τους ζωντανούς. Οι αρχαίοι, βλέπεις, δεν πιάνουν τόπο, δεν ξεσηκώνονται να τα βάλουν με τους Τούρκους, δεν τους χαλάνε τα σχέδια.

— Κι αν σφάξουμε τους ξένους, θα μας σεβαστούνε και θα μας βοηθήσουνε; πέταξε ειρωνικά ένας προεστός.

Όσο κι αν δεν καταλάβαιναν τη γλώσσα, οι όμηροι μάντευαν ότι γινόταν λόγος γι' αυτούς, πως οι Παλιοκαστρίτες δεν ήταν όλοι σύμφωνοι για την τύχη τους. Τα βλέμματά τους φανέρωναν ότι τα 'χαν χαμένα, πως αναρωτιούνταν αν ήτανε ακόμα ζωντανοί ή μπας και μόνο οι ψυχές τους παρακολουθούσαν από τον άλλο κόσμο αυτό το εκπληκτικό θέαμα.

Στο μεταξύ, στον κάμπο, οι Τούρκοι έκαναν προετοιμασίες για νέο γιουρούσι, τ' ασκέρια τους μετακινούνταν κι έπαιρναν θέση για μάχη μπροστά στα μάτια των πολιορκημένων, που συζητούσαν του καλού καιρού λες και δεν κινδύνευαν, σαν να μην είχαν πάρει είδηση τι γινόταν γύρω τους.

— Δε μ' ενδιαφέρει η γνώμη τους ούτε κι η βοήθειά τους, αποκρίθηκε ο Φώτης. Ζήσαμε τόσους αιώνες χωρίς αυτούς, δεν τους ζητήσαμε ποτέ να βάλουν την υπογραφή τους κάτω από τα έργα και τις αποφάσεις μας, να μας πουν αν συμφωνούν ή όχι με τη λογική ή με την τρέλα μας.

Ξαφνικά στο στρατόπεδο των Τούρκων ακούστηκαν τρουμπέτες.

Βλέποντας τους Παλιοκαστρίτες να καθυστερούν, ο Σελήμ πασάς έσπευσε ν' ανασυντάξει όλα του τα τμήματα, προώθησε τους ακιντζήδες που ζύγωσαν στις τελευταίες οχυρώσεις της πλαγιάς, έστειλε τα μπουλούκια των γενίτσαρων να πιάσουν θέσεις πίσω τους, ώστε να εκμεταλλευτούν τα ρήγματα που θ' άνοιγε στις γραμμές του εχθρού η επίθεσή τους.

Ο Κώστα Μπέκας έριξε μια ματιά στον κάμπο.

— Όλοι στα ταμπούρια σας! ούρλιαξε από ψηλά.

Τα παλικάρια που κράταγαν ακόμα στην πλαγιά ήταν κιόλας έτοιμα, με τα γιαταγάνια στα χέρια, με τα κοκόρια των τουφεκιών σηκωμένα. Μέχρι τ' αυτιά του καπετάνιου έφτασαν τα συνθηματικά σφυριχτά των αντρών του: όλοι ήταν στις θέσεις τους και περίμεναν.

— Ξαναβάλτε τους στην αποθήκη, διάταξε ο Κώστα Μπέκας αυτούς που φύλαγαν τους όμηρους.

Η σύναξη είχε διαλύσει από μονάχη της. Όσοι είχαν άρματα ήταν κιόλας πίσω από τις επάλξεις, άλλοι στις ντάπιες, άλλοι στα κανόνια. Μερικοί που 'χαν καταφτάσει από τα βορινά μπεντένια, που δεν είχαν ακόμη απειληθεί, έτρεχαν να ταμπουρωθούν με τους υπόλοιπους Παλιοκαστρίτες που καρτερούσαν τους Τούρκους στην πλαγιά, εκεί όπου ο Σελήμ πασάς θα 'ριχνε σε λίγο όλες του τις δυνάμεις, για να μπορέσει να φτάσει μέχρι τα τείχη κι από κει, την άλλη μέρα, να επιχειρήσει το τελευταίο ρεσάλτο του.

— Καλή τύχη, καπετάνιο, φώναξε ο Φώτης.

Ο Κώστα Μπέκας δεν προλάβαινε να τ' αποκριθεί. Σ' όλη την πλαγιά και στον κάμπο αντηχούσαν των Τούρκων τα τούμπανα που βαρούσαν γιουρούσι.

Τα παιδιά περίμεναν σιωπηλά, φρόνιμα.

Στα πόδια είχαν τα μπογαλάκια τους, μερικά τα 'σφιγγαν κιόλας στην αγκαλιά τους. Ο Φώτης τα καθησύχασε: όχι, δεν είχε έρθει ακόμα η ώρα, είπε. Όρθιος ανάμεσά τους, μ' ένα κουμπούρι στο σελάχι κι ένα λάζο στο ζωνάρι του, τους εξήγησε για άλλη μια φορά τι είχαν πει στην τελευταία τους σύναξη οι προεστοί, ο καπετάνιος κι οι γονιοί τους. Το Παλιόκαστρο είχε ακόμα δυνάμεις για ν' αμυνθεί γερά — αν ήθελε ο Θεός, τα μπεντένια θα 'μεναν και σήμερα άπαρτα. Επειδή το σχολείο βρισκόταν στο πιο ψηλό σημείο της πόλης, οι Τούρκοι θ' αργούσαν να φτάσουν μέχρι εκεί, οι Παλιοκαστρίτες θ' αντιστέκονταν γενναία, θ' άναβαν μάχες σε δρόμους και καλντερίμια, μπροστά σ' όλα τα σπίτια.

Η τελευταία μάχη θα γινόταν λίγα δράσκελα από την αυλή του σχολείου, στην Παλιά Βίγλα, τ' αρχαία ερείπια θα χρησίμευαν για μετερίζια.

Ο δάσκαλος με τα παιδιά θα 'χαν φύγει από ώρα.

Στα βορινά μπεντένια δε θα υπήρχε Τουρκιά, δε θα τους έβλεπε κανείς. Θα 'παιρναν τα μονοπάτια που 'ξεραν και που θα τους έβγαζαν χωρίς κίνδυνο στο βάθος του βάραθρου που 'ζωνε από κείνη τη μεριά την πολιτεία, θα προχωρούσαν και θα 'μπαιναν στην ανατολική ρεματιά, θα συνέχιζαν και θα περνούσαν κάτω από το γιοφύρι της δημοσιάς. Από κει κι ύστερα ο Θεός βοηθός. Αν έφταναν χωρίς κακά συναπαντήματα στα πιο κοντινά βουνά, θα κοίταγαν να βρουν τίποτα σπήλια, θα 'χαν μαζί τους σκοινιά για να κατέβουν και να κρυφτούν σε ξεροπήγαδα. Με λίγη τύχη ίσως και να 'πεφταν πάνω σε τίποτα κλέφτικα λημέρια.

— Και μετά, δάσκαλε; ρώτησε ένα παιδί.

Ο Φώτης ένιωσε κείνο το «μετά» να μπήγεται στην καρδιά του σαν μαχαίρι. Τι να 'λεγε, πώς να εξηγούσε, με τι κουράγιο να ομολογούσε πως δεν ήξερε;

— Μετά θα δούμε, κατάφερε να μουρμουρίσει.

Τι θα 'βλεπαν τάχα; Ό,τι είχαν δει γενεές γενεών Παλιοκαστρίτες, όλοι οι Έλληνες επί αιώνες κι αιώνες. Οι τάφοι ήταν αλλεπάλληλες πατωσιές στα κοιμητήρια, στα χωράφια οι ξωμάχοι δεν έπαυαν να βρίσκουν σκελετούς και κόκαλα, στους κάμπους και στα περάσματα των βουνών οι ξυλοκόποι κι οι ασβεστάδες ξέχωναν από τα χώματα περικεφαλαίες, ασπίδες, αιχμές από δόρατα. Σε μέρη που 'χαν δει μεγάλες και κρίσιμες μάχες υψώνονταν τύμβοι, πιο πέρα άσπριζαν μέσα στ' αγριόχορτα κομμάτια από μάρμαρα, ταφόπλακες, στήλες μ' επιγραφές, για να μαθαίνουν οι διαβάτες, να ευχαριστούνε τους προγόνους που θυσιάστηκαν για να μην περάσουν από δω οι Πέρσες, από λίγο παρακάτω οι Ρωμαίοι, από 'να διάσελο λίγο πιο μακριά κάποιοι άλλοι βάρβαροι. Δεν απόλειψαν από τούτο τον τόπο οι πόλεμοι, οι καταστροφές, οι ξεριζωμοί. Ποτάμι το αίμα και τα δάκρυα, ατέλειωτα τα μοιρολόγια, μυριάδες τα ποιήματα και τα τραγούδια που ακούνε τα παιδιά από τους γονιούς και τους παππούδες τους μπροστά στα τζάκια, που τα μαθαίνουν αργότερα και στα δικά τους κουτσούβελα. Ύστερα, όταν περάσουν τα χρόνια και ζυγώσει η ώρα για να κλείσουν τα μάτια, για να σφαλίσουν τα χείλια τους για τα καλά, νιώθουν ότι δεν έχει πια άλλους θησαυρούς και βιος η μνήμη τους: διηγήθηκαν ό,τι είχαν να διηγηθούν στους απογόνους, τους άφησαν γι' ατίμητη κληρονομιά την ιστορία της γης τους.

Ο Φώτης αφουγκράστηκε κατά τον κάμπο.

Μπροστά στα μπεντένια, πάνω σ' όλη την πλαγιά η μάχη είχε αρχίσει, ακούγονταν τα τούρκικα λεφούσια που χιμούσαν ουρλιάζοντας, αχολογούσαν παντού σμπάρα, οι λάμες των γιαταγανιών που 'σμιγαν στον αέρα και πάλευαν πρώτα συναναμεταξύ τους πριν πέσουν πάνω σε κεφάλια και κορμιά, πριν κόψουν λαιμούς.

Ο δάσκαλος πετάχτηκε έξω κι έτρεξε κατά την Παλιά Βίγλα για ν' αγναντέψει από ψηλά. Η πλαγιά ήταν μαύρη από το πλήθος των Τούρκων που 'χαν ξεχυθεί κι ανέβαιναν, ρίχνονταν με λύσσα στα τελευταία παλιοκαστρίτικα ταμπούρια και τα σκέπαζαν, τα πλημμυρίζαν. Κι όμως, μ' όλη κείνη την ακρίδα που 'χε πέσει πάνω τους, οι Παλιοκαστρίτες κατάφερναν ακόμα και πολεμούσαν, αντιστέκονταν, υποχωρούσαν με τάξη, έπιαναν πιο πάνω μετερίζια. Μάταια οι Οθωμανοί προσπαθούσαν να δημιουργήσουν ρήγματα στις γραμμές τους και να τους κυκλώσουν, να τους χτυπήσουν από πίσω κι από μπροστά: τα παλικάρια του Παλιόκαστρου έκαναν αντιγιουρούσια και τους άμπωθαν, τους κράταγαν μακριά από τα μπεντένια.

Σε μια στιγμή ο Φώτης ξεδιάκρινε τον Κώστα Μπέκα που στεκότανε κοντά στα ριζοτείχια, αναγνώρισε τα μακριά κι ασημόγκριζα μαλλιά του που ανεμίζαν σαν μπαϊράκι, το μεγάλο και βαρύ γιαταγάνι του. Ο καπετάνιος δεν είχε ακόμα ριχτεί στη μάχη, αλλά περίμενε με καμιά κατοσταριά άντρες γύρω του, με τους καλύτερους, τους πιο γενναίους πολεμιστές τ' ασκεριού του.

Ξαφνικά ο δάσκαλος τον είδε να τραβάει από το ζωνάρι το βούκινο και να το φέρνει στα χείλια του.

Την ίδια στιγμή, από πέρα, από τα δυτικά του κάμπου, πετάχτηκαν σαν να τους είχαν γεννήσει τα χώματα, λες και τους έκρυβαν μέχρι κείνη την ώρα οι ντοροβάτες και τ' άγρια θυμάρια, οι καβαλάρηδες του Παλιόκαστρου. Με υψωμένα τα γιαταγάνια, σπιρουνίζοντας τ' άλογα, αγκρίζοντάς τα με χουγιαχτά, όρμησαν στους Τούρκους από τα πλάγια, ενώ ο Κώστα Μπέκας με τους άντρες του έκαναν επίθεση από μπροστά. Για λίγα δευτερόλεπτα οι Τούρκοι τα 'χασαν, καθηλώθηκαν, τους κόπηκε κάμποσο η φόρα. Όσο κι αν ήταν λίγοι οι άντρες του Κώστα Μπέκα, κατάφεραν να σχηματίσουν μια σφήνα που 'φτασε σχεδόν μέχρι την καρδιά του τούρκικου ασκεριού τη στιγμή που από την άλλη μεριά, από την πλάτη του, οι καβαλάρηδες χτυπούσαν κι αυτοί και προχώραγαν, άνοιγαν δρόμο με τα μακριά τους χαντζάρια προσπαθώντας να σμίξουν με τα παλικάρια που οδηγούσε ο καπετάνιος τους. Αν το πετύχαιναν, ένα μεγάλο μέρος από τις δυνάμεις του Σελήμ πασά θα βρισκόταν αποκομμένο από τον υπόλοιπο στρατό, με τους Παλιοκαστρίτες να το χτυπάνε απ' όλες τις μεριές. Για να μην πάθει μεγάλο στραπάτσο, ο σερασκέρης θ' αναγκαζόταν ν' αποσύρει από το πιο επίκαιρο σημείο της πλαγιάς τους ακιντζήδες και τους γενίτσαρούς του, να διακόψει για την ώρα το γιουρούσι του, να χαλάσει την παράταξή του.

Μέσα σε κείνο το χαλασμό ο Φώτης δεν ξεχώριζε πια τίποτα, του 'ταν αδύνατο να ξεδιακρίνει πού βρίσκονταν οι Παλιοκαστρίτες και πού οι Τούρκοι, σε ποιο στρατόπεδο ανήκαν τα κουφάρια που 'ταν στρώμα πάνω στα βράχια, μπροστά και μέσα στα ταμπούρια, γύρω από τα μπεντένια. Πού και πού, μέσα στο μάλε βράσε, σαν να του φαινόταν πως έβλεπε τον Κώστα Μπέκα, αλλά αμέσως ύστερα τον έχανε για να τον ξαναδεί μετά πιο μακριά, όλο και πιο βαθιά χωμένο μέσα στων εχθρών τη μυρμηγκιά, είχε την εντύπωση ότι ο καπετάνιος κολύμπαγε σε μια αγριεμένη θάλασσα, ότι πάλευε με τα κύματα.

Στ' αυτιά του δάσκαλου έφτασαν ήχοι από ταμπούρλα.

Για να μη δώσει στους πολιορκημένους την ευκαιρία να κάνουν αντεπίθεση την ώρα που ο στρατός του θ' άλλαζε διάταξη πάνω στην πλαγιά, ο Σελήμ πασάς διάταξε να σταματήσει το γιουρούσι, αλλά να μην υποχωρήσει κανένα τμήμα, να μείνουν όλοι προσωρινά στις θέσεις που κάτεχαν.

Ο Φώτης έχασε τον Κώστα Μπέκα από τα μάτια του.

Όταν τον είδε για τελευταία φορά, ήταν περικυκλωμένος από 'να μπουλούκι ακιντζήδες. Πολεμώντας σκληρά, μια χτυπώντας με το γιαταγάνι του κατά μπρος και μια υποχωρώντας, ο καπετάνιος προσπαθούσε να τους ξεφύγει, να βγει από τον κλοιό, να σμίξει με τα παλικάρια του, που 'χαν πάρει είδηση ότι βρισκόταν σε δύσκολη θέση και μάχονταν γενναία για να μπορέσουν να φτάσουν κοντά του.

231

Μόλις συνήρθε κι άνοιξε λίγο τα μάτια, είδε από πάνω του την κυρα-Ρήνη, που 'χε κιόλας ξανακρεμάσει το ταγάρι της από τον ώμο κι ετοιμαζόταν να βγει για να τρέξει κατά τα μπεντένια, ν' ανακουφίσει κι άλλους λαβωμένους Παλιοκαστρίτες με τις αλοιφές και με τα βοτάνια της.

Όταν έφυγε η γερόντισσα, ο Φώτης γονάτισε δίπλα του.

Ποτέ του δεν είχε φανταστεί ότι θα 'ρχόταν ώρα που θα 'βλεπε το λεβέντικο κορμί του Κώστα Μπέκα να κείτεται σε μια γωνιά της τάξης γεμάτο πληγές κι αίματα. Πού να σκεφτόταν τέτοια πράγματα κείνη την εποχή που 'ταν ακόμα πρωτόβγαλτος στο δασκαλίκι, κείνα τα χρόνια που δε νοιαζόταν παρά μονάχα για τα βιβλία και τα χαρτιά, τότε που όταν έστηνε αυτί τα βράδια, δεν άκουγε από μακριά του πολέμου τη βαβούρα.

— Φώτη...

Ο δάσκαλος έσκυψε:

— Εδώ 'μαι, καπετάνιο.

Μορφάζοντας από το σαράκισμα που του 'κανε η λαβωματιά, ο Κώστα Μπέκας πήρε να πασπατεύει μέσα στον κόρφο του.

— Μην κουνιέσαι πολύ, καπετάνιο, ώσπου να σταματήσει το αίμα, συμβούλεψε ο δάσκαλος.

Θυμήθηκε ότι σε μια στιγμή, εκεί που η κυρα-Ρήνη έδενε την πληγή, τα χέρια της κάτι έπιασαν πάνω στη σάρκα του Κώστα Μπέκα. Η γριά νόμισε πως ήταν φυλαχτό και του τ' άφησε. Άλλωστε, μ' όλα του τα χάλια, παρά τον πόνο, ο λαβωμένος το 'σφιγγε πάνω του γερά.

— Στάσου να σε βοηθήσω, είπε ο Φώτης.

Ο καπετάνιος είχε κιόλας μισοτραβήξει από τον κόρφο ένα λιγδιάρικο και καταματωμένο τετράδιο, σχεδόν μισοκομμένο από μια χαντζαριά. Ο δάσκαλος το πήρε στα χέρια του:

— Να που βρήκαν τρόπο να σε φυλάξουν τα γράμματα, αστειεύτηκε χαμογελώντας.

Στη μνήμη του είχε χαραχτεί για πάντα η μορφή του Κώστα Μπέκα έτσι που 'μπαινε κάθε πρωί στην τάξη και καθότανε στο πρώτο θρανίο για να μη χάσει λέξη από το μάθημα, για να βλέπει καλά στον πίνακα. Όταν σηκωνόταν για να γράψει μια λέξη, τα τραχιά κι ασυνήθιστα δάχτυλά του έσφιγγαν την κιμωλία δυνατά λες κι ήταν η λαβή του γιαταγανιού, τη σύντριβαν, την έκαναν σκόνη. Τα παιδιά γελούσαν, αλλά ο δάσκαλος δεν τ' απόπαιρνε, ο καπετάνιος γέλαγε κι αυτός μαζί τους, ποτέ δεν έπαιρνε στα σοβαρά τ' αθώα αστεία τους.

Είχε βαρεθεί να 'ρχεται στο σχολείο τη νύχτα, να στραβώνεται με του λυχναριού το φως, να συλλαβίζει χαμηλόφωνα κοιτάζοντας πού και πού κατά την αυλή και το δρόμο λες κι έκανε καμιά παρανομία. «Κρυφά γράμματα, κουτσή λευτεριά», είπε ένα βράδυ στο δάσκαλο και του ανάγγειλε ότι από την άλλη μέρα θα 'ρχότανε για μάθημα πρωί, μαζί με τα παιδιά.

— Δεν πρόλαβα να ξεσχολίσω, Φώτη, μουρμούρισε σφίγγοντας τα δόντια, για να συγκρατήσει τον πόνο που τον τριβέλιζε.

— Μη χολοσκάς, καπετάνιο. Ας γλιτώσουμε από τους Τούρκους και θα συνεχίσουμε, αποκρίθηκε ο Φώτης.

Ο Κώστα Μπέκας έδειξε μ' ένα νόημα τα παιδιά που 'ταν τριγύρω, άλλα καθισμένα στα θρανία, άλλα στα μπογαλάκια τους:

— Τα γράμματα καλά είναι, αλλά μην ξεχάσετε και τ' άρματα. Όπως βλέπεις, η αλφαβήτα δεν μπορεί να τα βγάλει πέρα μονάχη της, ψιθύρισε στενάζοντας.

Ο Φώτης έγνεψε καταφατικά κι έμεινε αμίλητος. Μια βαριά θλίψη του 'χε κυριέψει την καρδιά, την ένιωθε π' ανέβαινε από τα σπλάχνα του σαν κρύα πνοή και του πάγωνε, του παραλούσε τα χείλια. Για πρώτη φορά στη ζωή του αισθάνθηκε πόσο ανήμπορος ήταν μπροστά στη μοίρα του τόπου του, κατάλαβε πόσο μεγάλη κι ακατανίκητη εξουσία ασκούσε στην Ελλάδα η Ιστορία. Μάταια φανερώνονταν κατά διαστήματα κάποιοι μεγάλοι άντρες και σήκωναν κεφάλι, πάσχιζαν να της αντισταθούν, να την ξεγελάσουν, να της αλλάξουν τα σχέδια, του κάκου έχυναν των ανθρώπων το αίμα. Απτόητη, πολύπειρη, υπομονετική, η πανάρχαιη αυτή θεό-

233

τητα τους άφηνε να κάνουν για λίγο καιρό το κέφι τους, να ικανοποιήσουν τον εγωισμό τους, κι ύστερα, με μια περιφρονητική χειρονομία τούς παραμέριζε, τους αγνοούσε, δεν έδινε σημασία στην ύπαρξή τους.

Τα βοτάνια της κυρα-Ρήνης είχαν αρχίσει να ενεργούν, ο Κώστα Μπέκας ένιωθε τους πόνους του να καταλαγιάζουν, είχε κλείσει τα μάτια του. Ο Φώτης έκανε νόημα στα παιδιά να μείνουν ήσυχα κοντά του και να 'χουν το νου τους. Ύστερα παράχωσε το ματωμένο τετράδιο στον κόρφο του και βγήκε στην αυλή, προχώρησε μέχρι την Παλιά Βίγλα, όπου μερικά παλικάρια είχαν κιόλας ταμπουρωθεί ανάμεσα στ' αρχαία ερείπια.

— Τι κάνει ο καπετάνιος; ρώτησαν.

Ο Φώτης τα καθησύχασε: η ζωή του Κώστα Μπέκα δεν κινδύνευε, μα δεν μπορούσε να κρατήσει γιαταγάνι, να πολεμήσει. Οι άντρες τον καθησύχασαν κι αυτοί με τη σειρά τους, του 'παν να μη στενοχωριέται, η πόλη είχε ακόμα κάμποσους υπερασπιστές — έφταναν και περίσσευαν για να κρατήσουν όσα ταμπούρια απόμεναν άπαρτα, για ν' αντισταθούν πάνω στα μπεντένια.

Ο δάσκαλος έριξε μια ματιά στον κάμπο.

Βλέποντας πως όπου να 'ταν θα 'πεφτε ο ήλιος κι η μέρα θα τέλειωνε, οι Τούρκοι δεν επιχειρούσαν πια άλλα γιουρούσια, αλλά οχύρωναν τις θέσεις που 'χαν κατακτήσει στην πλαγιά, κουβαλούσαν εφόδια για την επόμενη επίθεση, έσερναν πιο κοντά στα τείχη τα κανόνια. Πέρα στην ακρορεματιά, εκεί που βρίσκονταν εγκατεστημένα τα μαγειρεία, οι φλόγες μάνιζαν κάτω από τα καζάνια με το φαΐ τ' ασκεριού, σε λίγο θ' ακουγόταν η πρώτη τρουμπετιά κι οι στρατιώτες θα πρόστρεχαν με τις γαβάθες στα χέρια.

Στην άλλη άκρη του στρατόπεδου, εκεί κοντά στο ποτάμι, κάτι ιμάμηδες προσεύχονταν με σηκωμένα χέρια κατά τον ουρανό, παρακαλούσαν τον Αλλάχ να δεχτεί στον Παράδεισό του όλους κείνους τους πιστούς που 'ταν ντανιασμένοι μπροστά τους, ψαλμούδιζαν στίχους από το Κοράνι πάνω από τα παγωμένα κι ασάλευτα κουφάρια τους.

234

Σ

«ΠΡΟΣΕΧΕ. ΤΑ ΣΚΑΛΟΠΑΤΙΑ ΓΛΙΣΤΡΑΝΕ».
Καθώς έχει προχωρήσει αρκετά μέσα στην υπόγεια
κρύπτη, η φωνή του μοιάζει να 'ρχεται από κάποιον
άλλο κόσμο. Το φως του φαναριού του ταλαντεύεται μέσα
στο σκοτάδι, μια χάνεται και μια φανερώνεται, λες και βρί-
σκεται στην πλώρη καμιάς ψαροπούλας που 'χει βγει για
παραγάδι μέσα στη νύχτα, αλλά που 'πεσε σε ταραγμένα νε-
ρά.

«Να, σε τούτη τη σπηλιά ήταν τα βιβλία».

Σηκώνει το φανάρι ψηλά. Εδώ κι εκεί στους βράχους κρέ-
μονται ακόμα από τα κρικέλια τους οι αλυσίδες π' ανακρα-
τούσαν τις γεμάτες κασέλες στον αέρα, για να μην τις πιάνει
η υγρασία που συγκεντρώνεται στο έδαφος. Σε μια κόχη που
'ναι σκαμμένη στην πέτρα, ένα μισοσκουριασμένο καντήλι
αιωρείται ανάλαφρα μπροστά σε μια εικόνα του προφήτη
Ηλία.

«Εδώ φανερώθηκε ο προφήτης Ηλίας σε κείνο τον ερημί-
τη που πρωτανέβηκε σ' αυτό το βουνό. Γι' αυτό κι έχουμε
την εικόνα του».

Από 'να καλαθάκι που 'χει πάρει μαζί του βγάζει ένα ροΐ
με λάδι, λουμίνια και μια καινούρια καντηλήθρα. Σε λίγο μια
σεμνή και γλυκιά φλογίτσα τρεμοπαίζει μπροστά στο πρό-
σωπο του άγιου που κάθεται αναμαλλιασμένος και σκεφτικός
σε μια πέτρα στην εμπασιά της σπηλιάς του, το απαλό φέγ-
γος της φανερώνει ένα γεράκι που 'ναι κουρνιασμένο στον ώ-
μο του, που σκύβει και κοιτάζει με καταστρόγγυλο και λα-
μπερό μάτι τον πυκνογραμμένο πάπυρο που ξετυλίγεται από
το χέρι του.

Ο Μελέτιος κάνει το σταυρό του κι ανησπάζεται την εικό-
να.

235

«Έμειναν έναν ολάκερο αιώνα τα βιβλία εδώ μέσα. Όταν έφυγαν οι Τούρκοι, οι αδελφοί προτίμησαν να τ' αφήσουν καταχωνιασμένα, γιατί φοβούνταν μπας κι οι Οθωμανοί ξαναγύριζαν. Ύστερα ήρθε η Επανάσταση κι οι κασέλες έμειναν στη θέση τους, γιατί πέρναγαν από δω ένα σωρό ασκέρια. Κι ώσπου να λευτερωθούν και τα δικά μας τα χώματα, πέρασαν κάμποσα χρόνια ακόμα. Είσαι μορφωμένος άνθρωπος, τα ξέρεις, τα 'χεις διαβάσει. Τέλειωνε ο ένας πόλεμος κι άρχιζε ο άλλος. Στο τέλος έφυγαν απ' όλα τούτα τα μέρη οι Τούρκοι, αλλά πλάκωσαν άλλοι ξένοι, έγιναν νέοι πόλεμοι. Με τους Γερμανούς ξαναδειάσαμε τη βιβλιοθήκη, τα βάλαμε και πάλι όλα στις κασέλες, τα κατεβάσαμε εδώ και τ' αφήσαμε. Πού να κοτούσαμε να τα βγάλουμε στα κατοπινά χρόνια... Κάθε τόσο πλάκωνε στρατός, οι δικοί μας ήταν χειρότεροι από τους Γερμανούς, έρχονταν τα ΤΕΑ κι οι χωροφύλακες κι έψαχναν γι' αριστερούς, για κομουνιστές. Γλιτώσαμε κάμποσους από το απόσπασμα τότε».

Ξανασταυροκοπιέται μπροστά στην εικόνα, τα χείλια του σαλεύουν σαν να προσεύχεται. Ίσως παρακαλάει το Θεό για όλους τους άλλους, για τις χιλιάδες παλικάρια που στήθηκαν κείνα τα χρόνια στον τοίχο, γι' αυτούς που δεν απόφυγαν τη φυλακή και τα βασανιστήρια, τα ξερονήσια, που δεν είχαν την τύχη να βρούνε μοναστήρια για να κρυφτούν, σπηλιές για να καταφύγουν. Όσοι αναγκάζονταν να βγούνε και να ζήσουν στην παρανομία δεν ησύχαζαν ποτέ πια, δεν έβρισκαν χλωρό κλαρί για να κουρνιάσουνε, έτρεχαν τις νύχτες από κρυψώνα σε κρυψώνα, από υπόγειο σε υπόγειο, έβγαζαν τους χειμώνες μέσα σε στάβλους στα πιο μακρινά κι απομονωμένα χωριά, τα καλοκαίρια έπαιρναν τα βουνά, κοιμούνταν σε στάνες μαζί με τα πρόβατα. Όταν τους έβρισκε κάνα κακό και πέθαιναν, δεν υπήρχε παπάς για να τους θάψει, τους κουβαλούσανε τη νύχτα λες κι ήταν χολεριασμένοι και τους παράχωναν σβέλτα στα κοιμητήρια, δε χάραζαν τίποτα στην ταφόπλακα, για να μην έχει η οικογένεια τραβήγματα με την αστυνομία.

«Εδώ τους κρύβαμε, τους δίναμε κάνα ψαθί ή καμιά κουβέρτα για να μην ξεπαγιάσουν, έστρωναν κατάχαμα και ξάπλωναν. Μερικοί έμειναν κάμποσα χρόνια εδώ μέσα. Για να τους περνάει η ώρα, έβγαζαν από τις κασέλες βιβλία και διάβαζαν. Τους θαύμαζα γιατί, παρ' όλα τους τα χάλια, είχαν το κουράγιο και συζήταγαν για τα πολιτικά, κουβεντιάζανε για φιλοσοφία, για την Ιστορία, για τη γλώσσα. Μια μέρα που κατέβηκα για να τους φέρω φαΐ, τους βρήκα μαζεμένους εδώ ακριβώς, κάτω από την εικόνα του Προφήτη Ηλία για να τους φέγγει το καντήλι, τους άκουσα που μάλωναν, που 'λεγαν για τον Μαρξ και τον Λένιν, για την Οκτωβριανή Επανάσταση και το σοσιαλισμό. ''Τόσα που τραβάτε και μυαλό δε βάζετε'', τους λέω σε μια στιγμή. ''Δε βλέπετε που 'χετε όλο τον κόσμο εναντίον σας; Δεν πρόκειται να σας αφήσουν ήσυχους ποτέ, θα σας κυνηγάνε ώσπου να σας ξεκάνουν, μέχρι που να βαρεθείτε και να τα παρατήσετε''. Τότε σηκώνεται ένας και ξέρεις τι μου λέει; ''Κι εσείς οι καλογέροι, οι παπάδες και τα ρέστα γιατί δε βάλατε μυαλό; Γιατί δεν αρνηθήκατε την πίστη σας και το Θεό σας; Λίγα υποφέρατε τόσους αιώνες;'' ''Εμείς είναι για τη θρησκεία μας'', τ' αποκρίνουμαι. ''Κι εμείς για τη δικιά μας. Εσείς με τους αγίους σας κι εμείς με τους δικούς μας'', μου κάνει».

Κρεμάει το φανάρι από τη ζώνη του και προχωράει, περπατάει προσεχτικά, ξέρει πού 'ναι το κάθε πετραδάκι, η κάθε λακκούβα.

«Ήταν καμιά πενηνταριά χρόνων, μορφωμένος άνθρωπος, δάσκαλος ή καθηγητής, κάτι τέτοιο. Έμεινε κάπου τρία χρόνια δω μέσα, κατέβαινα και κουβεντιάζαμε συχνά. Μια μέρα ένας καινούριος που 'ρθε να κρυφτεί του 'φερε μήνυμα ότι τον είχε ανάγκη το κόμμα για να τον στείλει δεν ξέρω πού. Τη μέρα που 'ταν να φύγει ήρθε και με βρήκε. ''Ίσως να μην ξανασυναντηθούμε ποτέ'', μου 'πε, ''αλλά τούτη τη σπηλιά δε θα την ξεχάσω ποτέ στη ζωή μου. Θυμάσαι τι σου 'πα μια φορά; Θρησκεία η δική σας, θρησκεία κι η δική μας. Να ξέρεις πως ό,τι καλό έγινε σ' αυτό τον κόσμο πάντα οι λίγοι το 'καναν. Αυτοί που γκρεμίζουνε είναι οι πιο πολλοί, γιατί το γκρέμισμα είναι εύκολη δουλειά, παίρνεις τον κασμά κι αρχίζεις, βλέπεις αμέσως τ' αποτέλεσμα. Ενώ το χτίσιμο θέλει υπομονή μεγάλη, θέλει ίδρωτα και δάκρυα, θέλει αίμα. Τις πιο πολλές φορές μια ζωή ολάκερη δε φτάνει για να δεις τ' αποτέλεσμα". Αυτά μου 'πε».

Ο Μελέτιος κοντοστέκεται και ακουμπάει σ' ένα βράχο για να ξεκουραστεί. Από πάνω, από τη βιβλιοθήκη, ακούγονται κάτι ήχοι μουντοί, σαν να πέφτουν ή σαν να σέρνονται πράγματα στο πάτωμα. Θα 'ναι το συνεργείο της καταγραφής που μαζεύει τα συμπράγκαλά του. Η δουλειά τέλειωσε κι αύριο φεύγουν. Ο γερο-βιβλιοθηκάριος δε φαίνεται να δίνει σημασία, μοιάζει βυθισμένος στις σκέψεις του, μια έκφραση πικρίας έχει απλωθεί στο πρόσωπό του:

«Έδωσε ο Θεός και ξανασυναντηθήκαμε. Πάνε κάπου τρία χρόνια. Τρόμαξα να τον γνωρίσω έτσι που τον είδα μ' άσπρα μαλλιά, με μαγκούρα, σε μαύρα χάλια όπως κι εγώ. Έχουμε πάνω κάτω τα ίδια χρόνια. Μου 'πε πως είχε έρθει ξεπίτηδες για να με δει, χάρηκε που με βρήκε ζωντανό, χάρηκα κι εγώ γιατί τον είχα συμπαθήσει, είχαμε κουβεντιάσει πολύ μαζί. Σε μια στιγμή μού ζήτησε και κατεβήκαμε στην κρύπτη, κάνει έτσι και βλέπει που 'λειπαν τα βιβλία και τα εικονίσματα. "Γιατί τα βγάλατε;" μου λέει. Του 'πα ότι τα πήγαμε στη βιβλιοθήκη, για να μπορούν να τα βλέπουν οι άνθρωποι. "Δεν κάνατε καλά", μου αποκρίνεται, "όπως δεν κάναμε κι εμείς καλά που βγήκαμε από δω μέσα πρόωρα. Ξέρεις ότι τώρα πια είμαστε επίσημο κι αναγνωρισμένο κόμμα; Μας έχουν δώσει γραφεία, μας επιτρέπουν και κατεβαίνουμε στις εκλογές, φοράμε κοστούμια και γραβάτες, μιλάμε και στη Βουλή, κρατάμε χαρτοφύλακες". "Καλά, αυτό δε θέλατε; Γι' αυτό δεν αγωνιζόσαστε;" του λέω. Στεκόμαστε εδώ ακριβώς, εδώ που 'μαστε εσύ κι εγώ τώρα, θυμάμαι καλά τι μου είπε, τον ακούω σαν να 'ναι αυτή τη στιγμή: "Όχι, δε θέλαμε αυτό, δεν αγωνιστήκαμε για ν' αλλάξουμε τα ρούχα τ' ανθρώπου αλλά τα μυαλά του, αγωνιστήκαμε για τη λευτεριά και για την αξιοπρέπεια κι όχι για να πάρουμε μέρος σ' αυτή την κωμωδία που κρατάει χρόνια και χρόνια. Όμως γελαστήκαμε, πήραμε λάθος δρόμο, μπήκαμε όπως κι οι άλλοι στο χορό, χορεύουμε με την ίδια μουσική". Μίλαγε κι έκλαι-

238

γε, πήγαινε από δω κι από κει κι άγγιζε τους βράχους της σπηλιάς, κοίταζε κάτω το χώμα, φίλαγε τις πέτρες λες κι ήταν άγια κειμήλια. "Θυμάσαι αυτά που λέγαμε τότε για τη θρησκεία;" μου λέει ξαφνικά. "Πες μου, εσύ που 'σαι καλόγερος: τι θα συνέβαινε κατά τη γνώμη σου αν αύριο παρατούσατε το μοναστήρι και βγαίνατε στο κουρμπέτι, όπως όλοι οι άλλοι άνθρωποι, αν κάνατε ό,τι και κείνοι; Πόσο θ' αντέχατε; Εδώ μέσα που 'σαστε προσευχόσαστε μέρα και νύχτα, κάνετε λειτουργίες κι ολονυχτίες, νηστεύετε και, παρ' όλα αυτά, δεν αποφεύγετε τον πειρασμό, μένετε συνέχεια επιφυλακή για να μη λυγίσετε. Έξω από το μοναστήρι τι θα γινόταν; Πώς θα τα βγάζατε πέρα; Είναι δυνατό ν' αγωνίζεσαι για έναν αλλιώτικο κόσμο, όταν δέχεσαι και προσκυνάς αυτόν που υπάρχει γύρω σου, υπακούς στους νόμους του, όταν ρυθμίζεις τη ζωή σου σύμφωνα με τις επιταγές του; Αυτή την πολιτική ακολουθούν με τους μαστροπούς τους όλες οι πόρνες της οικουμένης. Όμως, εξόν από τη Μαρία τη Μαγδαληνή, ξέρεις πολλές που να 'γιναν άγιες;" Τι να του 'λεγα, που είχε δίκιο... Όλοι έχουν δίκιο, ο καθένας με τον τρόπο του, με τη συνταγή του, με τη θρησκεία του. Δεν ξέρω όμως πολλούς σ' αυτό τον κόσμο που να πλήρωσαν και να πληρώνουν τόσο βαρύ τίμημα για τις ιδέες και για την πίστη τους. Σε μια στιγμή πήγε και κάθισε σε κείνη την πέτρα που βλέπεις, του πόναγαν τα πόδια, αρθριτικά κι αυτός όπως κι εγώ, γεράματα. "Όταν έφυγα από δω, δεν έμεινα λεύτερος για πολύν καιρό", μου λέει. "Μ' έπιασαν και μ' έστειλαν σε στρατόπεδο, σ' ένα ξερονήσι. Μας είχαν σε σκηνές, το καλοκαίρι μέσα στο λιοπύρι, το χειμώνα μάς τάραζαν οι παγωνιές. Είδα πολλά με τα μάτια μου κει μέσα, βασανιστήρια, εκτελέσεις, εγκλήματα, συντρόφους που τους έβαζαν σ' ένα τσουβάλι μαζί με μια γάτα και τους έριχναν στη θάλασσα, άλλους που τους έδερναν, τους κλοτσούσαν, τους έβαζαν να περπατήσουν με τα γόνατα πάνω σ' αγκάθια και χαλίκια. Αλλά αυτοί τίποτα, δε μετάνιωναν, δεν αρνιούνταν τις ιδέες και τις πεποιθήσεις τους, δεν υπόγραφαν τη δήλωση που τους έβαζαν κάθε τόσο μπροστά στα μάτια. Κι ας τους έκαναν μαύρους στο ξύλο, κι ας τους έτρεχαν από παντού τα αίματα, κι ας τους ξαναπέταγαν στη θάλασσα μαζί με τη γάτα... Όσοι ήταν τυχεροί κι απελευθερώνονταν ξανάβγαιναν στην παρανομία, συνέχιζαν τον αγώνα, ώσπου τους ξανάπιαναν και δώστου πάλι από την αρχή, ανακρίσεις, βασανιστήρια, νέα εξορία. Χρόνια και χρόνια αυτό το βιολί, δεν είδαμε άσπρη μέρα, γλυκό ψωμί δε φάγαμε ποτέ, δεν είδαμε τα παιδιά μας να μεγαλώνουν, οι φαμίλιες μας διάλυσαν"».

Από κάπου, λίγο πιο μακριά, έρχεται μια αδύναμη ανταύγεια. Θα 'ναι το φως της μέρας που μπαίνει στη σπηλιά από την άλλη άκρη, από την μπούκα της. Ο Μελέτιος απιθώνει το φανάρι σε μια προεξοχή του βράχου για να το πάρει στο γυρισμό και προχωράει — το φως δυναμώνει. Η φωνή του γερο-βιβλιοθηκάριου ακούγεται τη στιγμή ακριβώς που φανερώνεται η έξοδος της σπηλιάς:

«Μου διηγιόταν τα βάσανά του, θυμόταν έναν έναν όλους τους πεθαμένους συντρόφους του κι έκλαιγε σαν μικρό παιδί. ''Ξέρεις πού κατάληξαν όλα αυτά τα βάσανα;'' μου 'πε ξαφνικά. '''Έγιναν χαρτιά, συμβιβασμοί, παζάρια, μια σειρά καθίσματα σε μια άκρη της Βουλής, κουβεντολόι, κοροϊδία. Καλύτερα να 'χαμε μείνει σε τούτη τη σπηλιά συντροφιά με τους πάπυρους και τις περγαμηνές, μ' αυτά τα βιβλία που κλείνουν στις σελίδες τους τα πιο παλιά όνειρα του κόσμου, να 'μαστε σιωπηλοί και τίμιοι μαχητές του σκοταδιού. Τι κερδίσαμε που βγήκαμε στο κουρμπέτι; Καταντήσαμε κι εμείς ζητιάνοι, όπως και τόσοι άλλοι. Μόνο που δεν απλώνουμε το χέρι για να μας δώσουν καμιά πεντάρα, αλλά για να μας βάλουν στην παλάμη κάνα κομματάκι αξιοπρέπεια''».

Ο Μελέτιος αφήνει το βλέμμα του να πλανηθεί έξω από τη σπηλιά. Από κείνο το σημείο φαίνεται σχεδόν ολάκερος ο κάμπος του Παλιόκαστρου, τα γύρω βουνά, η ρεματιά που 'ναι από ανατολής μεριά το σύνορό του. Πέρα αριστερά, κατά τη δύση, τα λιγοστά νερά του ποταμιού αχνογυαλίζουν κυλώντας ανάμεσα σε πυκνές τούφες καλάμια, ύστερα χάνονται λίγο πιο μακριά, μέσα σε μια συστάδα ολάνθιστες πικροδάφνες.

«Έμεινε λίγες μέρες στο μοναστήρι και κουβεντιάσαμε κάμποσο. Ένα πρωί μου 'δειξε τις φημερίδες που 'χαν φέρει μαζί τους κάτι προσκυνητές. Είχαν κάτι τίτλους να, τόσους, από τη μια μέχρι την άλλη άκρη της σελίδας, έγραφαν για τους Ρουμάνους, τους Ρώσους, τους Πολωνούς, για την ανακατωσούρα που γίνεται στις χώρες τους. "Μου φαίνεται ότι μας περιμένουν χειρότερα χρόνια από κείνα που γνωρίσαμε, θα δουν τα μάτια μας σημεία και τέρατα", μου λέει. "Ο Θεός να βάλει το χέρι του", του αποκρίνουμαι. Άκουσε που μίλαγα για το Θεό και κούνησε το κεφάλι ειρωνικά. "Αυτή τη φορά θα τα βρει σκούρα κι ο Θεός", μου κάνει. Τώρα που άρχισαν να ξηλώνουν τους δικούς μας θεούς, θα συνεχίσουν και μ' όλους τους άλλους, να μου το θυμάσαι. Στις μέρες μας οι θρησκείες ενοχλούν, γιατί κάνουν τους ανθρώπους να ελπίζουν και να προσδοκούν. Αυτός που σέβεται κι αγωνίζεται για τ' αόρατο δύσκολα δέχεται να προσκυνήσει το ορατό. Η Ιστορία γράφει για εκατομμύρια ανθρώπους που πολέμησαν για τη μια ή για την άλλη θρησκεία, που θυσιάστηκαν για κάποια ιδέα, για τη λευτεριά ή για τη δημοκρατία. Είδες όμως ν' αναφέρει κανέναν που να δέχτηκε να υποστεί φυλακές και βασανιστήρια, να στηθεί στον τοίχο για μια τράπεζα;"»

Πέρα στους πρόποδες του παλιοκαστρίτικου βουνού ένα κοπάδι γίδια έχουν ξεχυθεί και βοσκάνε ανάμεσα στους βράχους της πλαγιάς, ακούγονται τα τσομπανόσκυλα που γαβγίζουν πολεμώντας να συμμαζέψουν κάπως τ' απείθαρχα ζώα για να μην παρασκορπίσουν, για να μη χαθούν. Αλλά εκείνα τίποτα, δε δίνουν σημασία ούτε στ' αγριεμένα σκυλιά ούτε και στον τσοπάνη που τρέχει από δω κι από κει με υψωμένη την γκλίτσα, σκαρφαλώνουν πάνω στα πιο επικίνδυνα βράχια, δίνουν σάλτους πάνω από βάραθρα.

Ο Μελέτιος δείχνει μια πλατιά πέτρα στην μπούκα της σπηλιάς:

«Εδώ καθόταν ο Ισίδωρος κι έγραφε, από δω έβλεπε τ' ασκέρια των Τούρκων που 'χαν ζώσει την πόλη. Κάθε πρωί, μόλις έφεγγε, σηκωνόταν από το στρώμα, έκανε την προ-

σευχή του, έριχνε μια ματιά στις κασέλες με τα βιβλία για
να δει αν ήταν όλα εντάξει κι ύστερα ερχόταν εδώ, καθόταν
σ' αυτή την πέτρα. Ένα βλέμμα του 'φτανε για να καταλά-
βει αν το Παλιόκαστρο κινδύνευε. Λέει κάπου στο χρονικό
του πως είχε βάλει για σημάδι ένα μεγάλο κυπαρίσσι, εκεί
σ' αυτή την πλαγιά, και πως υπήρχε μια παλιά προφητεία
γι' αυτό το δέντρο. Όσο θα ζούσε και θα βρισκόταν, η πολι-
τεία δε θα κινδύνευε, κανένα εχθρικό ασκέρι δε θα ζύγωνε
στα μπεντένια της, θα 'μενε λεύτερη η γη της».
Στην παλιοκαστρίτικη πλαγιά τα γαβγίσματα ακούγονται
όλο και πιο δυνατά. Πηδοκοπώντας από βράχο σε βράχο, τα
γίδια σκαρφαλώνουν όλο και πιο ψηλά. Λαχανιασμένα από
την αναρρίχηση και την τρεχάλα, τα σκυλιά εγκαταλείπουν
ένα ένα τον αγώνα, μένουν χαμηλά και περιμένουν ουρλιάζο-
ντας οργισμένα, ανήμπορα.

... Ποιὸς νὰ τὸ 'λεγε πὼς οἱ Τοῦρκοι θὰ ξανάκαναν
γιουρούσι ἔτσι στὰ ξαφνικά... Ὅμως ὄχι ὅλοι· μονάχα οἱ
γενίτσαροι. Ἀκούστηκε μιὰ τρουμπετιὰ ἀπὸ τὴ σκηνὴ τοῦ
Σελὴμ πασᾶ καὶ χίμηξαν. Ἀλλὰ ἀντὶ νὰ τραβήξουν κα-
τὰ τὰ παλιοκαστρίτικα ταμπούρια, τρέξανε κατὰ πάνω
στὸ ἔρμο τὸ κυπαρίσσι μὲ τὰ χαντζάρια σηκωμένα.
Στὴν ἀρχὴ οἱ Παλιοκαστρίτες δὲν κατάλαβαν τί σκο-
πὸ εἶχαν οἱ Τοῦρκοι καὶ γιατὶ ἄλλαξαν ἀπότομα τακτι-
κή. Γι' αὐτὸ καὶ δὲ σαλέψανε ἀπὸ τὰ ταμπούρια τους.
Ὅταν κατάλαβαν τί γινόταν, ἦταν πιὰ ἀργά, οἱ γενί-
τσαροι εἶχαν κυκλώσει τὸ δέντρο κι ἀλάλαζαν ἀπὸ τὴ
χαρά, κάτω στὸ στρατόπεδό τους βάραγαν τὰ ταμποῦρ-
λα. Ἄδικα οἱ δικοί μας πετάχτηκαν ἀπὸ τὰ ταμπούρια
καὶ τοὺς χύθηκαν, τὸ χῶμα ....
....
..... ὑποχωρήσανε γιὰ νὰ μὴν ἀφήσουνε τὰ μπεντένια
ἀνυπεράσπιστα.
Τὸ δέντρο ἀπόμεινε μονάχο του. Κι εἶδα ποὺ 'φεραν οἱ
Τοῦρκοι τσεκούρια καὶ πριγιόνια, καὶ τοῦ ρίχτηκαν, τοῦ

242

ἄνοιξαν ἕνα σωρὸ λαβωματιές, ὕστερα ἔσκαψαν καὶ τρι-
γύρω τὸ χῶμα. Πάνω στὰ μπεντένια ὅλοι κοίταγαν, γινό-
ταν θρῆνος, οἱ γυναῖκες τράβαγαν τὰ μαλλιὰ τους καὶ
καταριοῦνταν τοὺς Τούρκους ....
....
.... μέρα μαύρη κι ἄραχλη ....
... δέσανε τὸ κυπαρίσσι μὲ τὰ σκοινιὰ καὶ τὸ τραβήξα-
νε, τὸ σωριάσανε στὴ γῆ. Ὕστερα τὸ σούρανε μέχρι τὸ
στρατόπεδο, ἡ κορφή του, ποὺ κάποτε σειόταν καὶ λυγιό-
ταν, ἦταν γεμάτη χώματα.
... βαρέσανε πάλι τὰ τούμπανα καὶ μαζεύτηκε ὅλη ἡ
Τουρκιὰ καὶ κοίταγε. Ὁ δήμιος μὲ τὰ τσιράκια του τοῦ
'κοψε πρῶτα ὅλα τὰ κλαριά, τὸ 'καναν μετὰ κομμάτια
μὲ τὰ τσεκούρια. Καὶ τὸ βράδυ στήσανε χορό, φέρανε κι
ὄργανα, τοὺς ἄκουγα ποὺ τραγούδαγαν ὅλη τὴ νύχτα.
Πάει, ὁ Θεὸς μᾶς ἐγκατέλειψε, δὲν ὑπάρχει πιὰ ἐλπίδα.

Ο Μελέτιος δείχνει πέρα κατά τον κάμπο:
«Βλέπεις κείνο το βαθούλωμα; Εκεί, λέει, μαρτύρησε το
κυπαρίσσι. Μια φορά το χρόνο πάμε και κάνουμε τρισάγιο·
έτσι μας τ' άφησαν οι παλιοί αδελφοί. Ο δεσπότης μάς τ'
απαγορεύει επειδή, λέει, είναι αμαρτία, ειδωλολατρία. Ποιος
τον ακούει... Αυτός ζει με το δικό του καιρό».
Κάτω, στους πρόποδες του βουνού, οι άνθρωποι του συ-
νεργείου φορτώνουν τα μηχανήματα στ' αυτοκίνητα που τους
περιμένουν. Ο γερο-βιβλιοθηκάριος τους κοιτάζει μ' αδιαφο-
ρία:
«Κι αυτοί ζούνε στον καιρό τους. Αλλά εμείς έχουμε πίσω
μας χρόνια και χρόνια, είμαστε δεμένοι μ' ένα σωρό πράγμα-
τα. Πώς να βγάλεις άκρη, πώς να ξεχωρίσεις τα καλά και τα
σκάρτα; Η ζωή του ανθρώπου είναι όπως και το πλεχτό: κά-
νεις έτσι, βλέπεις ένα νήμα που ξέχει, το τραβάς, αλλά πίσω
είναι δεμένο άλλο. Στο τέλος, από το τράβα τράβα, τα ξη-
λώνεις όλα και μένεις δίχως πλεχτό».
Απέναντι, στην παλιοκαστρίτικη πλαγιά, ο τσοπάνης ξε-

σηκώνει τα σκυλιά του για να πάνε να μαζέψουν τα γίδια που 'χουν σκορπίσει για τα καλά. Μερικά, τα πιο απείθαρχα, τα πιο βαρβατεμένα, έχουν σκαρφαλώσει και στέκονται άκρη άκρη στα πιο ψηλά βράχια, κοιτάζουν κατά κάτω αδιάφορα, όπως κι ο Μελέτιος.

«Στην αρχή ο Ισίδωρος σκέφτηκε πως ήταν προδοσία, αλλά ο νους του δεν το χώραγε — προδότη δεν είχαν βγάλει ποτέ αυτά τα χώματα. Πέρασε καιρός ώσπου να καταλάβει, ώσπου να θυμηθεί τον Σελήμ πασά που 'χε περάσει μήνες στη βιβλιοθήκη πριν αρχίσει η πολιορκία, που 'χε ξεφυλλίσει κάμποσα βιβλία, μελετήσει κάμποσες ιστορίες και παραμύθια που 'χαν καταγράψει οι παλιοί στα χαρτιά...»

Μαζεμένα τώρα σ' ένα πλάτωμα, τα γίδια περιμένουν του βοσκού το σύνθημα. Η μέρα σε λίγο τελειώνει, τα ζωντανά νιώθουν τη δύναμη του ήλιου να λιγοστεύει και βελάζουν ανυπόμονα, θέλουν να γυρίσουν στο μαντρί πριν πέσει η νύχτα.

Με μια κίνηση του κεφαλιού ο Μελέτιος δείχνει τους ανθρώπους του συνεργείου που φορτώνουν τα τελευταία μηχανήματα:

«Μου φαίνεται πως δε θ' αργήσει κι η δικιά μας πολιορκία», στενάζει.

Τ

ΑΚΟΥΓΟΝΤΑΣ ΦΩΝΕΣ ΚΑΙ ΘΡΗΝΟΥΣ ΣΤΑ ΜΠΕΝΤΕΝΙΑ, ΚΑτάλαβε.

Σφίγγοντας τα δόντια για να συγκρατήσει τους πόνους που τον σούβλιζαν, ο Κώστα Μπέκας σηκώθηκε, έφτασε με χίλιους κόπους μέχρι την πόρτα της τάξης και βγήκε στην αυλή. Με την πρώτη ματιά που 'ριξε από την Παλιά Βίγλα, είδε τους γενίτσαρους να σέρνουν το κομμένο κυπαρίσσι τραβώντας το με σκοινιά, να το περιφέρουν σ' ολάκερο το στρατόπεδο. Βλέποντάς το να περνάει ανάμεσά τους, να έρπει μπροστά στα πόδια τους, οι στρατιώτες του Σελήμ πασά ούρλιαζαν από χαρά, μερικοί το 'φτυναν, άλλοι το κλοτσούσαν ή έκοβαν με τα χαντζάρια τους κομμάτια από τα κλαδιά του για να τα 'χουν ενθύμιο από την πολιορκία, να τα δείχνουν αργότερα στους φίλους τους στην πατρίδα, στους δικούς τους.

Μπροστά στην εξέδρα του δήμιου η συνοδεία σταμάτησε.

Για να τραβήξει σε μάκρος το θέαμα, αλλά και για να δώσει ένα μάθημα στ' ασκέρι που την άλλη μέρα θα 'κανε γενικό ρεσάλτο, ο Σελήμ πασάς έδωσε διαταγή και κουβάλησαν δυο μελλοθάνατους ασάπηδες. «Λιποτάχτες ή θα τους έπιασαν να κιοτεύουν την ώρα της μάχης», συλλογίστηκε ο Κώστα Μπέκας βλέποντας τους βοηθούς του δήμιου να τους φέρνουν δεμένους πιστάγκωνα και να τους βάζουν να γονατίσουν από τη μια κι από την άλλη μεριά του κυπαρισσιού, που 'ταν απλωμένο διαγώνια στην εξέδρα και που οι άκρες του έξεχαν κάμποσες οργιές από την κάθε γωνιά.

Ο δήμιος περίμενε με σταυρωμένα τα χέρια.

Όταν σε λίγο φάνηκε να 'ρχεται ο σερασκέρης, αλάλαξε όλο το στρατόπεδο, στο διάβα του οι στρατιώτες πέφταν στα γόνατα και προσκύναγαν, άλλοι μπρουμύτιζαν και φίλαγαν τ' αχνάρια π' άφηναν τα πόδια του στο χώμα. Τα ουρλιαχτά τ' ασκεριού ήταν τόσο δυνατά, που ο Κώστα Μπέκας νόμισε πως είχε έρθει η συντέλεια του κόσμου, ότι αυτό το φοβερό αχολόι κατέβαινε από τα ύψη σαν την οργή του Θεού, λες κι ο Μεγαλοδύναμος είχε δώσει ξαφνικά το λεύτερο σ' όλους τους διαόλους να κάνουν το κέφι τους πάνω στη γη του.

Ο Σελήμ πασάς σήκωσε το χέρι.

Με δυο γερές χαντζαριές ο δήμιος ξεμπέρδεψε γρήγορα με τους ασάπηδες: τα κεφάλια τους κύλησαν και χάθηκαν μέσα στο φύλλωμα του κυπαρισσιού. Το δέντρο μυρμήδισε ολάκερο, σαν να 'χε νιώσει πως ερχόταν τώρα η σειρά του.

Ο Κώστα Μπέκας απόστρεψε το πρόσωπο.

Να που ύστερα από αμέτρητα χρόνια έβγαινε αληθινή τούτη η ιστορία, να που τα παραμύθια περιμένουν καμιά φορά επί αιώνες για να εκδικηθούν αυτούς που δεν τους δίνουν σημασία, που δεν πιστεύουν σε τέτοια πράγματα. Καλύτερα να μην του είχε δώσει μνήμη ο Θεός και να μη θυμόταν τίποτα, να μην είχε ποτέ του καταλάβει τι σήμαιναν τα παλιά και κληρονομημένα λόγια, τα πατροπαράδοτα μυστήρια.

Ακούγοντας τους Τούρκους ν' αλαλάζουν και πάλι, ο καπετάνιος ξανακοίταξε κατά το στρατόπεδο. Αντί για χαντζάρια, ο δήμιος και οι βοηθοί του κράταγαν τώρα πριγιόνια και τσεκούρια.

Ο Σελήμ πασάς ξανασήκωσε το χέρι του.

Με τις πρώτες τσεκουριές που 'πεσαν πάνω στον κορμό του κυπαρισσιού τραντάχτηκε η εξέδρα, οι Τούρκοι ούρλιαξαν θριαμβευτικά. Σε μια στιγμή ο δήμιος άρπαξε την κομμένη κορφή του δέντρου και τη σήκωσε ψηλά για να τη δούνε όλοι, μετά την πέταξε μακριά, μέσα στο αγκρισμένο πλήθος. Οι Οθωμανοί έπεσαν πάνω της σαν λυσσασμένοι, μάλωναν για το ποιος θα 'παιρνε το πιο μεγάλο κομμάτι, τραβούσαν και ξεμασκάλιζαν τα τρυφερά κλαδάκια με χέρια και με δόντια, πάλευαν, μαχαιρώνονταν.

Ο Κώστα Μπέκας στράφηκε κατά την πολιτεία.

Όλοι οι Παλιοκαστρίτες ήταν στα μπεντένια. Στους δρόμους, στις αυλές και μέσα στα σπίτια δεν υπήρχε ψυχή. Λαβωμένοι κι αλάβωτοι, άλλοι αρματωμένοι και άλλοι ξαρμάτωτοι, νέοι και γέροι, είχαν προστρέξει για να παρασταθούν στ' αγαπημένο τους δέντρο, για να το ψυχώσουν στις τελευταίες του στιγμές, για να του δείξουν πως δε θα τ' άφηναν να πεθάνει έτσι ολομόναχο, απελπισμένο. Και ποιος απ' αυτούς δεν ήξερε την προφητεία που 'ταν δεμένη με τη ζωή του κυπαρισσιού, τι σήμαινε η παρουσία του, ποια μαύρη ώρα προανάγγελνε ο χαμός του...

Ξαφνικά ο δήμιος πήρε να τσεκουρώνει τη ρίζα του.

Συγκρατώντας όπως μπορούσε όχι τον πόνο της λαβωματιάς αλλά εκείνον που του σαράκιζε την καρδιά, ο Κώστα Μπέκας έβαλε τις παλάμες του χωνί γύρω από το στόμα:

— Χαιρετίστε το, μωρέ! φώναξε από μακριά στα παλικάρια του.

Όλοι οι Παλιοκαστρίτες που 'ταν ακόμα μπροστά στα μπεντένια σήκωσαν τα γιαταγάνια ψηλά, τ' ανάδεψαν σαν να 'ταν μπαϊράκια.

Ο δήμιος πήρε φόρα κι έριξε μια πιο γερή τσεκουριά.

Με βαριά, σκοτεινιασμένη καρδιά, ο Κώστα Μπέκας φέρνει βόλτα τα τείχη, κάνει μια τελευταία επιθεώρηση στο μικρό του ασκέρι, ανταλλάζει εδώ κι εκεί λίγα λόγια με τους άντρες του. Μόλο που ξέρουν τι τους περιμένει, το ηθικό τους είναι ανέγγιχτο, στέκονται ψύχραιμοι και αποφασισμένοι στα πόστα τους. Βλέποντας το κυπαρίσσι να σιγοπεθαίνει πάνω στην εξέδρα του δήμιου, όχι μόνο δε λιποψύχησαν, αλλά πήραν όρκο να εκδικηθούν το χαμό του, να στείλουν στο Χάροντα πεσκέσι κάμποσους Τούρκους για το κάθε του κλαρί, για το τελευταίο του φυλλαράκι. Το δέντρο μπορεί να χάθηκε, λένε στον καπετάνιο, αλλά ο αγώνας θα συνεχιστεί. Αν το Παλιόκαστρο αλωθεί από τους Οθωμανούς, το κακό μαντάτο θα φύγει και θα ταξιδέψει σ' όλη την Ελλάδα, θα γίνει μοιρολόι, τραγούδι που τα στιχάκια του θα πηγαίνουν από στόμα σε στόμα, θα διασχίσουν λαγκάδια, θ' ανεβούν σε βουνά, θα σκαρφαλώσουν μέχρι τα κλέφτικα λημέρια. Με τον καιρό οι αγωνιστές θα πληθύνουν, θα πιάσουν τ' άρματα κι άλλοι Έλληνες, θα ξεσηκωθούν κι άλλες περιοχές, ολάκερη η χώρα θα γεμίσει επαναστάτες.

Ο Κώστα Μπέκας ακούει τα παλικάρια του, μα δε μιλάει. Το Παλιόκαστρο έκανε το χρέος του και με το παραπάνω, συλλογίζεται, έμεινε λεύτερο επί αιώνες, δε δέχτηκε ποτέ αφέντες. Όμως δεν αντέχει άλλο πια, ήρθε η ώρα ν' αποτραβηχτεί, να βγει από τη μέση, να παραδώσει σ' άλλους τ' άρματα για να συνεχίσουν τον αγώνα. Αν θέλουν, πάει καλά. Αν δε θέλουν, ας υποταχτούν, ας σκύψουν, ας προσκυνήσουν. Οι άνθρωποι πρέπει να 'ναι ή σωστοί λεύτεροι ή σωστοί σκλάβοι. Μισή λευτεριά δεν υπάρχει, όπως δεν υπάρχει γυναίκα μισοπάρθενη.

Ο Κώστα Μπέκας βλέπει δυο γέροντες να οχυρώνουν την αυλή ενός σπιτιού, να κουβαλάνε πέτρες και ξύλα, να φτιάχνουν πρόχειρα ταμπούρια. Οι κινήσεις τους είναι ήρεμες και μετρημένες, τίποτα δε φανερώνει ανησυχία στο φέρσιμό τους. Καθώς βλέπουν τον καπετάνιο να περνάει από το δρόμο, τον καλησπερίζουν, ανταλλάζουν μαζί του λίγες λέξεις και συνεχίζουν τη δουλειά, ετοιμάζουν τα τουφέκια, τα βόλια.

Πήρε να κατεβαίνει τα σκαλοπάτια αργά.

Η υπόγεια αίθουσα έπιανε όλο το χώρο που 'ταν κάτω από την εκκλησία, συνεχιζόταν στο υπέδαφος της πλατείας και γύρω γύρω κατέληγε σε μικρές σπηλιές που 'μοιαζαν κρύπτες. Οι παλιοί έλεγαν ότι στα πρώτα βυζαντινά χρόνια έρχονταν και κρύβονταν εδώ οι ειδωλολάτρες κάθε φορά που πλάκωναν από την Κωνσταντινούπολη τ' ασκέρια του αυτοκράτορα για να τους βάλουν να προσκυνήσουν με το ζόρι τον Χριστό και τους νέους άγιους, για να τους περάσουν από το λεπίδι αν σώνει και καλά επέμεναν να λατρεύουν τους πατρώους θεούς. Όταν αργότερα οι Παλιοκαστρίτες άρχισαν να σκάβουν για να θεμελιώσουν την εκκλησία τους, ανακάλυψαν ένα σωρό πέτρες και παλιά μάρμαρα, κομμάτια από αγάλματα, ξόανα, ταφόπλακες μ' επιγραφές. Οι γέροντες δεν άφησαν τους σκαφτιάδες και τους μαστόρους ν' αγγίσουν τ' αρχαία, οι προεστοί απαγόρεψαν να πειραχτούν οι τάφοι που 'χαν μέσα κόκαλα. Και για να 'ναι σίγουροι πως οι κατοπινοί Παλιοκαστρίτες δε θα παράκουγαν την εντολή τους, σήκωσαν ψηλά τα χέρια κι άφησαν βαριά κατάρα γι' αυτούς που θα τολμούσαν να χαλάσουν την ειρήνη των νεκρών, που θ' ακουμπούσαν βέβηλο χέρι στα πράγματά τους, που δε θα σέβονταν την τελευταία κατοικία τους.

Η πολιτεία χτίστηκε σιγά σιγά τριγύρω.

Στα κατοπινά χρόνια, κάθε φορά που ο παπάς έκανε τρισάγιο στην εκκλησία για τους πεθαμένους Παλιοκαστρίτες, κατέβαινε μετά και στην υπόγεια αίθουσα και προσευχόταν πάνω από τους αρχαίους τάφους, άναβε τα καντήλια που 'ταν απιθωμένα δίπλα τους.

Ο Κώστα Μπέκας χτύπησε τη βαριά σιδερένια πόρτα.

Τρίζοντας πάνω στα στροφύλια του το πορτόφυλλο υποχώρησε και φάνηκε από πίσω το σταφιδιασμένο αλλά ήρεμο πρόσωπο της κυρα-Ρήνης. Πρώτη φορά ο καπετάνιος έβλεπε τη γριά δίχως να 'χει κρεμασμένο από τον ώμο το σακούλι με τα χόρτα και τα βοτάνια.

Ένα καλοσυνάτο χαμόγελο απλώθηκε στα φυραμένα της χείλια:

— Δεν έκανες καλά, καπετάνιο, είπε λαφραγγίζοντας το ξαντό που 'χε ο Κώστα Μπέκας στο στήθος.

Ο καπετάνιος σάλεψε το κεφάλι.

— Μη φοβάσαι για τις πληγές που φαίνονται. Οι πιο επικίνδυνες είναι οι κρυφές, μουρμούρισε.

Μέσα στο σκοτάδι που άδικα πολεμούσαν να διώξουν μερικά καντήλια που άναβαν εδώ κι εκεί, ένιωσε να τον ζυγώνουν και να τον περιτριγυρίζουν φαντάσματα, του φάνηκε ότι το μέρος ήταν γεμάτο άυλα κορμιά που μετακινούνταν, πλανιούνταν στον αέρα. Ύστερα, σιγά σιγά, καθώς τα μάτια του συνήθιζαν, είδε πως δίχως να το καταλάβει τον είχαν κυκλώσει ένα σωρό χειροπιαστές παρουσίες που 'χαν βγει από τις σπηλιές και τις κρύπτες της υπόγειας αίθουσας, ακούγονταν φουρφουρίσματα από φουστάνια, ανάλαφρα πατήματα.

Ο Κώστα Μπέκας ένιωσε την ανάσα της κυρα-Ρήνης κοντά στο πρόσωπό του.

— Είμαστε έτοιμες, είπε η γριά.

Ο καπετάνιος την τράβηξε κάπως παράμερα:

— Το σκεφτήκατε καλά; Γιατί δε φεύγετε μαζί με τα παιδιά; Γιατί να πάτε τζάμπα;

Έδειξε κατά το βάθος του υπόγειου που 'ταν βυθισμένο στα σκοτάδια:

— Από κει μπορείτε να βγείτε στη μεγάλη γαλαρία και να τραβήξετε κατά το βοριά. Από κείνη τη μεριά δε θα 'χει ασκέρια. Ώσπου ν' ανακαλύψουν οι Τούρκοι το τουνέλι, θα 'χετε φτάσει μακριά.

— Πόσο μακριά, καπετάνιο; ρώτησε ειρωνικά η γριά.

Αντί να της αποκριθεί, ο Κώστα Μπέκας αποξεχάστηκε για λίγες στιγμές κοιτάζοντας μια ταφόπλακα δίπλα στης κυρα-Ρήνης τα πόδια. Ένα καντήλι αχνοφώτιζε μια ανάγλυφη γυναικεία μορφή που 'ταν χαραγμένη καταμεσής στο μνημούρι. Είχε κατέβει τόσες φορές σε τούτο το υπόγειο, αλλά ποτέ του δεν είχε προσέξει αυτό τ' αρχαίο πρόσωπο που χαμογελούσε παράξενα, που 'χε μισάνοιχτα τα χείλια, δεν είχε ακούσει την παραμικρή φωνή, καμιά μιλιά μέσα σε κείνα τα σκοτάδια.

Η κυρα-Ρήνη κάθισε στην ταφόπλακα.

— Πόσο μακριά πρέπει να πάμε για να μη θυμόμαστε πια την πατρίδα, για να μην ακούμε μέσα μας τη φωνή της, για να μη νιώθουμε στη σάρκα μας τη σάρκα της; στέναξε.

Μίλαγε σαν κείνη την αρχαία σφίγγα που καθόταν μέρα νύχτα σ' ένα σταυροδρόμι κι έβαζε στους διαβάτες αξεδιάλυτα αινίγματα, τους ζήταγε να εξηγήσουν χρησμούς, τους έλεγε ακατανόητα λόγια.

— Σκεφτείτε το ακόμα. Έχετε μπροστά σας ολόκληρη νύχτα, επέμεινε ο Κώστα Μπέκας.

Με μια βαριεστισμένη κίνηση η γριά του 'δειξε τριγύρω τα σκόρπια μάρμαρα.

— Τι να σου κάνει μια νύχτα σκέψη μπροστά σ' όλα αυτά τα χρόνια, μουρμούρισε. Πρέπει να το πάρουμε απόφαση, καπετάνιο, ο δικός μας κόσμος γέρασε, σώθηκε το λάδι του καντηλιού του. Δεν πρέπει να το 'χουμε παράπονο, μας άφησε ο Θεός και ζήσαμε κάμποσους αιώνες δίχως να ξεπέσουμε, να ντροπιαστούμε. Δε θα βρεθεί κανείς να μας κατηγορήσει ότι ξεπουλήσαμε τον τόπο και τη λευτεριά μας, νά 'ρθει και να φτύσει πάνω στο χώμα που θα μας σκεπάσει τα κόκαλα.

Σηκώθηκε με κόπο κρατώντας τη μέση της:

— Να πεις του δάσκαλου πως του αφήνω ευχή και κατάρα για τα παιδιά του Παλιόκαστρου. Ο Θεός να βάλει το χέρι του για να γλιτώσουν από το σπαθί του Τούρκου, για να βρούνε κάπου τόπο και να σταθούν, να ζήσουν λεύτερα και τίμια, με πρεπιά.

Έκανε να στραφεί και να φύγει, μα κοντοστάθηκε:

— Να του πεις και κάτι άλλο... Να 'χει το νου του να μην αφήσει τα Παλιοκαστρόπουλα να ταπεινωθούνε. Αν δει πως δεν υπάρχει τρόπος να ζήσουνε με το κεφάλι ψηλά, δίχως να παρακαλάνε τον έναν και τον άλλο και να ζητάνε ελεημοσύνες, αν είναι να γλιτώσουν από τους Τούρκους για ν' αποχτήσουν προστάτες, να μη διστάσει: να πάρει το γιαταγάνι, να σφίξει την καρδιά και να τα κόψει.

Ο Κώστα Μπέκας έσκυψε το κεφάλι. Από τις συζητήσεις που 'καναν τον τελευταίο καιρό οι γυναίκες αναμετάξυ τους, είχε καταλάβει πως δε γινόταν τίποτα πια, ότι δεν είχε σωσμό η πολιτεία. Μπορεί η μοίρα του τόπου να 'ταν γραμμένη σε θεϊκά κιτάπια, μ' αόρατα γράμματα, αλλά η κυρα-Ρήνη, όπως κι όλες οι Παλιοκαστρίτισσες, έβρισκαν πάντα τρόπο να τα διαβάζουν, να τα συμβουλεύονται, κατηχούσαν τα παιδιά και τα μεγάλωναν με τον τρόπο τους, κράταγαν την παράδοση της πόλης ζωντανή, δεν άφηναν να ξεχαστεί η Ιστορία της, ν' αλλάξει ο ντορός της. Και να που σήμερα, ύστερα από τόσους και τόσους αιώνες, αποφάσιζαν να βάλουν φαρδιά πλατιά την υπογραφή τους στο φιρμάνι που 'χε βγάλει ο Θεός για το χαμό της, να κόψουν με τα ίδια τους τα χέρια το νήμα του πολύχρονου βίου της.

Στην είσοδο του υπόγειου άρχισαν να φανερώνονται λίγοι λίγοι οι άντρες που 'ρχονταν ν' αποχαιρετήσουν ποιος τη γυναίκα ή τη μάνα του, ποιος τις κόρες ή τις αδελφές του, τις γριές της φαμίλιας του. Ήσυχα, σεμνά, χωρίς πολλές κουβέντες και κλάματα, αποτραβιούνταν σε μια άκρη και σιγοκουβέντιαζαν στα βιαστικά, αγκαλιάζονταν και φιλιούνταν. Ο Κώστα Μπέκας κοίταξε συλλογισμένος μια Παλιοκαστρίτισσα που 'χε συγκεντρώσει γύρω της όλους τους άντρες του σπιτιού και τους έδινε συμβουλές, τους ψύχωνε. Το σόι της είχε βγάλει κάμποσους ξακουστούς πολεμιστές, οπλαρχηγούς και κλέφτες, ολάκερη η πόλη τη σεβόταν και την εκτιμούσε για τους λεβέντες γιους που 'χε μεγαλώσει κι αυτή, όπως όλες οι πρόγονές της.

Άδικα η νύχτα τα 'βαζε με την αχνοφεγγιά του φεγγαριού. Ανήμπορη να επιβάλει παντού την εξουσία της, η νύχτα σιγοσερνόταν ύπουλα στα καλντερίμια και στις αυλές, πιανόταν από των παραθύρων τα περβάζια και κρυφοκοίταζε μέσα στ' άδεια και βουβά σπίτια, πήγαινε τοίχο τοίχο σαν κλέφτισσα, σαν κακόβουλη λάμια.

Ξαφνικά, εκεί κοντά στην πλατεία, ξεγλίστρησε από μια πόρτα ο ανάλαφρος και σβέλτος ίσκιος μιας γυναίκας, προχώρησε αθόρυβα και στάθηκε στη μέση του έρημου δρόμου. Την ίδια στιγμή, από την πέρα μεριά, φάνηκε μια άλλη σιλουέτα που περπατούσε με μεγάλα και βιαστικά βήματα, ύστερα άσπρισε μια φουστανέλα.

Οι δυο νυχτοβάτες έσμιξαν κι αγκαλιαστήκαν.

Μπροστά στην πόρτα του υπόγειου ο Κώστα Μπέκας κι η κυρα-Ρήνη κοίταζαν αμίλητοι τ' αντρόγυνο που αποχαιρετιζόταν, που χώριζε για λίγα δευτερόλεπτα και πάλι ξανάσμιγε, ξαναγκαλιαζόταν. Στο τέλος η γυναίκα ξεκόρμισε πρώτη κι απομακρύνθηκε, πέρασε τρέχοντας μπροστά από τον καπετάνιο και τη γριά, κατέβηκε τα σκαλοπάτια και χάθηκε ανάμεσα στις άλλες Παλιοκαστρίτισσες που την περίμεναν.

— Ήρθαν όλες; ρώτησε η κυρα-Ρήνη.

— Καμιά δε λείπει, αποκρίθηκε από μέσα μια φωνή.

Ολόγιομο, λαμπερό το φεγγάρι είχε ανατείλει κι υψωνόταν αργά πάνω από τα πέρατα του κάμπου, το κρύο του φως περιέχυνε τα μπεντένια και γλίστραγε σιωπηλά από πολεμίστρα σε πολεμίστρα, πέρναγε αδιάφορο ανάμεσα στα παλικάρια που πηγαινόρχονταν με τα τουφέκια και με τα γιαταγάνια στα χέρια.

— Συμπληρώθηκε τ' ασκεράκι μου, στέναξε η γριά.

Έδειξε στον Κώστα Μπέκα ένα σωρό μπαρουτοβάρελα που 'χαν συγκεντρώσει οι γυναίκες στη μέση του υπόγειου.

— Εσείς θα ξεκάνετε όσους μπορέσετε, αλλά θα πάρουμε κι εμείς κάμποσους μαζί μας, συμπλήρωσε.

Κοίταζε πέρα κατά τα τείχη και τα μάτια της σπίθιζαν σαν να ξεδιάκρινε κιόλας τους Τούρκους να καβαλικεύουν τα μπεντένια, σαν να τους έβλεπε να ρίχνονται στους τελευταίους Παλιοκαστρίτες κατά κύματα, να ξεχύνονται στους δρόμους, να πλημμυρίζουν τα καλντερίμια... Στο πρόσωπό της είχε απλωθεί ένα απόκοσμο χαμόγελο: η πολιτεία δεν είχε ακόμα πει την τελευταία της λέξη, οι Παλιοκαστρίτες υποχωρούσαν αλλά πολέμαγαν, αντιστέκονταν, ταμπουρώνονταν όλο και πιο ψηλά. Μα οι ορδές των άπιστων έρχονταν κι όλο έρχονταν, έπεφταν από παντού σαν ακρίδες οι Οθωμανοί, ακούγονταν φωνές, αλαλαγμοί... Οχυρωμένοι πίσω από μάντρες, ανεβασμένοι σε στέγες ή παραμονεύοντας στα παράθυρα, οι γέροντες καρτερούσαν με τα τουφέκια έτοιμα. Μερικοί που δεν είχαν μπορέσει να βρουν καλό μετερίζι στέκονταν φανερά και λεβέντικα μπροστά στων σπιτιών τους τα κατώφλια με τα γιαταγάνια ξεθηκαρωμένα. Μα πόσο θα κράταγαν, πόσους Τούρκους θα σταματούσαν...

— Να, από κει θα ξεμπουκάρουν, είπε ξερά η κυρα-Ρήνη.

Έδειχνε στον καπετάνιο τους δυο δρόμους που 'βγαζαν στην πλατεία. Οι Τούρκοι, εξήγησε, θα 'πεφταν πρώτα σ'

253

όλα τα γύρω σπίτια και τα μαγαζιά για πλιάτσικο. Ύστερα θα κύκλωναν σαν αγκρισμένο μελίσσι την εκκλησία, θα 'μπαιναν και θα την καταλήστευαν, θα ρίχνονταν στις τοιχογραφίες με τα γιαταγάνια και θα 'βγαζαν των αγίων τα μάτια, θα ποδοπατούσαν τα εικονίσματα, τα καντήλια, στο τέλος θα 'βαζαν φωτιά.

— Εμείς θα τους περιμένουμε εδώ μέσα.

Είχε καταστρώσει το σχέδιό της, είχε προβλέψει τις κινήσεις των Τούρκων μια τη μια, ήξερε καλά τις συνήθειές τους. Θα τους χρειαζόταν κάμποση ώρα για να σπάσουν με τα τσεκούρια τη βαριά πόρτα, αλλά στο μεταξύ οι γυναίκες θα 'χαν τελειώσει τις προετοιμασίες τους, τα βαρέλια με το μπαρούτι θα 'ταν τοποθετημένα εδώ κι εκεί μέσα στις γαλαρίες και τα σπήλια. Οι πρώτοι άπιστοι που θα 'μπαιναν θα 'βλεπαν μερικές Παλιοκαστρίτισσες που θα περίμεναν ξεπίτηδες μπροστά στην είσοδο και τα μάτια τους θα γυάλιζαν, θα ούρλιαζαν θριαμβευτικά. Για να τους κάνουν να πέσουν πιο εύκολα στην παγίδα που τους είχαν στημένη, οι γυναίκες θα 'τρεχαν προς το βάθος του υπόγειου, θα σκόρπιζαν εδώ κι εκεί και θα χώνονταν μέσα στα τουνέλια, θα τις κατάπιναν τα σκοτάδια. Οι Τούρκοι βέβαια θα τις ακολουθούσαν, ο τόπος θα γέμιζε Οθωμανούς που θα 'ψαχναν παντού με την ελπίδα να βρούνε τίποτα κρυμμένους θησαυρούς, κασέλες με φλουριά και χρυσάφια, που θα κοίταζαν να μαζέψουν σκλάβες για τα γυναικοπάζαρα, για των πασάδων τα χαρέμια.

Η κυρα-Ρήνη έδειξε κατά την πλατεία:

— Θα περιμένουμε όσο μπορέσουμε ώσπου να μαζευτούνε πολλοί, όσο γίνεται περισσότεροι... Χωράει χιλιάδες τούτη η πλατεία... Θα 'ναι κι εδώ μέσα σωστή μυρμηγκιά... Τότε μονάχα θα βάλουμε φωτιά στα μπαρούτια.

Τ' ανάγγειλε ήσυχα, χωρίς καμιά συγκίνηση. Το μόνο συναίσθημα που φανέρωνε η φωνή της ήταν κάτι σαν ανακούφιση, στο πρόσωπό της είχε απλωθεί μια παράξενη γαλήνη. Καθώς την κοίταζε ο Κώστα Μπέκας τη θυμήθηκε τότε που η πόλη δεν είχε ακόμα δάσκαλο, όταν η κυρα-Ρήνη μάζευε στο σπίτι της τα παιδιά και τους έλεγε παραμύθια, τους

254

μάθαινε ένα σωρό ιστορίες από τα παλιά χρόνια. Κάθε φορά που το παραμύθι που διηγιόταν τραβούσε σε μάκρος, μόλις η γριά πρόφερνε τα τελευταία λόγια, τα στερνά στιχάκια, το βλέμμα της μαρτυρούσε την ίδια ειρήνη, το ίδιο ξαλάφρωμα.

Υ

ΙΧΩΣ ΦΡΟΥΡΑ, ΜΟΝΟ ΜΕ ΤΟΝ ΟΜΑΡ ΓΙΑ ΣΥΝΟΔΕΙΑ, Ο ΣΕ-
λήμ πασάς καλπάζει αργά στη δημοσιά. Για πρώτη
φορά από τότε π' άρχισε η πολιορκία απομακρύνεται
νύχτα από το στρατόπεδο. Μα δεν υπάρχει κανένας φόβος
πια, οι Παλιοκαστρίτες είναι στριμωγμένοι σαν τα ποντίκια,
η πόλη είναι ζωσμένη από παντού, δε γλιτώνει με τίποτα.
Αύριο, πάνω που θα σκάει μύτη ο ήλιος, το πυροβολικό θα
την αρχίσει στο κανονίδι, οι μπάλες θα πέφτουν επί μια ώρα
σαν βροχή, ύστερα θα βαρέσουν οι τρουμπέτες για το μεγά-
λο, το τελευταίο ρεσάλτο.
  Από τότε που κόπηκε κείνο το δέντρο, όλα άλλαξαν.
  Όταν ο σερασκέρης πρωτοσυγκέντρωσε στη σκηνή του
τους αξιωματικούς και τους ανάγγειλε το σχέδιό του, πρό-
σεξε που σε μια στιγμή αλληλοκοιτάχτηκαν με τρόπο, μά-
ντεψε ότι αναρωτιούνταν αν ήταν στα καλά του. «Δεν έχουν
άδικο που απορούν, που δεν καταλαβαίνουν», συλλογίστηκε.
«Πού ξανακούστηκε να στηθεί άγρια μάχη για ένα κυπαρίσ-
σι, να χυθεί αίμα για το φύλλωμά του, να σκοτωθούν εκατο-
ντάδες άντρες για να βγουν από το χώμα οι ρίζες του;» Για
να τους καθησυχάσει, αλλά και για να μην έχει καμιά εξέ-
γερση πάνω στην πιο κρίσιμη φάση της πολιορκίας, τους έ-
δειξε τη διαταγή που 'χε έρθει από την Πόλη: ο σουλτάνος
απαιτούσε τυφλή κι απόλυτη υπακοή, έδινε από πάνω και
νέες εξουσίες στο σερασκέρη, του 'λεγε να κάνει κουμάντο
κατά την κρίση του, να μη δεχτεί καμιά συζήτηση για το
σχέδιό του.
  Για να 'χει ήσυχο το κεφάλι του, ο Σελήμ πασάς του 'χε
γράψει από καιρό, του 'χε εξηγήσει το σκοπό του, είχε ζη-
τήσει τη γνώμη του. Του 'λεγε πως είχε διαβάσει για κείνη
την προφητεία σχετικά με το δέντρο σ' ένα κιτάπι του μονα-

στηριού, τότε που αντέγραφε κι ερευνούσε στη βιβλιοθήκη του. Ήταν βέβαιος, έγραφε στο σουλτάνο, ότι κάτι σήμαιναν όλα αυτά τα παλιά ανιστορήματα, κάτι υπονοούσαν, κάτι έκρυβαν. Οι Έλληνες έχουν χιλιάδων χρόνων Ιστορία, υπογράμμιζε ο σερασκέρης, οι σοφοί τους άφησαν μεγάλα και σπουδαία έργα, είχαν μελετήσει τον κόσμο καλά. Ίσως να κατάλαβαν πριν από κάθε άλλο λαό ότι μερικές αλήθειες δε χωράνε στου απλού κοσμάκη τα μυαλά αν δε μοιάζουν με ψέματα, αν δε γίνουν παραμύθια.

«Έχω τη γνώμη, Πολυχρονεμένε μου», κατέληγε στο γράμμα του ο Σελήμ πασάς, «πως όταν με το καλό ησυχάσει λίγο το ντοβλέτι από τους ξεσηκωμούς και τους πολέμους, πρέπει ν' ασχοληθεί στα σοβαρά μ' όλα αυτά τα πράγματα που μας φαίνονται σήμερα ανώδυνα κι αστεία. Κάτι μου λέει ότι στα χρόνια που 'ρχονται οι λαοί δε θα επαναστατούν και δε θα πολεμάνε μονάχα για τη λευτεριά τους, αλλά και για κείνες τις ιστορίες και τους θρύλους που 'ναι καταγραμμένοι στα παμπάλαια κιτάπια των μοναστηριών τους, για τα παραμύθια και τα τραγούδια που κλείνει η μνήμη τους».

Ο Σελήμ πασάς ανακρατάει τ' άλογό του κι απλώνει το χέρι κατά τον Ομάρ, που 'χει σταθεί δίπλα του και που του προτείνει το κανοκιάλι. Ήρεμα, χωρίς βιασύνη, ο σερασκέρης το κατευθύνει προς τον όγκο του Παλιόκαστρου: καμιά κίνηση στην πολιορκημένη πόλη. Το κρύο φως του φεγγαριού λούζει από ψηλά τα τείχη της, πλημμυρίζει τις αυλές των σπιτιών της, πασχίζει να χωθεί μέσα στις χαίνουσες και μαύρες λαβωματιές που 'χουν ανοίξει οι μπάλες των κανονιών γύρω από τις ντάπιες της.

Αυτή η ησυχία δεν τ' αρέσει του Σελήμ πασά. Πώς γίνεται και δεν ανάφεραν τίποτα τα καρακόλια που επιβλέπουν τα περάσματα πάνω στο βουνό, που ελέγχουν τα μονοπάτια; Πώς δε σκέφτηκαν οι Παλιοκαστρίτες να γλιτώσουν από τη σφαγή τις γυναίκες τους και τα παιδιά τους; Ώστε αποφάσισαν να θυσιαστούν όλοι, νέοι και γέροι, αρσενικοί και θηλυκοί, για την πόλη τους, για τα κατσάβραχά τους;

Ο σερασκέρης χαμογελάει με τις ίδιες τις σκέψεις του.

Πότε οι Παλιοκαστρίτες φέρθηκαν όπως όλοι οι άλλοι ραγιάδες του ντοβλετιού για να φερθούν και τώρα... Έλληνες είναι κι αυτοί, άνθρωποι δηλαδή που μετράνε τον κόσμο με τη δικιά τους πήχη, που υπακούνε μονάχα στους δικούς τους νόμους, που σέβονται μονάχα τους θεούς που 'φτιαξαν οι ίδιοι, στα μέτρα τους.

Ξαφνικά το πρόσωπο του Σελήμ πασά σοβαρεύει.

Πάνω στα τείχη του Παλιόκαστρου σουλατσάρει ένας άντρας με ψηλή και λεβέντικη κορμοστασιά, τ' άσπρα του μαλλιά παίζουν με την παγωμένη πνοή τ' ανέμου, το θηκάρι του γιαταγανιού του θαμπογυαλίζει κάτω από το χλωμό φως του φεγγαριού.

Ο νυχτοβάτης κάνει ακόμα λίγα βήματα και κοντοστέκεται.

Μ' ένα σιγανό σφύριγμα ο Σελήμ πασάς δίνει στ' άλογό του να καταλάβει ότι πρέπει να μείνει ασάλευτο, ρυθμίζει το κανοκιάλι, επιστρατεύει όλη του την προσοχή. Λες κι ένιωσε ότι από κάπου τον κοιτάζουν και παρακολουθούν τις κινήσεις του, ο άγνωστος Παλιοκαστρίτης στρέφεται απότομα, τραβάει κι αυτός από το σελάχι του ένα κανοκιάλι, το κολλάει στο μάτι και το μετακινεί αργά, παρατηρεί προσεχτικά τον κάμπο, εξετάζει τη δημοσιά.

Τ' άλογο του σερασκέρη έχει πετρώσει.

— Μπορεί να μας δει, πασά μου, μ' αυτό το φεγγάρι, λέει χαμηλόφωνα ο Ομάρ.

— Μας είδε κιόλας, αποκρίνεται ο Σελήμ πασάς δίχως να ξεκολλήσει το κανοκιάλι από το μάτι.

Το μπόι κείνου του Παλιοκαστρίτη κάτι του θυμίζει, μέσα στο φεγγαρόφωτο αναγνωρίζει τη μεγάλη φούντα του φεσιού του και τ' ασημοκαπνισμένα κουμπούρια που ξέχουν από το σελάχι του.

— Μόνος του θα πολεμήσει; ειρωνεύεται ο Ομάρ π' αναγνώρισε κι αυτός τον Κώστα Μπέκα.

Ο σερασκέρης ούτε που δίνει σημασία στον αρχιγενίτσαρο.

Πάνω στα τείχη ο καπετάνιος έχει κατεβάσει το κανοκιάλι και παρατηρεί με γυμνό το μάτι πέρα κατά τον ορίζοντα,

258

μοιάζει να παρακολουθεί κάτι μακρινά σύννεφα που 'χουν κινήσει κι ανεβαίνουν αργά στον ουρανό. Όπου να 'ναι θα ζυγώσουν το φεγγάρι και θα το περικυκλώσουν, θα πασχίσουν να κρύψουν το φως του. Μερικά άλλα θα παραστήσουν τ' αδιάφορα και θα το προσπεράσουν, θα πάνε να του στήσουν καρτέρι πιο μακριά, θα του ριχτούν στα ξαφνικά, στα ύπουλα.

Ο Σελήμ πασάς ρυθμίζει καλύτερα το κανοκιάλι του και κοιτάζει αμίλητος, συνεπαρμένος. Έχει την εντύπωση ότι ο άντρας που στέκεται ολόρθος κι ασάλευτος πάνω στα μπεντένια δεν είναι από σάρκα αλλά από πέτρα, πως είναι άγαλμα στημένο σε περασμένα, σ' αρχαία χρόνια: ακόμα κι αν περάσουν από πάνω του όλοι οι στρατοί του κόσμου, δε θα νιώσει τίποτα, δε θα βγει λέξη από τα πετρωμένα του χείλια. Έτσι που 'χει σηκώσει το κεφάλι και παρακολουθεί τα σύννεφα, είναι σαν να 'χει πιάσει μυστήρια κι άηχη κουβέντα με τ' άστρα τ' ουρανού, με το φως του φεγγαριού, π' απλώνεται για ύστερη φορά πάνω από την πόλη του.

Ο Κώστα Μπέκας στρέφεται και κοιτάζει κατά το σχολείο.

Όπου να 'ναι, ο Φώτης θα πει στα παιδιά να φορτωθούν τα μπογαλάκια και να μπουν στη σειρά που τους έχει ορίσει. Τα πιο μεγάλα μπροστά, μερικά πίσω, στη μέση τα μικρά που δεν μπορούνε να βαδίσουν γρήγορα. Αμίλητα, πειθαρχημένα, θα βγουν από την αυλή και θα κατηφορίσουν κατά την πλατεία. Λίγο πιο κάτω θα μπούνε σ' ένα στάβλο, όπου βρίσκεται η μπούκα του τουνελιού που θα τα οδηγήσει στη χαράδρα. Θεός σχωρέσοι κείνες τις γυναίκες που ανακάλυψαν στα παλιά χρόνια τούτο το μυστικό πέρασμα, συλλογίζεται ο καπετάνιος, να που έκαναν καλά κι άγια ν' αναζητήσουν το φίδι που 'χε χαθεί μέσα στης γης τα έγκατα, να που βρήκανε το δρόμο που θ' ακολουθούσαν αργότερα της πόλης τα παιδιά.

Τη στιγμή που θα περνούν μπροστά από την εκκλησία, οι

259

μανάδες τους θα 'ναι μαζεμένες στην πόρτα και στα σκαλοπάτια του υπόγειου για να τ' αντικρίσουνε για τελευταία φορά, για να τ' αποχαιρετήσουν και να τους δώσουν την ευχή τους έστω κι από μακριά. Μέσα στ' αδύναμο κι ωχρό φως του φεγγαριού δε θα μπορέσουν να ξεδιακρίνουν τα πρόσωπά τους — τα τρυφερά λόγια που θα προφέρουν τα χείλια τους θ' απευθύνονται σε ίσκιους, θα τρέχουν δάκρυα από τα μάτια τους.

Άδικα θα παρακαλέσουν την κυρα-Ρήνη να τις αφήσει να προστρέξουν για να τα σφίξουν βιαστικά στην αγκαλιά τους. Η γριά γιάτρισσα θα τους αποκριθεί πως δεν ταιριάζει σε Παλιοκαστρίτισσες, σ' Ελληνίδες, ν' αφήσουν να ξεσπάσει ο πόνος τους μπροστά στα παιδιά. Η μοίρα τούς έχει γράψει να περάσουν κι άλλα βάσανα, χειρότερα, θα πει, ετούτα τα Παλιοκαστρόπουλα θα ζήσουν ακόμα πιο μαύρα χρόνια από τα τωρινά και πρέπει να ετοιμαστούν, να βάλουνε στη θέση της καρδιάς τους μια σκληρή πέτρα.

Ο Κώστα Μπέκας σαλεύει το κεφάλι θλιβερά.

Μάλλον δεν έχει άδικο η γριά, συλλογίζεται. Μπορεί τα μάτια της να 'χουν αρχίσει να θολώνουν από την ηλικία και να μην καλοβλέπουν τα πράγματα που 'ναι γύρω της, αλλά της ψυχής της το βλέμμα μπορεί και ταξιδεύει μακριά, βλέπει τον αιώνα που 'ρχεται, νέα κι άγνωστα δεινά. Οι Τούρκοι έχουν καταλάβει πως οι καιροί αλλάζουν, μαντεύουν ότι το ντοβλέτι δε θ' αντέξει και πολύ κι ότι, αργά ή γρήγορα, θα μπει στο χορό η Ευρώπη. Γι' αυτό τους έχει πιάσει λύσσα και σφάζουν, καταστρέφουν, καίνε αράδα. Όπως και το ετοιμοθάνατο γαϊδούρι δίνει τις πιο γερές κλοτσιές λίγο πριν ψοφήσει, έτσι και κείνοι: τώρα είναι που θ' αρχίσουν να χτυπάνε γερά, αμείλιχτα, θα γίνει ακόμα πιο μαύρη κι ανυπόφορη η σκλαβιά. Θέλει δε θέλει η Ελλάδα θα ξεσηκωθεί, θα πολεμήσει σκληρά για τη λευτεριά, θα χυθεί πολύ αίμα...

«Εμείς κάναμε αρχή, βάλαμε πρώτοι το κεφάλι μας στον ντορβά. Έτσι γίνεται πάντα, από τότε που υπάρχουν άνθρωποι πάνω στη γη: κείνοι π' αγωνίζονται πιο σκληρά για να μη χάσουν τη λευτεριά είναι οι πιο φτωχοί, οι πιο απομονωμένοι, αυτοί που δεν έχουν άλλο βιος εξόν από δαύτη. Ό,τι και να κάνουμε εμείς οι Έλληνες, δεν μπορούμε ν' αλλάξουμε τη μοίρα μας· ο Θεός διάλεξε το χειρότερο μέρος του κόσμου για να μας βάλει να κατοικήσουμε, δεν είμαστε ούτε Δύση ούτε Ανατολή. Όπως λέει κι ο Φώτης, δεν κάνουμε χωριό ούτε με τους Ευρωπαίους ούτε με τους Αραβότουρκους. Δεν είμαστε αγγέλοι, έχουμε όπως όλοι τα στραβά και τα κουτσά μας, κάμποσες κατάρες που μας κυνηγάνε από τα πιο παλιά χρόνια της Ιστορίας μας. Μακάρι και να γινόταν ν' απαλλαγούμε απ' όλες τις πληγές που 'χουμε πάνω μας, να μπορούσαμε να τις γιάνουμε γλείφοντάς τες όπως κι οι γάτες... Ο Θεός να δώσει και να τα καταφέρουμε. Αλλιώτικα, αν είναι να φωνάξουμε ξένους γιατρούς για να δοκιμάσουν πάνω μας τα φάρμακά τους, καλύτερα να μείνουμε με τις αρρώστιες μας, να καταστραφούμε με τα δικά μας μέσα κι όχι με ξένα».

Υπάκουα, αμίλητα τα παιδιά πορεύονται το 'να πίσω από τ' άλλο μέσα στη ρεματιά, παίρνουν τα πιο κρυφά, τα πιο σκοτεινά μονοπάτια. Ξέρουν καλά τα κατατόπια, έχουν κατέβει άπειρες φορές για να παίξουν ανάμεσα στις καλαμιές και τα βούρλα, για να πλατσουρίσουν μέσα στα νερά που κυλάνε ήρεμα, για να κυνηγήσουν με τις σφεντόνες πουλιά. Καθώς περπατούν σκυμμένα και βιαστικά μέσα στη νύχτα, αναγνωρίζουνε την κάθε πέτρα και το κάθε χόρτο που πατάνε, τους θάμνους, τ' άγρια δεντράκια, σαλτέρνουν μ' εμπιστοσύνη πάνω από χαντάκια.

Ο Φώτης προπορεύεται κρατώντας μια γεμάτη κουμπούρα.

Κατέχει κι αυτός όλα τα μυστικά της ρεματιάς, στα παιδικά του χρόνια κατέβαινε εδώ κάτω συχνά μα όχι για περίπατους και παιχνίδια. Έπαιρνε ένα βιβλίο από τ' αναλόγιο της εκκλησίας κι ερχόταν για να ψάλει και ν' ασκηθεί με την ησυχία του, για ν' ακούει μονάχα αυτός τις παραφωνίες και τα λάθη, για να μην έχει πάνω από το κεφάλι του τον ψάλτη να τον προγκάει. Πού να φανταζόταν κείνη την εποχή ότι θα 'ρχόταν ώρα και στιγμή που θ' αναγκαζόταν να εγκαταλείψει την πατρίδα του νύχτα, σαν τον κυνηγημένο ληστή ή τον κακούργο... Πόσο δίκιο είχε ο καπετάνιος τότε που του 'πε ότι κανείς δεν ξέρει πού μπορεί να τον βγάλουν τα γράμματα κι οι σπουδές, πως τα βιβλία και τα χαρτιά κινδυνεύουν να φέρουν στη ζωή τ' ανθρώπου μεγάλη ανακατωσούρα...

Κοντοστέκεται, στήνει αυτί.

Στο στρατόπεδο βασιλεύει ησυχία, απόψε δε θα 'χουν βγει τα καρακόλια. Τι να φοβηθεί πια ο Σελήμ πασάς; Οι Τούρκοι δεν αμφιβάλλουν για τη νίκη, ξέρουν ότι το τέλος της πόλης ζυγώνει, κοιμούνται και ροχαλίζουν αμέριμνοι. Κάπου εκεί κατά τα παραπήγματα, όπου βρίσκονται τα μαγειρεία, κάποιος στρατιώτης παραμιλάει στον ύπνο του και μουγκρίζει απειλητικά. Θα ονειρεύεται πως έχει αρχίσει κιόλας η τελευταία μάχη πάνω στα τείχη κι ότι ρίχνεται να σφάξει Παλιοκαστρίτες. Θα βιάζεται να ξεχυθεί στους δρόμους της πόλης, να μπει στα σπίτια της, να μοιραστεί με τους συντρόφους του τους θησαυρούς της.

Ο Φώτης νιώθει την καρδιά του να σφίγγεται.

Ξεχνώντας τη συμβουλή του καπετάνιου ότι δεν πρέπει να καθυστερήσει, κάνει νόημα στα παιδιά να λουφάξουν και πιάνει να σκαρφαλώνει γρήγορα κι αθόρυβα. Είναι κάμποση ώρα που 'χει δει κάτι σύννεφα που ανεβαίνουν αργά από τον ορίζοντα και που, όπου να 'ναι, θα προλάβουν το φεγγάρι πάνω που θα στέκεται ολόγιομο στη μέση τ' ουρανού, θα το σκεπάσουν, θα κρύψουν το φως του. Ο δάσκαλος θέλει να ρίξει μια ολόστερνη ματιά στην πολιτεία πριν πυκνώσει η συννεφιά και χαθούν ξαφνικά όλα από τα μάτια του, πριν πλημμυρίσει από σκοτάδι η ψυχή του.

Το Παλιόκαστρο μοιάζει βυθισμένο στη σιωπή.

Όμως ο Φώτης ξέρει ότι πίσω από τις πολεμίστρες, μοιρασμένοι σε μικρές ομάδες, ξαγρυπνούν όσοι Παλιοκαστρίτες απομένουν ζωντανοί, πως περιμένουν αποφασισμένοι. Σε λίγες ώρες, μόλις αρχίσει και χαράζει, θα ετοιμαστούν, θα ρίξουν λίγο νερό από τις τσότρες στις χούφτες τους και θα νιφτούν, θα κάνουν το σταυρό τους. Ο παπάς θα 'χει κιόλας ανεβεί στα μπεντένια, θα 'ναι κι αυτός ζωσμένος το γιαταγάνι του, πίσω από το πετραχήλι θα ξέχει η λαβή του κουμπουριού του. Μπροστά του θα πηγαίνει ο Κώστα Μπέκας με τη σημαία της πολιτείας σηκωμένη ψηλά. Το μεγάλο μαύρο πανί που διαφέντεψαν από γενιά σε γενιά όλοι οι καπετάνιοι θα φαίνεται από μακριά, θα ξεδιακρίνονται κάτω από τις πρώτες αχτίδες του ήλιου τα καταπόρφυρα γράμματα που γράφουν ΛΕΥΤΕΡΙΑ ΚΑΙ ΠΑΤΡΙΔΑ. Όταν θα βλέπουν να πλησιάζει ο παπάς που θα κρατάει το Ποτήρι με τη Μετάληψη, τα παλικάρια θα γονατίζουν και θα μεταλαβαίνουν ένα ένα, θ' ασπάζονται ευλαβικά τη σημαία και θ' αποχαιρετιούνται με τον Κώστα Μπέκα.

Ξαφνικά ο Φώτης ανοίγει διάπλατα τα μάτια.

Πάνω στα τείχη, κατά την ανατολή, αναγνωρίζει τον καπετάνιο που κοιτάζει με το κανοκιάλι κατά τη ρεματιά, τ' αεράκι της νύχτας παίζει με τη φουστανέλα και με τα γένια του, το φεγγαρόφωτο γλιστράει πάνω στ' άσπρα του μαλλιά. Ο Φώτης νομίζει πως ονειρεύεται, κείνος ο άντρας μοιάζει να μην έχει σάρκα και κόκαλα, είναι σαν οπτασία, θυμίζει θεότητα που 'χει ξεμείνει κει πάνω από τα πιο παλιά, από τ' αρχαία χρόνια.

Ο δάσκαλος νιώθει την καρδιά του να χτυπάει δυνατά, αισθάνεται να κυλάνε στα μάγουλά του δάκρυα. Ρίχνοντας μια γρήγορη ματιά στον ουρανό, βλέπει τα σύννεφα που όλο κι ανεβαίνουν, ζυγώνουν, γίνονται πυκνά, μαύρα. Μερικά έχουν κιόλας πλησιάσει το φεγγάρι επικίνδυνα, γυροφέρνουν το δίσκο του, απειλούν το φως του. Αν και το σκοτάδι θα 'ναι γι' αυτόν και τα παιδιά μια πολύτιμη βοήθεια, ο Φώτης δεν το εύχεται, δεν το θέλει, γιατί ξέρει ότι την ίδια στιγμή το Παλιόκαστρο θα χαθεί από τα μάτια του, θα καταπιωθεί από το έρεβος που θα βασιλέψει.

Η σκέψη του δουλεύει γρήγορα, εντατικά.

Αχ και να μπορούσε να στείλει μήνυμα στον Κώστα Μπέκα πως για την ώρα όλα πάνε καλά κι ότι κατάφερε να φτάσει με τα παιδιά μέχρι την άλλη άκρη του κάμπου, πως δεν τους πήρε είδηση η Τουρκιά... Μακάρι να υπήρχε τρόπος να φανερώσει την παρουσία του μονάχα στον καπετάνιο, να του δώσει σαν στρατιώτης την αναφορά του, να του πει ότι, όπως όλοι οι Παλιοκαστρίτες, θα κάνει κι αυτός μέχρι το τέλος το καθήκον του, θα εκτελέσει την αποστολή του...

Πάνω στα τείχη ο Κώστα Μπέκας συνεχίζει να παρατηρεί με το κανοκιάλι, να ερευνάει τη ρεματιά πιθαμή την πιθαμή, να παρακολουθεί τα περίπολα των Τούρκων στο στρατόπεδο.

Μια θύμηση ξεπετάγεται ξαφνικά μέσα στο νου του Φώτη.

Πήγαινε λίγος καιρός που 'χε γυρίσει από την Ευρώπη, που 'χε τελειώσει τις σπουδές του, δεν είχε ακόμη αρχίσει να χτίζεται το σχολείο του. Μια δυο φορές τη βδομάδα ο καπετάνιος ερχόταν και τον έπαιρνε με το ζόρι από την εκκλησία όπου έκανε μάθημα στα παιδιά κι έβγαιναν για περιπολία στα γύρω βουνά, του 'δειχνε ένα ένα τα μυστικά μονοπάτια, τα περάσματα, τις σπηλιές που θα μπορούσαν να χρησιμέψουν σ' ώρα ανάγκης για κρησφύγετα, του δίδασκε του πολέμου τα κόλπα. Καμιά φορά, όταν τους έπαιρνε η νύχτα, ο καπετάνιος τού μάθαινε να στέλνει μηνύματα στους άντρες που φύλαγαν φρουρά στα μπεντένια, πώς να πατάει συνθηματικά σφυριχτά, πώς να μιμείται τα κρωξίματα που βγάζουν τα νυχτοπούλια, των τσακαλιών και των λύκων τα ουρλιαχτά.

Ο Φώτης βάζει τις παλάμες χωνί γύρω από το στόμα, γεμίζει τα πλεμόνια του αέρα.

Η κραυγή που τινάζεται από το στήθος του είναι διαπεραστική, άγρια, αλλά οι Τούρκοι δεν ανησυχούν, δε δίνουν σημασία — ξέρουν ότι ο τόπος τριγύρω είναι γεμάτος αγρίμια. Όμως, πάνω στα τείχη, ο Κώστα Μπέκας έχει κιόλας ερμηνέψει κείνο το τσακαλίσιο ουρλιαχτό, έχει καταλάβει από πού έρχεται, τι σημαίνει, κι αμέσως απαντάει κατεβάζοντας το κανοκιάλι του, κάνοντας το σταυρό του.

Ο δάσκαλος ρίχνει μια ύστατη ματιά στην πολιτεία.

Βλέποντας τον καπετάνιο που απομακρύνεται αργά, με

σίγουρη περπατησιά, τον ευχαριστεί νοερά και μ' όλη του την καρδιά για όλα κείνα τα παλιά μαθήματα. Μ' όλες του τις σπουδές, μ' όλα του τα γράμματα, δεν είχε καταλάβει ως τα τώρα πως η πιο σπουδαία, η πιο πολύτιμη διδαχή ήταν αυτή που του 'χε κάνει ο Κώστα Μπέκας. Αυτός του 'χε μάθει να ουρλιάζει σαν λύκος ή σαν τσακάλι, για να μπορεί να φανερώνει σε λίγους, σ' ελάχιστους ανθρώπους την κρυφή παρουσία του στην ερημιά, μέσα στη σκοτεινή νύχτα.

Φ

ΑΕΙ ΚΑΜΠΟΣΗ ΩΡΑ ΠΟΥ Ο ΜΕΛΕΤΙΟΣ ΠΟΛΕΜΑΕΙ ΝΑ ΣΥγυρίσει τη βιβλιοθήκη, να βάλει λίγη τάξη. Τα βιβλία έχουν μείνει σκόρπια εδώ κι εκεί, τα χειρόγραφα είναι ανακατεμένα, οι εικόνες ντανιασμένες κατάχαμα. Τριγύρω, τα περισσότερα ντουλάπια είναι ανοιχτά, μοιάζουν με στόματα που οι μασέλες τους παράλυσαν, οι τόμοι που λείπουν έχουν αφήσει κενά που θυμίζουν πεσμένα δόντια.

Ο γερο-βιβλιοθηκάριος είναι κουρασμένος, μετακινείται σφίγγοντας με το 'να χέρι πάνω στο στήθος του Ευαγγέλια, βυζαντινά χειρόγραφα, Ψαλτήρια και Τριώδια, ενώ με τ' άλλο κρατάει τα νεφρά του που τον πονάνε. Πριν λίγο ο ηγούμενος έστειλε κάτι αδελφούς να τον βοηθήσουν, αλλά αρνήθηκε. Η βιβλιοθήκη, τους είπε, είναι το σπίτι του, που το βρήκε μια μεγάλη κι αναπάντεχη θεομηνία, έπεσε πάνω του χοντρό χαλάζι, το συγκλόνισε μια δυνατή θύελλα. Δικό του χρέος είναι να συμμαζέψει και να φροντίσει τη φαμίλια του που υπόφερε, που βρέθηκε από τη μια στιγμή στην άλλη απροστάτευτη, άστεγη, σκόρπια.

Ο επικεφαλής του συνεργείου έχει αφήσει σε μια άκρη του τραπεζιού ένα φάκελο με το πρωτόκολλο της καταγραφής. Ο Μελέτιος τον παίρνει, του ρίχνει μια περιφρονητική ματιά, ύστερα τον σηκώνει ψηλά, τον κρατάει με δυο δάχτυλα από μια γωνιά σαν να 'ναι μολυσμένος:

«Ύστερα από τόσες και τόσες γενιές, μετά από τόσα βάσανα και θυσίες, έρχεται ένας άσχετος και σου λέει: "Δεν αναγνωρίζω τίποτα, δεν ξέρω εγώ από άγια κειμήλια και τέτοια". Οι άνθρωποι συμπεριφέρονται με την Ιστορία όπως τα παιδιά με τους γονιούς τους: στρογγυλοκάθονται στο τραπέζι και τρώνε, πίνουνε, μα δε ρωτάνε ποτέ τι βάσανα τράβηξαν η μάνα κι ο πατέρας για να μπει το τσουκάλι στη

266

φωτιά, για ν' αχνίσει το φαΐ στα πιάτα, για να 'ναι όλα έτοιμα».

Σαλεύει το κεφάλι:

«Κι η ανθρωπότητα είναι ένα παιδί που δεν καταφέρνει να μεγαλώσει, να συλλογιστεί, να καταλάβει».

Δίχως να διακόψει το μονόλογό του, βάζει τάξη στις εικόνες, τις κρεμάει στους τοίχους, ξεσκονίζει μ' ένα φτερό τα χρυσόδετα Ευαγγέλια, ταχτοποιεί τα ιερά σκεύη, τα κειμήλια.

«Ξέρεις τι μου 'πε μια φορά ένας ιστορικός; Ότι στην αρχαιότητα υπήρχαν ένα σωρό άνθρωποι που 'ξεραν την Ιλιάδα και την Οδύσσεια απ' έξω κι ανακατωτά, τα έργα του Ομήρου δεν υπήρχαν πουθενά γραμμένα. Πολύ αργότερα, στου Πεισίστρατου τα χρόνια, κάθισαν οι Αθηναίοι και τα 'γραψαν, τα 'καναν βιβλία».

Παίρνει έναν τυλιγμένο πάπυρο, που 'ναι παραπεταμένος σε μια γωνιά, και τον ταχτοποιεί στη θήκη του, τα δάχτυλά του τον αγγίζουν στοργικά.

«Πώς τους ήρθε στα ξαφνικά αυτή η ιδέα ύστερα από τόσους αιώνες; Κάποιο σκοπό θα 'χαν σίγουρα, ίσως κάτι να φοβήθηκαν. Μπορεί οι μάντες να τους ανάγγειλαν πως έρχονταν δύσκολοι καιροί, ότι τους περίμεναν μεγάλα δεινά, καταστροφές, πόλεμοι. Ποιος ξέρει, θα 'παν, τι θ' απογίνει η πόλη μας, ποια τέρατα και σημεία θα δει, ποιος βάρβαρος λαός θα την κατακτήσει... Τι θα γίνουν όλα αυτά τα έργα που φυλάνε οι άνθρωποι στη μνήμη τους άμα θα τους βρουν βάσανα, αν χάσουν τη λευτεριά τους; Ποιος θα γνοιαστεί για τέτοια πράγματα άμα θα βασιλεύει γύρω του η σκλαβιά, όταν θα τον έχουν τυλίξει της βαρβαρότητας τα σκοτάδια;»

Πολεμάει να κρεμάσει στη θέση της μια εικόνα που παριστάνει την Ανάσταση: ο Χριστός μόλις έχει πεταχτεί από τον τάφο κι ανεβαίνει στον ουρανό, το πρόσωπό του είναι χαμογελαστό, το δεξί του χέρι ευλογάει τον κόσμο.

«Τις προάλλες πήρα ένα γράμμα από κείνο το φίλο μου που σου 'λεγα. Μου γράφει ότι τώρα τελευταία η κυβέρνηση διάταξε την Ασφάλεια να κάψει τους φακέλους που 'χει στα ντουλάπια της, για να μην ξέρει και για να μην μπορέσει να μάθει κανείς τα βάσανα που τράβηξαν επί μισό αιώνα εκατομμύρια Έλληνες, τα όσα υπόφεραν οι πατριώτες, οι δημοκράτες, οι κομουνιστές. Οι φούρνοι δουλεύουν αβέρτα, τα φορτηγά κουβαλάνε τόνους χαρτιά, οι φλόγες εξαφανίζουν τα πάντα, οι μεγαλύτερες ντροπές της Ιστορίας μας χάνονται μέσα στη φωτιά».

Γελάει, αλλά το γέλιο του είναι θλιμμένο, τραγικό:

«Μέχρι τώρα, παντού στην οικουμένη, η εξουσία τα 'βαζε μ' αυτούς που ξεσηκώνονταν κι αγωνίζονταν για ένα καλύτερο μέλλον. Αλλά μου φαίνεται ότι από δω και πέρα θα κυνηγάει και θα ξολοθρεύει αυτούς που θα πασχίζουν να γλιτώσουν από τα νύχια της το παρελθόν. Καλά έλεγε τότε κείνος ο φίλος μου ότι εμείς οι καλόγεροι σταθήκαμε τυχεροί, κλειστήκαμε στα μοναστήρια και μπορέσαμε να κρατήσουμε ανέπαφη τη θρησκεία μας, δεν ξεχάσαμε του αγίους μας, τους μάρτυρές μας. Απ' ό,τι δείχνουν τα πράγματα, τώρα ήρθε άλλων η σειρά ν' αναζητήσουν ερημητήρια, να καταφύγουν σε σπηλιές, να ζήσουν σε κατακόμβες».

Έχει σταθεί στο φρύδος της καταπακτής που βγάζει στην κρύπτη, το βλέμμα του είναι απορροφημένο από το σκοτάδι που αρχίζει μπροστά στα πόδια του. Η φωνή του είναι απόμακρη, εξασθενημένη, σαν να βγαίνει από τη γη:

«Ο Θεός να βάλει το χέρι του».

«Ο Θεός να βάλει το χέρι του», μουρμούριζε κάθε πρωί κι ο Ισίδωρος μόλις σηκωνόταν από το στρώμα κι ετοιμαζόταν να βγει και να καθίσει σε κείνη την πέτρα στην εμπασιά της σπηλιάς για να συνεχίσει το χρονικό του, ν' αποτελειώσει την ιστορία του. Με την πρώτη ματιά που 'ριχνε κατά τον κάμπο έβλεπε πόσο είχαν προχωρήσει οι Τούρκοι, αν ήταν έτοιμοι για το τελευταίο γιουρούσι. Κάθε φορά που άκουγε να βαρούν τούμπανα ή αντηχούσε μια τρουμπέτα, η καρδιά του χτύπαγε δυνατά, το φτερό έτρεμε ανάμεσα στα δάχτυλά του, το Τετραβάγγελο του 'πεφτε από τα χέρια.

Ξέροντας πως ο Ισίδωρος ήταν Παλιοκαστρίτης κι ότι ό-
σα χρόνια κι αν είχε περάσει στου Θεού τη δούλεψη, δεν είχε
λησμονήσει την πατρίδα του, δεν είχε ξεπονέσει τα χώματά
του, ο ηγούμενος κατέβαινε πού και πού στην κρύπτη και
κουβέντιαζε μαζί του, τον παρηγορούσε, τον προετοίμαζε.
«Σφίξε την καρδιά σου», του 'λεγε, «έτσι θέλησε ο Μεγαλο-
δύναμος, να βλέπεις τον τόπο σου να χάνεται σιγά σιγά
μπροστά στα μάτια σου, δοκιμάζει την πίστη σου. Όχι, δεν
πρέπει να ξεχάσεις πως είσαι Παλιοκαστρίτης, κοίτα να
κρατήσεις κι εσύ το μετερίζι σου, γράψε ό,τι μπορέσεις, ό,τι
προλάβεις, αποτέλειωσε το χρονικό σου. Όπλο είναι και το
φτερό που κρατάς, πολεμάς με το δικό σου τρόπο για την
πατρίδα σου».
Ένα απόβραδο ο Ισίδωρος είδε τις προετοιμασίες των
Τούρκων και κατάλαβε.
Τ' ασκέρι του Σελήμ πασά είχε ζώσει την πόλη για τα κα-
λά, οι Οθωμανοί είχαν πιάσει θέσεις λίγα δράσκελα μπροστά
από τα μπεντένια, οι καινούριοι πυροβολητές που 'χε στείλει
ο σουλτάνος μετακινούσαν τα κανόνια και τα πήγαιναν πιο
κοντά. Από τη μια μέχρι την άλλη άκρη το στρατόπεδο βούι-
ζε σαν μελίσσι, οι ακιντζήδες κι οι ασάπηδες ακόνιζαν τα
τσεκούρια και τα χαντζάρια, οι γενίτσαροι άφηναν για πρώ-
τη φορά τα τσαντίρια τους κάτω στον κάμπο κι ετοιμάζονταν
να περάσουν τη νύχτα μπροστά στις πύλες του Παλιόκαστρου
με τα γιαταγάνια στα χέρια.
Ο Ισίδωρος ετοιμάστηκε κι αυτός για ξαγρύπνια.
Μόλις είδε τον ήλιο να βασιλεύει, τυλίχτηκε καλά με μια
πατατούκα, κουκούβισε στην είσοδο της σπηλιάς κι άφησε
το βλέμμα του να πλανηθεί πέρα μακριά, να ταξιδέψει πάνω
από της πολιτείας τα σπίτια, να χαϊδέψει τις στέγες τους, να
κατέβει στις αυλές τους. Αν δεν τον είχε πάρει τότε από το
χέρι ο μακαρίτης ο πατέρας του για να τον φέρει στο μονα-
στήρι, θα 'ταν τώρα κι αυτός ταμπουρωμένος όπως όλοι οι
άλλοι γέροντες και θα καρτερούσε τους Τούρκους, θα υπερα-
σπιζόταν τη γειτονιά του, το δρόμο του, το πατρικό του.
Πριν αντικρίσει τους άπιστους να ξεπετάγονται από το

σταυροδρόμι, θ' άκουγε τις τουφεκιές των άλλων γερόντων της πόλης και θα 'νιωθε μια βαθιά, μια άγρια χαρά — στις κραυγές που θα τινάζονταν για ύστερη φορά από τα στήθια τους θα πρόσθετε τις δικές του ιαχές. Όμως δεν υπήρχαν γύρω του Παλιοκαστρίτες.

Οι δικοί του συμπολεμιστές έμνησκαν σιωπηλοί κι ανήμποροι μέσα στη σπηλιά, δεν κρατούσαν ούτε όπλα ούτε σπαθιά, τα κορμιά τους ήταν χάρτινα. Αν οι Τούρκοι ρίχνονταν στο μοναστήρι, αν ανακάλυπταν την καταπακτή που οδηγούσε στην κρύπτη, τα βιβλία δε θ' αντιστέκονταν. Παρά τους αιώνες που 'χαν στην πλάτη τους, παρ' όλη τη σοφία που 'κλειναν οι σελίδες τους, θα 'μοιαζαν με μικρά κι ανήξερα παιδιά: όλα θα τέλειωναν από τη μια στιγμή στην άλλη, καμιά φωνή δε θα 'βγαινε μέσα από τη σπηλιά.

Σφίγγοντας πάνω του την πατατούκα, ο Ισίδωρος σηκώθηκε και ξαναμπήκε στην κρύπτη.

Η φλογίτσα του καντηλιού που άναβε πάνω από τα βιβλία και τα εικονίσματα τρεμόπαιξε σαν να τον καλωσόριζε. Ο γερο-βιβλιοθηκάριος πήρε το ροΐ και την τάισε με λίγο λάδι, το φως δυνάμωσε.

Ξαφνικά, από κάποιο σημείο του κάμπου, κάτι ακούστηκε.

Ήταν σαν να 'χε ουρλιάξει αγρίμι. Σ' άλλους καιρούς, σ' άλλες νύχτες, ο Ισίδωρος δε θα 'χε δώσει σημασία: οι ήχοι κι οι θόρυβοι του παλιοκαστρίτικου κάμπου κρατούσαν συντροφιά στ' αυτιά του μια ολάκερη ζωή, είχε μάθει ν' αναγνωρίζει και να καταλαβαίνει τη γλώσσα του κάθε ζώου, να ερμηνεύει το μακρινό ρόχθο του ποταμιού, την παραμικρή ριπή τ' ανέμου που πέρναγε ανάμεσα στα δέντρα του βουνού. Όμως αυτό το ουρλιαχτό τον παραξένεψε, γιατί δεν ήτανε η ώρα που 'βγαιναν συνήθως τ' αγρίμια, γιατί ήξερε πως εξαιτίας του πολέμου οι λύκοι είχαν αποτραβηχτεί στα γύρω υψώματα, ότι ακόμα και τ' άφοβα τσακάλια είχαν εγκαταλείψει όλα τους τα λημέρια.

Ο Ισίδωρος βγήκε από τη σπηλιά κι έστησε αυτί.

Όταν ξανάκουσε το ουρλιαχτό, κατάλαβε πως ερχόταν από τη ρεματιά, από κάπου κοντά στης δημοσιάς τη γέφυρα. Την ίδια στιγμή σαν να του φάνηκε ότι ξεδιάκρινε κάτι σαν ίσκιο πάνω στου Παλιόκαστρου τα μπεντένια, ανατολικά. Μα όχι, δεν ήταν ίσκιος αλλά άνθρωπος με σάρκα και κόκαλα, φόραγε φουστανέλα. Σίγουρα θα 'χε κι αυτός ακούσει κείνο το διαπεραστικό ήχο που 'χε διασχίσει τον κάμπο, ίσως να τον περίμενε από ώρα, να κάτεχε τι σήμαινε. Όλα αυτά κάτι προμηνούσαν.

Ξαφνικά μια σκέψη πέρασε από το μυαλό του γερο-καλόγερου: ίσως κάποιος Παλιοκαστρίτης να 'φερνε μήνυμα στο μοναστήρι, μπορεί ο Κώστα Μπέκας να 'χε αλλάξει γνώμη και να προσπαθούσε να γλιτώσει τις γυναίκες και τα παιδιά ή να 'χε κάτι σοφιστεί για να σώσει την πόλη... Αλλά ποιος να ειδοποιήσει τον ηγούμενο, ποιος να τρέξει στο κελί του και να τον ξεσηκώσει;

Ο ίδιος δεν μπορούσε να κάνει τίποτα: προβλέποντας ότι ο Σελήμ πασάς δε θ' αργούσε να διατάξει τ' ασκέρι του να κάνει γενική έφοδο, οι αδελφοί είχαν κλείσει την καταπακτή που οδηγούσε στην κρύπτη, την είχαν χτίσει. Δε θα την ξανάνοιγαν παρά μόναχα όταν θα 'χαν φύγει όλοι οι Τούρκοι και δε θα υπήρχε πια στον κάμπο ψυχή.

... Τὶ νὰ 'κανα ἔτσι ποὺ ἤμουνα κλεισμένος; Σκέφτηκα σὲ μιὰ στιγμὴ μπὰς καὶ μποροῦσα νὰ κατέβω βράχο βράχο ἀπὸ τὴ μεριὰ τῆς μπούκας, ἀλλὰ δὲν ἄντεχαν τὰ πόδια καὶ τὰ χέρια. Ἄτιμα, μπαμπέσικα τὰ γερατειά.
....
.... εἶπα κι ἐγώ: ἂς δοκιμάσω, δὲν ἔχω νὰ χάσω τίποτα. Ἤξερα, εἶχα μάθει ὅταν ἤμουνα μικρὸ παιδί, ὅπως ὅλα τὰ Παλιοκαστρόπουλα. Ἂν εἶναι δικός μας, θὰ μ' ἀποκριθεῖ, συλλογίστηκα. Ἔβαλα τὰ χέρια χωνὶ κατὰ τὴ ρεματιὰ κι ἔκανα δυὸ τρεῖς φορὲς τοῦ τσακαλιοῦ τὴ φωνή.

Περίμενα ἀλλὰ τίποτα. Ὕστερα ξαναδοκίμασα. Κι ἄκουσα τότε δυὸ οὐρλιαχτὰ ἀπανωτά. Ὁ Θεός, ποὺ 'ναι

μεγάλος, μᾶς βοηθάει, εἶπα κι ἔκανα τὸ σταυρὸ μου ...
.... νὰ ποῦ καταντήσαμε ἐμεῖς οἱ Παλιοκαστρίτες,
νὰ κουβεντιάζουμε οὐρλιάζοντας σὰν τοὺς λύκους, ὁ ἕνας
στὸ 'να βουνὸ κι ὁ ἄλλος στ' ἄλλο. Δὲν πειράζει, ὅλες οἱ
φωνὲς τοῦ Θεοῦ εἶναι. Καὶ τοῦ πουλιοῦ τὸ κελάηδημα, καὶ
τὸ σφυριχτὸ τοῦ φιδιοῦ, καὶ τοῦ ἀνθρώπου ἡ κουβέντα.
Τὸ κάθε ζωντανὸ σ' αὐτὸ τὸν κόσμο μὲ τὴ δικιά του μιλιά.
Οἱ Τοῦρκοι δὲν ὑποψιάστηκαν τίποτα.
῞Υστερα ἄκουσα πάλι τὸ οὐρλιαχτό, πιὸ κοντά, ἀλλὰ
αὐτὴ τὴ φορὰ δὲν ἀποκρίθηκα, γιατὶ φοβόμουνα μπὰς κι
ἀπὸ τὰ πολλὰ μᾶς ἔπαιρναν εἴδηση οἱ Τοῦρκοι. Καὶ σὲ
μιὰ στιγμὴ .... πετραδάκια,
οἱ ντοροβάτες καὶ τὰ θυμάρια φουρφούριζαν σὰν νὰ πέρ-
ναγαν ἀγρίμια. Ποιὸς εἶναι, ὀρέ; εἶπα σιγὰ ....
.... ἦταν Παλιοκαστρίτης καὶ τὸν
βοήθησα ν' ἀνέβει, τὸν ἔμπασα μέσα. Εἶμαι ὁ δάσκαλος ὁ
Φώτης, μοῦ λέει. Καὶ πῶς ἔφυγες; τοῦ κάνω. ῎Εχω μαζὶ
μου τὰ παιδιά, μ' ἀποκρίνεται.
.... πῆγε καὶ τὰ μάζεψε
ἕνα ἕνα ἀπὸ τὰ βράχια λὲς κι ἦταν σκαντζοχέρια, κόντε-
ψε νὰ γεμίσει ἡ σπηλιά. ᾿Εσὺ τὶ κάνεις ἐδῶ μέσα; μοῦ
λέει. Φυλάω τὰ βιβλία καὶ τὰ κειμήλια, τ' ἀποκρίνου-
μαι. Κι ἐμεῖς κειμήλια εἴμαστε, μοῦ κάνει· μπορεῖς νὰ
μᾶς φυλάξεις κι ἐμᾶς; Νὰ σᾶς φυλάξω, τοῦ λέω, ἀλλὰ
δὲν μποροῦμε νὰ βγοῦμε ἀπὸ δῶ μέσα ἅμα δὲ φύγουν οἱ
Τοῦρκοι, εἴμαστε χτισμένοι. Μπορεῖ νὰ χρειαστεῖ νὰ μεί-
νουμε μέρες καὶ μέρες ἐδῶ μέσα. Τὶ θὰ γίνει μὲ τὰ παιδιά;
Δὲν εἶναι παιδιά, μοῦ λέει, ἀλλὰ Παλιοκαστρόπουλα.
᾿Απὸ δῶ καὶ πέρα πρέπει νὰ μάθουνε νὰ ζοῦνε σὰν ἀγρί-
μια.

Ο Μελέτιος ανοίγει συλλογισμένος ένα μεγάλο κατάστιχο
με σελίδες κιτρινισμένες από την πολυκαιρία, γεμάτες ονό-
ματα κι υπογραφές:
«Αυτό το κατάστιχο το εγκαινίασε ο Ισίδωρος, έγραψε τα

ονόματα των παιδιών του Παλιόκαστρου που γλίτωσαν από τους Τούρκους κι ήρθαν να κρυφτούν εδώ. Από τότε μέχρι σήμερα πέρασε κόσμος και κοσμάκης από τον Προφήτη Ηλία. Άλλοι έμειναν μέρες, άλλοι μήνες, μερικοί ολάκερα χρόνια. Όλα είναι γραμμένα εδώ μέσα, η κάθε εποχή με τους κατατρεγμένους της. Ποτέ δεν έμεινε για πολύν καιρό άδεια η σπηλιά».

Φυλλομετράει το κατάστιχο και διαβάζει στην τύχη ονόματα, χρονολογίες που θυμίζουν μαύρες εποχές, διωγμούς, πολέμους. Μερικοί απ' αυτούς που πέρασαν από δω μέσα έχουν γράψει οι ίδιοι τα βάσανά τους, τις μαρτυρίες τους.

«Το συνεργείο δεν το κατάγραψε. Ευτυχώς που 'ναι καινούριοι στη δουλειά, δεν έχουν πείρα, δεν ξέρουν πως η αληθινή ιστορία των ανθρώπων είναι γραμμένη σε κάτι τέτοια παλιοκατάστιχα, σε χαρτιά που δεν τους δίνει κανείς σημασία».

Μένει για λίγο σκεφτικός, γυρίζει τις σελίδες μηχανικά:

«Πάνε χιλιάδες χρόνια που ο λαός μας εφαρμόζει το σύστημα του Κοντορεβιθούλη, αφήνει πίσω του μικρά σημάδια, σπέρνει παραμύθια, θρύλους, τραγούδια, κόβει την Ιστορία του σε μικρά κομμάτια και τα κρύβει για να τα γλιτώσει απ' αυτούς που θέλουν να εξαφανίσουν τις εποχές και τα περιστατικά που δεν τους βολεύουν. Έτσι, κάθε φορά, όταν περνάει η μπόρα, μπορεί και ξαναβρίσκει το δρόμο του».

... Μετρήσαμε μὲ τὸ δάσκαλο τὰ παιδιά. Ύστερα αὐτὸς μοῦ 'λεγε τὰ ὀνόματα κι ἐγὼ τὰ 'γραφα σ' ἕνα κατάστιχο ποὺ βρῆκα σὲ μιὰ κασέλα. Μᾶς πῆρε κάμποση ὥρα αὐτὴ ἡ δουλειά.

Όταν τελειώσαμε, ἦταν περασμένα μεσάνυχτα.
.... δὲ θέλαμε νὰ ξημερώσει. Ἐγώ, γιὰ νὰ μὴν ξεχάσω τὰ ὅσα εἶδα κείνη τὴ μέρα, πῆρα τὸ Τετραβάγγελό μου γιὰ νὰ γράψω μερικά. Τὶ 'ναι αὐτὰ ποὺ γράφεις; μοῦ λέει ὁ δάσκαλος. Τὰ βάσανά μας, τοῦ λέω. Καὶ ποιὸς θὰ τὰ διαβάσει; μοῦ ξαναλέει. Όλο καὶ

273

κάποιος θὰ βρεθεῖ, ποῦ ξέρεις, τοῦ ἀποκρίνουμαι ......

.... καθόταν σὲ μιὰ ἄκρη κι ἔκλαιγε πικρὰ ποὺ 'χε παρατήσει μόνο του τὸν Κώστα Μπέκα, ἤθελε νὰ μ' ἀφήσει τὰ παιδιὰ κι αὐτὸς νὰ φύγει, νὰ γυρίσει στὸ Παλιόκαστρο. Δὲ θὰ προλάβεις, τοῦ 'πα, ὅπου νὰ 'ναι ξημερώνει, θὰ σὲ πιάσουν καὶ θὰ σὲ γδάρουν ζωντανό, θὰ σὲ σουβλίσουνε καὶ θὰ σὲ ψήσουν σὰν ἀρνί. Εἶδα κι ἔπαθα νὰ τὸν κρατήσω.

.... γιὰ πρώτη φορὰ στὴ ζωὴ μου δὲν ἤθελα νὰ δῶ τὸν ἥλιο νὰ βγαίνει καὶ νὰ φωτίζει τὸν κόσμο. Ὅμως τὶ νὰ 'κανα, ἔσφιξα τὴν καρδιὰ μου κι ἑτοιμάστηκα.

Σὲ μιὰ στιγμή, πάνω ποὺ χάραζε, ἀκούσαμε τὰ τούμπανα, ὕστερα ἄρχισαν τὰ κανόνια. Τότε μαζέψαμε ὅλα τὰ παιδιὰ ποὺ 'χαν σκορπίσει ἐδῶ κι ἐκεῖ μέσα στὴ σπηλιὰ καὶ τὰ βάλαμε νὰ κάτσουνε κοντὰ στὴν μπούκα. Ὅταν ἀντίκρισαν τὴ μυρμηγκιὰ τῶν Τούρκων στὸν κάμπο, ἔβαλαν τὰ κλάματα, ἀλλὰ τοὺς εἶπα πὼς δὲν ἔπρεπε νὰ 'χουν τὰ μάτια τους δάκρυα γιὰ νὰ βλέπουν καλά, ν' ἀποτυπώσουν στὸ μυαλὸ τους αὐτὰ ποὺ θὰ δοῦνε, κι ὅτι εἶχαν χρέος νὰ μὴν ξεχάσουνε τίποτα.

Ο Μελέτιος κλείνει το κατάστιχο και το ταχτοποιεί σ' ένα ντουλάπι:

«Μέχρι τώρα, κουτσά στραβά, τα καταφέραμε, αντέξαμε, διατηρήσαμε όλα μας τα κειμήλια. Αλλά μου φαίνεται ότι από δω και πέρα, όπως λες και συ, πρέπει να οργανωθούμε αλλιώτικα».

Η μέση του τον πονάει, τα νεφρά τού δίνουν σουβλιές και τον κάνουν να μορφάζει, να σφίγγει τα δόντια του, να κρατάει για μερικά δευτερόλεπτα την αναπνοή του.

«Εγώ όμως γέρασα πια, δεν είναι πολλά τα ψωμιά μου. Ας κάνει κουμάντο ο αδελφός που θα ορίσει ο ηγούμενος βιβλιοθηκάριο στο πόδι μου», στενάζει.

Όπως κάθε απόβραδο, όταν ζυγώνει η ώρα του Εσπερινού, συγυρίζεται λίγο, ύστερα πάει και γονατίζει μπροστά στην αγαπημένη του εικόνα με την Αποκάλυψη, με κείνους τους δυο Αρχάγγελους που 'δε να του παραστέκονται τη μέρα της κουράς του και που ποτέ δεν τον εγκατέλειψαν, σ' όλη του τη ζωή, σε καμιά δύσκολη ώρα.

X

ΠΕΦΤΟΥΝ ΒΡΟΧΗ ΟΙ ΜΠΑΛΕΣ ΠΑΝΩ ΣΤΟ ΠΑΛΙΟΚΑΣΤΡΟ, σειέται από τις κανονιές ο τόπος, το βουνό τρέμει. Όλα τα γύρω φαράγγια αχολογούν από τους αλαλαγμούς των Τούρκων που σκαρφαλώνουν από παντού στα τείχη και μπαίνουν από τα ρήγματα που άνοιξαν τα κανόνια, που κραδαίνουν τσεκούρια, σπάθες, χαντζάρια. Άδικα οι Παλιοκαστρίτες τρέχουν μια από δω και μια από κει για να συγκρατήσουν όλες κείνες τις μανιασμένες ορδές, του κάκου μάχονται λεβέντικα: τίποτα δεν μπορεί να σταματήσει αυτή την ανθρώπινη λάβα, οι Τούρκοι όλο και προχωράνε, στο διάβα τους το χώμα στρώνεται κουφάρια.

Ξαφνικά, από ψηλά, από την Παλιά Βίγλα, ακούγεται το βούκινο του Κώστα Μπέκα.

Τα παλικάρια που αντιστέκονται ακόμα κοντά στα τείχη υποχωρούν με τάξη και τρέχουν να πιάσουν θέσεις στα μικρά οχυρά που βρίσκονται πιο ψηλά, στο δεύτερο αμυντικό διάζωμα. Τα κανόνια των Τούρκων σταματάνε να ρίχνουν: όχι μονάχα γιατί οι μπάλες τους κινδυνεύουν να πέσουν πάνω σε τούρκικα κεφάλια, αλλά και γιατί δε χρειάζεται πια ν' ανοίξουν κι άλλα ρήγματα, να γκρεμίσουν κι άλλα σπίτια. Τ' ασκέρι του Σελήμ πασά ξεχύνεται από παντού στην πόλη και την πλημμυρίζει σαν αγριεμένο και βουερό ποτάμι, η υπόλοιπη δουλειά είναι δική του.

Ταμπουρωμένοι στα σταυροδρόμια και στις αυλές, οι γέροντες αντιστέκονται όπως μπορούνε, δίνουν καιρό στα παλικάρια που υποχωρούνε να φτάσουν μέχρι τα νέα τους ταμπούρια. Άλλοι ρίχνουν πρώτα μερικές τουφεκιές από τις στέγες ή τα παράθυρα, ύστερα κατεβαίνουν και καρτερούν τους Τούρκους με τα γιαταγάνια στα χέρια· αντικρίζουν κά-

276

μποσους από τους συντρόφους τους να πλέουν κιόλας στο αίμα, μπροστά στων σπιτιών τους τα κατώφλια.

Βλέποντας πως οι Παλιοκαστρίτες δε σκοπεύουν να παραδοθούν, οι Οθωμανοί λυσσάνε, κάνουν απανωτά γιουρούσια. Δεν μπορούν να καταλάβουν πώς γίνεται και μια χούφτα άνθρωποι αντιστέκονται σ' αυτή τη θύελλα, γιατί δεν το βάζουν στα πόδια, γιατί δεν προσπαθούν να βγουν από τα βορινά μπεντένια για να καταφύγουν στα γειτονικά βουνά. Μα τι διάολο ελπίζουν ανεβαίνοντας όλο και πιο ψηλά, πολεμώντας από διάζωμα σε διάζωμα, τι περιμένουν; Μπας και φαντάζονται πως όταν θα βρεθούνε στριμωγμένοι στο πιο ψηλό σημείο της πόλης, θα κατέβουν άγγελοι από τον ουρανό για να τους γλιτώσουνε;

Από τα καλντερίμια που 'ναι κοντά στα τείχη υψώνονται φλόγες. Είναι οι φωτιές που βάζουν οι Τούρκοι στα σπίτια που βρίσκουν εγκαταλειμμένα, άδεια, δίχως γυναίκες και παιδιά για τα σκλαβοπάζαρα, χωρίς παράδες και θησαυρούς στα μπαούλα. Οι στρατιώτες παρατάνε τα χαντζάρια και τα τσεκούρια, πιάνουν κασμάδες και φτυάρια και σκάβουν σαν λυσσασμένοι στους κήπους και στις αυλές, ελπίζοντας να ξεθάψουν κασελάκια με κοσμήματα, ξεκοιλιάζουν παπλώματα και μαξιλάρια, μπας και βρούνε χρυσάφια και πολύτιμα πετράδια. Όμως, παρ' όλο το ψάξιμο, μ' όλο κείνο το κακό, δεν ανακαλύπτουν τίποτα που ν' αξίζει τον κόπο, τίποτε άλλο εξόν από φτωχικά έπιπλα, κουρελούδες και ψάθες αντί για βαρύτιμα χαλιά, παμπάλαια ξύλινα εικονίσματα που 'ναι μαυρισμένα από τα λιβάνια και τα φιλήματα. «Πού 'ναι τα πλούτια που μας έλεγαν οι χοτζάδες και οι ντερβίσηδες;» φωνάζουν μερικοί. «Μα τι στο διάολο υπεράσπιζαν τόσο καιρό με τέτοια λύσσα οι γκιαούρηδες; Γι' αυτή τη σαβούρα έχυναν το αίμα τους και πολέμαγαν σαν λιοντάρια;» κοροϊδεύουν κάτι άλλοι.

Τριγύρω τους δεν υπάρχει πια κανείς για να τους αποκριθεί.

Το αίμα που 'χει πιτσιλίσει τους ασβεστωμένους τοίχους των σπιτιών μένει βουβό. Τα κουφάρια των παλικαριών και

277

των γερόντων, που 'ναι σπαρμένα στους δρόμους και στα κατώφλια, έχουν τα χείλια τους σφαλισμένα για πάντα. Από ψηλά, από τα νέα ταμπούρια που 'χουν πιάσει οι άντρες του Κώστα Μπέκα, έρχονται σαν απάντηση απανωτά τα σμπάρα.

Κάτω από την πλατεία, μέσα στη σπηλιά, η κυρα-Ρήνη έχει ανάψει το δαυλό και περιμένει. Πού και πού, με τις αναλαμπές της φλόγας, ξεδιακρίνονται τα πρόσωπα των γυναικών που 'χουν τριγυρίσει τη γριά γιάτρισσα, το φως παίζει για λίγες στιγμές με τα μαλλιά τους, τρεμολαμπίζει πάνω στα δάκρυα που τρέχουν από τα μάτια τους. Καμιά τους δε θυμάται να 'χει ξαναζήσει τέτοια αγωνία — ακόμα και οι πιο ηλικιωμένες ψάχνουν άδικα μέσα στη μνήμη τους. Όσα δεινά κι αν τράβηξε επί αιώνες κι αιώνες η πόλη, ποτέ δε χρειάστηκε να κατεβούν οι γυναίκες σ' αυτή τη σπηλιά, να ντανιάσουν βαρέλια με μπαρούτι, να ετοιμαστούνε για να βάλουν φωτιά. Πάντα υπήρχε κάποια ελπίδα, όλο και γινόταν κάποιο θαύμα την ύστατη στιγμή και το Παλιόκαστρο γλίτωνε από την καταστροφή, έπαιρνε από το Θεό νέα διορία.

Μα τώρα πάει, σώθηκαν τα ψέματα.

Οι εχθροί πέρασαν από τα τελευταία παλιοκαστρίτικα ταμπούρια μπροστά στα τείχη και σκαρφάλωσαν, μπήκαν ουρλιάζοντας από τα ρήγματα π' άνοιξαν τα κανόνια. Οι γειτονιές και τα στενά του Παλιόκαστρου έχουν γεμίσει Οθωμανούς, σε λίγο τ' ασκέρι του Σελήμ πασά θα ξεχυθεί στην πλατεία, ο τόπος θα μαυρίσει από τους Τάρταρους, τους Κούρδους, τους Τσερκέζους.

Η κυρα-Ρήνη σφίγγει το δαυλό γερά.

Έχουν δακρύσει και τα δικά της μάτια, αλλά αυτό που νιώθει δεν είναι λύπη μα κάποιο άλλο συναίσθημα, κάτι που μοιάζει με την απόγνωση κάποιου που 'χασε ξαφνικά το δρόμο του μέσα στη νύχτα, μέσα στην ερημιά, που βρίσκεται ολομόναχος, περιτριγυρισμένος από πηχτά σκοτάδια. Του κάκου η γριά γιάτρισσα ψάχνει κι αυτή μέσα στη μνήμη της, όπως κι οι άλλες Παλιοκαστρίτισσες: καμιά θύμηση δεν έρχεται να τη βοηθήσει, κανένα από τα παραμύθια που ξέρει, οι παλιές προγονικές προφητείες δε λένε τίποτα για τούτη τη μέρα. Ώστε ονειροφαντασιά ήταν η ζωή που 'ζησαν οι Παλιοκαστρίτες τόσους και τόσους αιώνες πάνω σ' αυτά τα βουνά; Έτσι τελειώνει μια χιλιόχρονη πάλη για τη λευτεριά και την ανεξαρτησία; Με μια φλόγα που περιμένει πάνω από τα μπαρουτοβάρελα;

Στ' αυτιά της κυρα-Ρήνης φτάνουν ουρλιαχτά.

Την ίδια στιγμή από τα γύρω σπίτια και τα μαγαζιά της πλατείας ακούγονται τουφεκιές. Θα 'ναι οι γέροντες, συλλογίζεται η γριά. Σ' άλλους καιρούς και σ' άλλες ώρες θα κάθονταν στους καφενέδες και θα κουβέντιαζαν ειρηνικά, θα φούμερναν τα τσιμπούκια, τους ναργιλέδες τους. Μα τώρα θα 'ναι ταμπουρωμένοι μαζί με τον παπά στην εκκλησία, θα περιμένουν με τα τουφέκια και με τα γιαταγάνια έτοιμα. Θα πουλήσουν ακριβά το τομάρι τους οι τελευταίοι Παλιοκαστρίτες, θα ξεκάνουν κάμποσους Τούρκους, το αίμα τους θα πιτσιλίσει τα πρόσωπα των αγίων στα εικονίσματα, μπροστά στην Άγια Τράπεζα θα 'ναι σωρός τα κουφάρια.

Η χλαλοή του τούρκικου ασκεριού όλο και ζυγώνει.

«Γι' ανθρώπους σαν κι εμάς δεν υπάρχει άλλη λύση», μουρμουρίζει η κυρα-Ρήνη σαν ν' απευθύνεται στου δαυλιού τη φλόγα. «Τι τη θέλουμε τη ζωή, αν είναι να 'χουμε αφέντες και να τους προσκυνάμε, να ζούμε με σουλτάνους ή βασιλιάδες πάνω από το κεφάλι μας, να υπακούμε σε νόμους που δεν είναι δικοί μας, που δε μας τους άφησαν κληρονομιά οι πρόγονοι μας; Είναι πια αργά για ν' αλλάξουμε ζωή και μυαλά, όπως μας έλεγαν κείνοι οι ξένοι που 'χαν έρθει τότε από την Ευρώπη. Οι λαοί είναι όπως κι οι άνθρωποι, συνηθίζουν από μικροί να ζούνε άλλοι έτσι κι άλλοι αλλιώτικα, δεν ξανακάθονται στα γεράματα σε θρανία».

Πάνω από την κυρα-Ρήνη η γη τρέμει. Οι Τούρκοι θα 'χουν πλημμυρίσει την πλατεία, η εκκλησία θα 'ναι σκεπασμένη από των άπιστων τη μυρμηγκιά.

«Καλύτερα να φύγουμε από τη μέση», στενάζει η γριά

279

γιάτρισσα, «να μην προδώσουμε το παρελθόν μας. Έχουμε χρέος να σεβαστούμε τ' άσπρα μαλλιά της Ιστορίας μας».

Ξαφνικά ένα άγριο ποδοβολητό ακούγεται από τα σκαλοπάτια που οδηγούν στο υπόγειο, πέφτουν οι πρώτες τσεκουριές στην πόρτα.

Η κυρα-Ρήνη ρίχνει μια ματιά στις συντρόφισσές της: «Γρήγορα, γυναίκες, γρήγορα. Ν' αφήσουμε τούτο τον κόσμο λεύτερες!» φωνάζει.

Ο Παλιοκαστρίτισσες τρέχουν κιόλας προς το βάθος της σπηλιάς, χώνονται μέσα στα τουνέλια, τις καταπίνουν τα σκοτάδια. Ακόμα λίγα βήματα και θα βρεθούν μέσα σε κείνη την παλιά γαλαρία που ανακάλυψαν μια φορά κι έναν καιρό οι πρόγονές τους, στο μέρος όπου χάθηκε το ιερό φίδι της πόλης τους. Όσο περισσότεροι Οθωμανοί τις πάρουν το κατόπι, τόσο το καλύτερο: τ' ασκέρι του Σελήμ πασά πρέπει να πληρώσει όσο γίνεται πιο ακριβά τη νίκη του, να φύγει από τούτα τα βουνά αποδεκατισμένο.

Η πόρτα πέφτει, οι Τούρκοι μπαίνουν.

Η γριά γιάτρισσα τους αφήνει πρώτα να προχωρήσουν κάμποσο. Ύστερα, με μια γρήγορη κι αποφασιστική κίνηση, βάζει φωτιά στα μπαρουτοβάρελα.

Το παλιοκαστρίτικο βουνό σείστηκε σύγκορμο.

Ο Φώτης με τον Ισίδωρο είδαν τα σπλάχνα του ν' ανοίγουν καταμεσής στην πόλη, στην πλατεία, να τινάζονται και να φτάνουν μεσούρανα πέτρες, βράχοι, χώματα. Με την έκρηξη η εκκλησία σηκώθηκε κι αυτή ψηλά λες κι ήταν χάρτινη, το καμπαναριό βρέθηκε στον αέρα, ακούστηκε το υπόκωφο αχολόημα της καμπάνας που 'πεσε βαριά στο χώμα.

Όταν ο μπουχός κι η κάπνα άρχισαν ν' αποτραβιούνται, να κατακάθονται, φάνηκε ένας μεγάλος και κατάμαυρος κρατήρας. Τρομαγμένα από κείνο το σεισμό που 'χε συγκλονίσει τριγύρω τον κάμπο, τα βουνά και τα ρέματα, τ' αγριόπουλα είχαν πάρει φτερό κατά χιλιάδες, είχαν ανέβει ψηλά κι έκοβαν κύκλους κρώζοντας δυνατά. Μα ξαφνικά, σαν να υπήρχε ανάμεσά τους κάποιο που αρχήγευε και που τους είχε δώσει το σύνθημα, μοιράστηκαν σε σμάρια και πέταξαν βιαστικά προς όλα τα σημεία του ορίζοντα.

Ο Ισίδωρος σήκωσε το χέρι κι έδειξε στον Φώτη μερικά που περνούσαν πάνω από τον Προφήτη Ηλία.

— Κίνησαν για να φέρουν βόλτα όλη την Ελλάδα και ν' αναγγείλουν το κακό μαντάτο, να πούνε σ' όλους τους ραγιάδες ότι πάει, χάθηκε το Παλιόκαστρο, μουρμούρισε.

Ο δάσκαλος δεν αποκρίθηκε.

Είχε πάψει να κοιτάζει την πολιτεία, παρακολουθούσε κι αυτός τα πουλιά που 'φευγαν, που όλο απομακρύνονταν, που 'μοιαζαν τώρα με κινούμενα στίγματα πάνω από τη γραμμή του ορίζοντα. Σε λίγο θ' άφηναν πίσω τους τα βουνά της Ηπείρου και θα τραβούσαν για τη Ρούμελη, την Πελοπόννησο και για τα μέρη της Αττικής, άλλα θα χάραζαν πορεία για τη Θεσσαλία και τα νησιά του Αιγαίου, για τη Θράκη, για τη Μακεδονία. Οι άνθρωποι θ' άκουγαν το θλιβερό τους λάλημα και θα καταλάβαιναν, η καρδιά τους θα μάτωνε, θα τους ανέβαιναν δάκρυα στα μάτια. Ποιος θα βρισκόταν από δω και πέρα για να σηκώσει το λάβαρο της Επανάστασης, ποιος θα τολμούσε να τα βάλει με τους Τούρκους, ν' αψηφήσει τ' ασκέρια τους, θα 'λεγαν. Όλοι οι ραγιάδες θα 'νιωθαν την καρδιά τους να μαυρίζει, θα 'χαναν κάθε ελπίδα. Οι Φαναριώτες, οι προύχοντες κι οι μεγαλοδεσποτάδες θα 'σπευδαν όπως συνήθως να εκμεταλλευτούν την ευκαιρία, θα σύσταιναν στην κλεφτουριά και σ' όλους τους ρέμπελους που ζούσαν στα βουνά και που ανυπομονούσαν να ξεσηκωθούν όλοι μαζί και να χτυπήσουν από παντού τους Τούρκους να κάνουν υπομονή — η ώρα δεν ήταν κατάλληλη για τέτοια. Κατά βάθος θα ευχαριστούσαν το Θεό που το Παλιόκαστρο ξόφλησε, που ξεμπέρδεψε επιτέλους ο σουλτάνος με την πολιτεία που 'δινε χρόνια και χρόνια το κακό παράδειγμα, που δεν άφηνε να πεθάνει η ελπίδα για λευτεριά.

Ένα σμάρι πουλιά είχαν ξεμείνει κι αργοπετούσαν πάνω από την πολιτεία, την αποχαιρέταγαν. Πού και πού εγκατέλειπαν όλα μαζί τα ύψη τους και χιμούσαν κατά τη γη, πέρναγαν σύρριζα από τις στέγες των σπιτιών που 'ταν ακόμα όρθια, ακράγγιζαν με τα φτερά τους τα ερείπια. Κάθε φορά που τα 'βλεπαν να ζυγώνουν, οι Τούρκοι κράδαιναν τα γιαταγάνια τους απειλητικά και τα πετροβολούσαν λες και φοβούνταν την παρουσία τους, σαν να υποπτεύονταν πως ήτανε κακό σημάδι το πέταγμά τους.

Ξαφνικά τα πουλιά άλλαξαν πορεία.

Φτεροκοπώντας γρήγορα, αποφασιστικά, χύθηκαν κατά το νοτιά, έφτασαν στην άλλη άκρη του κάμπου μέσα σε λίγα δευτερόλεπτα κι άρχισαν να τριγυρίζουν πάνω από το γυμνοβούνι του Προφήτη Ηλία, να περνάνε και να ξαναπερνάνε μπροστά από τη σπηλιά. Σε μια στιγμή, σαν να ξεθάρρεψαν ή σαν να το 'χαν σχέδιο από ώρα, μερικά πέταξαν πάνω από τα κεφάλια του Φώτη και του Ισίδωρου και χώθηκαν μέσα στην κρύπτη, ύστερα τ' ακολούθησαν κι άλλα — το 'να μετά το άλλο, μπήκαν όλα. Ώσπου να καλοκαταλάβουν τι είχε συμβεί, οι δυο άντρες τα 'δαν να φτεροκοπούν μέσα στο μισοσκόταδο, να κουρνιάζουν όπου όπου, στων βράχων τις προεξοχές, πάνω στις κασέλες με τα βιβλία και τα εικονίσματα.

Συνεπαρμένος από τούτο τ' ανεξήγητο σημάδι που 'στελνε γι' άλλη μια φορά στο μοναστήρι ο Θεός, ο Ισίδωρος πήρε να σταυροκοπιέται.

— Κύριε των Δυνάμεων, δώσε να μας βγει σε καλό, παρακάλεσε.

Παρόλο που 'ταν μέρα μεσημέρι, τα πουλιά δεν έδειχναν καμιά διάθεση να εγκαταλείψουν τη σπηλιά και να ξαναβγούν στο φως του ήλιου, δεν έμοιαζαν να γνοιάζονται για ό,τι θα γινόταν από δω και πέρα στον έξω κόσμο, για την τύχη που περίμενε τα λημέρια και τις φωλιές τους, τη γη όπου γεννιούνταν και πέθαιναν επί χιλιάδες χρόνια οι προγόνοι τους. Μουλωγμένα εδώ κι εκεί, με μαζεμένα τα φτερά, κοίταζαν γύρω τους μ' ολάνοιχτα και καταστρόγγυλα μάτια, σαν να περίμεναν να συνηθίσουν, να μάθουν να ξεδιακρίνουν μέσα στα σκοτάδια.

Όταν ο Κώστα Μπέκας τα 'δε με το κανοκιάλι να χαμηλώνουν πάνω από τον Προφήτη Ηλία και να τρυπώνουν στη σπηλιά, κατάλαβε, αναστέναξε μ' ανακούφιση κι έκανε το σταυρό του: είχε βρει τρόπο ο Θεός για να του δείξει ότι ο Φώτης με τα Παλιοκαστρόπουλα είχαν καταφύγει στο μοναστήρι, πως βρίσκονταν στην κρύπτη όπου οι καλογέροι καταχώνιαζαν τα ιερά τους κειμήλια κάθε φορά που πλάκωναν οι Τούρκοι. Για την ώρα δεν κινδύνευαν. Όταν θ' αποτέλειωνε με το Παλιόκαστρο, ο Σελήμ πασάς δε θα καθυστερούσε, θα 'φευγε και θα τραβούσε κατά το νότο για να τρομοκρατήσει τους ραγιάδες, για να διορίσει καινούριους τοποτηρητές, να εγκαταστήσει στις πιο δυσκολοκυβέρνητες περιοχές δραστήριους μπέηδες, ν' αντικαταστήσει εδώ κι εκεί τις φρουρές.

Πόσο καιρό όμως θα κρατούσε η τάξη που θα επέβαλε; Οι μεγάλοι κι οι δυνατοί του κόσμου μπορεί να κατέχουν να λογαριάζουν καλά, αλλά και οι λαοί κάνουν κι αυτοί τους δικούς τους λογαριασμούς, δε λένε τίποτα, μα έχουν ένα κρυφό τεφτεράκι και γράφουν τα βερεσέδια. Η ώρα που πρέπει να ξοφληθούν τα χρέη μπορεί συχνά ν' αργεί, αλλά πάντα έρχεται, τίποτα δεν ξεχνιέται, τίποτα δε σβήνεται.

Ο Κώστα Μπέκας ξανακοίταξε με το κανοκιάλι.

Κανένα πουλί δεν πετούσε πια πάνω από το μοναστήρι. Αυτή τη στιγμή ο Φώτης με τον Ισίδωρο θα πάσχιζαν να καθησυχάσουν τα παιδιά, να τα παρηγορήσουν, να βολέψουν μέσα στης γης τα έγκατα την ανθρώπινη και την επουράνια προσφυγιά, ν' αντισταθούν στο φόβο, στην απελπισία. Θα τα κατάφερναν, θ' άντεχαν. Άνθρωποι και πουλιά θα μοιράζονταν για λίγες μέρες τα μισομουχλιασμένα παξιμάδια που θα 'βγαζε ο Ισίδωρος από το ταγαράκι του, θα 'πιναν νερό από το σταμνί του. Ύστερα, όταν οι Τούρκοι θα 'φευγαν, το φτερωτό προσφυγολόι θα 'βγαινε πρώτο από τη σπηλιά και θα τραβούσε για το Παλιόκαστρο, θ' αγνάντευε από ψηλά την ερημιά και τα γκρεμισμένα μπεντένια, της πόλης τα ερείπια. Τα κακόμοιρα τα πουλιά δε θα κοτούσαν να κατέβουν, δε θα 'θελαν ν' αγγίσουν με τα ποδαράκια τους το χώμα που θα 'ταν κατάμαυρο από τη φωτιά, δε θα τους έκανε καρδιά να ψάξουνε για τις φωλιές τους μέσα στα χαλάσματα.

Ο καπετάνιος ακούμπησε το κανοκιάλι σε μια πέτρα.

Δεν του χρειαζόταν πια: οι Τούρκοι ήταν σε πενήντα βήματα απόσταση από την Παλιά Βίγλα, άκουγε τις κουβέντες τους καθαρά, τις διαταγές που 'διναν οι αξιωματικοί τους. Μετά από την έκρηξη, ο Σελήμ πασάς είχε σταματήσει το γιουρούσι, γιατί φοβόταν πως οι Παλιοκαστρίτες θα τους είχαν στήσει κι άλλη παγίδα, πιο ψηλά, ότι θα 'βαζαν φωτιά και σ' άλλα μπαρουτοβάρελα. Από κάτι ζητωκραυγές π' ακούστηκαν, ο Κώστα Μπέκας μάντεψε ότι ο σερασκέρης έμπαινε κείνη τη στιγμή στην πόλη, για να εξετάσει την κατάσταση από κοντά.

Ο καπετάνιος βιάστηκε ν' αποχαιρετήσει τους άντρες του.

Χάρηκε που τους είδε να συμπεριφέρονται όπως πάντα, που αντάλλαξαν μαζί του λίγα απλά και σεμνά λόγια, που τον αγκάλιασαν και τον ασπαστήκαν συγκρατημένα, δίχως λυπητερές κουβέντες και δάκρυα. Όλοι οι Παλιοκαστρίτες ήξεραν ότι δεν έπρεπε ν' αλλάξει τίποτα στη ζωή της πόλης μέχρι την ύστερη στιγμή — όλα θα τέλειωναν όπως είχαν αρχίσει πριν από αμέτρητα χρόνια, μέσα στην εγκαρτέρηση και τη σιωπή, μ' αξιοπρέπεια. Σε τι θα χρησίμευαν τα κλάματα κι οι θρήνοι, τι θα 'βγαινε με λίγες λέξεις ακόμα... Ο Κώστα Μπέκας θυμήθηκε όλα κείνα τα γράμματα που 'χε στείλει και λάβει από τότε που καπετάνευε, τα μηνύματα που του 'χαν πέμψει απ' όλα τα μέρη της Ελλάδας προεστοί, οπλαρχηγοί, δεσποτάδες, τις συμβουλές που του 'χαν δώσει οι Φαναριώτες, οι φίλοι του στην Ευρώπη, ο Ετιέν ντε Μπρισάκ με τους επαναστάτες συντρόφους του... Ο καθένας με τις ιδέες και με τις συνταγές του, με τις θεωρίες του. Μερικοί διανοούμενοι από την Ιταλία, την Αυστρία και τη Βλαχιά έγραφαν συνέχεια κατεβατά και ποιήματα για τον αγώνα του Παλιόκαστρου, τα διάβαζαν σε συγκεντρώσεις που 'καναν οι φιλέλληνες και μάζευαν παράδες, τα τύπωναν σε φυλλάδια. Πόσο εύκολα ήταν τα πράγματα στα χαρτιά... Μέσα σε μια και μόνη σελίδα γεννιόταν, ζούσε και πέθαινε ένα ολάκερο έθνος, μια αράδα έφτανε και περίσσευε για να μεγαλουργήσει ένας λαός, με λίγες λέξεις ξοφλούσε ένας πολιτισμός.

Ο Κώστα Μπέκας έριξε μια ματιά γύρω του, επιθεώρησε ένα ένα με το βλέμμα τα τελευταία ταμπούρια, ύστερα κοίταξε συλλογισμένος τα ερείπια, τα τείχη που 'ταν άχρηστα πια, τους καπνούς που 'βγαιναν ακόμη από τον κρατήρα που 'χε ανοίξει στην πλατεία. Οι Παλιοκαστρίτισσες ήτανε κιόλας στον κάτω κόσμο και περιμέναν τους άντρες τους, τους γιους τους, τ' αδέλφια τους. Μαζεμένες μπροστά στην πόρτα του Άδη, θ' αγνάντευαν σε λίγη ώρα την ύστερη μάχη που θα 'δινε η πολιτεία για τη λευτεριά, οι λεβέντικες ψυχές τους θα παραστέκονταν στα παλικάρια. Περήφανες για τους σερνικούς που 'χαν βγάλει από τα σπλάχνα τους, για κείνους που πλάγιαζαν μαζί τους, για τους αγαπητικούς και τους λογοδοσμένους που δεν είχανε προλάβει να χαρούν τον έρωτα στην αγκαλιά τους, θα φώναζαν το Χάροντα και θα του λέγαν ν' αγναντέψει κι αυτός, να δει πώς θα ξοδεύαν οι Παλιοκαστρίτες την τελευταία ώρα της ζωής τους, πώς θ' άφηναν κοψίδια πάνω στις πέτρες και στα χώματα τις σάρκες τους.

Ξαφνικά ακούστηκε μια τρουμπέτα, ενώ την ίδια στιγμή ένας Τουρκαλβανός ανέβηκε σ' ένα λοφάκι μπάζα κι έβαλε τα χέρια χωνί γύρω από το στόμα.

— Παραδοθείτε, Παλιοκαστρίτες! φώναξε.

Ο Κώστα Μπέκας χαμογέλασε ειρωνικά. Λες κι είχανε παραδοθεί ποτέ τους οι Παλιοκαστρίτες σ' όλη τους την Ιστορία για να παραδοθούν και τώρα, λες κι ήταν πρόβατα για ν' αφήσουν να τα πάνε δεμένα μέχρι το χασάπη, να βάλουν με την ίδια τους τη θέληση το λαιμό κάτω από το μαχαίρι του... Κάπου τριακόσια τόσα χρόνια πολέμαγαν οι Οθωμανοί να τους υποτάξουν, είχαν χτυπηθεί άπειρες φορές μαζί τους, κι όμως δεν είχαν καταλάβει πως αυτή η φάρα δεν είναι από κείνες που παζαρεύουνε τη λευτεριά, που βολεύονται άλλοτε με πολλή κι άλλοτε με λίγη, ανάλογα με την τιμή που 'χει το προϊόν στην αγορά.

— Ο Σελήμ πασάς σάς χαρίζει τη ζωή, φτάνει να πετάξετε τ' άρματα! συνέχισε ο Τουρκαλβανός.

Να πετάξουν τ' άρματα, ν' αφήσουν τα ταμπούρια, να σταθούνε τριγύρω από την Παλιά Βίγλα με τα χέρια γυμνά, με τα κεφάλια σκυμμένα, με τα κορμιά έτοιμα για προσκύνημα... Την ίδια κείνη στιγμή θ' ακουγόταν μια επουράνια βουή, κάτι σαν βροντή ατέλειωτη, υπόκωφη, στα βουνά τ' αγρίμια θα 'βγαζαν πένθιμα ουρλιαχτά, οι αετοί και τα γεράκια θα πετάγονταν από τις φωλιές τους και θα ριχνόντουσαν με το κεφάλι μέσα στα βάραθρα δίχως ν' ανοίξουν τα φτερά. Κι ύστερα, την ώρα που οι Τούρκοι θ' αλυσόδεναν των Παλιοκαστριτών τα χέρια, από της γης τα βάθια θ' ακούγονταν των προγόνων τα γιουχαΐσματα.

— Κουφοί είσαστε, ορέ Παλιοκαστρίτες; ξαναφώναξε ο Τουρκαλβανός.

Πώς ν' άκουγαν που τ' αυτιά τους είχαν πλημμυρίσει από άλλης λογής ήχους, από ιστορίες και παραμύθια που τους είχαν διηγηθεί οι γονιοί κι οι παππούδες τους, από 'να πλήθος στίχους που 'χαν ξεκουκίσει στις γιορτές και στα πανηγύρια οι τραγουδιστές κι οι ποιητάρηδες που περνούσαν από την πόλη τους... Ήταν όλοι τους βέβαιοι πως αν εκείνη τη στιγμή έβγαζαν λίγο το κεφάλι από το ταμπούρι, θ' αντίκριζαν πέρα στα κορφοβούνια χιλιάδες αλλοτινούς Έλληνες που 'χαν πάρει άδεια από το Χάροντα για ν' ανεβούν στον πάνω κόσμο και να παρακολουθήσουν τη μάχη, θα 'βλεπαν Μακεδόνες, Θεσσαλούς και Ρουμελιώτες, ανυπόταχτους κλέφτες του Παρνασσού και του Ολύμπου, αρματολούς από την Πελοπόννησο, απροσκύνητους Κρητικούς, επαναστάτες που θα σήκωναν ψηλά και θ' ανέμιζαν γιαταγάνια, λάβαρα, σημαίες.

Ο Κώστα Μπέκας κοίταξε γύρω του συλλογισμένος.

Δεν υπήρχε άλλη λύση για τους Παλιοκαστρίτες: θα 'βγαιναν από τ' αλώνι της Ιστορίας όπως είχαν μπει, με το κεφάλι ψηλά, με τ' άρματα στα χέρια. Άλλοι στη θέση τους δε θα τα ψιλολογούσαν, θα πέταγαν στο άψε σβήσε τα γιαταγάνια και τα τουφέκια και θα προσκύναγαν, θα ικέτευαν, θ' αλλαξοπιστούσαν. Ο κάθε λαός με το δικό του παρελθόν, με την Ιστορία του, ποιος με προγόνους περήφανους κι ανένδοτους, που δεν ανέχονται να βλέπουν τους επιγόνους να γράφουν στα παλιά τους τα παπούτσια το αίμα και τις θυσίες τους, να σπιλώνουν την τιμή τους, ποιος με χαμηλονούσηδες και βολικούς ανθρωπάκους, που ρίχνουν εύκολα νερό στο κρασί τους, που δεν τους καίγεται καρφί για το κατάντημα της φύτρας π' άφησαν πίσω τους.

Ο τελάλης των Τούρκων δεν ξανακούστηκε.

Ο Κώστα Μπέκας τράβηξε κατά το σχολείο. Τις τελευταίες μέρες έβαλε και τ' οχύρωσαν πρόχειρα, έχτισαν τα παράθυρα και στένεψαν την πόρτα, άνοιξαν εδώ κι εκεί τρύπες για τα τουφέκια. Εκεί μέσα θα καρτερούσε ο καπετάνιος τους Τούρκους, θ' αντιστεκόταν με μια χούφτα παλικάρια, θα πολέμαγε μέσα σε κείνη την τάξη όπου ο Φώτης δίδασκε του Παλιόκαστρου τα παιδιά, εκεί όπου είχε μάθει να γράφει με μεγάλα, κεφαλαία γράμματα τη λέξη ΕΛΕΥΘΕΡΙΑ.

Οι Τούρκοι κάνουν απανωτά γιουρούσια.

Γύρω από την Παλιά Βίγλα οι Παλιοκαστρίτες αμύνονται λεβέντικα, αλλά και οι Οθωμανοί δεν πάνε πίσω, πολεμάνε κι αυτοί σκληρά, κι ας είναι τριγύρω στρώμα των δικών τους τα κουφάρια. Με τον Ομάρ για μπροστάρη οι γενίτσαροι προσπαθούν να περάσουν ανάμεσα από τα παλιοκαστρίτικα ταμπούρια και να ζυγώσουν στο σχολείο, αψηφούν τα βόλια που τους θερίζουν. Ο αρχιγενίτσαρος δεν παύει να ψυχώνει τους άντρες του με χουγιαχτά, τους τάζει κραυγάζοντας προβιβασμούς, παράδες, παράσημα, φτάνει να πιάσουν ζωντανούς τον Κώστα Μπέκα και τα τελευταία του παλικάρια.

Ο καπετάνιος, που τον ακούει, χαμογελάει ειρωνικά.

Ξέρει ότι σ' ολάκερη την Ιστορία του Παλιόκαστρου ένας μονάχα Παλιοκαστρίτης πιάστηκε μια φορά αιχμάλωτος από τους Τούρκους σε μια μάχη, γιατί μέσα στο πατιρντί που γινόταν γύρω του τα 'χασε και δεν πρόλαβε να βγάλει το λάζο του και να σφαχτεί. Έκαναν τότε μεγάλη χαρά οι άπιστοι, τον έκλεισαν σ' ένα κλουβί και τον γύριζαν από χωριό σε χωριό κι από πόλη σε πόλη, τον έδειχναν λες κι ήταν αρκούδα ή εξωτικό πουλί. Ύστερα, σαν τον ρεζίλεψαν αρκετά, σαν τον βαρέθηκαν, τον έριξαν σ' ένα μπουντρούμι. Μα πάνω που οι δεσμοφύλακες σφαλίζανε την πόρτα του κελιού, ο Παλιοκαστρίτης έκανε το σταυρό του, πήρε φόρα κι όρμησε κατά πάνω σ' έναν τοίχο, χτύπησε το κεφάλι του με δύναμη και το σύντριψε.

Ο Κώστα Μπέκας ρίχνει μια ματιά από μια τουφεκότρυπα. Μερικοί γενίτσαροι μπαίνουν κείνη τη στιγμή στην αυλή κι ακροβολίζονται, ταμπουρώνονται όπως όπως και περιμένουν νά 'ρθουν κι άλλοι, ώστε να κάνουν γιουρούσι όλοι μαζί. Γύρω από την Παλιά Βίγλα οι τουφεκιές όλο κι αραιώνουν, τα παλικάρια ρίχνουν τα τελευταία τους βόλια. Σώθηκαν τα ψέματα, συλλογίζεται ο καπετάνιος, πάει το Παλιόκαστρο, η πόλη ξεψυχάει, δέκα άντρες όλοι κι όλοι την παραστέκονται ταμπουρωμένοι στην τάξη του σχολείου της, οι τελευταίες τους στιγμές είναι κι οι τελευταίες της. Πού να 'ταν από καμιά μεριά ο δάσκαλος για να δει τα θρανία που 'ναι σωρός μπροστά στην πόρτα και σχηματίζουν φράγμα, τα βιβλία στοίβες γύρω από την έδρα, εδώ κι εκεί σκόρπια τετράδια, χαρτιά... Δεν πρόλαβαν τα Παλιοκαστρόπουλα να μάθουν και πολλά γράμματα, μα δεν πειράζει, τα υπόλοιπα θα τα διδαχτούν μέσα σε κείνη την κρύπτη του Προφήτη Ηλία, όπως γίνεται και σ' άλλα μοναστήρια, σ' όλη τη σκλαβωμένη Ελλάδα. Το Κρυφό Σχολειό κρατάει κάπου τέσσερις αιώνες τώρα. Τα παιδιά κινούν από τα σπίτια τους μέσα στην άγρια νύχτα και τραβάνε για τα βουνά, περπατάνε με χίλιες προφυλάξεις σαν τα κυνηγημένα αγρίμια, μπροστά πορεύονται αρματωμένα παλικάρια για προστασία, για τα κακά συναπαντήματα. Εδώ κι εκεί, σε μαύρες ερημιές, μέσα σ' εγκαταλειμμένα μαντριά ή σε ξωκλήσια, σε βαθιά σπήλια, τα περιμένουν καλογέροι ή παπάδες, απιθώνουν σ' ένα βράχο το κλεφτοφάναρο και κάτω από το κιτρινόθαμπο φως του τους μαθαίνουν την αλφαβήτα, τους διηγιούνται παλιές ιστορίες που μιλάνε για λευτεριά, για τη σκλαβωμένη πατρίδα. Καμιά φορά παίρνουν ένα ξερό κλαδάκι και χαράζουν κατάχαμα, στο χώμα, το περίγραμμα που 'χει στο χάρτη η Ελλάδα, βάζουν πετραδάκια στα σημεία όπου βρίσκονται τα πιο μεγάλα βουνά, παριστάνουν τα νησιά του Αιγαίου και του Ιόνιου με φυλλαράκια που κόβουν από τα δέντρα.

Ο Κώστα Μπέκας κουνάει το κεφάλι του, κάνει το σταυρό του. Ο Θεός να προστατεύει, εύχεται μέσα του, όλους αυτούς τους αυτοσχέδιους κι άγνωστους δασκάλους που συντηρούν τη φωτιά της λευτεριάς μέσα στων ανθρώπων τις καρδιές, που όταν έρθει κάποτε η βλογημένη στιγμή του ξεσηκωμού, θα φυσήξουν τη θράκα, θα κάνουν να πεταχτούν φλόγες από τα κάρβουνα. Δεν έχουν αυτοί, όπως οι Φαναριώτες και μερικοί προύχοντες, πάρε δώσε με τα γκουβέρνα της Ευρώπης, δεν περιμένουν νά 'ρθουν μια μέρα οι ξένοι στη λευτερωμένη Ελλάδα για να τους δώσουν αξιώματα, να τους καρφώσουνε στο στήθος λιλιά και παράσημα, να τους βάλουνε αλευρωμένες περούκες στα κεφάλια. Αυτούς ένα μαράζι τούς τρώει: πώς να κρατήσουν ζωντανή τη μνήμη του σκλαβωμένου λαού, να μην αφήσουν το ραγιά να λησμονήσει τη γλώσσα του, ν' αλλαξοπιστήσουν τα παιδιά του.

Ο καπετάνιος νιώθει μια παράξενη ηρεμία.

Όλα όσα έγιναν σ' αυτή την πόλη από τα πρώτα χρόνια της ζωής της ως τα σήμερα του φαίνονται λογικά κι αναπόφευκτα. Αυτή η χιλιόχρονη περιπέτεια, αυτή η απίστευτη εποποιία δεν μπορούσε να τελειώσει αλλιώτικα: το Παλιόκαστρο όρισε τη μοίρα του τη μέρα που οι άνθρωποί του πήραν πέτρες κι ογκολίθια κι άρχισαν να υψώνουν γύρω από την πόλη μπεντένια, από τη στιγμή που αποφάσισαν να ζήσουν φτωχοί μα λεύτεροι σ' αυτή την ερημιά, μέρα και νύχτα με τ' άρματα στα χέρια.

Η αυλή του σχολείου είναι γεμάτη γενίτσαρους.

Ο Κώστα Μπέκας επιθεωρεί το τουφέκι του, βεβαιώνεται ότι τα δυο κουμπούρια που 'χει στο σελάχι είναι γεμάτα, ύστερα ξεθηκαρώνει το γιαταγάνι και τ' ακουμπάει στον τοίχο, δίπλα του.

Ξαφνικά, από την άλλη άκρη του κάμπου, ακούγεται η καμπάνα του Προφήτη Ηλία.

289

Κοιτάζοντας από την τουφεκότρυπα, ο καπετάνιος βλέπει τον ήλιο που ετοιμάζεται να τραβήξει κατά το γέρμα. Σε λίγο θα κοντοσταθεί πάνω από το μοναστήρι και θα το τυλίξει μ' ένα καταπόρφυρο φως, θα 'ναι σαν να 'χει πάρει φωτιά ολάκερη η κορφή του βουνού, σαν να 'χουνε πυρώσει από κάποια υπόγεια θράκα οι βράχοι του. Ρίχνοντας τότε μια ύστερη ματιά κατά το ερειπωμένο Παλιόκαστρο, οι καλογέροι θ' αποτραβηχτούν από τα τείχη κι από των κελιών τα παράθυρα, θα κάνουν το σταυρό τους και με τα μάτια τους γεμάτα δάκρυα θα κινήσουν για την εκκλησία, ο γερο-ηγούμενος θα βάλει Εσπερινό, θ' αρχίσουν οι προσευχές και τα ψαλσίματα. Την ίδια σχεδόν στιγμή οι χοτζάδες, που θα 'χουν μαζευτεί στην Παλιά Βίγλα, θα σηκώσουνε τα χέρια κατά τον ουρανό και θα ευχαριστήσουν τον Αλλάχ που χάρισε ετούτη τη μεγάλη νίκη στον Σελήμ πασά, ύστερα τ' ασκέρι θα το ρίξει στο γλέντι, όλη τη νύχτα θ' αντηχούνε νταούλια, σάζια, τραγούδια.

— Ήρθε η ώρα σου, καπετάν Μπέκα! φωνάζει κάποιος.

Η ώρα του... Ένα βόλι κατακούτελα ή μια χαντζαριά, ένα χτύπημα πιο δυνατό, πιο αποτελεσματικό απ' όλα τ' άλλα... Αυτή τη φορά δε θα τον γλιτώσει κείνο το τετράδιο που 'χε τις προάλλες στον κόρφο, οι λίγες λέξεις που πρόλαβε να του μάθει ο Φώτης δε θα του προσφέρουν καμιά βοήθεια. Αλλά αν ήξερε κι άλλες, πολλές, τι θ' άλλαζε; Όσα του 'μαθε η ίδια η ζωή σ' αυτό τον τόπο δε γράφονται με τίποτα, δεν μπαίνουν σε τετράδια και κιτάπια. Υπάρχει μελάνι που να 'ναι καμωμένο από αίμα και δάκρυα; Βρίσκεται στον κόσμο χαρτί που να χωράει τα βάσανα που μυρμηγκιάζουν στου ανθρώπου την καρδιά;

Έξω στην αυλή πέφτει μια τουφεκιά. Τα παλικάρια του Κώστα Μπέκα δεν απαντάνε, κάνουν οικονομία στα βόλια.

«Ποιος ξέρει», λέει μέσα του ο καπετάνιος, «αν θα βρεθεί ποτέ κανείς να διηγηθεί την ιστορία μας, να μιλήσει για όσα είδανε τα μάτια μας επί αιώνες κι αιώνες, για την αρχή και για το τέλος της πολιτείας μας... Ίσως, ύστερα από χρόνια και χρόνια, κάποιος από κείνους τους γυρολόγους τραγουδιστές που οργώνουν την Ελλάδα πλέξει και για μας κάνα τραγούδι, μπορεί να ξανακουστεί τ' όνομά μας, να μην πάει στράφι η θυσία μας. Ας έχει την ευχή μου κι ας τον φωτίσει ο Θεός νά 'ρθει και να περπατήσει στα χώματά μας, να ρωτήσει για μας τις χορταριασμένες πέτρες και τα ερείπια που θα βρει, να κουβεντιάσει με τα όρνια και τ' αγρίμια, να στήσει αυτί και ν' ακούσει τα όσα θα του πούνε με το λάλημά τους τα πουλιά. Και δεν πειράζει που οι άνθρωποι δύσκολα πιστεύουνε τα όσα τους λένε και τους γουδοκοπανούν οι ποιητάρηδες, οι μουσικάντες κι οι θεατρίνοι, που παίρνουν τα λόγια τους για φαντασίες, για ψέματα, για παραμύθια. Μπορεί να μην πιστεύουνε, αλλά παρηγοριούνται, κάνουν υπομονή, αντέχουνε. Σάμπως το ίδιο δεν κάναμε κι εμείς ως τα τώρα; Δεν τα βγάλαμε πέρα μέχρι τούτη τη στιγμή με θρύλους και με τραγούδια; Άλλο βιος δεν αποχτήσαμε σ' αυτή την ερημιά, δεν έχουμε ν' αφήσουμε πίσω μας άλλη περιουσία».

Από την αυλή ακούγονται φωνές, ποδοβολητά.

— Φωτιά, παλικάρια! φωνάζει ο καπετάνιος.

Πού να συγκρατήσει τους Τούρκους μια μπαταριά, πώς να τρομάξουν τους μανιασμένους γενίτσαρους πέντ' έξι κουφάρια... Ώσπου να ξαναγεμίσουν οι Παλιοκαστρίτες τα τουφέκια, ο Ομάρ με τους άντρες του χιμάνε κατά την πόρτα, πέφτουν πάνω της σαν αγκρισμένα κριάρια, παίρνουν σβάρνα τα θρανία, η τάξη γεμίζει Τουρκιά.

Ταμπουρωμένος πίσω από 'να σεντούκι με του Φώτη τα βιβλία, ο Κώστα Μπέκας αδειάζει πρώτα τη μια κουμπούρα στο στήθος ενός γενίτσαρου που του ρίχνεται με το χαντζάρι και με την άλλη δίνει φωτιά σε δυο μπαρουτοβάρελα.

Ψ

Ο ΔΗΜΟΣ ΕΧΕΙ ΓΙΝΕΙ ΕΝΑ ΜΕ Τ' ΑΛΟΓΟ ΤΟΥ, ΕΙΝΑΙ ΚΟΛλημένος σαν την αβδέλλα στη ράχη του, η μαύρη χαίτη του ζώου χαϊδεύει το πρόσωπό του. Πού και πού ο ταχυδρόμος του Παλιόκαστρου απλώνει τα χέρι για να βεβαιωθεί ότι το ταγάρι που του 'δωσε ο Νταλαπίκολας είναι πάντα γερά δεμένο στη σέλα, ύστερα αγγίζει τη γεμάτη κουμπούρα που 'χει στο σελάχι, πασπατεύει το πέτσινο σακούλι με το μπαρούτι και τα βόλια. Για την ώρα δεν υπάρχει φόβος για κακά συναπαντήματα, το μέρος είναι ανοιχτό, άδεντρο, ο δρόμος δεν έχει απότομες στροφές, δεν κατεβαίνει σε χαράδρες και ρέματα, δεν κλείνεται δεξιά και ζερβά από βράχια.

Αν όλα πάνε καλά, θα φτάσει στο Παλιόκαστρο τ' απόβραδο. Όλη την προηγούμενη νύχτα την πέρασε στην πλώρη του καϊκιού που τον έφερνε από την Κέρκυρα, κουκουλωμένος με μια πατατούκα, με το ταγάρι δίπλα του, με τα μάτια ορθάνοιχτα. Πού να του κόλλαγε ύπνος... Κάθε τόσο έβγαζε το κεφάλι και πάσχιζε να ξεδιακρίνει κάτι μέσα στ' αφέγγαρο σκοτάδι που σκέπαζε τη θάλασσα — πάσχιζε αλλά δεν έβλεπε τίποτα. Οι δυο Κερκυραίοι που κουμάντερναν το καΐκι του 'λεγαν να μην ανησυχεί, ήταν ακόμα μακριά η στεριά: θα την αγνάντευε πέρα στον ορίζοντα μονάχα όταν θα ρόδιζε η αυγή, όταν θ' άκουγε να κρώζουν τα πρώτα θαλασσοπούλια.

Έχει κάνει κάμποσες φορές αυτή τη διαδρομή, μα δεν την έχει συνηθίσει, δεν τ' αρέσει να μην πατάει σε χώματα, να κοιτάζει γύρω του και να μη βλέπει δέντρα, χωράφια, λαγκάδια, να μην ακούει τα κουδούνια των κοπαδιών στα βουνά. Η ερημιά κι η απεραντοσύνη της θάλασσας του αναστατώνουν την ψυχή, τον πιάνει βαθιά αγωνία. Κάθε φορά που διασχίζει το Ιόνιο, αναρωτιέται πώς μπορούν οι ναυτικοί να βρίσκουν το δρόμο τους, πώς ταξιδεύουν μέρες, βδομάδες και μήνες χωρίς να βλέπουν, έστω κι από αλάργα, γνώριμα πράγματα, σπίτια, χάνια, σταυροδρόμια. Κάποτε ο καπετάνιος μιας σκούνας που τον έφερνε από τη Ζάκυνθο του 'δειξε έναν μπούσουλα. Ο Δήμος κοίταξε με περιέργεια κείνη τη βελόνα που σιγότρεμε μέσα στο στρογγυλό κουτί της και που όσο κι αν την έκανες να στρίψει μια από δω και μια από κει, εκείνη ξαναγύριζε πάντα στην πρότερη θέση της. «Δείχνει συνέχεια το βοριά», του εξήγησε ο καπετάνιος.

Έχει κι ο Δήμος στην καρδιά του έναν μπούσουλα.

Είναι ο καπετάνιος του, ο Κώστα Μπέκας. Ο αγγελιοφόρος του Παλιόκαστρου δεν έχει παρά να κλείσει ένα και μόνο δευτερόλεπτο τα μάτια για να τον αντικρίσει με το βλέμμα της μνήμης του, να θαυμάσει ακόμα μια φορά το ψηλό και λεβέντικο ανάριμμά του έτσι που στέκεται στην Παλιά Βίγλα, τη χιονάτη του φουστανέλα, το κατακόκκινο φέσι του. Ο Κώστα Μπέκας περιμένει πάντα ανυπόμονα το γυρισμό του Δήμου, δεν ησυχάζει, δεν αφήνει το πόστο του, του φέρνουνε φαΐ και τρώει εκεί που βρίσκεται, το βράδυ απλώνει κατάχαμα μια ψάθα ή μια κουρελού και λαγοκοιμάται.

Ο Δήμος δεν του φέρνει καλά μαντάτα σήμερα.

Ο Νταλαπίκολας του 'πε ότι δεν ήρθε η βοήθεια από τη Γαλλία, πως το καράβι που 'ναι φορτωμένο πολεμοφόδια δε φάνηκε ακόμα στα νερά της Κέρκυρας. Κατά τη γνώμη του αρχοντοτραπεζίτη, θα το βρήκε καμιά φουρτούνα κι αναγκάστηκε ν' αλλάξει ρότα, ίσως να 'πεσε πάνω σε πειρατές ή να το σταματήσαν πουθενά για νηοψία τίποτα εγγλέζικα μπρίκια. Πάντως, όταν θα 'φτανε με το καλό, ο Νταλαπίκολας θα 'κανε τ' αδύνατα δυνατά για να στείλει τα εφόδια όσο μπορούσε πιο γρήγορα, είχε κιόλας συνεννοηθεί με κάτι κλέφτικα σώματα που τροφοδοτούσε να περιμένουν στο γνωστό λιμανάκι με μουλάρια.

Ο Δήμος δεν έφυγε μ' άδεια χέρια από την Κέρκυρα.

Ο Νταλαπίκολας του 'βαλε σ' ένα ταγάρι κάτι γράμματα που 'στελναν στον Κώστα Μπέκα οι φίλοι του από τη Γαλλία, του 'δωσε και μερικά τυπωμένα φυλλάδια. Του 'πε να 'χει το νου του, γιατί δεν έπρεπε να παραπέσουν, να βρεθούν σ' άλλα χέρια. Ήταν, εξήγησε, επικίνδυνα χαρτιά, που 'χαν στείλει κι εξακολουθούσαν να στέλνουν κόσμο και κοσμάκη στα μπουντρούμια σ' όλη την Ευρώπη, στην Ιταλία, στην Αυστρία, στη Ρωσία και σ' όλα τα Βαλκάνια.

— Κι αυτό τι είναι; ρώτησε ο Δήμος δείχνοντας ένα ρολό που 'μοιαζε με το κανοκιάλι του Κώστα Μπέκα.

— Τ' ανθρώπινα δικαιώματα, αποκρίθηκε ο Νταλαπίκολας.

Δε φανταζόταν ο Δήμος ότι αυτά τα πράγματα υπάρχουνε γραμμένα σε βιβλία και πως ταξιδεύουν με καράβια, με άμαξες και μ' άλογα, παραχωμένα μέσα σε σεντούκια, μέσα σε τσουβάλια γεμάτα στάρι, αλεύρι ή όσπρια. Δεν πίστευε τ' αυτιά του ακούγοντας τον Νταλαπίκολα να του εξηγεί ότι στα περισσότερα κράτη της Ευρώπης βασίλευαν η τυραννία κι ο φόβος, όπως και στο ντοβλέτι του σουλτάνου, πως στη Ρωσία οι σκλάβοι πουλιούνταν κι αγοράζονταν στα παζάρια λες κι ήταν βόδια, γουρούνια ή κοτόπουλα.

Μετά την επανάσταση που 'γινε στη Γαλλία, είπε ο τραπεζίτης, η κατάσταση στις άλλες χώρες χειροτέρεψε, οι κυβερνήσεις κι οι βασιλιάδες έσφιγγαν όλο και πιο πολύ τα γκέμια, γιατί φοβούνταν μπας και γίνουνε κι αλλού ξεσηκωμοί. Για να πας από το ένα μέρος στ' άλλο, χρειαζόντουσαν άδειες και πασαπόρτια, η αστυνομία έμπαινε για ψύλλου πήδημα στα σπίτια, σ' όλες τις πόλεις οι φυλακές ήταν γεμάτες, χιλιάδες πατριώτες βασανίζονταν απάνθρωπα. Ένα σωρό πράκτορες και αστυνομικοί με πολιτικά επιτηρούσαν αυτούς που υποπτεύονταν πως είχαν σχέσεις μ' επαναστάτες, παρακολουθούσαν εμπόρους που ταξίδευαν συχνά για τις δουλειές τους, μουσικούς και θεατρίνους που περιόδευαν από χώρα σε χώρα, έκαναν αναφορές.

Ο Δήμος πασπατεύει το ταγάρι που κρέμεται από τη σέλα.

Τι να τα κάνει το Παλιόκαστρο όλα τούτα τα παλιόχαρτα στην κατάσταση που βρίσκεται, αναρωτιέται, τι σόι βοήθεια θα του προσφέρουν οι επιστολές που στέλνουν οι φιλέλληνες της Γαλλίας στον Κώστα Μπέκα; Καλά λέει ο δάσκαλος ότι οι Ευρωπαίοι είναι μάνες στα λόγια, μεγάλοι μαστόροι στην παπαρδέλα, άφταστοι στην ψευτιά και στην υποκρισία. Από μηνύματα, συμβουλές κι υποσχέσεις όσες θέλεις, χαρτιά και βιβλία με τη σέσουλα. Πού 'ναι όμως τ' άρματα, τα μπαρούτια, τα βόλια;

Τ' άλογο ένιωσε πρώτο τη συμφορά.

Λες και το 'χε πιάσει ξαφνική θέρμη, μια τρεμούλα διάτρεξε το κορμί του, ο καλπασμός του σιγάνεψε. Του κάκου ο Δήμος το πήρε με το καλό μα και με τ' άγριο: το ότι έτρεξε ακόμα λίγο για να του κάνει το χατίρι, μα ύστερα σταμάτησε και βάλθηκε να χλιμιντρίζει απανωτά, ανήσυχα, να στρέφει το κεφάλι σαν να 'θελε να πει κάτι στον καβαλάρη του.

Ο Δήμος κατάλαβε, πέζεψε.

Τότε μονάχα είδε πέρα μακριά, πίσω από το τελευταίο βουνό που 'κρυβε το Παλιόκαστρο, ένα μαύρο καπνό ν' ανεβαίνει αργά κατά τον ουρανό, να σμίγει με τα σύννεφα που κείνη τη στιγμή ήταν χρυσομαργελωμένα από τον ήλιο που πήγαινε να γείρει, να βασιλέψει, να χαθεί. Μέσα στης ερημιάς τη σιωπή, που του πλάκωνε την καρδιά σαν αγκούσα, άκουσε ένα σμάρι κοράκια που 'κρωζαν άγρια, τη μεγάλη καμπάνα του Προφήτη Ηλία που σήμαινε πένθιμα.

Πήγε και κάθισε σε μια πέτρα στην άκρη του δρόμου.

Για πρώτη φορά από τότε που ο Κώστα Μπέκας τον όρισε αγγελιοφόρο της πόλης, από τη μέρα π' άρχισε να ξημεροβραδιάζεται στα βουνά, ν' ανεβοκατεβαίνει σε διάσελα, να χώνεται σε βαθιά κι ανήλιαγα φαράγγια, ένιωσε τη μοναξιά να πέφτει πάνω του και να τον τυλίγει σαν ομίχλη, του φάνηκε ότι από τη μια στιγμή στην άλλη βρέθηκε αδελφωμένος μ' όλα κείνα τ' άγρια ζώα που πλανιούνται ολοζώής από δάσος σε δάσος κι από σπηλιά σε σπηλιά, που δεν έχουνε δικό τους μόνιμο λημέρι, που δε φτιάχνουν φωλιά.

Ξαφνικά αισθάνθηκε μια παρουσία κοντά του.

Με το χέρι, καλού κακού, στη λαβή της κουμπούρας, στράφηκε, αλλά δεν είδε παρά το άλογο που 'χε γείρει από πάνω του το κεφάλι και τον κοίταζε με τα μεγάλα μάτια του.

Πόσα τράβηξε κι η αλογίσια φάρα σ' αυτό τον τόπο, πόσο αίμα έχυσε κι αυτή για τη λευτεριά, συλλογίστηκε. Μαζί με τους Παλιοκαστρίτες έμαθαν και τ' άλογά τους ν' αψηφούν τη στέρηση, να ξεχνάνε την πείνα και τη δίψα, να μη βαρυγκομάνε. Μια χεροβολιά άχυρο, δυο τρεις γουλιές νερό κι ένα βιαστικό χάδι του καβαλάρη τούς φτάνουν και τους περισσεύουν για να βγούνε για γιουρούσι στον κάμπο, για να ριχτούνε στον εχθρό.

Ο Δήμος χάιδεψε στοργικά το μουσούδι του ζώου.

— Ποτέ δε μας άφησαν στην ησυχία μας, στέναξε μιλώντας στ' άλογο, εδώ κι αιώνες πολεμάνε να μας βγάλουν από τη μέση. Είχαν δεν είχαν, τα καταφέρανε, ξοφλήσανε με μας. Δεν τ' αρέσει του κόσμου να ζεις στον τόπο σου όπως σου κάνει κέφι, να μη χρωστάς σε κανένα τη λευτεριά σου, να 'σαι αφέντης στο σπίτι σου. Έστω κι αν δεν πειράζεις κανένα, έστω κι αν ζεις ειρηνικά μ' όλους τους γείτονές σου, όλο και κάποιος θα βρεθεί και θά 'ρθει από την άλλη άκρη του κόσμου για να τα βάλει μαζί σου, να σου κάνει πόλεμο, να κατακάψει το χωριό ή την πόλη σου. Κι ας μη σ' έχει ξαναδεί ποτέ του, κι ας μην έχει ακούσει τίποτα για σένα, κι ας μην ξέρει ούτε κατά πού πέφτει η πατρίδα σου. Φτάνει να μάθει κάποτε πως υπάρχεις και πως ζεις αλλιώτικα απ' αυτόν, ότι μιλάς διαφορετική γλώσσα, έχεις άλλη θρησκεία.

Τ' άλογο ρουθούνισε σιγανά.

Πέρα στον ορίζοντα, πάνω από τ' αλωμένο Παλιόκαστρο, ο καπνός όλο κι ανέβαινε. Ο Δήμος σηκώθηκε από την πέτρα, αγκάλιασε το ιδρωμένο κεφάλι του ζώου και βύθισε το πρόσωπο μέσα στην κατασκονισμένη χαίτη του σαν να 'θελε να κρύψει τα δάκρυά του.

Ξαφνικά το άτι πήρε να ξύνει ανυπόμονα τη γη.

—Έχεις δίκιο, είπε ο Δήμος, δεν τελειώσαμε ακόμα τη δουλειά μας. Τι θα 'λεγε ο Κώστα Μπέκας, αν μας έβλεπε από καμιά μεριά να καθόμαστε εδώ στην άκρη του δρόμου και να χάνουμε την ώρα μας...

Μ' ένα σάλτο βρέθηκε πάνω στ' άλογο, έσφιξε τα γκέμια. Το σκοτάδι είχε αρχίσει να πέφτει για τα καλά. Κι όταν ύστερα από λίγη ώρα το άτι ξεμπουκάρισε από μια ρεματιά καλπάζοντας ξέφρενα, στον κάμπο είχε απλωθεί η νύχτα. Αυτή τη φορά, από το παλιοκαστρίτικο βουνό, δεν υποδέχτηκαν τον Δήμο κείνα τα συνθηματικά σφυριχτά που πάταγαν συνήθως τα καραούλια αλλά τούρκικες μουσικές, τραγούδια ανατολίτικα, νταούλια. Ήταν οι ακιντζήδες που γλένταγαν. Πριν φύγει με το υπόλοιπο ασκέρι του, ο Σελήμ πασάς τους είχε αφήσει για να κάψουν, να ισοπεδώσουν, να εξαφανίσουν από το πρόσωπο της γης την παλιά, την πάντα ρέμπελη πολιτεία.

Ο Δήμος σφύριξε σιγανά, απανωτά.

Έβαλε όλη του την τέχνη σ' αυτό το σφύριγμα, όπως και κείνη τη μέρα που τον εξέταζε ο Κώστα Μπέκας πριν του αναθέσει την πρώτη του αποστολή, περίμενε το αποτέλεσμα με την ίδια σχεδόν αγωνία.

Τίποτα. Ψηλά, στο πορταριό του μοναστηριού, γύρω από την ξύλινη πλατωσιά με το μαγκάνι, βασίλευε ησυχία.

Ξαφνικά του φάνηκε ότι μέσα από το σκοτάδι που τύλιγε ολούθε τον Προφήτη Ηλία τον παρακολουθούσανε εκατοντάδες βλέμματα, πως έξεχαν εδώ κι εκεί, πίσω από βράχους και θάμνους, παλιοκαστρίτικα φέσια, τουφέκια, γιαταγάνια. Ο Δήμος έτριψε τα μάτια του, όπως του 'χαν μάθει οι παλιοί αγγελιοφόροι της πόλης, έκανε το σταυρό του για να διώξει τα φαντάσματα και πήρε μια βαθιά ανάσα. Μα γιατί τον κοίταζαν από τον άλλο κόσμο οι Παλιοκαστρίτες, τι περίμεναν απ' αυτόν; Το Παλιόκαστρο δεν υπήρχε πια, δεν είχε ανάγκη από αγγελιοφόρο, από αλληλογραφία. Για λίγο καιρό ακόμα ο Νταλαπίκολας θα εξακολουθούσε να λαβαίνει γράμματα και φυλλάδια από τους Ευρωπαίους φίλους της πόλης, αλλά θα τα θήκιαζε σ' ένα συρτάρι, ίσως και να τα πέταγε σε κείνο το καλάθι που 'χε δίπλα στο γραφείο του, μαζί με άλλα άχρηστα χαρτιά. Αργότερα κάποιος θα βρισκόταν για να γράψει στον Ετιέν ντε Μπρισάκ και να του πει να πάψει να στέλνει μηνύματα, να μη χάνει τον καιρό του με το Παλιόκαστρο, να τ' αναγγείλει πως η πατρίδα του Κώστα Μπέκα είχε χαθεί από τον κόσμο. Όπως έλεγε ο καπετάνιος, θα γίνονταν κι άλλοι ξεσηκωμοί στην Ελλάδα στα χρόνια που 'ρχονταν, η κλεφτουριά στα βουνά θα οργανωνόταν καλύτερα, θ' άρχιζαν σκληροί και δύσκολοι αγώνες με την Τουρκιά. Όρεξη μόνο να 'χαν ο Ετιέν ντε Μπρισάκ κι οι φίλοι του, η δουλειά δε θα τους έλειπε, δε θα 'ξεραν σε ποιον να πρωτοστείλουν βοήθεια.

Ο Δήμος ξανασφύριξε συνθηματικά. Αυτή τη φορά ακούστηκαν πάνω στο πορταριό βήματα.

Ποιος θα θυμόταν πια το παντέρμο το Παλιόκαστρο, στέναξε, όταν θα ξημέρωνε κάποτε η βλοημένη μέρα της λευτεριάς... Ποιος θα ενδιαφερόταν να μάθει με πόσο αίμα και θυσίες συντηρήθηκε η φλόγα της ανεξαρτησίας σ' αυτά τα χώματα, πόσο σκληρά εκδικήθηκε η Τουρκιά... Σε λίγες μέρες οι ακιντζήδες του Σελήμ πασά θα 'χαν κάνει την πόλη ίσωμα, θα 'χαν ξεθεμελιώσει όλα τα σπίτια. Ύστερα θα κουβάλαγαν με κάρα τις πέτρες και τα μπάζα και θα τα πέταγαν στις γύρω ρεματιές, για να μη μείνουν καθόλου αχνάρια, θα μπάζωναν τα πηγάδια με χώματα, θα ξερίζωναν μια τη μια τις πλάκες από τα καλντερίμια. Ύστερα θα 'ρχόταν η σειρά των μπεντενιών, θα 'ταν εύκολη δουλειά, γιατί τα 'χαν κιόλας μισογκρεμίσει τα κανόνια. Θα 'δεναν με παλαμάρια τα ογκολίθια και θα τα τράβαγαν με βόδια κι άλογα, θα τα κατρακυλούσαν στην πλαγιά, θα 'φερναν ύστερα νταμαρτζήδες και πετροκόπους για να τα κομματιάσουν, να τα κάνουν θρύμματα.

Ξαφνικά το μαγκάνι πήρε να τρίζει.

Δεν είχε κρύψει το σκοπό του ο Σελήμ πασάς, συλλογίστηκε ο Δήμος, το 'χε μηνύσει στον Κώστα Μπέκα και στους προεστούς από την πρώτη μέρα της πολιορκίας, τους είχε πει ξεκάθαρα ότι δε θ' άφηνε πέτρα πάνω στην πέτρα, θα ισοπέδωνε την πόλη από τη μια άκρη μέχρι την άλλη, θα την εξαφάνιζε. Και σαν να μην έφτανε αυτή η απειλή, ο σερασκέρης πρόσθεσε κι άλλη, χειρότερη: μετά το πέρασμα των Τούρκων, είπε, τίποτα δε θα θύμιζε πια σ' αυτή τη γη το Παλιόκαστρο και τους ανθρώπους του, οι ακιντζήδες είχαν διαταγή ν' ανασκάψουν ακόμα και το κοιμητήρι που 'ταν κάτω στον κάμπο, να κάνουνε τα κόκαλα σωρό και να τους βάλουν φωτιά, να εξαφανίσουν όλα τα μνημούρια.

Βλέποντας το μαύρο όγκο του κοφινιού που κατέβαινε από ψηλά σιγά σιγά, τ' άλογο του Δήμου χλιμίντρισε ανήσυχα.

— Μη φοβάσαι, το παρηγόρησε ο αφέντης του, δε φεύγω, δε σ' αφήνω μονάχο σου. Τι δουλειά έχουμε μεις με τους καλογέρους; Μπορούμε να ζήσουμε σε κελιά, να μην ξαναδούμε του βουνού την απλωσιά, να μην πηλαλήσουμε λεύτεροι στα διάσελα, στη δημοσιά, να μην ξαναπεράσουμε από τ' αγαπημένα μας μονοπάτια; Είναι πια αργά ν' αλλάξουμε συνήθειες, η δουλειά του αγγελιοφόρου έχει μπει στο αίμα μας, έχουμε γυρίσει ολάκερη την Ελλάδα, έχουμε πάει ακόμα και σε νησιά. Ποιος ξέρει, αλογάκι μου, ίσως μας αξιώσει ο Θεός να κουβαλήσουμε κάποτε το μήνυμα για το Μεγάλο Ξεσηκωμό, ν' αναγγείλουμε πρώτοι εμείς πως έφτασε της λευτεριάς η ώρα.

Ο Δήμος ξεκρέμασε το ταγάρι από τη σέλα, το 'βαλε μέσα στο κοφίνι που 'χε ακουμπήσει στη γη μπροστά στα πόδια του και τράβηξε τρεις φορές το σκοινί για να δώσει στους καλογέρους να καταλάβουνε πως έπρεπε να δουλέψουν το μαγκάνι.

Η αλληλογραφία άρχισε να υψώνεται και ν' ανεβαίνει κατά τον ουρανό ήρεμα, αθόρυβα. Σε μια στιγμή, έτσι που κοίταγε ψηλά, ο Δήμος νόμισε πως ξεδιάκρινε το πρόσωπο του Κώστα Μπέκα ανάμεσα σε κάτι άστρα. Ο καπετάνιος χαμογελούσε φχαριστημένος, αλλά έμοιαζε ανυπόμονος, λες και καρτερούσε να σφίξει το ταγάρι στην αγκαλιά του, ν' αρχίσει όπως πάντα ν' ανοίγει ένα ένα τα γράμματα που προορίζονταν για την αγαπημένη πόλη του.

Ω

Ο ΜΕΛΕΤΙΟΣ ΕΧΕΙ ΑΝΟΙΞΕΙ ΠΟΡΤΕΣ ΚΑΙ ΠΑΡΑΘΥΡΑ ΓΙΑ Ν' αερίσει καλά τη βιβλιοθήκη πριν ανεβεί ο ήλιος κι αρχίσει να τη χτυπάει, τ' αναγνωστήριο είναι συγυρισμένο, πεντακάθαρο. Τα βιβλία είναι ταχτοποιημένα στα ράφια, τα ιερά σκεύη και τα διάφορα κειμήλια του μοναστηριού έχουν ξαναγυρίσει στις προθήκες τους, οι εικόνες ξαναβρήκαν τη θέση τους στα εικονοστάσια και τους τοίχους.

Τίποτα δε θυμίζει το πέρασμα του συνεργείου.

Ο γερο-βιβλιοθηκάριος σουλατσάρει για ν' απολαύσει την τάξη και την απλωσιά που βασιλεύουν στη βιβλιοθήκη, μοιάζει ν' ακούει μ' αληθινή αγαλλίαση τα ίδια του τα βήματα, τους τριγμούς που βγάζουνε τα γερασμένα σανίδια. Σε μια στιγμή, καθώς περνάει κοντά από το μοναδικό του αναγνώστη, κοντοστέκεται και ρίχνει μια ματιά στο βιβλίο που γράφει για το Παλιόκαστρο. Μόλο που η δουλειά καθυστέρησε μ' αυτή την αναστάτωση που προκάλεσε το συνεργείο, οι σελίδες του αυξήθηκαν κάμποσο τον τελευταίο καιρό.

Κάθε φορά που 'βρισκε ευκαιρία, ο Μελέτιος έπαιρνε το χειρόγραφο και το ξεφύλλιζε, διάβαζε, ενημερωνόταν για την εξέλιξη της πολιορκίας, μάθαινε πώς πήγαιναν τα πράγματα στ' απέναντι βουνό. Τη μέρα που 'δε τις Παλιοκαστρίτισσες να βάζουν φωτιά στα μπαρουτοβάρελα και να τινάζονται στον αέρα μαζί με τους Τούρκους που 'χαν κατακλύσει την πλατεία, έμεινε κάμποση ώρα σκυφτός, συλλογισμένος:

«Ο Θεός μόνο μπορεί να κρίνει την πράξη τους, αυτός που έπλασε λεύτερους όλους τους ανθρώπους», στέναξε. «Τι ξέρουμε εμείς σήμερα από λευτεριά για να τις κρίνουμε; Οι Παλιοκαστρίτες δεν μπορούσαν να ζήσουν ούτε μέσα στο μαντρί των Οθωμανών ούτε και με το κοπάδι των Ευρωπαίων. Αυτοί που δεν είχαν προσκυνήσει ποτέ Τούρκους, Σλάβους, Νορμανδούς, Βενετσιάνους και Γενοβέζους θα καταδέχονταν να σκύψουν το κεφάλι μπροστά σε Άγγλους, Γάλλους, Ρώσους κι Αυστριακούς;»

Διαβάζει τους τίτλους μιας εφημερίδας π' άφησε πάνω στο τραπέζι κάποιος από το συνεργείο: στην Αλβανία η κατάσταση όλο και χειροτερεύει, η ανεργία κάνει θραύση, ο κόσμος μπαίνει σε σαπιοκάραβα και φεύγει. Αλλά μόλις οι Αλβανοί ξεμπαρκάρουν απέναντι, οι Ιταλοί μαντρώνουν όσους μπορούν σε στρατόπεδα και τους υπόλοιπους τους ξαναφορτώνουν σε καράβια και τους ξαποστέλνουν.

Ο γερο-βιβλιοθηκάριος χαμογελάει ειρωνικά:

«Σκέφτεσαι τους Παλιοκαστρίτες στη δικιά μας την κοινωνία; Μπορείς να διανοηθείς τον Κώστα Μπέκα να παρακαλάει για βοήθεια στις πρωτεύουσες της Ευρώπης, να φιλάει τα πόδια των ξένων, όπως κάνουμε εμείς σήμερα; Πώς θα ζούσαν αυτοί οι άνθρωποι σ' έναν κόσμο σαν το δικό μας, που δεν ξέρει τι πάει να πει περηφάνια, που δεν έχει αξιοπρέπεια;»

Ο ήλιος ανεβαίνει, το φως του όλο και δυναμώνει.

Ο Μελέτιος κουφώνει τα παράθυρα και τραβάει τις κουρτίνες, για να προστατέψει από την αντηλιά τα βιβλία. Ώσπου να συνηθίσουν τα μάτια στο μισοσκόταδο, μέσα στ' αναγνωστήριο όλα φαίνονται θολά, συγκεχυμένα, ο γερο-βιβλιοθηκάριος μοιάζει με ίσκιο που μετακινείται στον αέρα. Όταν μιλάει, έχει κανείς την εντύπωση ότι μιλάνε οι άγιοι από τα εικονίσματα που 'ναι στους τοίχους, πως έχουν αποχτήσει στόμα και μιλιά τα ντουλάπια με τις περγαμηνές και τα χειρόγραφα:

«Είπα στον ηγούμενο πως όπου να 'ναι τελειώνεις και θα φύγεις. Μην ξεχάσεις να πας να τον δεις, θέλει να σου δώσει την ευχή του. Θα σου χρειαστεί σ' αυτό τον κόσμο που θα ξαναβγείς σε λίγο. Όσο για μένα...»

Με μια αργή κυκλική χειρονομία δείχνει γύρω του τα ράφια:

«Για την ώρα δεν μπορώ να τ' αφήσω όλα αυτά στο έλεος του Θεού. Γερατειά ξεγερατειά, πρέπει να μείνω στη βιβλιοθήκη ώσπου να βρεθεί αντικαταστάτης. Δεν είναι εύκολο... Τα βιβλία είναι σαν τα παιδιά: κείνοι που τ' αγαπάνε είναι πολλοί, αλλά λίγοι ξέρουνε πόσους κόπους και βάσανα θέλουνε».

Καθώς πηγαινοέρχεται, απλώνει πού και πού το χέρι κι αγγίζει απαλά τη ράχη ενός βιβλίου έτσι στην τύχη, δεν παύει να ταχτοποιεί. Σε μια στιγμή κοντοστέκεται και βγάζει από τη δερμάτινη θήκη του ένα έγγραφο τυλιγμένο σε ρολό, το φέρνει κοντά στο πρόσωπό του και, μισοκλείνοντας τα κουρασμένα του μάτια, το εξετάζει προσεχτικά:

«Μερικοί από τους αδελφούς μου λένε ότι κολάζουμαι, πως δεν πρέπει ν' αγαπάμε με πάθος τα επίγεια, τ' άψυχα πράγματα».

Σηκώνει το έγγραφο ψηλά, το κραδαίνει σαν να 'ναι σημαία:

«Μπορεί να είναι άψυχα, αλλά έσωσαν την ψυχή αμέτρητων ανθρώπων ως τα τώρα».

Έτσι που κρατάει τη μισοξετυλιγμένη περγαμηνή στον αέρα, θυμίζει την εικόνα του προφήτη Ηλία που 'ναι στη σπηλιά. Στο κάτω μέρος του έγγραφου ξεδιακρίνονται μια καταπόρφυρη βούλα κι η καλλιγραφημένη υπογραφή ενός Βυζαντινού αυτοκράτορα.

... Ο δάσκαλος μαζεύει κάθε πρωὶ τὰ παιδιὰ στὴ βιβλιοθήκη καὶ τοὺς κάνει μάθημα, δὲν τ' ἀφήνει νὰ τεμπελιάσουνε, κρατάει ἀπὸ τὴ μία τὸ βιβλίο κι ἀπὸ τὴν ἄλλη βέργα ἀπὸ ἀγριλιὰ ....

.... ὕστερα τὰ παίρνει καὶ κατεβαίνουνε στὴ νοτινὴ πλαγιὰ τοῦ βουνοῦ, ἐκεῖ ποὺ δὲν εἶναι καὶ πολὺ ἄγρια τὰ βράχια. Μαζί τους πᾶνε καὶ κάτι ἀδελφοὶ ποὺ 'χαν κάνει στὰ νιάτα τους κλέφτες, τοὺς μαθαίνουν νὰ κρατᾶνε ἄρματα, ὅλα, σερνικὰ καὶ θηλυκά, νὰ φτιάχνουνε ταμπούρια καὶ νὰ πολεμᾶνε.

... τὰ κοντινὰ χωριά. Ἔρχονται κι ἀπὸ κεῖ κάμποσα παιδιά, τὰ φέρνουν συνοδεία τὴ νύχτα καὶ τ' ἀνεβάζουμε μὲ τὸ κοφίνι λίγα λίγα. Ὁ Θεὸς νὰ τὰ φυλάει ἀπὸ κακιὰ ὥρα. Φεύγουνε πρὶν τὰ ξημερώματα. .... κάθουμαι ἀπόψε καὶ τὰ κοιτάζω ποὺ 'ναι μαζεμένα γύρω ἀπὸ τὸ δάσκαλο ὅπως τὰ πρόβατα γύρω ἀπὸ τὸν τσοπάνο, τὸν ἀκοῦνε φρόνιμα ποὺ τοὺς μαθαίνει τὴν ἀλφαβήτα κι ἕνα σωρὸ ἄλλα πράγματα .... τὰ κατεβάζει στὴ σπηλιά, τοὺς δείχνει τὰ παλιὰ βιβλία καὶ τὰ χαρτιά, τοὺς ἐξηγάει τὴν ἑλληνικὴ Ἱστορία .... μᾶς εἶπε νὰ τ' ἀφήσουμε ἐκεῖ ποὺ εἶναι καὶ νὰ μὴν τ' ἀνεβάσουμε, γιατὶ καμιὰ ὥρα μπορεῖ νὰ ξαναφανεῖ ἡ Τουρκιά.

Ποιὸς ξέρει ὣς πότε ἡ Ἑλλάδα θὰ μαθαίνει γράμματα ἀπὸ νύχτα σὲ νύχτα, πόσα χρόνια ἀκόμα θὰ ζήσουμε στὴ σκλαβιά. Μακάρι ν' ἀξιώσει ὁ Θεὸς αὐτὰ τὰ Παλιοκαστρόπουλα νὰ δοῦνε τὴ μέρα τῆς λευτεριᾶς, νὰ γυρίσουνε στὰ χώματά τους καὶ νὰ κάνουν λειτουργιά, νὰ μνημονέψουν τοὺς γονιοὺς τους.

....
.... θὰ τοὺς δώσω καὶ τὸ δικὸ μου λυχνάρι γιὰ νὰ βλέπουν καλύτερα.

Χτὲς τὸ βράδυ μὲ πῆρε ὁ ὕπνος ἐκεῖ ποὺ 'γραφα. Κι ὀνειρεύτηκα. Καλὸ καὶ βλογημένο νὰ 'ναι τ' ὄνειρο ποὺ 'δα, ἕναν ἄγγελο Κυρίου ποὺ κατέβαινε ἀπὸ ψηλά. Τὸ πρόσωπό του ἔλαμπε σὰν ἥλιος, σήκωναν οἱ φτεροῦγες του ἀέρα καὶ γύριζαν τοῦ Τετραβάγγελου τὰ φύλλα. Ἐγὼ ἔπεσα στὰ γόνατα καὶ τὸν προσκύνησα, τὸ κούτελό μου ἄγγιζε τὴ γῆ, δὲν κόταγα νὰ σηκώσω τὸ κεφάλι.

.... κι ἄκουσα τὴ φωνή του ἀπὸ πάνω μου. Κοίταξέ με, μοῦ 'πε. Δὲ μὲ θυμᾶσαι; Δὲ μὲ γνωρίζεις; ...

.... τόσα χρόνια ἀπὸ τότε ποὺ τὸν εἶχα ξαναδεῖ στ' ὄνειρο, ὅταν μᾶς ἐμοίραζε τὶς πύρινες λόγχες γιὰ νὰ πολεμήσουμε μὲ τὸ δράκοντα καὶ ....

.... Τὶ σοῦ 'δωσα ἐσένα, μοῦ λέει, θυμᾶσαι;

Τοῦ 'δειξα τὸ φτερὸ ποὺ 'χα κι ἔγραφα. Καὶ τότε αὐτὸς ἅπλωσε καὶ μοῦ τὸ πῆρε μαλακὰ ἀπὸ τὸ χέρι, τὸ

ξανάβαλε ἐκεῖ ποὺ τὸ 'χε ξεριζώσει, στὴ δεξιὰ του φτερού-
γα.
Κι εἶδα ποὺ σὲ κεῖνο τὸ μέρος εἶχε μιὰ πληγὴ τοσηδού-
λα κι ἔσταζε αἷμα.

Τὸ Τετραβάγγελο του Ἰσίδωρου εἶναι κλειστό.
Ὁ Μελέτιος ἔχει ακουμπήσει την παλάμη του πάνω στο
βιβλίο σαν να φοβᾶται μην ανοίξει μονάχο του, σαν να μη
θέλει να διαβάσει τις τελευταίες λέξεις που 'γραψε στο περι-
θώριο ο μακρινός προκάτοχός του.
«Δεν ξέρω πόσο θα μ' αφήσει ο Θεός να ζήσω».
Κοιτάζει κατά το μέρος όπου βρίσκεται η καταπακτή:
«Αν καμιά ώρα χρειαστεί, μη διστάσεις, έλα να με βρεις.
Ὁπως είδες, η κρύπτη είναι πάντα στη θέση της. Κι αν δεν
υπάρχω πια εγώ, ο ηγούμενος θα 'χει βάλει άλλον στο πόδι
μου».
Μοιάζει ανήσυχος:
«Ὁλα πρέπει να τα περιμένει κανείς από δω και πέρα, τα
βάσανα του κόσμου δεν έχουν τελειωμό. Θυμάσαι τι σου 'πα
μια μέρα; Αν ήτανε να βάλει ο άνθρωπος μυαλό, θα 'χε βά-
λει εδώ και πολύν καιρό μ' όλα τούτα τα βιβλία, με τις Ι-
στορίες, με τις περγαμηνές, με τα συγγράμματα».
Ανοίγει διάπλατη την πόρτα της βιβλιοθήκης κι αφήνει την
πρωινή δροσιά να μπει στ' αναγνωστήριο, ξέρει ότι όπου να
'ναι, ο ήλιος θα φανερώσει τη δύναμή του για τα καλά, πως θ'
αρχίσει η μεσημεριάτικη κάψα.
Με μια σχεδόν αδιόρατη κίνηση του κεφαλιού δείχνει το
χειρόγραφο του βιβλίου για το Παλιόκαστρο:
«Ὁλα τα δοκιμάσαμε για να σωθούμε· όλα, εξόν από τα
παραμύθια».
Σκύβει πάνω από το τραπέζι, μιλάει βιαστικά, χαμηλό-
φωνα:
«Πρέπει να κάνουμε γρήγορα. Πριν κηρυχτούν παράνο-
μα».